Paul Sussman

De Geheime Oase

VAN HOLKEMA & WARENDORF
Unieboek BV, Houten/Antwerpen

Oorspronkelijke titel: *The Hidden Oasis*
Vertaling: Paul Heijman
Omslagontwerp: Boooxs.com
Landkaarten en illustraties: Neil Gower
Opmaak: ZetSpiegel, Best

www.unieboek.nl
ISBN 978 90 475 1120 5 / NUR 330

Oorspronkelijke uitgave: Bantam Press, a division of Transworld Publishers

Ik ben gezegend: ik heb de perfecte oase op aarde gevonden,
een toevluchtsoord, een oord van warmte en grenzeloze vreugde.
Het heet mijn gezin: Alicky, Layla, Ezra en Jude.
Ik draag dit boek aan hen op, uit liefde, voor altijd.

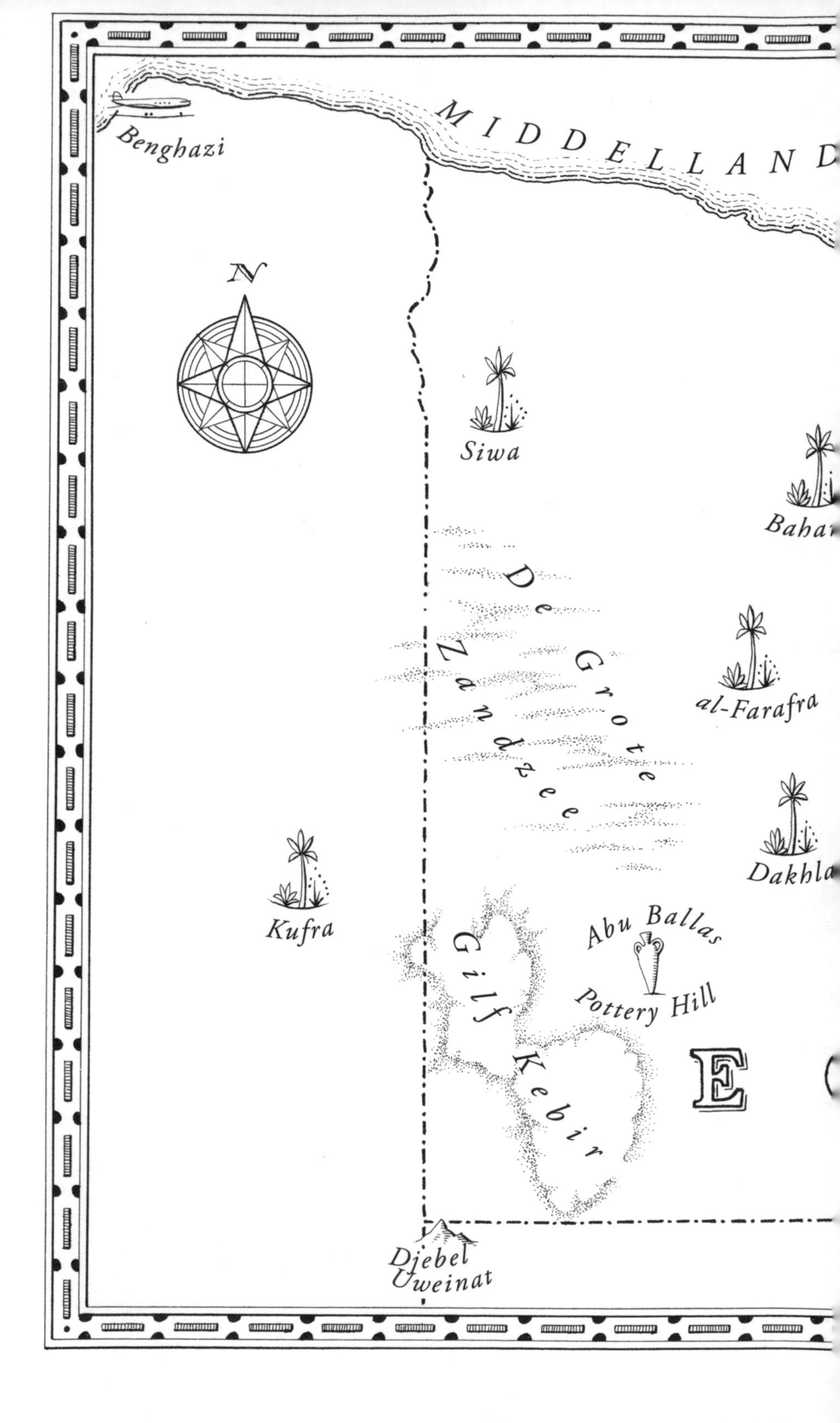

Benghazi
MIDDELLAND
N
Siwa
De Grote Zandzee
al-Farafra
Dakhla
Kufra
Abu Ballas
Pottery Hill
Gilf Kebir
Djebel Uweinat

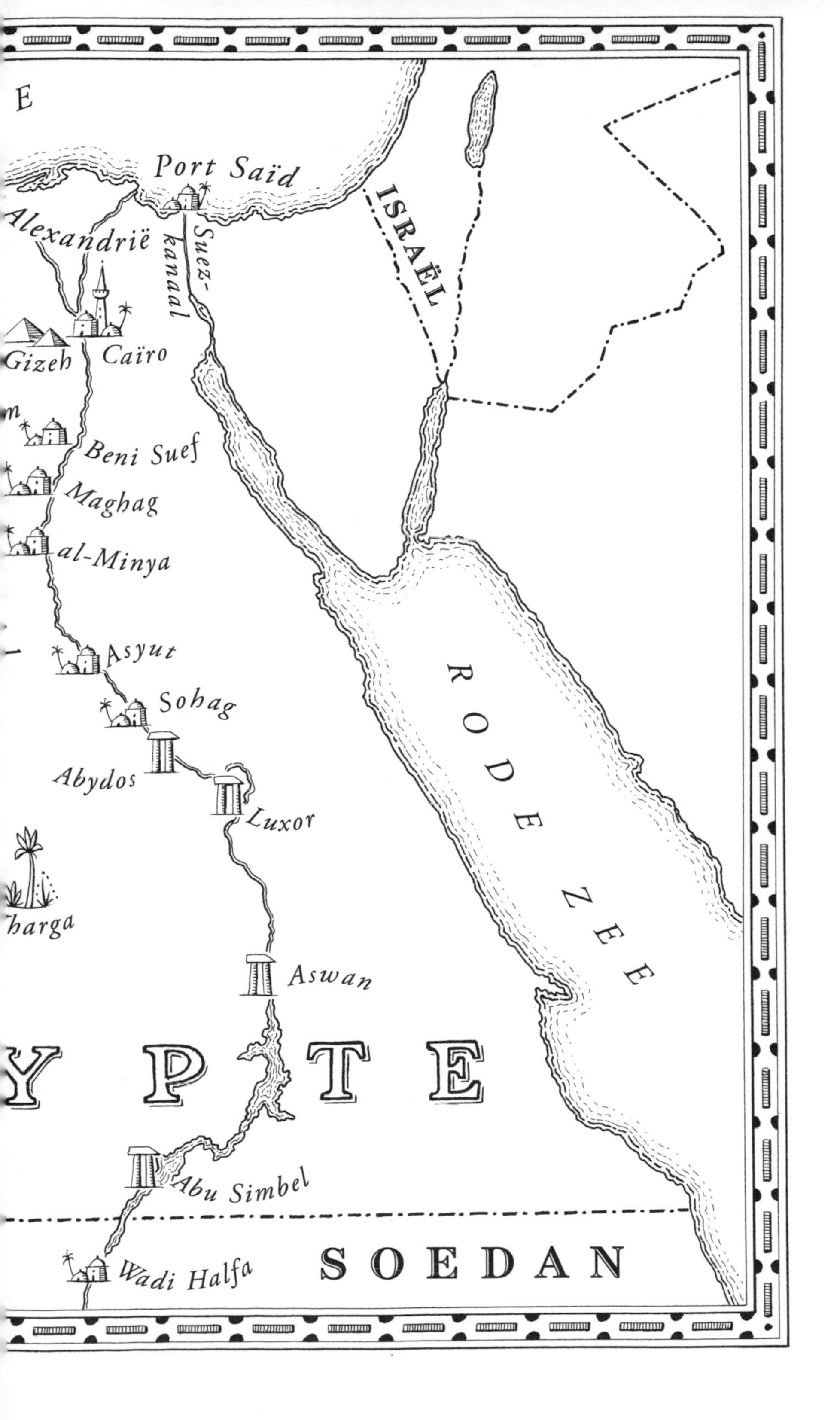
Port Saïd
Alexandrië
Suez-
kanaal
ISRAËL
Gizeh
Caïro
Beni Suef
Maghag
al-Minya
Asyut
Sohag
Abydos
Luxor
RODE ZEE
Aswan
Abu Simbel
Wadi Halfa
SOEDAN

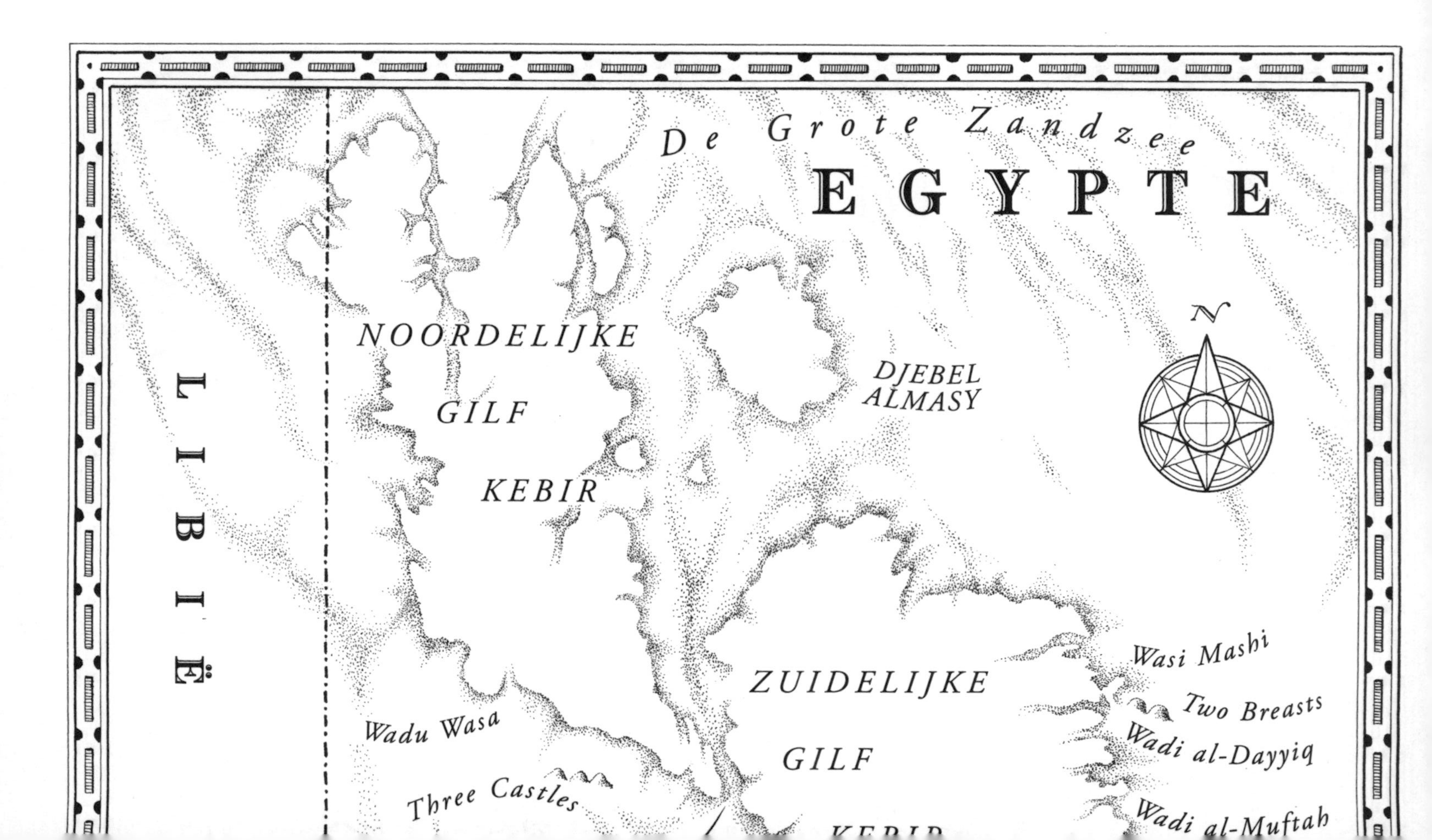

De Grote Zandzee
EGYPTE
N
DJEBEL ALMASY
NOORDELIJKE
GILF
KEBIR
LIBIË
ZUIDELIJKE
GILF
Wasi Mashi
Two Breasts
Wadi al-Dayyiq
Wadi al-Muftah
Wadu Wasa
Three Castles

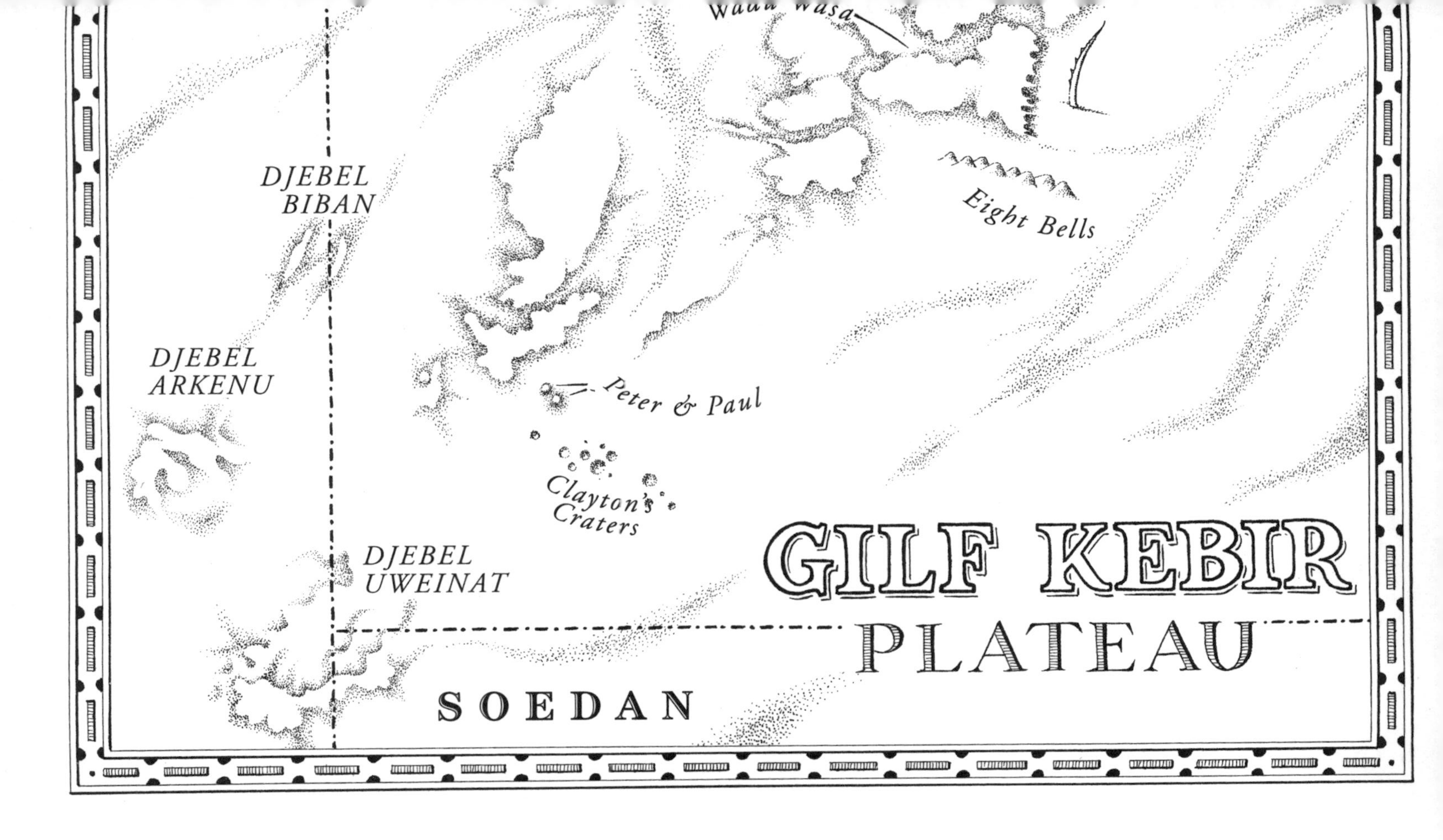
DJEBEL BIBAN
Eight Bells
DJEBEL ARKENU
Peter & Paul
Clayton's Craters
DJEBEL UWEINAT
GILF KEBIR PLATEAU
SOEDAN

2153 voor Christus – Egypte, Westelijke Woestijn

Ze hadden een slager meegenomen naar deze uithoek van de barre *deshret*, en het was een echt slagersmes en geen ceremonieel exemplaar dat hij gebruikte om hun de keel door te snijden.

Met zijn ruw gekapt stuk gele vuursteen, vlijmscherp en zo lang als een onderarm, ging de slager van priester naar priester en drukte het mes vakkundig in de zachte holte tussen hals en sleutelbeen. Met ogen glazig door het brouwsel van *shepen* en *shedeh* dat ze hadden gedronken om de pijn te verminderen, en met op hun kaalgeschoren hoofden de glinsterende druppels gewijd water, zegden ze één voor één hun gebeden voor Ra-Atum, smeekten hem om hen veilig door de Zaal van de Twee Waarheden naar de Gezegende Velden van Iaru te brengen. Waarop de slager hun hoofd achterover trok en met één gedecideerde haal hun keel van oor tot oor doorsneed.

'Moge hij de schone wegen bewandelen, moge hij het hemelse firmament doorschrijden!' hieven de overige priesters in koor aan. 'Moge hij elke dag aanzitten naast Osiris!'

Terwijl het bloed zijn armen en bovenlichaam bespatte, liet de slager elke man op de grond zakken en legde hem languit neer, waarna hij zich naar de volgende priester begaf en de handelingen herhaalde. Terwijl hij onbewogen en met meedogenloze bekwaamheid doorwerkte, werd de rij lichamen langer en langer.

Vanaf een nabije duintop keek Imti-Khentika, Hogepriester van Iunu, Eerste Profeet van Ra-Atum, de Grootste der Zieners, neer op deze georkestreerde slachtpartij. Hij was bedroefd om het verlies van zoveel mannen die voor hem als broeders waren geweest. Maar tevens voldaan, want ze hadden hun taak volbracht en elk van hen had van meet af aan geweten hoe het moest aflopen, zodat er geen gefluisterd woord over wat ze hadden verricht ooit naar buiten zou komen.

Hij merkte hoe achter hem, in het oosten, de eerste zonnewarmte voelbaar werd. Ra-Atum in Zijn rol van Khepri, de brenger van licht en leven in de wereld. Hij keerde zich naar hem toe, wierp zijn kap van luipaardvel naar achteren en spreidde zijn armen onder het uitspreken van de volgende woorden:

O Atum, die tot leven kwam op de berg van de schepping,
In een baaierd van licht als de Benu-vogel in de Benben-schrijn in Iunu!

Hij hief een hand, de vingers gespreid als om de smalle baan van magenta te grijpen die net boven het zand aan de horizon uitkwam. Hij draaide zich om, keek de andere kant op, naar het westen, naar de steil oprijzende kliffen die zich over een afstand van honderd *khet* naar het noorden en het zuiden uitstrekten, als een reusachtig gordijn dat langs de rand van de wereld was gehangen.

Ergens aan de voet van die kliffen, in de dichte wirwar van donkere plekken waar het ochtendlicht nog moest doordringen, was de Goddelijke Toegangspoort: *re-en wesir*, de Mond van Osiris. Vanaf zijn plaats was die niet te zien. En dat gold ook voor een toeschouwer die er pal voor stond, want hij, Imti, had de bezweringen voor het sluiten en verbergen uitgesproken en slechts degenen die wisten hoe je moest kijken, zouden de aanwezigheid van de poort bemerken. Op deze manier had de plaats van hun voorouders, *wehat er-djeru ta*, de oase aan het eind van de wereld, zijn geheimen gedurende een eindeloze reeks jaren kunnen bewaren, en was het bestaan ervan slecht bij een klein select groepje bekend. Niet voor niets werd hij ook *wehat seshtat* genoemd, de Geheime Oase. Hun last was daar veilig. Niemand zou hem vinden. Hij kon daar vreedzaam rusten tot er rustiger tijden aanbraken.

Imti liet zijn blik over de kliffen gaan, knikte als instemmend, en trok toen zijn blik naar zich toe, naar de verwrongen rotspunt die op zo'n acht khet voor de klifwand uit het zand omhoogschoot. Het was een markant geval, zelfs van deze afstand, dat zijn omgeving domineerde: een gekromde toren van zwart gesteente die met een bocht tot een hoogte van bijna twintig *meh-nwst* reikte, als een reusachtige sikkel door het woestijnoppervlak sneed, of, wat toepasselijker was, als de voorpoot van een enorme scarabee die zich door het zand omhoog klauwde.

Hoeveel reizigers, vroeg Imti zich af, zouden langs die steen zijn getrokken zonder te beseffen hoe belangrijk hij was? Weinigen, waarschijnlijk niet één, beantwoordde hij zijn eigen vraag, want dit was het lege land, het dode land, het domein van Seth, waar iemand die zijn leven liefhad zich voor geen goud zou wagen. Alleen zij die de vergeten oorden kenden, kwamen zo ver in deze brandende leegheid. Alleen hier zou hun last werkelijk veilig zijn, ver buiten het bereik van degenen die zijn schrikwekkende kracht zouden misbruiken. Ja, dacht Imti, ondanks de verschrikkingen van de reis was de beslissing om hem naar het westen te brengen juist geweest. Zonder meer juist.

Vier manen geleden was dat besluit genomen door een geheime raad bestaande uit de machtigsten van het land: koningin Neith, prins Merenre, de *tjaty* Userkef, generaal Rehu en hijzelf, Imti-Khentika, Grootste der Zieners.

Alleen de *nisu* zelf, Heer van de Twee Landen Nefer-ka-re Pepi, was er niet bij geweest, noch was hij van het besluit van de raad op de hoogte gesteld. Ooit was Pepi een machtig heerser geweest, de gelijke van Khasekhemwy en Djoser en Khufu. Maar nu, in het drieënnegentigste jaar van zijn regering, driemaal de leeftijd van een gewoon mens, waren zijn macht en gezag afgenomen. Overal in het land brachten nomarchen privélegers bijeen en voerden ze oorlog met elkaar. In het noorden en het zuiden bestookten de Negen Bogen de grenzen. Tijdens drie van de afgelopen vier jaar was de Nijl niet buiten zijn oevers getreden en waren de oogsten mislukt.

Kemet viel uiteen en de verwachting was dat het er alleen nog maar erger op zou worden. Pepi mocht dan wel de Zoon van Ra zijn geweest, maar nu, in deze tijden van crisis, moesten anderen de leiding in handen nemen en in belangrijke regeringszaken voor hem besluiten. En dus had de raad gesproken: voor zijn eigen veiligheid en voor de veiligheid van alle mensen moest de *iner-en sedjet* uit Iunu worden meegenomen en over de zandvlakten naar de veiligheid van de Geheime Oase worden gebracht, de plek waar hij oorspronkelijk vandaan kwam.

En hem, Imti-Khentika, was de verantwoordelijkheid te beurt gevallen die expeditie te leiden.

'Breng hem naar de overzijde van de kronkelende rivier, voer hem naar de oostkant van de hemel!'

Van beneden rees opnieuw gebed op nu er weer een keel werd doorgesneden, weer een lichaam op de grond werd gelegd. Er lagen er nu vijftien, de helft van hun gezelschap.

'O Ra, laat hem tot u komen!' viel Imti het koor bij. 'Voer hem over de heilige wegen, laat hem voor eeuwig leven!'

Hij keek toe hoe de slager zich naar de volgende in de rij begaf. De lucht was gevuld met het vochtige fluiten van doorgesneden luchtpijpen. Op het moment dat het mes weer sneed, wendde Imti zijn blik af naar de woestijn, riep hij de nachtmerrie van de tocht die ze achter zich hadden op.

Ze waren met tachtig man op weg gegaan, aan het begin van het *peret-*

seizoen als de hitte nog niet zo erg was. Met hun last gewikkeld in beschermende linnen windsels en vastgebonden op een houten slee waren ze naar het zuiden afgereisd, eerst per schip naar Zawty, daarna over land naar de Kenemoase. Daar hadden ze een week rust genomen alvorens te beginnen aan het laatste, meest vreesaanjagende deel van opdracht: vijftig *iteru* over het brandende, ongebaande woeste land van deshret naar de hoge kliffen en de verborgen oase.

Zeven lange weken had dit laatste stuk hun gekost, het ergste dat Imti ooit had meegemaakt, erger dan zijn grootste nachtmerries. Nog niet eens halfweg waren hun pak-ossen allemaal dood en hadden ze het zware werk zelf moeten doen, telkens twintig man als vee onder het juk, met schouders die bloedden van het trektouw van de slee, en voeten die geschroeid werden door het brandende zand. Ze vorderden elke dag minder, gehinderd door bergachtige duinen en verblindende zandstormen, en vooral door de hitte, die hen zelfs in dat koele jaargetijde van zonsopgang tot zonsondergang roosterde alsof de lucht zelf in brand stond.

Dorst, ziekte en uitputting hadden hun aantal onverbiddelijk gereduceerd, en toen ze helemaal geen water meer hadden en er geen enkel teken was dat ze hun plaats van bestemming naderden, had hij gevreesd dat hun missie tot mislukken gedoemd was. Toch zwoegden ze door, zwijgend, onverzettelijk, elk opgaand in zijn eigen folterwereld, tot op de veertigste dag na hun vertrek uit Kenem de goden hun volharding hadden beloond met de aanblik waar ze zo lang om hadden gebeden: een wazige rode streep aan de horizon die de rij grote kliffen en het einde van hun tocht aangaf.

Maar ook toen nog duurde het drie dagen voor ze de Mond van Osiris bereikten en door de kloof vol bomen de oase betraden. Op dat moment telde hun gezelschap nog maar dertig man. Ze hadden hun last toevertrouwd aan de tempel in het hart van de oase en een bad genomen in de heilige bronnen. Vroeg in de morgen van deze dag hadden ze de spreuken voor het sluiten en verbergen uitgesproken, de Twee Vervloekingen opgelegd en daarna waren ze gezamenlijk teruggegaan naar de woestijn en was het doorsnijden van de kelen begonnen.

Een paar harde klappen haalden Imti uit zijn dromerijen. De slager, een stomme man, sloeg met het handvat van zijn mes op een steen om Imti's aandacht te trekken.

Er lagen achtentwintig lichamen naast hem in het zand zodat zij als de enige twee levenden over waren. Dit was het einde.

'*Dua-i-nak netjer seni-i*,' zei Imti terwijl hij van het duin omlaag kwam en een hand op de bloeddoordrenkte schouder van de slager legde. 'Dank u, broeder.'

Een korte stilte en daarna: 'Wilt u een beker shepen?'

De slager schudde het hoofd en gaf hem zijn mes, tikte met twee vingers tegen zijn hals om aan te geven waar Imti moest snijden, waarna hij zich omdraaide en voor Imti in het zand knielde. Het mes was zwaarder dan Imti had gedacht, niet zo gemakkelijk te hanteren, en het vergde al zijn krachten om het op te tillen en er de keel van de slager mee door te snijden. Hij sneed zo diep hij kon zodat er een fontein van schuimend bloed met een boog in het zand terechtkwam.

'O Ra, open de poorten van het firmament voor hem,' zei hij naar adem happend, en hij liet het lichaam onhandig op de grond zakken. 'Laat hem tot U komen en voor altijd leven.'

Hij schikte de armen van de slager langs zijn zij, kuste hem op het voorhoofd en zwoegde terug naar de duintop, waarbij hij bijna tot zijn knieën in het zand zakte, nog altijd met het mes in zijn hand.

De zon was net nog niet helemaal opgekomen, alleen de onderkant van de schijf was nog een beetje plat tegen de streep van de horizon, en zelfs op dit vroege uur was de hitte al zo groot dat de lucht trilde en zinderde. Imti bezag het met toegeknepen ogen, alsof hij berekende hoe lang het zou duren voor de zon helemaal zou opkomen, en wendde zich toen naar het westen, naar de rotsspits een eind verderop en het donkere klifmassief erachter. Er ging een minuut voorbij, twee, drie en opeens hief hij zijn armen ten hemel en riep uit:

O Khepri, o Khepri,
Ra-Atum bij dageraad,
Uw oog ziet alles!
Bewaak de iner-en sedjet,
Druk hem aan uw hart!
Mogen boosdoeners worden vermalen in de kaken van Sobek
En verzwolgen in de buik van de slang Apep,
En laat hem rusten in vrede en stilte,
Achter re-en wesir, in de wehat sehstat!

Daarna wendde hij zich nogmaals tot de zon, wierp het luipaardvel weer over zijn hoofd en opnieuw worstelend met het gewicht, trok hij het mes over zijn beide polsen, tot op het bot.

Hij was een oude man – ruim zestig jaar – en zijn krachten vloeiden snel weg, zijn ogen werden dof, zijn geest vertroebelde in een verwarde opeenvolging van beelden. Hij zag het meisje met de groene ogen uit het dorp van zijn jeugd (o, wat had hij veel van haar gehouden!), zijn oude rieten stoel boven op de Toren van Seshat in Iunu, waar hij 's avonds zat te kijken naar de bewegingen van de sterren, de graftombe die hij in de Necropolis van de Zieners voor zichzelf had laten maken en die nu nooit meer zijn lichaam zou bevatten, hoewel zijn levensverhaal er in elk geval wel was achtergelaten zodat zijn naam tot in eeuwigheid zou voortleven.

Om en om tuimelden de beelden, schoven in en uit elkaar, vervloeiden en gingen in elkaar over en werden hoe langer hoe fragmentarischer tot ze uiteindelijk helemaal vervaagden en er alleen nog de woestijn, de hemel, de zon en, ergens dichtbij, een zacht gefladder van vleugels over waren.

Eerst dacht hij dat het een gier moest zijn die zijn lichaam kwam verorberen, maar het geluid was te lieflijk voor zo'n groot beest. Hij keek wazig om zich heen en zag tot zijn verbazing dat er op de duintop naast hem een klein vogeltje met een gele borst zat, een kwikstaart, met zijn kopje scheef. Wat het hier deed in de leegte van de woestijn was hem een raadsel, maar zo zwak als hij was glimlachte hij, want was het niet in de kwikstaart dat de grote Benu zich had gemanifesteerd, in de ochtendschemer van de schepping zingend vanaf zijn hoge zitplaats op de machtige Benben-steen? Hier was nu uiteindelijk de bevestiging dat hun missie gezegend was.

'Moge hij de schone wegen bewandelen,' mompelde hij. 'Moge hij de...'

Hij slaagde er niet in de zin af te maken want zijn benen begaven het zodat hij voorover in het zand viel, dood. De kwikstaart maakte een paar hupjes en fladderde toen op zijn schouder. Hij hief zijn kopje naar de zon en begon te fluiten.

November 1986 – landingsbaan Kukesi, noordoost-Albanië

De Russen waren later dan afgesproken wat betekende dat de korte periode met goed weer voorbij was. Over het Sar-gebergte stroomde nu een dik wolkendek naar het oosten dat de namiddaghemel verduisterde. Toen de limousine eindelijk bij de poort van het vliegveld stopte, zweefden de eerste sneeuwvlokken naar beneden en tijdens de twee minuten die het de auto kostte om naar de wachtende Antonov AN-24 te jakkeren en naast de trap bij de staart van het toestel te stoppen, hadden de vlokken zich laten opjagen tot rondkolkende sneeuwvlagen die de grond wit bestoven.

'Verfluchte Scheisse!' mopperde Reiter. Hij nam een haal van zijn sigaret en tuurde door het raampje van de cockpit naar de heviger wordende sneeuwstorm. '*Schwanzlutschende* Russen.'

Achter hem ging de deur van de cockpit open zodat er een lange, donkergetinte man in een duur pak zichtbaar werd. Hij had glad achterovergekamd geolied haar en hij rook sterk naar aftershave.

'Daar zijn ze,' zei hij in het Engels. 'Start de motoren.'

De deur ging weer dicht. Reiter nam nog een trek van zijn sigaret en begon schakelaars om te zetten. Zijn dikke, nicotinebruine vingers bewogen zich verrassend handig over de instrumentenpanelen voor en boven hem.

'Schwanzlutschende Ägypter,' blies hij.

Zijn copiloot, rechts van hem, grinnikte. Hij was jonger dan Reiter, blond, en knap, ondanks een groot litteken op zijn kin dat evenwijdig aan zijn onderlip liep.

'Je bent het zonnetje in huis, Kurt, het toppunt van welwillendheid,' zei hij terwijl hij zich op zijn stoel omdraaide en uit het zijraampje van de cockpit keek. 'Hoe kan één man zo vervuld zijn van liefde, vraag ik me af.'

Reiter gromde maar zei niets. Achter hem bladerde hun navigator door zijn vluchtkaarten.

'Denk je dat we in dit weer kunnen vliegen?' vroeg hij. 'Het ziet er behoorlijk slecht uit.'

Reiter haalde zijn schouders op en liet zijn vingers over de instrumentenpanelen dansen.

'Ligt eraan hoe lang Omar Sharif daar zijn tijd gaat verdoen. Over een kwartier ligt de hele startbaan onder.'

'En dan?'

'Dan brengen we de nacht door in dit godvergeten gat. Dus laten we hopen dat Omar er vaart achter zet.'

Hij drukte met een vlezige vinger op de startknop. Sputterend en jankend kwamen de twee Ivchenko-turboprops tot leven zodat de propellers door de sneeuwjacht sneden en de romp aan alle kanten rammelde.

'De tijd, Rudi?'

De copiloot keek op zijn horloge, een stalen Rolex Explorer die zijn beste tijd had gehad. 'Tegen vijven.'

'Ze krijgen de tijd tot tien over en dan zet ik de motoren weer uit,' zei Reiter terwijl hij zich opzij boog en zijn sigaret in een asbakje op de vloer schroefde. 'Tien over en geen minuut langer.'

De copiloot draaide zich nog verder om en wrong zijn nek in allerlei bochten om te zien hoe de man in het nette pak de trap afliep met een zware leren weekendtas in zijn hand. Hij werd gevolgd door een andere man die zich dik had ingepakt in een jas en een sjaal. Het achterportier van de limousine zwaaide open en de man in het pak verdween naar binnen; zijn maat bleef onder aan de trap wachten.

'Wat voor handel is het deze keer, Kurt?' vroeg de copiloot terwijl hij nog steeds naar buiten keek. 'Drugs? Wapens?'

Reiter stak een sigaret op en liet zijn hoofd rollen zodat de wervels knakten. 'Weet ik niet en interesseert me niet. We pikken Omar in München op, vliegen hem hierheen, hij doet wat hij moet doen en dan brengen we hem naar Khartoem. Geen vragen.'

'Bij de laatste geen-vragen-job die ik heb gedaan, probeerde een of andere hufter me een nieuwe mond te geven,' mompelde de copiloot en raakte het litteken onder zijn lip aan. 'Ik hoop alleen maar dat ze ons goed betalen.'

Hij wierp een laatste blik over zijn schouder voor hij weer naar buiten keek waar hij de motorkap van de limousine langzaam onder een dun laagje sneeuw zag verdwijnen. Er gingen vijf minuten voorbij en toen zwaaide het portier open en kwam de man in het pak weer tevoorschijn. Zonder zijn tas. In plaats daarvan hield hij nu een grote metalen koffer in zijn handen, zwaar te oordelen naar zijn geworstel. Hij gaf hem aan zijn maat, er werd hem nog een koffer aangegeven en het tweetal kwam met veel moeite de trap op en het vliegtuig in. Even later kwamen ze weer naar buiten waar ze nog twee koffers kregen die ze ook de Antonov indroegen. De copiloot zag een glimp van iemand in de limousine, ingepakt in zo te zien een enkellange zwarte leren jas, voordat er een hand naar buiten kwam, het portier werd dichtgeslagen en de auto wegscheurde.

'Goed, ze zijn klaar,' zei hij en hij draaide zich terug. 'Sluit jij even af, Jerry?'

Terwijl de navigator de cabine inging om de trap in te halen en de deur te vergrendelen, zetten de twee piloten hun koptelefoons op en liepen ze de laatste checks door. Achter hen stond de Egyptenaar dreigend in de deuropening, met sneeuw op zijn hoofd en schouders.

'Het weer is geen belemmering om te vertrekken.'

Het werd meer als een constatering gezegd dan als een vraag.

'Dat bepaal ik wel,' gromde Reiter met een sigaret tussen zijn tanden. 'Als het op de startbaan te hard waait, stoppen we en wachten we tot het beter wordt.'

'Meneer Girgis verwacht ons vannacht in Khartoem,' zei de Egyptenaar. 'We vertrekken volgens plan.'

'Als uw Russische vrienden op tijd waren geweest, was dit verdomme geen punt geweest,' snauwde Reiter. 'Ga terug naar uw plaats. Jerry, zorg dat ze hun riemen vastmaken!'

Hij stak een hand naar beneden, haalde het toestel van de rem, duwde de mengknop zachtjes naar voren en daarna de gasknop zodat de toon van de motoren met het toenemende toerental omhoog schoot. Het vliegtuig kwam in beweging.

'Het weer mag ons niet verhinderen op te stijgen!' klonk de stem van de Egyptenaar achter hen vanuit de cabine. 'Meneer Girgis verwacht ons vannacht in Khartoem!'

'Lik mijn reet, kamelendrijver,' mopperde Reiter. Hij taxiede het toestel naar het eind van de uit sintels bestaande startbaan, waar hij keerde. De navigator kwam binnen, sloot de deur van de cockpit, ging zitten en deed zijn veiligheidsriem om.

'Wat denk je?' Hij knikte naar buiten waar de sneeuwstorm steeds heviger werd. Reiter gaf geen antwoord, trok de gasknop een stukje terug, staarde even naar de kolkende sneeuw, mompelde toen *'Fuck it!'* en duwde de gasknop opnieuw naar voren terwijl hij met zijn andere hand de stuurknuppel greep.

'Hou je ballen vast, jongens,' zei hij. 'Het wordt hobbelig.'

Het toestel accelereerde snel, stuiterde en zwalkte over de ongelijke sintelbaan. Reiters voeten worstelden met de voetroeren in zijn gevecht met de zijwind die nu op de baan stond. Bij tachtig knopen kwam de neus van de Antonov omhoog om langzaam weer te zakken, en terwijl het eind van de startbaan in zicht kwam, schreeuwde de navigator tegen Reiter dat hij de start moest afbreken. De piloot negeerde hem, hield het toestel op koers, dreef de snelheid op tot negentig knopen, toen honderd, toen honderdtien. Op het allerlaatst, toen de snelheidsmeter op honderdvijftien stond en het einde van de startbaan onder hen doorschoot, trok hij de stuurknuppel met een ruk naar zich toe. De neus van het toestel kwam met een zwaai omhoog en de wielen bonkten over het gras voor het moeizaam de lucht in ging.

'Godallemachtig,' blafte de navigator. 'Stomme idioot.'

Reiter grinnikte en stak een sigaret op, nam hen mee door de wolken naar de blauwe hemel erboven.

'Eitje,' zei hij.

Ze tankten in Benghazi aan de Noord-Afrikaanse kust voordat ze een zuidoostelijke koers aannamen over de Sahara, op een kruishoogte van vijfduizend meter, vliegend op de automatische piloot, de woestijn beneden hen in het maanlicht matzilver glanzend alsof hij van tin was gegoten. Na anderhalf uur vliegen deelden ze een thermosfles lauwe koffie en een paar sandwiches. Een uur later begonnen ze aan een fles wodka. De navigator opende voorzichtig de deur naar de cabine en wierp een blik naar binnen. 'Allebei onder zeil.'

'Misschien moesten we eens een kijkje nemen in die koffers,' zei de copiloot. Hij nam een slok en gaf de wodkafles door aan Reiter. 'Nu ze allebei liggen te maffen...'

'Geen goed idee,' zei de navigator. 'Ze zijn gewapend. In elk geval Omar. Ik zag iets zitten toen ik hem in de riemen zette. Een glock, denk ik, of een browning. Ik kon het niet goed zien.'

De copiloot schudde zijn hoofd. 'Ik heb er een slecht gevoel bij, al vanaf het allereerste begin. Een heel slecht gevoel.' Hij stond op, strekte zijn benen, liep naar een locker achter in de cockpit en pakte er een canvas schoudertas uit waarna hij weer ging zitten en in de tas begon te rommelen.

'Ga je een foto maken van mijn pik?' vroeg Reiter toen de copiloot er een camera uithaalde.

'Sorry, Kurt, maar daar is de lens te klein voor.'

De navigator boog zich naar voren.

'Een Leica?' vroeg hij.
De copiloot knikte.
'Een M6. Een paar weken geleden gekocht. Ik wil wat foto's maken van Khartoem. Daar ben ik nog nooit geweest.'
Reiter liet een denigrerend gesnuif horen, nam een ferme slok en gaf de wodkafles over zijn schouder aan de navigator. De copiloot speelde met de camera en draaide hem om en om.
'Hé, kennen jullie die griet die ik de laatste tijd neuk?'
'Wat, die met die dikke kont?' vroeg de navigator.
De copiloot liet een zelfgenoegzaam lachje horen en zwaaide met de camera. 'Ik heb wat foto's van haar genomen voor we uit elkaar gingen.'
Reiter draaide zich naar hem toe, opeens vol belangstelling.
'Wat voor foto's?'
'Een beetje artistiek,' zei de copiloot.
'Hoe bedoel je?'
'Je weet wel, Kurt, artistieke foto's.'
'Wat bedoel je in godsnaam?'
'Artistiek. Smaakvol. Nylons, jarretels, benen in haar nek, banaan in haar...'
Reiters ogen werden groter, hij maakte een wellustig tuitmondje. Achter hem begon de navigator te grijnzen en het nummer 'Fat Bottomed Girls' van Queen te neuriën. De copiloot viel in en even later Reiter ook, en alle drie zongen ze het nummer nu uit volle borst, brulden het refrein, sloegen de maat op de armleuning van hun stoel. Ze zongen het één keer, twee keer en ze waren net aan de derde keer begonnen toen Reiter opeens zijn mond hield, zich naar voren boog en uit het raam van de cockpit tuurde.
'Wat is er?' vroeg de navigator.
Reiter gebaarde alleen maar met zijn hoofd naar voren, naar iets wat eruitzag als een enorme bergketen die plotseling in de verte oprees, recht voor hen: een compacte, opbollende donkere massa die van de woestijn omhoogkwam en zich over de hele horizon uitstrekte. Hoewel het moeilijk met zekerheid was te zeggen leek de massa te bewegen, op hen af te komen.
'Wat is dat?' vroeg de navigator. 'Mist?'
Reiter zei niets, keek alleen met toegeknepen ogen hoe de zwarte massa gestaag dichterbij kwam.
'Zandstorm,' zei hij ten slotte.
'Godallemachtig,' mompelde de copiloot. 'Moet je zien.'
Reiter greep de stuurknuppel en haalde hem langzaam naar zich toe.

'We moeten hoger gaan zitten.'

Ze klommen naar vijfenvijftighonderd meter, toen naar zesduizend, terwijl de zandstorm onverzettelijk dichterbij kwam, de aarde verslond, onzichtbaar maakte.

'Hij is verdomd snel,' zei Reiter.

Ze klommen nog verder, helemaal tot hun plafond, bijna zevenduizend meter. De donkere muur was nu zo dichtbij dat ze de contouren ervan konden zien, grote plooien en uitstulpingen van stof die in en om elkaar draaiden en geluidloos over het landschap tuimelden. Het vliegtuig begon te stuiteren en te schudden.

'Volgens mij komen we er niet bovenuit,' zei de copiloot.

Het bokken werd steeds erger en een zacht sissend geluid druppelde door in de cockpit toen zand en ander spul tegen de ramen en de romp begon te slaan.

'Als dat in de motoren komt...'

'... zijn we de lul,' mompelde Reiter en maakte de zin van de copiloot af. 'We moeten terug en dan zien dat we eromheen komen.'

De zandstorm leek zich sneller te bewegen. Alsof hij zich bewust was van hun bedoelingen en alles op alles zette om hen te bereiken voor ze konden omkeren, kwam het front als een vloedgolf naar voren en vulde het gat tussen hen. Reiter liet het toestel naar bakboord wegdraaien en op zijn voorhoofd glinsterden zweetdruppels.

'Wanneer we er maar omheen kunnen, zijn we...'

Hij werd onderbroken door een plotselinge luide knal, buiten, aan stuurboord. Bijna op hetzelfde moment zwenkte het toestel dezelfde kant op en begon het te rollen, dook de neus omlaag en kwamen de waarschuwingslampjes als de lichtjes in een kerstboom tot leven.

'O, christus!' riep de navigator uit. 'O, jezus christus!'

Reiter had de grootste moeite om het toestel onder controle te krijgen terwijl het steeds steiler dook en bijna veertig graden op zijn kant lag. Uit de locker achter hen vielen allerlei spullen, de lege wodkafles zeilde over de vloer en knalde tegen de stuurboordwand.

'Brand in stuurboordmotor,' schreeuwde de copiloot terwijl hij achter zich naar buiten keek. 'Het fikt als een gek, Kurt!'

'Godverdegodverdegodver,' siste Reiter.

'Brandstofdruk daalt. Oliedruk daalt. Hoogte zesduizend-vijfhonderd en dalend. Bocht... Jezus, het is niet bij te houden!'

'Zet hem uit en druk op de blusknop!' schreeuwde Reiter. 'Jerry, ik moet onze positie weten. En snel.'

Terwijl de navigator zich haastte om hun positie te bepalen en de copiloot driftig schakelaars omzette, worstelde Reiter met de besturing, verloor het toestel voortdurend hoogte, spiraalde het in wijde kringen omlaag, kwam de storm steeds dichterbij en hing hij nu eens dreigend als een steil klif voor het cockpitraam en dan weer niet.

'Zesduizend meter,' riep de copiloot. 'Vijfduizend-zevenhonderd... zeshonderd... vijfhonderd. Je moet optrekken en omkeren, Kurt!'

'Alsof ik dat godverdomme niet weet!' Er klonk iets van paniek in zijn stem door. 'Jerry?'

'Twintig graden dertig minuten noord,' riep de navigator. 'Vijfentwintig graden achttien minuten oost.'

'Wat is het dichtstbijzijnde vliegveld?'

'Wat lul je nou? We zitten midden boven die klote Sahara. Er zijn hier geen vliegvelden! Dakhla is driehonderdvijftig kilometer verderop, en Kufra...'

De cabinedeur vloog open en de Egyptenaar struikelde de cockpit in en greep de stoel van de navigator vast om overeind te blijven in het bokkende en rollende toestel.

'Wat is er aan de hand?' riep hij. 'Vertel op!'

'Godallemachtig!' bulderde Reiter. 'Terug naar je plaats, idiote...'

Hij kwam niet verder omdat op dat moment de storm een sprong naar voren maakte en hen opslokte zodat de Antonov op en neer werd gesmeten alsof hij van balsahout was. De Egyptenaar sloeg voorover tegen de armleuning van Reiters stoel zodat hij een enorme jaap in zijn hoofd opliep; de bakboordmotor sputterde, knalde een paar keer en hield ermee op.

'Verstuur een mayday,' riep Reuter.

'Nee!' blafte de Egyptenaar met zijn handen op zijn openliggende scalp. 'Radiostilte. Dat hadden we afgesproken.'

'Zend het uit, Rudi!'

De copiloot had de radio al ingeschakeld.

'Mayday, mayday. Victor Papa Charlie Mike Tango four seven three. Mayday, mayday. Both engines out. Repeat, both engines out. Position...'

De navigator herhaalde hun gps-coördinaten en de copiloot gaf ze door via zijn microfoon en herhaalde de mededeling keer op keer, terwijl Reiter met de besturing bleef worstelen. Zonder motorvermogen en met een storm die hem aan alle kanten bestookte, was het een hopeloze strijd. Ze verloren snel hoogte zodat de wijzer van de hoogtemeter onstuitbaar tegen de klok in tolde en de teller omlaag klikte, langs de vijfduizend meter, daarna vierduizend, drieduizend, tweeduizend. Buiten nam het huilen van de wind steeds meer toe, de turbulentie werd heviger nu ze in het hart van de maalstroom terechtkwamen.

'We storten neer,' schreeuwde Reiter toen ze onder de vijftienhonderd meter kwamen. 'Zet Omar vast.'

De navigator klapte het zitje achter op de stoel van de copiloot neer en hees hun hevig bloedende passagier erop, maakte zijn riem vast en dook terug naar zijn eigen plaats.

'Estana!' riep de Egyptenaar zwakjes naar zijn maat in de cabine. *'Ehna hanoaa! Echahd!'*

Ze zaten nu onder de duizend meter. Reiter zette de landingskleppen uit en bracht de remkleppen in stelling in een poging snelheid te minderen.

'Landingsgestel?' riep de copiloot wiens stem bijna ten onder ging in het razen van de wind en het gekletter van zand en troep tegen de romp.

'Te riskant!' schreeuwde Reiter. 'Op die rotsbodem slaan we zo over de kop.'

'Onze kansen?'

'Minder dan nul.'

Hij bleef aan de stuurknuppel trekken terwijl er in de cabine achter hen luid *'Allah-u-Akhbar'* werd gebeden en de copiloot en de navigator gefascineerd keken hoe de hoogtemeter door de laatste paar honderd meter snorde.

'Als we dit redden moet je ervoor zorgen dat ik de foto's van je te zien krijg, Rudi!' riep Reiter op het allerlaatste moment. 'Heb je me gehoord? Ik wil de tieten en de kont van die griet zien!'

De hoogtemeter bereikte de nul. Reiter gaf een laatste, wanhopige ruk aan de stuurknuppel, als door een wonder reageerde de neus door op te komen zodat ze, ook al raakten ze de grond met een snelheid van vierhonderd kilometer per uur, in elk geval vlak neerkwamen. Er was een hevige, bottenbrekende dreun en door de klap werd de Egyptenaar van zijn stoeltje gerukt zodat hij eerst tegen het plafond en daarna tegen de achterwand van de cabine knalde en zijn nek als een twijg brak. Ze stuiterden op, kwamen weer neer, de cockpitverlichting viel uit en het bakboordraam explodeerde naar binnen toe en maaide als een scalpel de helft van Reiters gezicht weg. Zijn hysterisch geschreeuw verdween bijna in het bulderen van de wind en de verstikkende wolken zand en troep die binnendrongen door het gat waar eens een raam was geweest.

Ze schoten zo'n duizend meter door over vlak terrein, hotsend en botsend, maar wel ongeveer in een rechte lijn.Toen schampte de neus van het toestel langs een onzichtbare hindernis en raakten ze in een spin; de veertien ton zware Antonov dwarrelde rond als een blaadje in de wind. Een brandblusser maakte zich los uit zijn houder en ramde de ribben van de navigator, versplinterde ze alsof ze van dun porselein waren, de deur van de cockpit vloog uit zijn scharnieren, klapte tegen Reiters achterhoofd en beukte het tot pulp. Ze bleven doortollen, alle gevoel van snelheid en richting ging verloren in de verstikkende duisternis van de cockpit zodat alles een grote, caleidoscopische chaotische veeg werd. Uiteindelijk, na wat een eeuwigheid leek maar slechts een kwestie van enkele seconden moet zijn geweest, begonnen ze snelheid te verliezen, tolde het toestel steeds langzamer nu de woestijnbodem greep op de onderkant ervan kreeg en het ten slotte helemaal tot stilstand bracht. Het hing achterover als op de rand van een steile helling, met de neus omhoog.

Even bewoog er niets, beukte alleen de zandstorm door op de romp en de ramen, vulde de zurige stank van oververhit metaal de cockpit, en toen bewoog de copiloot, versuft, op zijn stoel.

'Kurt?' riep hij. 'Jerry?'

Geen antwoord. Hij stak een hand uit, zijn vingers voelden iet warms en nats, en toen begon hij zijn riem los te maken. Toen hij dat deed voelde hij het toestel schommelen. Hij stopte, wachtte en ging door met frunniken, gooide zijn riem af en kwam overeind. Weer een schommeling, het toestel bewoog als een wip op en neer. De copiloot verstijfde, probeerde te voelen wat er gebeurde en tuurde in het duister om zich heen. Opnieuw wipte het toestel even voordat de neus, kreunend en krakend, omhoogkwam en deze keer bleef doorgaan, bijna verticaal omhoog wees en de Antonov achteruit begon te glijden. Hij bleef ergens achter haken, bleef even hangen, gleed weer door en stortte toen rechtstandig omlaag. De zandstorm verdween, de ramen werden plotseling helder en lieten aan beide zijden langsschietende donkere rotsvegen zien, alsof ze in een soort ravijn vielen. Het vliegtuig bonkte tegen de wanden en maakte radslagen tot het met een oorverdovend gekraak met zijn buik op dicht opeen staande bomen klapte. Een tijdje was er alleen het kraken en sissen van verwrongen metaal te horen. Daarna werden langzaam andere geluiden hoorbaar: het ruisen van bladeren, in de verte gekabbel van water en, eerst zacht maar geleidelijk luider tot het de nacht vulde, het verrassende gekwetter van vogels.

'Kurt?' kreunde een stem in het wrak. 'Jerry?'

Washington, het Pentagon. Dezelfde avond.

'Dank u allen voor uw komst. Mijn verontschuldigingen voor het feit dat u hier op stel en sprong moest verschijnen, maar er heeft zich iets... voorgedaan.'

De spreker nam een lange trek aan zijn sigaret, wapperde met een hand om de rook te verdrijven, en keek de zeven mannen en enige vrouw die om de tafel voor hem zaten indringend aan. Het was een ruimte zonder ramen, karig gemeubileerd, non-descript, zoals honderden andere kamers in de krappe catacomben van het Pentagon, met als enige onderscheidende voorwerp een landkaart van Afrika en het Midden-Oosten die het grootste deel van één muur besloeg. En verder dat het enige licht afkomstig was van een geblutste Anglepoise-lamp die op de grond stond en door de kaart omhoog scheen om hem beter leesbaar te maken, terwijl de rest van de ruimte, met inbegrip van de aanwezigen, in een diep duister was gehuld.

'Veertig minuten geleden,' ging de spreker met zijn lage, hese stem verder, 'heeft een van onze posten een radiobericht van boven de Sahara opgepikt.'

Hij stak een hand in zijn zak en haalde er een laseraanwijzer uit en toen hij het oog ervan op de kaart richtte, verscheen er een schokkerige rode stip midden op de Middellandse Zee.

'Het bericht kwam ongeveer hiervandaan.'

De stip gleed over de kaart en kwam tot stilstand in de zuidwesthoek van Egypte, dicht bij het drielandenpunt van Egypte, Libië en Soedan, bij de Habadat al Jilf al Kabir, het Gilf Kebir-plateau.

'Het bericht was afkomstig van een vliegtuig. Een op de Kaaimaneilanden geregistreerde Antonov, met roepletters VP-CMT 473.' En na een korte stilte: 'Het was een mayday.'

Er volgde een ongemakkelijk schuiven op stoelen, een onderdrukt 'jezus christus'.

'Wat weten we?' vroeg een van de toehoorders, een zwaargebouwde man met een kalend hoofd.

De spreker zoog het onderste uit zijn sigaret en drukte de peuk uit in een asbak op tafel.

'In dit stadium niet veel,' antwoordde hij. 'Ik zal vertellen wat we hebben.'

Hij sprak vijf minuten, trok met zijn aanwijzer lijnen op de kaart – Albanië, Benghazi, en weer naar het Gilf Kebir – waarbij hij af en toe in een stapel papieren keek die voor hem op tafel lagen uitgespreid. Hij stak een nieuwe sigaret op, en daarna weer een, een echte kettingroker, en de lucht in de kamer werd steeds bedompter en scherper. Toen hij klaar was, begon iedereen meteen door elkaar te praten en te roepen, zodat het een grote kakofonie van stemmen werd waarbij bepaalde woorden en halve zinnen eruit sprongen: – 'Ik wist dat het gekkenwerk was!', 'Saddam!', 'Een Derde Wereldoorlog!', 'Iran-Contra', 'Verdomde catastrofe', 'Cadeautje voor Khomeini' – maar waaruit niets zinnigs viel op te maken.

Alleen de vrouw zweeg. Ze tikte peinzend met haar pen op tafel alvorens op te staan, naar de kaart te lopen en ernaar omhoog te kijken. Haar lichaam vormde een slank silhouet, haar korte, blonde haar glansde in het lamplicht.

'We moeten het gewoon gaan zoeken,' zei ze.

Haar stem mocht dan zacht zijn, amper te horen in het rumoer dat de mannen maakten met hun argumenten en tegenargumenten, er klonk een kracht in door, een autoriteit die aandacht eiste. De andere sprekers zwegen een voor een tot het stil was.

'We moeten het gewoon gaan zoeken,' herhaalde ze. 'Voordat een ander het doet. Ik neem aan dat het mayday op een open frequentie is verzonden?'

Dat werd door de spreker bevestigd.

'Dan moeten we aan de slag.'

'En hoe stel je je dat precies voor?' vroeg de zware, kalende man. 'Mubarak bellen? Een advertentie in de krant zetten?'

Zijn toon was sarcastisch, uitdagend. De vrouw ging er niet op in. 'We passen ons aan, we improviseren,' zei ze, haar blik nog steeds op de kaart, haar rug naar de kamer. 'Satellietbeelden, militaire oefeningen, plaatselijke contacten. De NASA heeft daar in de buurt een onderzoekseenheid. We maken gebruik van alles wat er is en op alle mogelijke manieren. Mee eens, Bill?'

De kalende man mompelde nog iets, maar hield verder zijn mond. Verder zei niemand iets.

'Dat is dan afgesproken,' zei de eerste spreker. Hij stak de aanwijzer in zijn zak, schoof de papieren tot een keurig stapeltje bij elkaar. 'We passen ons aan en improviseren.' Hij stak weer een sigaret op. 'En maar beter zo snel mogelijk voor dit hele gedoe een nog grotere ramp wordt dan het al is.' Hij pakte zijn papieren en schoot de kamer uit, gevolgd door de rest van de groep. Alleen de vrouw bleef achter, met één hand in haar nek en de ander omhoog naar de kaart.

'Gilf Kebir,' mompelde ze, ze legde een vinger op het papier, hield hem daar even alvorens haar schoen op de schakelaar in de lampvoet te zetten en er met de punt op te drukken zodat ze de kamer in het donker dompelde.

Vier maanden later, Parijs

Ze wachtten Kanunin op toen hij uit de nachtclub terugkwam op zijn hotelkamer. Op het moment dat hij binnenkwam, legden ze zijn lijfwacht met één geluidgedempt schot tegen de slaap om, en sloegen hem zelf tegen de grond. Hij raakte verward in een plooi van het zwarte leer van zijn enkellange jas. Een van de prostituees begon te gillen en ze schoten haar ook neer, met een 9mm-dumdumkogel in haar rechteroor zodat de hele linkerkant van haar gezicht explodeerde als een kapotte eierschaal. Ze zwaaiden met een pistool naar haar collega om aan te geven dat haar hetzelfde zou overkomen als ze iets zei. Daarna dwongen ze Kanunin op zijn buik en trokken met een ruk zijn hoofd achterover zodat hij naar het plafond keek. Hij deed geen moeite om zich te verzetten omdat hij wist wie ze waren en dat het zinloos was.

'Maak een beetje voort,' zei hij moeizaam.

Hij sloot zijn ogen, wachtte op de kogel. In plaats daarvan klonk er gekraak van papier gevolgd door het gevoel van dingetjes, van een heleboel dingetjes die op zijn gezicht tikten. Schielijk opende hij zijn ogen. Boven hem hing de opening van een papieren zak waaruit een constant stroompje kogeltjes ter grootte van een erwt kwam.

'Smeerl...'

Zijn hoofd werd nog verder achterover getrokken, er werd een knie onder in zijn rug gezet, grote handen legden zich als klemmen om zijn voorhoofd en slapen.

'Meneer Girgis nodigt je uit om met hem te dineren.'

Andere handen grepen naar zijn mond, trokken zijn kaken uit elkaar, wrongen zijn mond open, de zak kwam dichter bij zijn gezicht zodat de kogeltjes recht in zijn mond vielen en hem de adem benamen. Hij schokte en kronkelde en zijn geschreeuw was nauwelijks meer dan een dof gegorgel. Maar de handen hielden hem in bedwang en het gieten ging door en door, tot de zak leeg was en het schokken steeds zwakker werd en uiteindelijk ophield. Ze lieten zijn lichaam op de grond zakken terwijl het staal tussen zijn bebloede lippen door druppelde, joegen hem voor de zekerheid een kogel door zijn hoofd en vertrokken, zonder het meisje, dat tegen de muur gehurkt zat, zelfs maar een blik waardig te keuren. Ze waren in hun snelle auto al in de ochtendspits verdwenen toen in het hotel plotseling de woeste sopraan van haar gegil weerklonk.

De Westelijke Woestijn, tussen de Gilf Kebir en de Dakhla-oase – Heden

Ze waren de laatste bedoeïenen die nog de grote reis tussen Kufra in Libië en Dakhla in Egypte maakten, veertienhonderd kilometer door een lege woestijn. Ze gebruikten alleen kamelen en vervoerden palmolie, borduurwerk en voorwerpen van zilver en leer op de heenweg, en kwamen terug met dadels, gedroogde moerbeien, sigaretten en Coca Cola.

Economisch gezien was het zinloos, maar het ging ook niet om winstgevendheid. Het ging om traditie, het in stand houden van de oude leefwijze, het volgen van de oeroude karavaanroutes die hun vaders hadden gevolgd, en hun grootvaders, hun overgrootvaders, overleven waar niemand anders kon overleven, de weg vinden waar niemand anders die kon vinden. Het was een taai volk, trots, Kufra-bedoeïenen, Sanusi, afstammelingen van de Banu Sulaïm. De woestijn was hun thuis, er doorheen trekken hun leven. Ook als het economisch zinloos was.

Deze tocht was bijzonder zwaar geweest, zelfs volgens de keiharde normen van de Sahara waar geen enkele tocht gemakkelijk is. De tocht vanuit Kufra naar het zuidoosten, naar de Gilf Kebir, en dan door de al Aqaba-kloof – de route rechtstreeks naar het oosten zou hen daar de Grote Zandzee hebben gebracht die zelfs de bedoeïenen niet durfden over te steken – was zonder bijzonderheden verlopen.

Maar aan het oosteinde van de kloof hadden ze ontdekt dat de artesische bron, waar ze normaliter hun waterzakken zouden hebben gevuld, was opgedroogd zodat hun mondvoorraad voor de resterende driehonderd kilometer gevaarlijk krap was. Het was een reden voor enige zorg maar geen ramp, en ze waren naar het noordoosten richting Dakhla doorgetrokken zonder zich al te grote zorgen te maken. Maar twee dagen later, op nog drie dagreizen van hun eindbestemming, waren ze getroffen door een zware zandstorm, de gevreesde *khamsin.* Ze waren gedwongen geweest achtenveertig uur in elkaar gedoken te blijven zitten tot hij was uitgewoed, en in die tijd was hun watervoorraad tot bijna nul gereduceerd.

Nu was de wind gaan liggen en waren ze weer op weg, zetten ze alles op alles om het resterende deel af te leggen voordat hun water helemaal op was. Hun kamelen liepen in een zwabbergang door de woestijn in een tempo dat nog net geen galop was, aangespoord met kreten van '*hut, hut!*' en '*yalla, yalla!*'.

De bedoeïenen waren er zo op gespitst hun reis zo snel mogelijk ten einde te brengen dat ze de dode zeker hadden gemist als hij niet midden op hun pad was verschenen. Star als een standbeeld stak hij vanaf zijn middel uit de helling van een duin, de mond open, een arm uitgestoken alsof hij om hulp smeekte. De voorste ruiter gaf een kreet, ze brachten hun kamelen tot stilstand, lieten ze knielen en stapten af, verzamelden zich om hem heen om te kijken, zeven man, met sjaals om hun hoofd en voor hun gezicht tegen de zon, zodat alleen hun ogen zichtbaar waren.

Het was het lichaam van een man, daar was geen twijfel aan mogelijk, volmaakt geconserveerd in de uitdrogende omhelzing van de woestijn, de huid droog en strak als perkament, de ogen waren in hun kassen gekrompen tot harde, rozijnachtige klompjes.

'Die moet door de storm zijn blootgelegd,' zei een van de ruiters in het *badawi*, bedoeïens-Arabisch, met een hese, gruizige stem, net als de woestijn zelf.

Op een teken van hun leider lieten drie bedoeïenen zich op hun knieën zakken en begonnen het zand van het lichaam weg te graven om het uit het duin te bevrijden. De kleren – laarzen, broek, overhemd met lange mouwen – waren tot op de draad versleten, alsof ze een zware tocht achter de rug hadden. Het lichaam had in de ene hand nog een plastic thermosfles, leeg, de schroefdop zoek. In de rand van de opening zaten krassen die op afdrukken van tanden leken, alsof de man in zijn wanhoop op het plastic had gekauwd in de hoop er nog een druppeltje vocht uit te halen.

'Soldaat?' vroeg een van de bedoeïenen weifelend. 'Uit de oorlog?'

De leider schudde zijn hoofd, hurkte naast het lijk en tikte op de gekraste Rolex Explorer om de linkerpols. 'Recenter,' zei hij. '*Amrekaanie*. Amerikaan.'

Hij gebruikte het woord niet in specifieke zin, duidde er eerder een westerling mee aan, iemand met een niet-Arabisch uiterlijk.

'Wat doet hij helemaal hier?' vroeg een andere man.

De leider haalde zijn schouders op, rolde het lichaam op zijn buik, pakte de canvas tas, die aan de schouder hing, en maakte hem open. Er kwamen een landkaart, een portefeuille, een camera, twee noodfakkels, wat noodrantsoenen en als laatste een in elkaar geknoopte zakdoek uit.

Hij maakte hem open zodat er een grof miniatuurobeliskje van klei zichtbaar werd, niet groter dan een vinger. Hij keek ernaar met samengeknepen ogen, draaide het om en om en bestudeerde het merkwaardige symbool dat er aan alle kanten in was gegrift: een soort kruis waarvan het bovenstuk toeliep in een punt waaraan een dun lusvormig lijntje ontsprong dat omhoog en er eroverheen krulde.

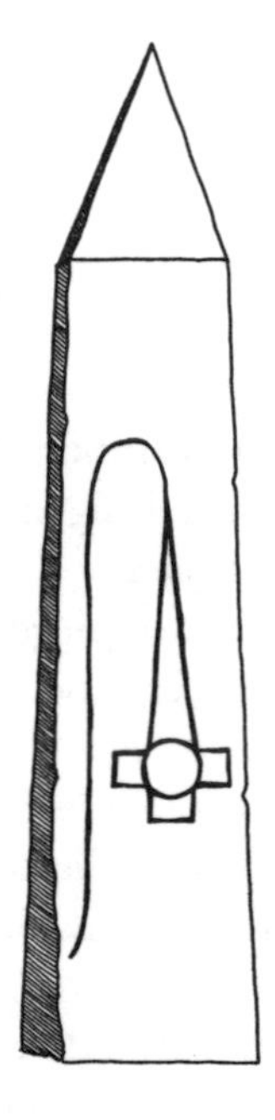

Het zei hem niets en hij rolde het weer in de zakdoek, legde het opzij en richtte zijn aandacht op de portefeuille. Er zat een identiteitskaart in met een foto van een jonge, blonde man met een fors litteken evenwijdig aan zijn onderlip. Geen van de bedoeïenen kon de naam lezen en na er even naar te hebben gekeken, stopte de leider de kaart en alle andere voorwerpen terug in de tas, waarna hij op de zakken van de man klopte. Hij haalde er een kompas en een plastic busje met een filmrolletje uit. Die liet hij ook in de tas vallen, waarna hij het horloge van de pols van de man schoof en in de zak van zijn djellaba stopte en opstond.

'Kom, we gaan,' zei hij, zwaaide de tas over zijn schouder en liep terug richting kamelen.

'Moeten we hem niet begraven?' riep een van de mannen hem na.

'Dat doet de woestijn wel,' kwam het antwoord. 'We moeten door.'

Ze volgende hem het duin af, klommen weer op hun kamelen en

schopten ze om ze overeind te krijgen. Toen ze verder reden, draaide de laatste ruiter, een klein, verschrompeld mannetje met een pokdalig gezicht, zich om in zijn zadel en keek achterom naar het lichaam dat langzaam achter hem kleiner werd. Toen het vervaagd was tot niet meer dan een wazige vlek in een verder leeg landschap, groef hij in de plooien van zijn djellaba en haalde er een mobiele telefoon uit. Met één oog op de ruiters vóór hem drukte hij met een knoestige duim op het toetsenbord. Hij kreeg geen signaal, en nadat hij het een tijdje had geprobeerd, stopte hij het mobieltje weer in zijn djellaba.

'Hut-hut!' schreeuwde hij en hij hakte met zijn hielen in de rillende flanken van zijn kameel. *'Yalla, yalla!'*

Californië, Yosemite National Park

Het was een verticale wand van vijfhonderd meter hoog die als een reusachtige golf van grijs satijn boven het dal van de Merced oprees, en Freya Hannen was nog maar vijftig meter onder de bovenrand toen ze een wespennest verstoorde.

Ze had haar tiende touwlengte uitgeklommen, was via een horizontale spleet naar een nisje getraverseerd en rekte zich uit naar een overhangende richel, tastte om de wortels van een oude manzanitastruik heen op zoek naar houvast toen ze per ongeluk langs het nest veegde en er van onder de struik een zwerm wespen verscheen die woedend op haar af kwam.

Ze was doodsbang voor wespen sinds ze er als kind door eentje in haar mond was gestoken. Een belachelijke angst als je bedacht dat ze haar brood verdiende met het beklimmen van de gevaarlijkste rotswanden ter wereld, maar doodsangst is dan ook maar zelden rationeel. Voor Freya waren dat wespen, voor haar zus Alex waren het naalden en injecties.

Ze verstijfde, haar maag kromp ineen, haar adem kwam in korte paniekerige stootjes, de lucht om haar heen was een en al geel en zwart. Toen werd ze er door een in haar arm gestoken en of ze wilde of niet, ze trok schielijk haar hand weg van de richel en zwaaide als een deur weg uit de wand. De zekeringslijn sloeg wild heen en weer en de ponderosadennen vierhonderdvijftig meter lager leken zich naar haar op te richten. Hangend aan haar rechterhand en rechtervoet zwaaide ze, met een wapperende linkerarm en linkerbeen even heen en weer. De karabiners en spleetklemmen aan haar gordel rinkelden. Toen zette ze haar kiezen op elkaar, probeerde de brandende pijn in haar arm te negeren en trok zich weer op naar de wand waar ze haar hand om een uitsteeksel sloot en zich tegen het warme graniet drukte als in de beschermende omhelzing van een minnaar. Zo bleef ze gedurende wat wel een eeuw leek staan, met haar ogen dicht en vechtend tegen de behoefte om het uit te schreeuwen; ze wachtte tot de zwerm tot rust kwam en zich verspreidde, traverseerde toen snel onder de richel naar rechts tot naast een onvolgroeide dennenboom die als een verschrompelde arm uit de rots kwam. Ze zekerde zich daar en leunde hijgend tegen de stam.

'Shit,' zei ze naar adem happend. En zonder duidelijke reden: 'Alex.'

Elf uur geleden had ze het telefoontje gekregen. Ze was thuis, in haar appartement in San Francisco, toen het kwam, net na middernacht, als een donderslag bij heldere hemel. Eens, aan het begin van haar carrière als bergbeklimmer, was ze haar houvast kwijtgeraakt en was van een tweehonderd meter hoge rots naar beneden gevallen, een duizelingwekkende val door de leegte voordat het touw strak was komen te staan en haar had opgevangen. Zo had het telefoontje gevoeld: eerst een maagverkrampend gevoel van verbijstering, als een val van grote hoogte, tot het besef van de werkelijkheid met een afschuwelijke schok tot haar doordrong.

Daarna had ze in het donker gezeten terwijl door de open ramen de geluiden van de bars en cafés van North Beach binnendreven. Ze was online gegaan, had een vlucht geboekt waarna ze wat klimspullen in een tas had gegooid en op haar afgeragde Triumph Bonneville was weggescheurd. Drie uur later was ze in het Yosemite aangekomen, en twee uur daarna, toen het eerste roze van de zonsopgang de toppen van de Sierra Nevada kleurde, stond ze onder aan de Liberty Cap, klaar om te gaan klimmen.

Dat deed ze altijd in roerige tijden wanneer ze haar hoofd helder wilde krijgen: klimmen. Woestijnen waren Alex' ding: uitgestrekte, droge, lege vlakten, verstoken van leven en geluid; bergen en rotsen waren Freya's vrijplaats, verticale landschappen waar ze kon opklimmen naar de hemel, waar ze het uiterste van lichaam en geest kon vergen. Voor wie het nooit had ervaren, viel het niet uit te leggen. Ze was er het dichtst bij gekomen in een interview met – het laatste wat je verwachtte – *Playboy*: 'Wanneer ik daar boven ben voel ik dat ik meer leef,' had ze gezegd. 'Alsof ik de rest van de tijd in een halfslaap ben.'

En nu had ze meer dan ooit behoefte aan de rust en het inzicht die het klimmen haar verschafte. Terwijl ze over Highway 120 naar Yosemite voortdaverde, was haar eerste ingeving geweest te gaan rotsklimmen, een echte zware route, een afstraffing: de Freerider op de El Capitan misschien, of de Astroman op de Washington Column.

Toen was de gedachte aan de Liberty Cap opgekomen, en hoe meer ze erover dacht, hoe aantrekkelijker die route haar had geleken. Niet dat het een voor de hand liggende keuze was. Gedeelten ervan hadden hulpvoorzieningen en ontnamen haar de absolute puurheid van het rotsklimmen. Technisch was hij niet echt moeilijk, niet voor iemand van haar niveau, wat inhield dat ze zich niet zo hoefde te geven als ze wilde, dat ze niet helemaal tot de rand en er overheen hoefde te gaan.

Daar stond tegenover dat het een van de weinige grote wanden in Yosemite was die ze nog nooit had geprobeerd. En belangrijker nog, het was waarschijnlijk de enige die in die tijd van het jaar niet vol was met horden klimmers, zodat rust en eenzaamheid gegarandeerd waren: niemand die haar aansprak, niemand die een foto wilde maken, geen amateurs die haar in weg liepen en haar ophielden. Alleen maar zijzelf, de wand en de stilte.

Daar zat ze nu op de richel met de middagzon warm op haar gezicht, een arm die nog pijn deed van de steek. Ze pakte de fles water uit haar rugzak, nam een slok en keek omlaag naar de route die ze had gevolgd. Los van de stukken met hulpvoorzieningen had de wand niet te veel problemen opgeleverd. Een minder ervaren klimmer had er misschien twee dagen over gedaan om de route uit te klimmen en halverwege op een richel moeten overnachten. Zij deed het in minder dan de helft van de tijd. Acht uur maximaal.

Ze kon niet ontkomen aan een licht gevoel van teleurstelling dat het niet meer van haar had geëist, dat het haar niet had meegenomen naar dat bedwelmende, dronken makende niveau dat je alleen bereikt door een extreme fysieke en psychische inspanning. Maar daar stond tegenover dat het uitzicht hierboven zo spectaculair was en de plek zo afgelegen dat ze het gemis aan uitdaging voor lief nam. Ze hield zich vast aan de verankering en strekte haar lange, gebruinde en gespierde benen, masseerde de spieren, liet de punten van haar Anasazi-klimschoentjes naar de overkant van het dal wijzen om haar voeten en schenen op te rekken. Daarna stond ze op, draaide zich om en onderzocht de wand boven haar voor de laatste touwlengte, vijftig meter naar de top.

'Allez,' mompelde ze en ze wreef haar handen in met kalk uit het zakje aan haar middel. Nog een keer 'Allez' en als geïnspireerd door de klankverwantschap: 'Alex'. Haar stem ging bijna ten onder in het geweld van de Nevada Falls beneden.

Later, toen ze weer bij haar motor was en bezig te pakken voor de terugrit, liep ze een stel knapen die ze kende tegen het lijf, collega-klimmers, van wie er een beslist niet onaantrekkelijk was, hoewel het op dat moment het laatste was waar ze aan dacht. Ze kletsten wat, Freya beschreef haar beklimming – 'Solo de Liberty Cap? Jezus, dat is een prestatie!' – voordat ze het gesprek afbrak en zei dat ze een vlucht moest halen.

'Naar een mooi plekje?' vroeg de knappe jongen.

Ze rolde de motor van de standaard en zwaaide haar been over het zadel. 'Egypte,' antwoordde ze, startte en liet de motor een paar keer toeren maken.

'Om te klimmen?'

Ze schakelde in de eerste. 'Voor de begrafenis van mijn zus.' En met die woorden scheurde ze weg. Haar blonde haren wapperden als een vlam achter haar aan.

Caïro – Het Marriott Hotel

Flin Brodie zette zijn leesbril recht en keek eroverheen naar zijn publiek: veertien Amerikaanse toeristen op leeftijd zaten verspreid over de vijftig stoelen voor hem en geen van hen leek bijzonder geïnteresseerd. Hij waagde er een grapje over: dat hij zo blij was dat iedereen een plekje had kunnen vinden, wat de met hem bevriende toeristengids Margot een lachsalvo ontlokte maar verder met stalen gezichten werd aangehoord.

O god, dacht hij en hij frunnikte zenuwachtig aan de zak van zijn ribfluwelen jasje. Wordt het zo'n avond...

Hij probeerde het nog een keer door te vertellen dat zijn werk als archeoloog in de Westelijke Woestijn hem eraan had gewend in grote lege ruimtes te werken. Ook dat grapje deed niets en ook Margots ondersteunend bedoelde lach begon wat geforceerd te klinken. Hij gaf het op, drukte op een knop op zijn laptop zodat de eerste afbeelding van zijn powerpointpresentatie verscheen – een foto van terugwijkende rijen zandduinen – en stond op het punt zijn lezing te beginnen toen de zijdeur van het zaaltje openging. Een dikke man, een heel erg dikke man, in een crèmekleurig jasje en een vlinderdasje stak zijn hoofd naar binnen.

'Mag ik?' Zijn stem was merkwaardig hoog, bijna vrouwelijk en het accent Amerikaans, uit het diepe zuiden. Flin wierp een blik op Margot die haar schouders ophaalde om aan te geven dat zij het best vond, en wuifde de man naar binnen. De nieuwkomer sloot de deur en ging op een stoel er vlakbij zitten, haalde een zakdoek tevoorschijn en depte er zijn voorhoofd mee. Flin gaf hem de gelegenheid bij te komen, schraapte zijn keel en begon te praten, zíjn accent Engels, zijn dictie klip en klaar.

'Tienduizend jaar geleden was de Sahara beduidend gastvrijer dan vandaag,' vertelde hij. 'Radarbeelden van de Selima-zandvlakte gemaakt door de Space Shuttle Columbia hebben uitgebreide fluviale bijzonderheden zichtbaar gemaakt, in feite de contouren van meren en stroomgebieden. Het was een landschap dat erg veel leek op de savannes van het huidige Afrika bezuiden de Sahara.'

Volgende plaatje: het Serengeti National Park.

'Er waren meren, rivieren, bossen en graslanden die onderdak boden aan een overvloedige fauna met onder andere gazellen, giraffen, zebra's, olifanten en nijlpaarden. En aan mensen, voornamelijk nomadische jagers-verzamelaars, zij het dat er ook bewijzen zijn van meer permanente nederzettingen uit het midden- en laat-paleolithicum.'

'Harder!'

Dat kwam van een vrouw achter in de zaal die een hoorapparaat als een plastic zeepok tegen haar oor hield.

Waarom ga je in godsnaam achterin zitten als je niet goed hoort, vroeg Flin zich af. 'Neemt u me niet kwalijk,' zei hij met stemverheffing. 'Zo beter?'

De vrouw zwaaide met een wandelstok ten teken dat het goed was.

'Permanentere paleolithische nederzettingen dus,' herhaalde hij teneinde de draad weer op te pakken. 'Het Gilf Kebir-plateau in de zuidwesthoek van Egypte – een hoogvlakte die ongeveer even groot is als Zwitserland – is bijzonder rijk aan overblijfselen uit die periode, zowel praktische...'

Afbeeldingen van respectievelijk hoge oranje rotswanden, een maalsteen en een verzameling gereedschappen van vuursteen.

'... alsmede voorwerpen met een votieve of kunstzinnige betekenis. Enkele ervan kent u misschien uit de film *The English Patient* waarin de prehistorische rotsschilderingen uit de zogenaamde Grot van de Zwemmers voorkwamen die in 1933 zijn ontdekt door de Hongaarse onderzoeker Ladislaus Almásy in de Wadi Sura aan de westzijde van de Gilf.'

Er verscheen een plaatje van de grot: gestileerde rode figuren met bolle hoofden en ledematen als stokjes, die over de bobbelige kalksteenwand lijken te zwemmen en te duiken.

'Heeft iemand de film gezien?'

Een algemeen gemompeld 'Nee' bracht hem ertoe de paar kritische opmerkingen die hij hier meestal ten beste gaf maar over te slaan. Hij ging liever gewoon door met zijn verhaal.

'Tegen het eind van de laatste ijstijd, ongeveer ten tijde van het midden-holoceen, dus ongeveer 7000 voor Christus, onderging dit savanneachtige landschap een enorme verandering. Toen de ijswallen in het noorden zich terugtrokken, droogde dit gebied uit en maakten de groene vlakten en de rivieren plaats voor het soort landschap dat we vandaag de dag zien. De woestijnbewoners waren gedwongen naar het oosten te verhuizen, naar het Nijldal...'

Foto van het landschap in het Nijldal.

'... waar ze een aantal predynastieke culturen ontwikkelden zoals de Tasische, de Badarische en de Naqada, die uiteindelijk zouden samengroeien en één verenigde staat zouden vormen; het Egypte van de farao's.'

Een van de toehoorders, een man met flaporen en een baseballpet van de New York Mets, begon al te knikkebollen. En hij was nog niet eens klaar met de inleiding. Christus, wat had hij behoefte aan een borrel.

'Ik trek nu al ruim tien jaar door de Sahara en doe er opgravingen,' ging hij verder en haalde een hand door zijn ongekamde donkere haar. 'Voornamelijk op vindplaatsen in en om de Gilf Kebir. In deze lezing wil ik drie proposities behandelen die zijn gebaseerd op mijn werk. Drie zeer controversiële proposities.'

Hij benadrukte 'controversieel', wachtte op een reactie, speurde het gehoor af op enig teken van belangstelling. Niets. Geen greintje. Hij had het net zo goed over het kweken van groenten kunnen hebben. Was misschien beter geweest als hij dat had gedaan. Chrístus, wat had hij behoefte aan een borrel.

'Ten eerste,' ging hij verder en moest moeite doen om enthousiast te klinken, 'geloof ik dat de voormalige Saharabewoners, nadat ze naar het Nijldal waren verhuisd, hun oorspronkelijke woonplaatsen in de woestijn niet geheel vergeten zijn. In het bijzonder de Gilf, met zijn dramatische rotswanden en weelderige wadi's, zal een sterke religieuze en bijgelovige invloed op de vroege Egyptische verbeelding hebben gehad, de herinnering eraan zal levend zijn gehouden, al was het maar in allegorische vorm, in een aantal mythes en literaire tradities, in het bijzonder in relatie tot de woestijngoden Ash en Seth.'

Afbeelding van de god Seth: een menselijk lichaam bekroond door de kop van een onbestemd dier met een lange snuit en spitse oren.

'Ten tweede is mijn bedoeling aan te tonen dat de oude Egyptenaren niet alleen herinneringen bewaarden aan hun oude woonplaats in de Gilf Kebir, maar dat ze er ook, ondanks de enorme afstanden die het betrof, echt fysiek contact mee hadden, dat ze heel af en toe de woestijn doortrokken om op plaatsen met een speciale religieuze of gevoelsmatige betekenis erediensten te houden.

'Eén wadi, de *wehat seshtat*, de Geheime Oase, schijnt in het bijzonder te zijn vereerd. Hoewel er weinig bewijzen voor zijn, schijnt deze oase tot het eind van het Oude Rijk onafgebroken een belangrijk cultisch centrum te zijn geweest, dat wil zeggen tot duizend jaar na het ontstaan van het verenigde Egypte.'

De toehoorder die had zitten knikkebollen, viel Flin op, was nu echt in slaap gevallen. Hij verhief zijn stem nog wat meer in een vergeefse poging de man wakker te laten schrikken.

'En als laatste,' ging hij bijna schreeuwend door, 'zal ik aanvoeren dat het deze geheimzinnige en tot op heden onontdekte wadi is die later de inspiratiebron is geweest en model heeft gestaan voor een hele reeks legenden over verdwenen oases in de Sahara, met name over Zerzura, het Atlantis van de Zanden, waar de eerdergenoemde Ladislaus Almásy een groot deel van zijn werkzaam leven vergeefs naar heeft gezocht.'

Laatste plaatsje bij de inleiding: een vage zwart-witfoto van Almásy in korte broek en met een militair hoofddeksel en achter hem de eindeloze woestijn.

'En dames en heren,' zei hij, 'dus nodig ik u uit met me mee te gaan op een ontdekkingstocht door de woestijn, terug in de tijd en op zoek naar de sinds lang verdwenen tempelstad van Gilf Kebir.'

Hij zweeg, wachtte op een reactie, kon niet schelen wat voor een.

'U hoeft niet zo te schreeuwen,' kwam een stem van achter uit de zaal. 'We zijn niet doof, hoor!'

Verdomme, dacht Flin.

Hij ploegde zich door zijn lezing, sloeg waar hij maar kon stukken over zodat er van de normale lengte van anderhalf uur nog maar vijftig minuten overbleven. Vergeleken met de meeste egyptologen werd hij beschouwd als een spannende spreker die een droog en ingewikkeld onderwerp tot leven kon brengen, de aandacht van zijn publiek kon vasthouden en het kon enthousiasmeren. Maar in dit geval leek schrappen en versimpelen, in welke mate ook, geen enkel effect te hebben. Halverwege stond een echtpaar op en verliet de zaal; tegen het eind zaten de overgebleven toehoorders openlijk te friemelen en op horloges te kijken. De man met de flaporen sliep overal vredig doorheen, zijn hoofd op de schouder van zijn vrouw. Alleen de veel te zware laatkomer leek echt geïnteresseerd. Af en toe depte hij zijn voorhoofd met zijn zakdoek, maar zijn aandacht was onafgebroken op de Engelsman gericht, zijn ogen straalden van de concentratie.

'Afsluitend,' zei Flin, terwijl hij het laatste plaatje bij zijn verhaal liet verschijnen, weer een foto van de steil oprijzende oranje flank van de Gilf Kebir: 'Geen enkel teken van de wehat seshtat, noch van de Zerzura, en ook die andere legendarische oases in de Sahara zijn nooit gevonden.'

Hij draaide zich een kwartslag om en keek op naar de afbeelding, met een weemoedig lachje alsof hij er een oude getrouwe sparringpartner mee erkende. Even leek hij te verzinken in zijn eigen gedachtewereld voor hij zijn hoofd schudde en zich weer tot zijn gehoor wendde.

'Velen hebben aangevoerd dat het hele idee van een verdwenen oase is wat het woord al zegt: verdwenen. Een idee, een droom, een hersenspinsel, net zo tastbaar als een luchtspiegeling. Ik hoop dat de bewijzen die ik vanavond voor u heb neergelegd u ervan overtuigen dat de basis voor al deze verhalen, de wehat seshtat, echt heeft bestaan en door de vroege Egyptenaren werd beschouwd als een cultisch centrum van de allerhoogste betekenis.

'Of de locatie ooit zal worden ontdekt, is een andere kwestie. Almásy, Bagnold, Clayton, Newbold... allen hebben de Gilf Kebir minutieus onderzocht en zijn met lege handen teruggekomen. In moderner tijden hebben satellietopnamen en luchtverkenningen eveneens niets gevonden.'

Hij wierp opnieuw een blik op de afbeelding, weer met dat weemoedige lachje.

'En misschien is het maar beter ook,' zei hij. 'Er is al zoveel van onze planeet bestudeerd en in kaart gebracht en blootgelegd, ontdaan van zijn magie, dat het de wereld op een of andere manier boeiender maakt als je weet dat er tenminste nog één klein hoekje is waar we niet bij kunnen. Voorlopig blijft de wehat seshtat precies wat de naam zegt: een verborgen oase. Dank u.'

Hij ging onder een versnipperd, reumatisch applaus zitten, en opnieuw was het de dikke man die echte waardering toonde, die luid klapte alvorens overeind te komen en met een bedankend armgebaar de zaal uit te glippen.

Flins vriendin Margot stond op en kwam naar voren. 'Wat een ongelooflijk fascinerende lezing,' zei ze op schooljufachtige toon tegen het gehoor. 'Wat mij betreft stappen we nu meteen in onze bus en rijden we naar de Gilf Kebir om daar eens goed om ons heen te kijken.'

Stilte.

'Professor Brodie is zo vriendelijk om nog even te blijven om vragen die bij u leven te beantwoorden. Zoals ik al eerder heb gezegd, is hij een van de vooraanstaande autoriteiten op het gebied van archeologie van de Sahara, auteur van het uiterst oorspronkelijke *Deshret: het Oude Egypte en de Westelijke Woestijn* en op zijn vakgebied een levende legende, dus maakt u vooral van de gelegenheid gebruik.'

Nog meer stilte, waarop de man met de flaporen, die nu wakker was, zijn mond opendeed: 'Professor Brodie, denkt u dat Toetanchamon is vermoord?'

Na afloop, toen de toeristen naar hun avondmaal waren gedromd, pakte Flin zijn laptop en aantekeningen in terwijl Margot om hem heen vlinderde.

'Ik vond ze niet bijzonder enthousiast,' zei hij.

'Onzin,' beweerde Margot. 'Ze waren zonder meer... geboeid.'

Hij had de lezing alleen maar gegeven om haar een plezier te doen – oude studiegenoten en zo – omdat het oorspronkelijke programmaonderdeel opeens was afgelast. Hij merkte aan haar dat ze zich geneerde voor het gedrag van haar reisgezelschap en probeerde het goed te maken. Ze stak een hand uit en gaf hem een kneepje in zijn arm.

'Zit er niet mee, Margs. Ik heb ze heel wat erger gehad.'

'Jij bent er tenminste maar een uur mee opgezadeld,' zuchtte ze. 'Ik moet nog tien dagen. Of Toetanchamon is vermoord! Jezus, ik had wel door de grond willen zakken.'

Flin ritste de laptop in zijn draagtas en lachte en samen liepen ze het zaaltje door. Margot gaf hem een arm. Toen ze bij de deur waren, klonk er uit de hal aan de andere kant opeens een kakofonie van klarinetten en trommels. Ze bleven staan kijken naar de trouwstoet die voor hen langs liep, het bruidspaar gevolgd door een stoet familieleden die in hun handen klapten, een videocameraman die achterstevoren voor de stoet uitliep en instructies schreeuwde.

'Mijn god, moet je die jurk zien,' mompelde Margot. 'Ze lijkt wel een ontploffende sneeuwman.'

Flin gaf geen antwoord. Zijn ogen werden niet naar het bruidspaar getrokken, maar naar het einde van de stoet. Daar sprong een meisje van hooguit tien of elf op en neer om te zien wat er verder naar voren gebeurde. Ze was uitgelaten, mooi, haar lange zwarte haar zwierde om haar hoofd. Net als...

'Gaat het, Flin?'

Hij was tegen de deurpost gewankeld, had haar arm gepakt voor steun en op zijn voorhoofd en in zijn nek parelde zweet.

'Flin?'

'Niks aan de hand,' mompelde hij, ging rechtop staan en liet gegeneerd haar arm los.

'Je bent lijkbleek.'

'Er is niks, echt niet. Gewoon moe. Ik had wat moeten eten voor ik hierheen kwam.' Hij lachte, niet erg overtuigend.

'Dan neem ik je mee uit eten,' zei Margot. 'Je suikerspiegel opkrikken. Dat is wel het minste dat ik na vanavond voor je kan doen.'

'Lief van je, Margs, maar als je het niet erg vindt, ga ik liever naar huis. Ik moet nog een hele stapel scripties corrigeren.'

Dat was een leugen en hij zag dat ze het wist.

'Ik ben een beetje uit mijn doen,' voegde hij eraantoe in een poging zich te verduidelijken. 'Ik ben altijd al een humeurige zak geweest.'

Margot moest lachen, boog zich naar hem toe en sloeg haar armen om hem heen. 'Ik ben dol op je humeurigheid, liefste Flin. Dat en je uiterlijk. God, als je mij maar eens de kans gaf om...'

Ze omhelsde hem even nog steviger, liet hem toen los. 'We zijn tot donderdag in Caïro, daarna gaan we naar Luxor. Bel ik je als we terug zijn?'

'Ik verheug me erop,' zei Flin. 'En vergeet vooral niet ze te vertellen dat de piramides staan uitgelijnd op Orion omdat daar de buitenaardse bouwers vandaan kwamen.'

Ze schoot in de lach en haastte zich weg. Hij keek haar na, richtte toen zijn blik weer op de trouwstoet. Die ging nu een zaal aan het eind van de hal in, en het meisje stond nog steeds achteraan te springen. Zelfs na al die jaren hakten zulke kleine dingen er bij hem nog zwaar in, kwam alles weer terug. Was hij er nou verdomme maar op tijd geweest.

Hij bleef nog even kijken terwijl de bruiloftsgasten de zaal ingingen en de deuren achter hen dichtsloegen. Daarna haastte hij zich het hotel uit, geenszins van plan naar huis te gaan of scripties na te kijken maar wel om gedurende de rest van de avond zo dronken te worden als maar kon. Een paar tellen later werd hij gevolgd door een dikke, waggelende figuur in een crèmekleurig jasje.

Freya was maar net op tijd voor haar vlucht – om twaalf uur 's nachts van San Francisco naar Londen en vandaar door naar Caïro. Ze had meer dan genoeg tijd gehad, maar zoals altijd wanneer ze meer dan genoeg tijd had, leek de klok op mysterieuze wijze opeens veel harder te lopen en werd het uiteindelijk één grote racepartij. Ze was de laatste die incheckte, en een van de laatsten die instapten. In het vliegtuig ramde ze haar rugzak in de al propvolle bagagelocker en wrong zich op haar plaats tussen een dikke Latijns-Amerikaanse man en een tiener met lang, sluik haar en een Marilyn Manson-shirt.

Toen ze los van de grond waren, keek ze op het schermpje voor wat er onderweg te zien was: herhalingen van *Friends*, een domme lachfilm met Matthew McConaughey, een documentaire van National Geographic over de Sahara, wat gezien de reden van haar reis wel het allerlaatste was dat ze wilde bekijken. Ze keek de lijst een paar maal door, zette het apparaat uit en de stoel naar achteren, schroefde de oorspeakertjes van haar iPod in haar oren: Johnny Cash, 'Hurt'. Heel toepasselijk.

Beroemde vrouwelijke ontdekkingsreizigers, daar hadden hun ouders hen naar vernoemd. In haar geval naar Freya Stark, de grote ontdekkingsreizigster in het Midden-Oosten, in dat van haar zus naar Alexandra David-Neel die de Himalaya als ontdekkingsterrein had gekozen. De ironie wilde dat ze allebei niet hadden geprobeerd hun eigen naamgenote te evenaren, maar die van de ander. Alex voelde zich net als Stark aangetrokken tot de woestijn, Freya net als David-Neel tot kliffen en bergen.

'Met jullie gaat nooit iets zoals gepland,' had hun vader voor de grap gezegd. 'We hadden jullie bij de geboorte moeten omruilen.'

Hij was een grote man geweest, haar vader, een grote beer, joviaal, aardrijkskundeleraar in Markham, Virginia, hun geboortestad. Behalve jazz en de gedichten van Walt Whitman was het buitenleven zijn grote liefde geweest en hij had hen van jongs af aan meegenomen op zijn zwerftochten: wandelen door de Blue Ridge Mountains, kanoën op de Rappahannock, zeiltochten langs de kust van North Carolina, terwijl hij hen wees op vogels en andere dieren en bomen en planten, en hun van alles leerde over het landschap. Van hem hadden ze hun avontuurlijke inslag, hun fascinatie voor ongerepte natuur. Maar hun uiterlijk – slank, blond, heldere groene ogen – hadden ze van hun moeder, een succesvolle schilderes en beeldhouwster. Haar uiterlijk, en ook een zekere gereserveerdheid en beschouwelijkheid, een afkeer van loos gebabbel en mensenmassa's. Hun vader was een gezelligheidsmens geweest, dol op goede gesprekken en gezelschap. De Hannen-vrouwen daarentegen voelden zich altijd meer op hun gemak in hun eigen hoofd.

Alex was vijf jaar ouder dan Freya, niet zo opvallend knap als haar zus, maar intelligenter – als het om studeren ging tenminste – en ook minder wispelturig. Ze waren nooit onafscheidelijk zoals sommige kinderen uit één gezin, en door het leeftijdsverschil hadden ze eerder de neiging ieder hun eigen weg te gaan en hun eigen dingen te doen dan uren in elkaars gezelschap door te brengen.

Hun oude houten huis aan de rand van de stad had een schat aan landkaarten, atlassen, reisgidsen en reisboeken geherbergd, en op regenachtige dagen zeulden ze hun favoriete boeken naar hun eigen geheime plek om daar toekomstige avonturen te bedenken, Alex naar de rommelzolder, Freya naar het gammele tuinhuisje achter in de tuin. Wanneer ze buiten waren, en dat waren ze meestal, gingen ze ook ieder een andere kant op. Freya zwierf dan mijlenver door de bossen en boomgaarden, maakte touwschommels, klokte hoe lang ze over een bepaalde wandelroute of klimroute deed, dreef zichzelf altijd tot het uiterste.

Alex hield ook van wandelen en ontdekken, maar bij haar zat er een intellectueel tintje aan haar zwerftochten. Zij nam een notitieboekje en kleurpotloden mee, landkaarten, een camera en een oud legerkompas dat naar verluidde had toebehoord aan een marinier die had gevochten in de slag om Iwo Jima. Wanneer ze thuiskwam, altijd 's avonds laat, was dat met uitgebreide aantekeningen van de tocht van die dag, tekeningen, een nauwkeurige routebeschrijving, allerlei specimina die ze onderweg had geplukt of gevonden, zoals bladeren en bloemen, dennenappels, vreemd gevormde stenen, en bij één gelegenheid een dode ratelslang die ze triomfantelijk als een sjaal om haar hals had gehangen.

'En ik maar denken dat ik twee jongedames grootbreng,' had haar vader verzucht. 'Wat heb ik in godsnaam op de wereld losgelaten?'

Ze waren dan wel onafhankelijk, altijd bezig met hun eigen privéavonturen, Alex bezig de wereld in kaart te brengen en Freya bezig hem te veroveren, maar dat deed in geen enkel opzicht afbreuk aan hun liefde voor elkaar. Freya vereerde haar oudere zus, vertrouwde haar en keek tegen haar op en vertelde haar dingen die ze niemand anders vertelde, ook haar ouders niet. Alex op haar beurt kwam altijd voor haar zusje op, sloop 's nachts naar haar kamer om haar te troosten als ze een nachtmerrie had, las haar voor uit de reis- en avonturenboeken waar ze allebei zo gek op waren, vlocht haar haar, hielp haar met haar huiswerk. Freya moest een paar jaar later met een hersenvliesontsteking naar het ziekenhuis en Alex had erop gestaan bij haar te blijven, had op een matrasje op de vloer geslapen en haar hand vastgehouden toen ze een lumbaalpunctie moest ondergaan. (Dit en Freya's hysterische reactie toen de naald onder in haar ruggengraat werd gestoken hadden Alex' voor de rest van haar leven een fobie voor naalden en injecties bezorgd.) Toen Freya, kort voor haar zeventiende verjaardag, de klimwereld versteld had doen staan door solo de Nose op El Capitan in Yosemite te beklimmen, de jongste klimmer tot dan toe... wie had er boven staan wachten met een bos bloemen in de ene hand en een blikje fris in de andere? Alex.

'Ik ben zo trots op je,' had ze gezegd, terwijl ze Freya heel stevig omhelsde. 'Mijn onbevreesde kleine zusje.'

En toen een paar maanden later hun ouders waren omgekomen bij een auto-ongeluk, was het natuurlijk Alex geweest die zich als surrogaatouder opwierp. Op dat moment begon haar carrière als woestijnontdekker net tot bloei te komen. Zo had *Little Tin Hinan*, haar verslag van de acht maanden die ze had doorgebracht bij de in noordelijk Niger rondtrekkende Toearegs, korte tijd boven aan de bestsellerslijsten gestaan. Maar ze had haar carrière in de ijskast gezet, was weer in het ouderlijk huis gaan wonen om voor haar zusje te zorgen en had een baan aangenomen bij, nota bene, de cartografieafdeling van de CIA in Langley zodat ze Freya na haar eindexamen naar de universiteit kon laten gaan, haar klimcarrière kon financieren, kortom, alles voor haar deed.

En na dat alles had Freya haar liefde beloond met verraad. Terwijl in haar oren de gruizige stem van Johnny Cash klonk die zong van verdriet en verlies, van het tekortschieten tegenover degenen om wie je het meest geeft, sloot ze haar ogen en zag ze opnieuw de schok op Alex' gezicht toen ze de kamer binnenkwam. Schok, en erger nog, het verschrikkelijke, verwijtende verdriet.

Zeven jaar en Freya had nooit gezegd dat het haar speet. Ze had het gewild, o god, ze had het zo graag gewild. Er was geen dag geweest dat ze er niet aan had gedacht. Maar ze had het nooit gedaan. En nu was Alex dood en kon het niet meer. Haar geliefde Alex, haar grote zus. *Hurt.* Het beschreef in de verste verte niet wat ze voelde.

Ze stak een hand in haar zak, haalde er een verkreukelde envelop uit met een Egyptische postzegel erop en keek er even naar. Daarna trok ze de microfoontjes uit haar oren en zette de film met Matthew McConaughey aan. Alles wat maar vergetelheid kon brengen.

Flin dronk niet veel meer, zeker niet meer zo veel als vroeger. Als hij eens wat ging drinken, was het in de bar van het Windsor Hotel op Sharia Alfi Bey, en daar ging hij ook deze avond heen. Het was een stemmige, rustige ruimte met overal geboende vloeren, diepe fauteuils en zachte verlichting, een atavisme uit de tijd van koloniale voornaamheid. Het personeel droeg een gesteven wit overhemd en een zwart strikje, in een hoek stond een schrijfbureau, de muren waren behangen met allerlei eigenaardige artikelen uit de betere curiosawinkel, zoals een enorm schildpadpantser, een oude gitaar, geweien en zwart-witfoto's met scènes uit het leven in Egypte. Zelfs de flessen achter de bar – martini, cointreau, Grand Marnier, crème de menthe – verwezen naar een andere tijd, een periode van cocktailparty's, aperitiefjes en after-dinnerlikeurtjes. Het enige wat de illusie verstoorde waren de nummers van Whitney Houston die uit de luidsprekers kwam. Dat, en de in jeans geklede backpackers die bij elkaar gekropen in de hoek hun *Lonely Planet*-gids zaten te lezen.

Flin kwam er even na achten binnen, ging op een kruk aan het eind van de bar zitten en bestelde een Stella. Toen het bier kwam, keek hij er een tijd naar, aarzelend, zoals iemand op de hoogste duikplank naar het water beneden staart. Daarna zette hij het glas aan zijn lippen, leegde het in vier grote slokken en bestelde meteen een nieuw glas. Ook dat ging snel naar binnen en hij wilde net aan zijn derde beginnen, toen zijn blik toevallig over een van de spiegels achter de bar gleed. Op een bank links achter hem zat, met een krant in de hand, de dikke man van de lezing. Flin herinnerde zich niet hem te hebben gezien toen hij binnenkwam, en wisselde van kruk tot hij een pilaar tussen hen in had, want hij had geen behoefte aan gezelschap. Terwijl hij daarmee bezig was, keek de man op, zag hem, zwaaide naar hem, legde de krant opzij en kwam naar hem toe.

'Dat was een mooie lezing, professor Brodie,' zei hij met die merkwaardig hoge stem en die lijzige manier van praten. Hij kwam met uitgestoken hand naar Flin toe. 'Heel mooi.'

'Dank u,' zei Flin, hij pakte de hand aan en schudde die, terwijl hij inwendig kreunde. 'Blij dat iemand ervan genoten heeft.'

De man bood zijn kaartje aan. 'Cy Angleton. Ik werk op de ambassade, afdeling Voorlichting. Fascinerend, het oude Egypte.'

'Zeker.' Flin probeerde enthousiast te klinken. 'Bepaalde periode?'

'O, allemaal zo'n beetje,' antwoordde Angleton met een wuivend handje. 'De hele bubs. Alhoewel ik dat Gilf Kebir-gedoe wel erg fascinerend vind.'

Hij sprak het uit als 'gilf ké-bier'.

'Heel erg fascinerend,' ging hij verder. 'U zou een keer met me moeten gaan lunchen, zodat ik u alles over dat onderwerp kan vragen.'

'Graag,' antwoordde Flin en wist een grijns op zijn gezicht te toveren. Er viel een stilte. Omdat hij het gevoel had er niet onderuit te kunnen, vroeg hij de Amerikaan om erbij te komen zitten. Tot zijn opluchting werd het aanbod afgewezen. 'Ik moet er morgen weer vroeg uit. Ik wou alleen even zeggen dat ik de lezing zeer heb gewaardeerd.'

En na een heel korte stilte: 'We moeten echt eens babbelen over de Gilf.'

Hoewel het heel onschuldig werd gezegd, was er iets in die laatste opmerking wat Flin een onprettig gevoel gaf, alsof er meer achter die opmerking zat dan Angleton losliet. Voor hij erop kon doorgaan, gaf de Amerikaan hem een klopje op zijn schouder, complimenteerde hem nogmaals met de lezing en slenterde de bar uit.

'Het is dat meisje in het hotel,' zei Flin bij zichzelf, terwijl hij de rest van zijn bier opdronk en de barman wenkte voor een volgende. 'Dat was me te veel. Plus al die andere ellende.'

'En doe er een Johnnie Walker bij,' riep hij. 'Een dubbele.'

De rest van de avond dronk hij terwijl hij over van alles nadacht: het meisje, de Gilf, Dakhla, Sandfire. Hij hield niet bij hoeveel hij dronk, verdronk zich, net als vroeger. Aan een tafeltje in zijn buurt zat opeens een groep Engelse meiden en een van hen – elfachtig, donker haar, knap – wierp blikken in zijn richting, probeerde oogcontact te krijgen. Hij was aantrekkelijk voor de andere sekse, dat kreeg hij tenminste van anderen te horen, en met zijn slanke, gespierde lichaam en grote bruine ogen sprong hij eruit tussen de egyptologen die fysiek meestal nogal oninteressant waren. Toch had hij zich in vrouwelijk gezelschap nooit echt op zijn gemak gevoeld, ging een vlotte babbel om het ijs te breken, waar sommige mannen goed in waren, hem slecht af. En ook al was het anders geweest, deze avond was hij er absoluut niet voor in de stemming. Hij reageerde op de belangstelling van het meisje met een flauw glimlachje, richtte vervolgens de blik omhoog naar een gewei en hield hem daar. Twintig minuten later vertrok het damesgroepje en werd hun plaats ingenomen door een stel Egyptische zakenlui.

Tegen elf uur besloot Flin, die nu dronken was, écht dronken, dat het mooi was geweest en begon naar zijn portefeuille te zoeken. Op dat moment voelde hij een hand op zijn schouder. Eén naar moment dacht hij dat het weer die dikke Amerikaan was. Maar het was slechts Alan Peach, een collega van de American University. 'Interessante Alan' zoals hij werd genoemd omdat hij de saaiste man in heel Caïro was, gespecialiseerd in potscherven, een man wiens gespreksonderwerpen zelden buiten het gebied van rode keramiek uit de vroegdynastieke periode kwamen. Hij begroette Flin en nodigde hem met een gebaar naar een stel universiteitscollega's aan het andere eind van zaal om erbij te komen. Flin schudde zijn hoofd, zei dat hij op het punt stond te vertrekken en pakte zijn portefeuille. Ondertussen begon Peach aan een onduidelijk verhaal over een discussie die hij had gehad met een van de curatoren van het Egyptische Museum over een pot die volgens hem met zekerheid Badarisch was en niet Naqada II zoals de officiële beschrijving vermeldde. Flin liet zijn gedachten wegdrijven, knikte nu en dan maar luisterde niet echt aandachtig. Pas toen hij het juiste bedrag had uitgeteld en op de bar had gelegd en zijn laptop pakte, kwam hij tot de ontdekking dat Peach het inmiddels over iets heel anders had.

'... bij Sadat Metro. Kon mijn ogen niet geloven. Liep hem letterlijk tegen het lijf.'

'Wat? Wie?'

'Hassan Fadawi. Liep hem letterlijk tegen het lijf. Ik was op weg naar Heliopolis om te assisteren met wat keramiek die ze daar hadden gevonden. Derde Dynastie, denken ze, maar qua stijl...'

'Fadawi?' Flin leek geschokt. 'Maar ik dacht dat hij...'

'Dacht ik ook,' zei Peach. 'Kennelijk vervroegd vrijgelaten. Een gebroken man. Echt gebroken.'

'Hassan Fadawi? Weet je het zeker?'

'Honderd procent. Volgens de verhalen heeft hij wel geld, rijke familie en zo, dus financieel redt hij het wel, maar...'

'Wanneer? Wanneer is hij vrijgekomen?'

'Ik dacht dat hij zei ongeveer een week geleden. Mager als een lat. Ik weet nog dat we een keer een razend interessant gesprek hebben gehad over een paar hiëratische wijnvatlabels die hij in Abydos had gevonden. De meeste mensen zouden ze Derde of Vierde hebben gedateerd, maar hij dacht dat je dan niet zo'n randstructuur zou hebben gehad en...'

Maar hij had het tegen zichzelf omdat Flin zich al had omgedraaid en de zaal had verlaten.

Hij had rechtstreeks naar huis moeten gaan. Maar nee, hij had zich niet meer in de hand en maakte een omweg langs de taxfree drankwinkel op

Sharia Talaat Harb waar hij een fles smerige whiskey kocht. Daarna hield hij een taxi aan en vertelde de chauffeur hoe hij naar zijn flat op de hoek van Mohammed Mahmoud en Mansoer moest rijden.

Taïb de conciërge was nog op toen hij thuiskwam. Hij zat in zijn luie stoel net in de entree, met een sjaal over zijn hoofd en zijn smerige voeten in oude plastic sandalen gestoken. Ze konden het niet goed met elkaar vinden en Flin nam, dronken als hij was, niet de moeite hem te groeten, maar liep gewoon langs hem heen de oude liftkooi in die hem rammelend naar de bovenste verdieping bracht.

In zijn flat gekomen pakte hij een whiskyglas mee uit de keuken, schonk het vol en zwalkte naar de woonkamer. Hij deed het licht aan en liet zich op de bank vallen. Hij leegde het glas, vulde het nog eens, dronk dat ook leeg, met grote teugen, zich ervan bewust dat hij bezig was snel af te glijden, maar niet in staat het tegen te gaan.

Vijf jaar had hij zich in de hand weten te houden, had hij het spul nauwelijks aangeraakt. Hij had momenten gehad dat hij ernaar snakte, natuurlijk, vooral in het begin, maar zij had hem er doorheen geholpen en dankzij haar was hij op het goede pad gebleven, had hij langzaam zijn leven weer in elkaar kunnen zetten, zoals een van Alan Peach' gereconstrueerde potten.

Vijf jaar, en die smeet hij nu in één keer weg. Het kon hem niets schelen. Het kon hem geen donder schelen. Het meisje, de Gilf, Dakhla, Sandfire en nu Hassan Fadawi: het was hem gewoon te veel. Hij kon het niet meer aan.

Hij schonk nog eens een glas vol, dronk het ineens leeg en nam toen een teug uit de fles, dronken door de kamer heen en weer kijkend. Willekeurige voorwerpen zwierden scherp en dan weer onscherp in en uit beeld, zijn El-Ahly-voetbalsjaal, *The Cult of Ra* van Stephen Quirke, een klomp Libisch woestijnglas ter grootte van een vuist, en rond en rond ging zijn blik om ten slotte te blijven hangen aan een foto op de lage tafel naast de bank. Een foto van een jonge vrouw. Blond, gebruind, lachend. Ze had een spiegelende zonnebril op en een veel gedragen suède jack aan, en achter haar lag een grindvlakte die zich uitstrekte naar een walvisachtig duin in de verte. Flin liet zijn blik erop rusten, nam een slok, keek weg en meteen weer terug en op zijn gezicht verscheen een uitdrukking van gepijnigde vernedering, alsof hij was betrapt op iets wat hij plechtig had beloofd niet te zullen doen. Vijf seconden verstreken, tien, twintig. Met een grom van inspanning, over zijn hele lichaam trillend alsof hij zich tegen een ongeziene kracht verzette, hees hij zich overeind en struikelde

naar het raam. Hij opende de luiken en smeet de whiskyfles de nacht in.
'Alex,' brabbelde hij terwijl van beneden uit het steegje het knarsende geluid van brekend glas klonk. 'O, Alex, wat heb ik gedaan.'

Cy Angleton veegde met een zakdoek over zijn voorhoofd – Jezus, de hitte in deze stad! – en bestelde nog een Coca Cola. Verder dronk iedereen in het café glazen robijnrode thee of stroperige zwarte koffie, maar Angleton raakte dat spul niet aan. Hij deed dit werk nu twintig jaar, in het Midden-Oosten, het Verre Oosten en Afrika, en hield zich altijd aan deze regel: drink alleen wat uit blik komt. Zijn collega's lachten hem erom uit en noemden hem paranoïde, maar híj lachte als zij krom lagen van de voedselvergiftiging en ze hun darmen eruit poepten. Drink alleen wat uit blik komt. En ook: eet alleen wat is gekookt door Amerikanen.

De cola kwam eraan. Angleton opende het blikje, nam een lange teug en keek de bediende, een jongen in de tienerleeftijd, na toen hij tussen de tafeltjes door liep, bewonderde de smalle heupen en de gespierde armen. Hij nam nog een slok en keek de andere kant op, richtte zijn aandacht op de huidige kwestie.

Het was een nuttige avond geweest. Buitengewoon nuttig. Een deel van hem vroeg zich af of hij in het Windsor Hotel niet te ver was gegaan, of hij de aandacht bij Brodie niet zo specifiek op de Gilf Kebir had moeten richten, maar alles overwegend was het het risico waard geweest. In deze bedrijfstak moest je soms op je intuïtie afgaan. En zijn intuïtie had hem gezegd dat Brodies reactie informatie zou opleveren. Wat inderdaad het geval was geweest. Hij wist iets, wist beslist iets. Stukje bij beetje. Zo werkte hij bij voorkeur. Zich een beeld vormen, de feiten boven water halen. Daar werd hij voor betaald, daarom gebruikten ze hém altijd voor dit soort zaken.

Naderhand was hij Brodie gevolgd naar diens flat en had hij wat gebabbeld met de oude conciërge. De man had duidelijk een hekel aan de Engelsman, en daar had hij op ingespeeld. Hij had zijn vertrouwen gewonnen, hem wat geld toegeschoven wat de zaken zou vereenvoudigen wanneer het moment was aangebroken om een kijkje in Brodies flat te nemen, iets wat binnenkort zou gebeuren. Ja, alles bij elkaar was het een bijzonder vruchtbare avond geweest. Stukje bij beetje.

Hij nam een slokje cola en bekeek de andere klanten in het café. Sommigen trokken aan *sisha's*, waterpijpen, anderen zaten te dominoën, allemaal mannen. De jongen liep weer langs en Angleton volgde hem met zijn ogen, speelde in gedachten luie scenario's af, gefantaseerde omhelzingen, vochtigheid, zweet. Glimlachend schudde hij het hoofd, gooide wat geld op tafel, stond op en liep de straat uit. Hij mocht zijn behoeften hebben, hij was niet van plan ze in een land als dit te bevredigen. Misschien wanneer hij weer in de States was, maar voorlopig stelde hij zich tevreden met zijn eigen hand. Dat waren zijn leefregels: drink het water niet, eet het voedsel niet, en bovenal, blijf altijd met je vingers van het vlees af, hoe groot de verleiding ook is.

Freya landde om acht uur 's morgens plaatselijke tijd op Caïro International. Ze werd bij *Arrivals* opgewacht door Molly Kiernan, een vriendin van Alex en degene die haar twee avonden geleden had gebeld met het nieuws van Alex' dood.

Kiernan was achter in de vijftig met grijzend blond haar, praktische schoenen en een klein gouden crucifix aan een kettinkje om haar nek. Ze kwam naar Freya toe en omhelsde haar, zei dat ze het heel erg voor haar vond. Daarna gaf ze haar een arm en loodste haar de internationale terminal uit en naar de binnenlandse voor haar vlucht naar de Dakhla-oase. Daar had Alex gewoond en daar zou ze de volgende morgen worden begraven.

'Weet je zeker dat je niet in Caïro wilt blijven zodat we morgen samen kunnen vliegen?' vroeg Kiernan tijdens de wandeling. 'Ik heb een logeerbed.'

Freya bedankte haar en zei dat ze meteen naar het zuiden wilde doorreizen. Ze wilde haar zus nog één keer zien voor ze werd begraven, afscheid van haar nemen.

'Ik snap het wel, liefje,' zei de oudere vrouw en gaf Freya een kneepje in haar hand. 'Zahir al-Sabri wacht je daar op. Hij heeft met Alex gewerkt. Een beste kerel, zij het een beetje knorrig. Hij brengt je naar het ziekenhuis en daarna naar haar huis. En als je iets nodig hebt, wat dan ook...'

Ze gaf Freya haar kaartje: Molly Kiernan, Regionaal Coördinator USAID. Achterop was een mobiel nummer gekrabbeld.

Freya checkte bij binnenlandse vluchten in, samen met slechts drie anderen. Kiernan zwaaide met een soort pas en sprak in vloeiend Arabisch met de beveiligers waarna ze toestemming kreeg om Freya door de vertrekhal te begeleiden en te wachten tot haar vlucht werd omgeroepen.

Geen van beiden zei veel. Pas toen het instappen was begonnen en Freya in de rij voor de bus ging staan die haar naar het vliegtuig zou brengen, sprak ze uit wat haar, sinds ze het bericht van de dood van haar zus had gekregen, niet meer had losgelaten: 'Ik kan gewoon niet geloven dat Alex zelfmoord zou hebben gepleegd. Dat kan ik gewoon niet geloven. Niet Alex.'

Als ze had gehoopt op een verklaring: die kreeg ze niet. Kiernan sloeg alleen even haar armen om haar heen, gaf een aai over haar hoofd, zei ten afscheid: 'Ik vind het heel erg voor je.' Vervolgens draaide ze zich om en liep weg.

Toen ze eenmaal in de lucht waren, staarde Freya afwezig omlaag naar de woestijn, een eindeloze vuilgele vlakte die aan de verre horizon in een waas oploste. Hier en daar werd het oppervlak doorsneden door vertakte, littekenachtige lopen van reeds lang opgedroogde wadi's, maar voor het grootste deel was er niets bijzonders te zien. Wezenloos, leeg, desolaat, precies zoals zij zich voelde.

Een overdosis morfine, zo had Alex het gedaan. Freya kende de details niet, wilde ze ook niet echt kennen want het was gewoon te pijnlijk om over na te denken. Ze had multiple sclerose gehad, en blijkbaar een buitengewoon agressieve vorm van de ziekte, had het gebruik van haar benen en een arm verloren, en ook haar gezichtsvermogen was ernstig aangetast geweest... God, het was zo wreed dat je hart ervan brak.

'Ze kon het niet meer aan,' had Molly Kiernan gezegd tijdens het slecht-nieuwstelefoontje. 'Ze kon niet meer. Ze besloot te handelen zolang ze er nog toe in staat was.'

Het klonk helemaal niet naar de Alex zoals Freya die kende, die de hoop zomaar opgaf, die opgaf zonder te vechten. Maar ze had in feite niet meer dan een herinnering: de Alex uit hun jeugd met haar aantekenboekjes en stenenverzameling en een oud legerkompas van de Slag om Iwo Jima. De Alex die haar stevig had vastgehouden bij de begrafenis van hun ouders en haar carrière had opgegeven om voor haar te kunnen zorgen, liefdevol en zorgzaam. Een voorbije Alex. Een verloren Alex. Zeven jaar geleden hadden ze elkaar voor het laatst gesproken, en wie weet hoe haar zus in die jaren was veranderd.

Ze had weliswaar aan Freya geschreven, eens per maand, je kon de klok erop gelijkzetten, bij elkaar tientallen brieven, allemaal in dat merkwaardige handschrift van haar dat er op een of andere manier in slaagde zowel wild als netjes te zijn. Maar die brieven hadden alle persoonlijke onderwerpen vermeden. Alsof de gebeurtenissen op die laatste dag in Markham de deur naar elke diepere betrokkenheid tussen hen hadden dichtgesmeten. Dakhla, de woestijn, het onderzoek dat ze deed naar duinverplaatsingen en de geomorfologie van het Gilf Kebirplateau, wat dat in godsnaam mocht zijn, dat waren de dingen waar Alex over schreef. Oppervlakkige dingen, buitenkant, nooit dieper gravend. Alleen de laatste brief, die Freya een paar dagen voor het nieuws van haar zus' dood had gekregen, was anders geweest, opener, had Freya weer toegelaten. Maar toen was het te laat.

En natuurlijk had Freya, vervuld van schaamte, nooit op die brieven geantwoord. Niet één keer in die zeven jaar had ze een poging gedaan weer contact te leggen, te zeggen hoezeer het haar speet, geprobeerd de schade die ze had aangericht te herstellen.

Dat kwelde haar nu het meest, meer nog dan Alex' dood. Het feit dat ze had geleden, verschrikkelijk geleden volgens de verhalen, en dat zij, Freya, er niet voor haar was geweest zoals Alex er voor haar wel altijd was geweest. De wespensteek, de lumbaalpunctie, de dag dat ze solo de Nose van El-Capitan in het Yosemitepark had beklommen: haar zus had haar nooit teleurgesteld, was er altijd geweest. Maar zij had niet hetzelfde gedaan voor haar zus, ze had haar teleurgesteld. Voor de tweede keer.

Ze stak een hand in haar zak en haalde er de verkreukelde envelop met het Egyptische poststempel uit, staarde ernaar en stopte hem toen ongelezen terug. Ze richtte haar blik weer op de woestijn beneden haar. Wezenloos, leeg, desolaat. Zoals zij zich voelde. Al zeven jaar lang. En hoe ze zich waarschijnlijk zou blijven voelen.

Zoals was afgesproken werd ze op Dakhla Airport – een afgelegen groepje oranje gebouwtjes omgeven door woestijn – opgewacht door Alex' collega Zahir al-Sabri. Hij was mager, pezig, met een haakneus, dun snorretje en een roodgeblokte bedoeïenen-*imma* om zijn hoofd gewikkeld. Hij mompelde kortaf een groet, pakte haar grote tas – haar rugzak hield ze zelf – en nam haar mee de aankomsthal en een paar glazen deuren door. De middenochtendhitte besprong haar alsof er een gloeiend hete handdoek tegen haar gezicht werd gedrukt. In Caïro was het warm geweest, maar dit was iets heel anders; de trillende lucht leek door te dringen tot diep in haar longen en de adem eruit te zuigen.

'Hoe kunnen mensen hierin leven?' hijgde ze en ze zette haar zonnebril op tegen het felle licht.

Zahir haalde zijn schouders op.

'In zomer komen. Dan is heet.'

Voor het gebouw was een parkeerplaats omringd door treurvijgenbomen en oleanders met roze bloemen. Zahir stak hem over naar een gedeukte witte Toyota Land Cruiser met een imperiaal en zonder linkerkoplamp. Hij tilde haar bagage op het imperiaal, gooide het passagiersportier open, klom zonder een woord te zeggen op de bestuurdersstoel en startte de motor. Ze reden weg, passeerden een beveiligingspost en draaiden een asfaltweg op – de enige weg – die als een streep smerig grijze verf door de woestijn trok. Voor hen doemde de groene zindering van de oase op. Achter hen rees als de rand van een enorme schotel een steile, roomkleurige wand op die de hele horizon besloeg en inklemde.

'Djebel el-Qasr,' zei Zahir. Hij ging er niet op door en Freya vroeg niet verder.

Ze reden snel en in stilte, met grindachtige duinen die plaatsmaakten voor de eerste plukken dor gras, daarna voor bevloeide akkers met palmen, olijf- en citrusbomen. Na tien minuten kondigde een bord in het Arabisch en Engels aan dat ze Mut binnenreden waarvan Freya uit Alex' brieven wist dat het de grootste nederzetting in de Dakhla-oase was. Een slaperig, bijna geheel verlaten plaatsje met witgekalkte gebouwen van twee of drie verdiepingen, met stoffige straten omzoomd door casuarina's en acacia's en stoepranden die in muntgroen en wit waren geverfd, de twee dominante kleuren in het stadje.

Ze kwamen langs een moskee, een ezelkar met een stel in het zwart geklede vrouwen achterop, een rij kamelen die doelloos langs de kant van de weg sjokten, en af en toe woeien er vlagen mestgeur en houtvuur door de open raampjes naar binnen. In andere omstandigheden zou Freya gefascineerd zijn geweest, want het was allemaal zo anders, zo volstrekt onbekend. Maar ze zat afwezig naar buiten te staren terwijl ze een brede laan door het stadje volgden en een reeks minirotondes passeerden waar in verschillende richtingen andere brede lanen aan ontsprongen; ze kreeg het gevoel dat ze in een reusachtige flipperkast heen en weer werd gepingd.

Een paar minuten later waren ze aan de andere kant het stadje weer uit en jakkerden ze door een lappendeken van maïsakkers en rijstvelden. Duiventillen en palmbosjes kwamen voorbij, irrigatiekanalen, vreemd verwrongen rotsen en ten slotte kwamen ze in een dorpje met dicht openstaande lemen huizen. Zahir minderde vaart, draaide links van de weg een open poort in en stopte op een voorhof die was omgeven door hoge leemmuren afgedekt met palmbladeren. Hij toeterde en zette de motor uit.

'Alex' huis?' vroeg Freya terwijl ze probeerde de voorhof en het bouwvallige onderkomen in overeenstemming te brengen met de beschrijvingen in de brieven van haar zus.

'Mijn huis,' zei Zahir, opende het portier en stapte uit. 'We drinken thee.'

Freya had helemaal geen behoefte aan theedrinken maar voelde dat het onbeleefd zou zijn te weigeren. Alex had in haar brieven duidelijk gemaakt hoeveel belang Egyptenaren aan gastvrijheid hechtten. Zo moe als ze was, pakte ze haar rugzak en stapte ook uit.

Zahir nam haar mee naar binnen en een gang door – donker en koel, met de lucht van rook en spijsolie – en een donkere, hoge kamer binnen met lichtblauwe muren en matten op de vloer. Afgezien van een lage zitbank met kussens en een tv-toestel op een tafel in de verste hoek was de kamer leeg. Zahir gebaarde naar de bank, riep iets naar iemand achter in het huis en hurkte op de vloer voor haar waarbij zijn djellaba opkroop en een paar witte Nikes onthulde.

'Ik heb gehoord dat u met Alex samenwerkte,' zei ze na een tijd omdat Zahir op geen enkele manier liet merken een gesprek te willen beginnen. Hij gromde bevestigend.

'In de woestijn?'

Hij haalde zijn schouders op als wilde hij zeggen: 'Ja, waar anders?'

'En wat deden jullie daar?'

Weer een schouderophalen. 'Wij rijden. Ver. Naar Gilf Kebir. Lange weg.'

Hij keek naar haar op en toen weer weg, liet zijn nek kraken en veegde iets weg van zijn djellaba. Ze wilde hem meer vragen: over Alex' leven, haar ziekte, haar laatste dagen, wat hij over haar wist, wat dan ook, omdat ze zo verschrikkelijk graag de kleinste dingen over haar zus te weten wilde komen. Maar ze hield zich in, voelde dat hij niet bijzonder toeschietelijk zou zijn. Molly Kiernan had haar gewaarschuwd dat hij knorrig was, maar dat leek te zacht uitgedrukt. Hij gedroeg zich bijna vijandig. Ze vroeg zich af of Alex hem had verteld wat er tussen hen was voorgevallen, waarom ze elkaar zo lang niet hadden gesproken.

Ze drong de vraag naar de achtergrond en deed een hernieuwde poging het ijs te breken door te vragen: 'Bent u een bedoeïen?'

Een knik, verder niets.

'Sanusi?' Dat was iets wat ze zich vaag herinnerde uit een van Alex' brieven, een naam die iets te maken had met woestijnvolkeren. Wanneer ze had gehoopt met haar kennis indruk op hem te maken, had ze het mis. Zahir slaakte een kreet van afkeer en schudde heftig zijn hoofd.

'Niet Sanusi,' blies hij. 'Sanusi zijn honden, uitschot. Wij al-Rashaayda. Echte bedoeïen.'

'Sorry,' mompelde ze. 'Ik wilde u niet...'

Ze werd onderbroken door gerinkel op de gang. Een jongetje van hooguit twee of drie kwam de kamer in gehobbeld, gevolgd door een jonge vrouw – slank, donkergetint, aantrekkelijk. Ze had een sisha, een waterpijp, in haar ene hand en een blaadje met twee glazen met roodbruine thee in de andere. Freya stond op om haar te helpen, maar Zahir wuifde haar terug naar de bank en maakte zijn vrouw – daar ging Freya tenminste van uit – duidelijk dat ze de pijp en het blad naast hem moest neerzetten. Een fractie van een seconde kruiste haar blik die van Freya, toen was ze weg.

'Suiker?' Zonder op antwoord te wachten schepte Zahir een lepel in haar kopje, gaf het haar en trok toen het jongetje in zijn armen.

'Mijn zoon,' zei hij en voor het eerst glimlachte hij zodat de spanning even vergeten was. 'Heel slim. Je bent toch slim, Mohsen?'

Het jongetje lachte en zijn voetjes schopten onder de zoom van zijn djellaba uit.

'Een mooi kind,' zei Freya.

'Niet mooi,' zei Zahir en zwaaide met een afkeurende vinger. 'Vrouw is mooi. Mohsen knap. Als vader.'

Hij grinnikte zachtjes en gaf het jongetje een kus op zijn voorhoofd.

'U hebben kinderen?'

Ze bekende dat ze die niet had.

'Snel beginnen,' adviseerde hij. 'Voor u te oud.'

Hij schepte drie lepeltjes suiker in zijn eigen glas, nam een slokje, pakte het mondstuk van de sisha en blies er leven in. Een dikke blauwe rookwolk dreef zwaarwichtig naar het plafond. Er viel weer een ongemakkelijke stilte, voor Freya tenminste. Zahir leek het niet te merken. Na een tijdje wees hij met het mondstuk naar een plek boven haar hoofd waar een gebogen mes aan de muur hing. De bronzen schede was ingelegd met sierlijk zilverwerk en aan het eind van het ivoren handvat zat zo te zien een grote robijn.

'Dit van vrouder,' zei hij.

Freya wist even niet wat hij bedoelde. 'Voorouder,' verbeterde ze.

'Dit wat ik zeg. Vrouder. Hij naam Mohammed Wald Joesoef Ibrahim Sabri al-Rashaayda. Leeft voor zeshonderd jaar, heel beroemd man. Meest beroemd man in woestijn. Sahara zijn tuin. Hij gaan overal, zelfs Zandzee, kennen elke duin, elke drinkplaats. Heel groot man.'

Hij knikte trots en trok zijn zoontje met één arm tegen zich aan. Freya wachtte tot hij verder zou vertellen, maar meer leek hij niet te willen zeggen en dus viel er weer een stilte. Het gepuf van een irrigatiepomp een stuk verderop kwam door het open raam naar binnen, en van dichterbij het gakken van ganzen. Ze liet het een paar minuten zo, nam slokjes van haar thee terwijl het jongetje haar aanstaarde. Daarna zette ze haar glas neer, stond op en vroeg waar de wc was. Niet omdat ze nodig moest, maar om even bij hem vandaan te zijn. Zahir maakte een gebaar waaruit ze kon opmaken dat ze de gang waardoor ze waren binnengekomen naar het achterhuis moest uitlopen.

Ze ging de kamer uit, blij even alleen te zijn, kwam langs een paar slaapkamers – kale muren en vloeren, merkwaardig rijk bewerkte bedden – voor ze door een zwiepend kralengordijn op een binnenplaatsje uitkwam. Tegen een muur stond een stapel bamboekooien propvol konijnen en duiven. Uit een opening recht voor haar kwam het gerammel van pannen en het geluid van vrouwenstemmen. Rechts van haar waren twee gesloten deuren waarvan er een die van de wc moest zijn. Ze stak de binnenplaats over en opende de eerste deur. Het was een werkkamer of een opslagruimte, dat was niet duidelijk: een bureau, een stoel en een stokoude computer suggereerden het eerste, zakken graan, een verroeste fiets en allerlei landbouwwerktuigen het laatste. Ze was bezig de deur te sluiten, maar stopte toen haar aandacht naar de andere kant van de kamer werd getrokken waar het bureau in een hoek was geschoven. Aan de muur erboven was met tape een foto geplakt. Ze ging de kamer binnen, haar blik op de foto gericht.

Het was een kleurenfoto, aanzienlijk groter dan het origineel moest zijn geweest, zodat ze zelfs vanuit de deuropening duidelijk zag wat er op stond: een kromme toren van zwart, glasachtig gesteente die uit een verder lege woestijn oprees als een enorm kromzwaard dat zich een weg door het zand sneed. Het was een dramatisch ogende formatie, de zwaartekracht trotserend, met een top die in een punt eindigde en een zijkant die door millennia van weersinvloeden was ingekeept en getand en op een kartelmes leek. Een deel van Freya moest er onwillekeurig aan denken wat een fantastische klim het zou zijn, maar het was niet zozeer de rots als de persoon die in de schaduw aan de voet ervan stond die de aandacht trok. Ze liep de kamer door naar het bureau en leunde er overheen, de blik omhoog. Hoewel de figuur door de gekromde monoliet tot dwergachtige proporties werd teruggebracht, waren de lach, het afgedragen suède jack en het blonde haar onmiskenbaar Alex. Ze stak een hand uit en raakte haar aan.

'Dit privé.'

Ze draaide zich snel om. Zahir stond in de deuropening, zijn zoontje naast zich.

'Neem me niet kwalijk,' mompelde ze, gegeneerd. 'Ik had de verkeerde deur.'

Hij zei niets, keek haar alleen maar aan.

'Ik zag Alex.' Ze wees naar de foto, voelde zich om een onduidelijke reden schuldig, alsof ze was betrapt bij iets wat ze niet mocht doen, zoals die dag in...

'Wc hiernaast,' zei hij.

'O. Ik wilde niet...'

Ze zweeg, onzeker, niet in staat het goede woord te vinden. Binnendringen? Rondsnuffelen? Ze voelde ook dat er tranen in haar ogen kwamen.

'Was ze gelukkig?' flapte ze er opeens uit zonder dat ze het wilde. 'Alex. Ze heeft me vlak voor haar dood een brief gestuurd, snapt u. Daarin schreef ze dingen... Ze leek gelukkig. Was ze gelukkig? Kunt u me dat zeggen? Aan het eind. Was ze toen gelukkig?'

Hij bleef haar aankijken, uitdrukkingsloos.

'Dit privé,' zei hij. 'Wc hiernaast.'

Ze voelde opeens woede opkomen.

Ze is dood! wilde ze schreeuwen. *Mijn zus is dood, en u brengt me hier om thee te drinken en ik mag niet eens naar haar foto kijken!*

Ze zei niets, zich ervan bewust dat haar woede evenzeer tegen haarzelf als Zahir was gericht, om wat ze Alex had aangedaan, omdat ze er niet voor haar was geweest, om alles. Ze wierp een laatste blik op de foto, liep terug de kamer door en de binnenplaats op.

'Ik hoef niet meer naar de wc,' zei ze rustig. 'Ik wil haar alleen maar zien. Wilt u me er alstublieft heenbrengen?'

Hij keek haar strak aan, uitdrukkingsloos, liet niets merken, trok toen met een knikje de deur dicht. Hij gaf zijn zoontje een zetje richting keuken alvorens Freya door het huis heen naar de Land Cruiser te brengen. Tijdens de rit terug naar Mut zeiden ze geen woord.

Caïro

Het was bijna middag toen Flin wakker werd. Hij lag op de bank, al zijn kleren nog aan, met een bonkend hoofd, een droge, krakende mond alsof die vol met krijt was gepropt. Eén afschuwelijk moment dacht hij dat hij zijn ochtendcollege had laten lopen, maar toen bedacht hij dat het dinsdag was en dinsdags gaf hij pas 's middags college. Hij mompelde 'goddank' en liet zich weer in de kussens terugvallen.

Hij bleef een tijdje zo liggen, staarde omhoog naar de strepen zonlicht die de jaloezieën over het plafond trokken, dacht na over de gebeurtenissen van de vorige avond. Beneden op straat klonk een ononderbroken concert van autoclaxons. Toen hees hij zich overeind, stommelde de kamer door naar de badkamer en ging onder de koude douche staan. De oude waterleidingen in het gebouw kreunden en rammelden en deponeerden een zware waterval op zijn gezicht en bovenlijf. Hij nam er een kwartier voor. Terwijl zijn hoofd langzaam helder werd, droogde hij zich af, zette koffie, dikke, zwarte Egyptische koffie, zo scherp en zuur als citroensap. Hij drentelde de zitkamer in en gooide de luiken open. Voor hem strekte zich een chaotische massa gebouwen uit die als een modderige schuimgolf naar het oosten uitwaaierde om in de nevelige verte te pletter te lopen tegen de muur van de Muqqatam-heuvels. Rechts van hem glansde de koepel van de Mohammed Ali-moskee als vuil zilver op in het licht van de middagzon. Overal prikten uit de warboel minaretten omhoog als naalden door een grof weefsel, hun luidsprekers vulden de lucht met het geweeklaag van de muezzins die de gelovigen opriepen voor het twaalfuurgebed.

Hij woonde nu bijna tien jaar in dit appartement, dat hij huurde van een oude Egyptische familie die het hele blok al sinds de bouw, eind negentiende eeuw, in bezit had.

Van buiten stelde het niet veel voor, nu de ooit zo trotse koloniale façade – versierde balkons, rijk gebeeldhouwde raamkozijnen, een sierlijke voordeur met glas en smeedwerk – overal gescheurd en afgebladderd was en vol poepbruine vlekken van de luchtvervuiling zat. Binnen waren de gemeenschappelijke ruimten niet meer wat ze geweest waren, somber en deprimerend, met bekraste en brokkelige muren vol graffiti en afbladderende verf.

Maar de locatie was ideaal: een paar straten van de Amerikaanse Universiteit vandaan waar hij doceerde. En de huur was laag, zelfs naar Caïrose maatstaven, een belangrijke overweging gezien het feit dat hij slechts een deeltijdbaan had. En het huis mocht dan betere tijden hebben gekend, zijn appartement op de bovenste verdieping was een oase van rust en licht, met hoge kamers en ramen met een spectaculaire uitzicht op het oosten en zuiden van de stad. Hij voelde zich nog altijd het meest thuis in de woestijn, waar hij vier maanden van het jaar doorbracht, maar voorzover hij in een stad gelukkig kon zijn, was hij het hier. Zelfs met die chagrijn van een Taïb die beneden op de loer lag.

Hij sloeg zijn koffie achterover, schonk zich er nog een in en liep terug naar het raam waar hij zijn blik over de rommelige stroom daken liet dwalen. De meeste lagen vol hopen afval, net als de straten beneden, zodat het was of de stad als een sandwich tussen twee lagen vuil lag. Hij probeerde de St. Simon de Looier en de andere Koptische kerken te zien die waren uitgehouwen in de rotswand boven de Zabbaleen-wijk in Manshiet Nasser, waarna hij zijn blik liet zakken naar de steeg recht onder hem waar de scherven van de whiskyfles van de vorige avond in het stof lagen. Een kat snuffelde er nieuwsgierig omheen. Hij wist niet goed of hij van zichzelf moest walgen omdat hij op spectaculaire wijze weer aan de drank was gegaan, of opgelucht moest zijn omdat hij op een of andere manier kans had gezien er weer vanaf te komen. Het zou wel iets van beide zijn.

'Bedankt, Alex,' mompelde hij in de wetenschap dat als de foto er niet was geweest, hij nu nog aan de drank zou zijn. 'Wat zou ik zonder jou moeten?'

Hij staarde nog een tijdje naar buiten terwijl de koffie het werk van de koude douche voortzette en zijn hoofd helderheid en orde verschafte. Hij bracht het kopje terug naar de keuken, kleedde zich aan en slenterde de gang door naar zijn werkkamer aan het andere eind van het appartement.

Overal waar hij tot nu toe had gewoond – Cambridge, Londen, Bagdad en hier in Caïro – had hij zijn werkkamer op precies dezelfde manier ingedeeld. Zijn bureau stond vlak achter deur met uitzicht op het raam. Naast het bureau stond een rij archiefkasten, langs de muren boekenkasten tot aan het plafond en in de hoek een leunstoel, een lamp en een cd-speler, en een klok erboven. Het was precies dezelfde opstelling als in de werkkamer van zijn vader – ook een vooraanstaand egyptoloog – tot en met de potplanten boven op de archiefkasten en de kelim op de vloer.

Flin had zich meer dan eens afgevraagd wat een psychoanalyticus van die gelijkenis zou zeggen. Waarschijnlijk hetzelfde als van het feit dat hij als egyptoloog in de voetsporen van zijn ouwe heer was getreden – een gesublimeerde behoefte aan waardering, wedijver, liefde. Allemaal de gebruikelijke onzin waar psychoanalytici mee op de proppen kwamen. Hij probeerde er niet bij stil te staan. Zijn vader was allang dood en wanneer puntje bij paaltje kwam, was hij zo gewend aan deze opstelling dat het gemakkelijker was alles bij het oude te laten. Los van welke emotionele grondtoon dan ook.

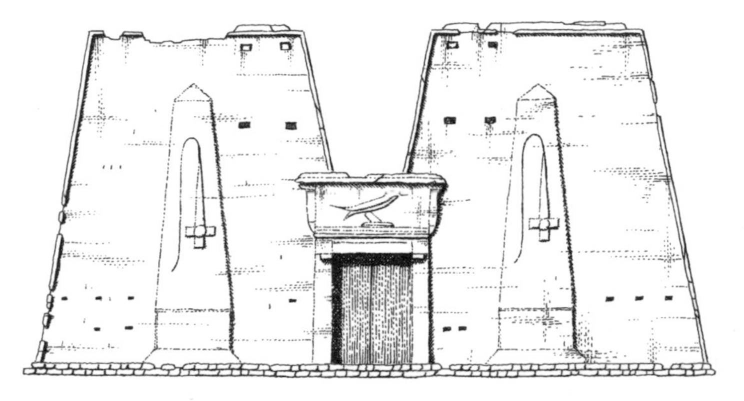

Hij kwam de kamer in en bleef, zoals altijd, even staan om een blik te werpen op de ingelijste prent aan de muur boven het bureau. Een eenvoudige pentekening van een monumentale poort: twee trapeziumvormige torens met ertussen, ongeveer tot halve hoogte, twee rechthoekige deuren afgedekt door een latei. Elke toren droeg aan de voorkant een afbeelding met daarin een kruis en een lusvormige lijn: *sedjet*, de hiëroglief voor 'vuur'. Onder aan de prent stond, in cursief schrift, het bijschrift:

> *De stad Zerzura is wit als een duif, en op de stadspoort is een vogel gebeiteld. Treed binnen, en u zult grote rijkdommen vinden.*

Hij keek er lang naar, herhaalde de uitleg voor zichzelf – zoals altijd – waarna hij hoofdschuddend naar de leunstoel liep, zich erin liet vallen en de cd-speler aanzette. De melancholieke, lichte notenreeksen van Chopin stegen rondom hem op.

Het was een ritueel dat hij al sinds zijn studententijd elke ochtend uitvoerde (de spion Kim Philby had er blijkbaar bij gezworen): een rustig, meditatief halfuurtje aan het begin van de dag – of in dit geval midden op de dag – waarin hij achteroverleunde, de wereld buitensloot en zich, nu zijn hersens nog fris waren, concentreerde op het intellectuele probleem dat hem op dat moment bezighield. Soms was het een abstract probleem, bijvoorbeeld hoe de mythologische strijd tussen de goden Horus en Seth te duiden, op andere momenten was het specifieker: misschien een onderwerp dat hij uitwerkte voor een wetenschappelijk artikel, of de vertaling van een bijzonder duistere inscriptie.

Heel vaak was het slot van het liedje dat hij zat na te denken over bepaalde aspecten van het mysterie van de Geheime Oase. Dit onderwerp had hem de afgelopen tien jaar het meest beziggehouden. En dit was het onderwerp waarop zijn gedachten zich, in het licht van recente gebeurtenissen, ook deze keer richtten.

Het was een ingewikkeld probleem, onmogelijk ingewikkeld dacht hij soms: een complexe legpuzzel waarvan de meeste stukjes leken te ontbreken en de wel aanwezige stukjes op geen enkele manier tot een herkenbaar beeld te leggen waren. Een handjevol tekstfragmenten, de meeste meerduidig of incompleet: wat fragmentarische rotsschilderingen, eveneens voor meerdere uitleg vatbaar; het Zerzuramateriaal, en natuurlijk de Imti-Khentikapapyrus. Goed beschouwd niet veel materiaal: het egyptologische equivalent van de pogingen om de Enigmacode van de Nazi's te kraken.

Flin sloot zijn ogen, Chopin wervelde lieflijk om hem heen, en hij liet zijn gedachten de vrije loop, nam het allemaal voor de tienduizendste keer door, zigzagde door het verstrooide bewijsmateriaal als door een terrein met oeroude ruïnes. Hij peinsde over de diverse namen waaronder de oase bekend was: de Geheime Oase, de Oase van de Vogels, De Heilige Vallei, het Dal van de Benben, de Oase aan het Eind van de Wereld, de Oase van Dromen – in de hoop dat hij, door ze aan zijn geestesoog voorbij te laten trekken, op een aanwijzing zou stuiten die hij tot nu toe over het hoofd had gezien. En hetzelfde bij de verwijzing naar *Iret net Khepri*, het Oog van Khepri, die, daar was hij overtuigd, meer was dan een van die figuurlijke formuleringen waar de oude Egyptenaren zo dol op waren, een die naar iets specifieks verwees, die letterlijk bedoeld was. Maar als dat zo was, had hij nog niet kunnen ontdekken waarop dan wel. En ook vandaag kwam hij geen spat verder.

Er verstreek een halfuur, en nog een halfuur – de Mond van Osiris, de Vloeken van Sobek en Apep: waar sloeg dat in godsnaam op? – tot zijn gedachten vertroebelden en zijn ogen open schrokken. Even keek hij wazig de kamer rond, tot zijn blik op de tekening boven zijn bureau bleef rusten: *De stad Zerzura is wit als een duif, en op de poort is een vogel gebeiteld. Treed binnen, en u zult grote rijkdommen vinden.* Hij stond op, liep erheen, haalde de prent van de muur en nam hem mee terug naar zijn leunstoel, ging weer zitten en zette het ding op zijn knieën.

Het was het titelblad – of liever: een kopie van het titelblad, waarop het oorspronkelijke Arabisch in het Engels was vertaald – van een hoofdstuk uit de *Kitab al-Kanuz*, het Boek van de Verborgen Parels, een middeleeuwse schatgravergids voor de belangrijke vindplaatsen in Egypte, zowel realistisch als fantasierijk. Dit hoofdstuk had betrekking op de legendarische verloren oase Zerzura, en was, naast nog een korte en zeer cryptisch vermelding in een dertiende-eeuws manuscript, de vroegst bekende verwijzing.

Hoewel de prent op zich geen waarde had, was het een van Flins meest gekoesterde bezittingen, een cadeautje van de grote woestijnontdekker Ralph Alger Bagnold, die hij kort voor diens dood in 1990 had ontmoet. Flin werkte toen aan zijn doctoraal (over paleolithische nederzettingspatronen rond de Gilf Kebir) en door hun gemeenschappelijke fascinatie voor de woestijn had het meteen geklikt, zodat ze een aantal gezellige middagen samen hadden doorgebracht met gesprekken over de woestijn, de Gilf, en in het bijzonder de Zerzurakwestie – betoverende gesprekken die Flins belangstelling voor het onderwerp hadden aangewakkerd.

Hij staarde naar de prent, glimlachte zelfs nu, omdat hij, bijna twintig jaar later, nog steeds de opwinding voelde die hij in de aanwezigheid van deze grootheid had gevoeld.

Bagnold kende geen twijfel: Zerzura was niets dan een legende, de beschrijvingen ervan in de *Kitab al-Kanuz* – overal stapels goud en juwelen, een koning en een koningin slapend in een kasteel – waren niets dan sprookjes, die net zomin letterlijk moesten worden genomen als Hans en Grietje of Roodkapje.

Het stond buiten kijf dat de *Kitab* voor het grootste deel fantasie was, vol met sensationele verhalen over verborgen rijkdommen. Desondanks was Flin er naarmate hij meer over het onderwerp had uitgezocht, van overtuigd geraakt dat, als je de onmiskenbare verfraaiingen wegstreepte, de Zerzura van de *Kitab al-Kanuz* echt bestond. En dat niet alleen, zoals hij de avond ervoor in zijn lezing had geschetst, hij was een en dezelfde als de Geheime Oase van de oude Egyptenaren.

De naam zelf gaf een aanwijzing. Zerzura kwam van het Arabische *zarzar*, vogeltje, een duidelijke echo van een van de oude variaties op wehat seshtat: *wehat apedu*, Oase van de Vogels.

Het beeld van de poort was ook intrigerend: een bijna volmaakte weergave van een monumentale tempelingang uit het Oude Rijk. De obelisk en de sedjet-symbolen wezen ook op een connectie met het oude Egypte, net als de vogel op de latei, een duidelijke weergave van de heilige Benuvogel.

Toegegeven het was allemaal karig, en toen Flin het er met Bagnold over had gehad, had de oudere man zich niet laten overtuigen. De naamsovereenkomsten waren bijna zeker toevalligheden had hij aangevoerd – elke oase had vogels – terwijl de oude architectuur en symbolen gemakkelijk konden worden verklaard: de auteur van de *Kitab* had de dingen die hij bij de tempels in het Nijldal had gezien gewoon gekopieerd.

En natuurlijk bleef er het onmiskenbare probleem hoe de auteur van de *Kitab* – zelfs als Zerzura echt bestond en hetzelfde was als de Geheime Oase – eigenlijk aan zijn informatie was gekomen. Het ging tenslotte om een verborgen oase.

Merkwaardig genoeg was het Bagnold zelf die een soort antwoord had gegeven. Er waren lange tijd geruchten geweest, zo vertelde hij Flin, dat bepaalde woestijnbewoners wisten waar Zerzura lag, bedoeïenen die er bij toeval tegenaan waren gelopen en de plek nadien geheim hadden gehouden. Hijzelf geloofde er geen woord van, maar als Flin naar verklaringen zocht was dat, volgens Bagnold, de meest waarschijnlijke: de schrijver van de *Kitab* had er uit de tweede, derde of vierde hand over gehoord van een bedoeïen die er zelf was geweest.

'Het is een fascinerend verhaal,' had hij gezegd. 'Maar wees voorzichtig. Meerdere mensen zijn krankzinnig geworden tijdens hun zoektocht naar Zerzura. Blijf het zien als iets interessants, laat het geen obsessie worden.'

En dat had Flin ook niet gedaan. Niet in het begin. Hij was verdergegaan met onderzoek naar het onderwerp, hij had alles wat hij erover kon vinden boven water gehaald, maar het was nooit meer dan een hobby geweest, een leuke activiteit naast het het hoofdonderwerp van zijn studie. En toen had hij zijn doctoraal gehaald en de egyptologie de rug toegekeerd en waren Zerzura en de Geheime Oase helemaal in de vergetelheid geraakt.

Pas toen zijn leven in de soep was gelopen en hij naar Egypte was teruggegaan en betrokken was geraakt bij Sandfire, was hij er weer naar gaan kijken, had hij de bewijzen opnieuw bestudeerd. Toen pas had het hem echt in zijn greep gekregen, was zijn belangstelling opgeblazen tot een obsessie en de obsessie tot iets wat tegen een volslagen gekte aanhing.

Het was er, hij wist het, voelde het. Ondanks alles wat Bagnold en honderd anderen hadden gezegd. Zerzura, de wehat seshtat, of hoe je het ook wilde noemen, bestond. Het moest in de Gilf Kebir zijn. En hij kon het niet vinden. Hij kon het verdomme niet vinden, hoe goed hij ook keek.

Hij staarde naar de prent, met een diepe frons en samengeklemde kaken, keek op de klok. 'Verdomme!' riep hij uit en sprong overeind. Nog maar een kwartier voor hij zijn college Hiërogliefen (Gevorderden) moest geven. Hij hing de prent terug, griste zijn laptop mee en draafde het gebouw uit, zo haastig dat hij de dikke figuur niet zag die achter het raam van de sapbar naast zijn huis zat, met een zakdoek zijn gezicht depte en een slok uit een blikje Coca Cola nam.

Dakhla

'Al Dakhla Centeral Hosptial' zoals het bord op het dak aankondigde, lag aan de hoofdstraat van Mut: een modern gebouw van twee verdiepingen, omgeven door palmen, groen en wit geverfd zoals de rest van het stadje. Zahir en Freya lieten de Land Cruiser achter op het voorplein en gingen naar binnen waar Zahir met de verpleegster achter de balie sprak. Ze verwees hen naar een rij plastic stoelen en nam de telefoon op.

Er verstreken tien minuten, mensen liepen in de hal om hen heen in en uit, van ergens ver in het gebouw klonk vaag muziek. Er kwam een kale man van middelbare leeftijd in een witte doktersjas naar hen toe.

'Miss Hannen?'

Freya en Zahir stonden op.

'Dokter Mohammed Rashid,' zei de man en hij schudde hun de hand. 'Het spijt me dat ik u zo lang moest laten wachten.'

Hij sprak vloeiend Engels, met een licht nasaal Amerikaans accent. Hij sprak kort in het Arabisch met Zahir, die knikte en weer ging zitten. Met een 'Als u mij wilt volgen', nam hij Freya mee door een gang naar de achterkant van het gebouw terwijl hij ondertussen uitlegde dat hij haar zus de laatste maanden had behandeld.

'Ze had wat we de Marburgvariant noemen,' vertelde hij op de sympathiserende en tegelijkertijd afstandelijke toon die artsen altijd gebruiken als ze een terminale ziekte beschrijven. 'Een zeldzame vorm van multiple sclerose waarin de ziekte zich heel snel ontwikkelt. Vijf maanden geleden werd er bij haar MS geconstateerd en aan het eind kon ze alleen haar rechterarm nog maar gebruiken.'

Freya liep naast hem en hoorde maar half wat hij zei. Hoe dichter bij haar zus ze kwamen, hoe meer moeite het haar kostte te geloven dat dit allemaal echt gebeurde.

'... prettiger voor haar in Caïro of thuis in de States,' zei Rashid, 'maar hier voelde ze zich thuis, dus hebben we er alles aan gedaan om het haar zo prettig mogelijk te maken. Zahir heeft heel goed voor haar gezorgd.'

Ze sloegen rechts af door een paar klapdeuren, gingen een trap af naar de kelder en liepen een andere gang door waar hun voetstappen op de tegelvloer weerklonken. Ongeveer halverwege de gang bleef Rashid staan, haalde een sleutelbos tevoorschijn en ontsloot de deur, een dikke, zware deur zoals van een cel. Hij duwde hem open en ging opzij om Freya door te laten. Ze aarzelde, de temperatuur leek opeens te dalen. Na moed te hebben verzameld stapte ze de ruimte binnen.

Het was een grote, groen betegelde ruimte, onnatuurlijk koud, met tl-balken en vaag de lucht van iets antiseptisch. Op een baar voor haar lag een lichaamsvorm onder een wit laken. Freya sloeg een hand voor haar mond, haar keel werd dichtgeknepen.

'Wilt u dat ik erbij blijf?' vroeg de dokter.

Ze schudde haar hoofd, bang dat ze, als ze iets zou zeggen, zou gaan huilen. Hij knikte, begon de deur dicht te trekken en stak toen zijn hoofd om de deur.

'De mensen in Dakhla zijn niet altijd even hartelijk voor vreemden,' zei hij, en zijn toon was vriendelijker dan eerst, minder officieel. 'Maar wel voor miss Alex. *Ya doctora* noemden ze haar, de dokter. Een bewijs van groot respect. Ya doctora en *el-mostakshefa el-gameela*. Moeilijk te vertalen, maar het betekent zoiets als "de mooie ontdekkingsreiziger". De mensen zullen haar zeer missen. Ik wacht buiten op u. Neemt u er alstublieft alle tijd voor.'

De deur ging met een klik dicht. Freya staarde er even naar, draaide zich toen om naar de baar. Ze stak een hand uit en legde hem op het laken, drukte erop, schrok ervan hoe skeletachtig het lichaam eronder aanvoelde. Alsof er bijna geen vlees op zat.

Een tijdje stond ze daar zo, beet ze op haar onderlip, ademde ze in korte stoten, hevig geëmotioneerd. Daarna pakte ze aarzelend de bovenkant van het laken en trok het weg, onthulde eerst haar zus' gezicht en hals, vervolgens de rest van lichaam tot haar middel. Alex was naakt, haar ogen waren gesloten, haar huid was doorschijnend bleek op een plek na bij haar linkerschouder waar een blauwe plek in de vorm van een forse epaulet zat.

'O god,' mompelde ze, 'o, Alex.'

Vreemd genoeg waren het de kleine dingetjes, de onopvallende details die haar aandacht trokken, niet zozeer het lichaam als geheel, alsof het te veel was om het allemaal in zich op te nemen en ze alleen door te doen of het een legpuzzel was, de gruwelijkheid van waar ze naar keek kon verwerken. Van naar wie ze keek. De moedervlek op haar zus' hals, het sikkelvormige litteken op haar linkerhand, waar ze die als kind aan prikkeldraad had opengehaald, en een andere blauwe plek, maar veel kleiner, net onder haar rechterelleboog, niet groter dan een duimafdruk.

Detail voor detail nam ze het lichaam in zich op, legde ze de stukjes van haar zus bij elkaar, won ze haar terug, tot haar ogen uiteindelijk op Alex' gezicht kwamen te rusten.

Ondanks alle pijn en ellende van haar laatste maanden was haar gelaatsuitdrukking vredig en tevreden, waren haar ogen dicht als in een diepe slaap, haar mondhoeken iets opgetrokken als bij het begin van een glimlach. Niet het gezicht van iemand die een pijnlijke, ellendige dood was gestorven.

Of dat was wat Freya zichzelf probeerde wijs te maken. Ze dacht aan haar ouders in hun kisten in de rouwkamer na het auto-ongeluk dat hun beiden het leven had gekost, herinnerde zich dat zij er net zo hadden uitgezien. Misschien hadden alle lijken dat, was het de standaardinstelling van de dood. Misschien wilde ze er te veel in zien.

Maar ze kon niet anders. Ze moest ergens de zekerheid hebben dat de zelfmoord van haar zus niet zo uitzichtloos, onuitsprekelijk somber was geweest als het leek. Dat Alex uiteindelijk iets goeds had gevonden om zich aan vast te houden. Dat ze op haar eigen manier gelukkig was gestorven. Dat is wat Freya wilde geloven, moest geloven. Het alternatief – dat ze eenzaam, in doodsangst en wanhoop was gestorven – was te afschuwelijk om aan te denken. Er moest iets meer zijn. Een greintje hoop.

Ze stak een hand uit en raakte haar Alex' wang aan, de huid koud en glad, als albast. Ze herinnerde zich de keer dat ze, op haar dertiende tijdens een van haar zwerftochten rond Markham, was gestuit op Alex en Greg – de vriend die later Alex' verloofde zou worden – die in een hoek van een hooiland in elkaars armen lagen te slapen. Ze lagen op hun zij, hun lichamen als lepeltjes in een bestekbak, Gregs arm om haar middel, Alex met een vaag glimlachje dat haar mondhoeken optrok. Diezelfde uitdrukking die ze nu in haar dood op haar gezicht had. Greg en Alex... Freya begon te snikken.

'Het spijt me zo,' bracht ze met moeite uit. 'O god, het spijt me verschrikkelijk. Alsjeblieft, Alex... O, alsjeblieft.'

Ze wilde zeggen 'Vergeef me' maar de woorden wilden niet komen. In plaats daarvan boog ze zich over haar zus heen, kuste haar voorhoofd en legde haar wang er even tegen. Daarna trok ze het laken weer over haar heen en verliet snel de ruimte.

Caïro

Het terrein van de Amerikaanse ambassade is een ommuurd, beveiligd geval vlak achter Midan Tahrir. Het heeft meer weg van een zwaar bewaakte gevangenis dan van een diplomatieke ambtswoning, en het wordt gedomineerd door twee gebouwen.

Caïro 1, zoals het personeel het noemt, is een lelijke bruingrijze torenflat die met vijftien verdiepingen in het midden opschiet en onderdak biedt aan de meeste kernactiviteiten van de ambassade: het kantoor van de ambassadeur, de liaisonafdelingen, militaire zaken en inlichtingendiensten.

Caïro 2, even verderop op het terrein, valt als geheel minder op dan zijn evenknie, met een gevel van licht roomkleurige steen, spleetachtige ramen en een paar satellietantennes als flaporen op het dak. Hier huizen de diverse ondersteunende afdelingen die de ambassade draaiend houden: financiële en algemene administratie, perszaken, voorlichting. En hier, op de derde verdieping, hield Cy Angleton kantoor.

Hij zat nu achter zijn bureau, met de deur op slot en de blinden neer, en klikte een naald in de insuline-injectiepen. Hij tilde zijn shirt op, pakte een handvol rubberachtig vlees zodat de huid door het knijpen nog witter werd dan hij al was.

Er was een hoop veranderd sinds de jaren zestig toen hij als kind in Brantley, Alabama, woonde. Toen had je voor een injectie een flesje, een injectiespuit en een naald ter lengte van een vinger nodig. Nu was het een keurig klein patroontje en was het injectieapparaatje niet groter dan een vulpen. Maar de techniek mocht dan veranderd zijn, sommige dingen veranderden nooit. Al zijn hele leven lang had hij diabetes type I en moest hij zich elke dag vier keer injecteren, en wel met de regelmaat van de klok. (Op school scholden de kinderen hem uit voor 'Biggetje speldenkussen'.) En zelfs nu, bijna veertig jaar later, had hij er nog een gruwelijke hekel aan.

Hij zette zijn tanden op elkaar, begon Hank Williams' 'Your Cheating Heart' te neuriën en nam een paar maten de tijd voor hij de pen stevig op zijn maag plantte. De naald penetreerde de huid met een korte, felle steek. Hij hield hem daar even terwijl de insuline in zijn vetweefsel werd gepompt, hem in leven hield. Daarna stopte hij de pen met een zucht van verlichting terug in de houder. Hij stond op en schommelde naar het raam, ondertussen zijn shirt dichtknopend. Toen hij de zonwering optrok, stroomde het zonlicht zijn kamer in.

Het was een kleine, overvolle ruimte en het meubilair – bureau, stoel, bank, boekenkast – was stereotiep en lelijk: overheidsmeubels noemden ze het. In Caïro 1 zou hij meer comfort hebben gehad want daar waren de kamers groter en beter ingericht, maar hij werkte voor Public Affairs, en dat zat in Caïro 2, dus zat hij daar. Minder vragen ook. Hopelijk zou het niet voor al te lang zijn. Wanneer dat Sandfire-gedoe een keer achter de rug was, pakte hij zijn boeltje en vertrok met het eerste vliegtuig.

Beneden schoten twee figuren heen en weer over de tennisbaan van de ambassade en de doffe tikken van de bal echoden over het terrein. Hij keek ernaar en vroeg zich, voor hij naar zijn bureau terugliep, op een soort abstracte manier af hoe het voelde om je zo vrij te kunnen bewegen. Hij ging zitten en pakte het dossier waaraan hij had gewerkt voor hij zich zijn insulineprik toediende. Op de voorkant stond, schuin, in rood het woord GEHEIM gestempeld. Daaronder stond een naam: Alexandra Hannen. Hij sloeg het open en begon te lezen.

Dakhla

Er moest papierwerk worden afgehandeld, formulieren getekend om het lichaam vrij te geven voor de begrafenis, een enorme bureaucratie. Pas tegen het eind van de middag was het achter de rug en kon Freya weg uit het ziekenhuis, en was het schelle zonlicht van eerder die dag verzacht tot een warme, honingkleurige nevel, zij het dat de hitte nog even intens was.

'Ik u brengen dokter Alex' huis,' zei Zahir terwijl ze in de Land Cruiser stapten.

'Dank u,' antwoordde ze.

Waarna ze zwegen.

Ze volgden wat de belangrijkste doorgaande weg in noordwestelijke richting door de oase leek te zijn. Aan beide zijden lagen grote velden met maïs en suikerriet, irrigatiekanalen, bosjes met palmbomen, olijfbomen en wat volgens Freya misschien moerbeibomen waren. Ze had er niet echt belangstelling voor, omdat ze nog steeds bezig was te verwerken wat ze in het mortuarium had gezien.

Na twintig minuten sloegen ze linksaf een smallere weg in die hen naar een dorpje bracht dat Qalamoun heette volgens het Arabisch-Engelse bord dat aan de rand ervan stond. Er waren een moskee, een begraafplaats, een stoffige groente- en fruitkraam, en heel ongerijmd, een winkel met een glasgevel en een Kodaklichtbak op het dak en een bord op de stoep dat vermeldde FAST FOTO DEVILP HERE. Net buiten het dorp sloegen ze weer af, deze keer naar een steenslagweg met diepe voren. Freya klampte zich vast aan de deurknop want de Land Cruiser stuiterde alle kanten op. Ondertussen keek ze afwezig naar het landschap waar landerijen plaatsmaakten voor woestijn, waar fris groen oploste in schroeiend oranje en rood. Ze bonkten op en neer over het spoor dat zich door een rommelig, onordelijk gebied met zandbulten en grindvlakten kronkelde, en uiteindelijk omhoogliep naar een lage bergkam waarachter de woestijn zich indrukwekkend ontvouwde. Freya boog zich naar voren, het trauma van het ziekenhuis verdween even iets naar de achtergrond toen ze het weidse uitzicht in zich opnam: een uitgestrekte, golvende zandzee die zich uitstrekte zover het oog reikte. De duinen leken, hoe verder weg ze waren, steeds hoger en scherper afgetekend te worden, zodat wat begon als vriendelijke golvingen tegen de tijd dat het de einder bereikte, oprees in steile, messcherpe golven. Beneden hen, in de brede vlakte tussen de bergkam en de eerste duinen lag een kleine oase met landerijen en palmbosjes weelderig te glanzen.

'Dit dokter Alex' huis,' zei Zahir. Hij remde af en wees naar een witte stip aan het einde van het groene gebied.

Ondanks zichzelf moest Freya glimlachen: ze bedacht hoe volmaakt dit paste bij haar zus, hoe gelukkig ze hier zou zijn geweest.

'Mooi,' zei ze.

Zahir gromde alleen, gaf gas en reed naar beneden, naar de vlakte.

Ze reden tussen enkele akkers door die net waren geploegd en waar vogels, vermoedelijk zilverreigers, in de chocoladeachtige aarde pikten, en kwamen de oase binnen. Nu ze het huis van haar zus naderden, had Freya meer aandacht voor de omgeving, keek ze alle kanten op terwijl de auto schokte en slipte op het zanderige weggetje waar bomen aan alle kanten opdrongen en warrige spinnenwebben van licht en donker de bodem bespikkelden. Ze kwamen langs een kraal van dunne boomstammetjes, een stapel geoogst suikerriet, en een rechthoekige dorsvloer waarachter in een bocht een ezelwagen hoog opgeladen met olijftakken opdook en Zahir genoodzaakt was aan de kant te stoppen om hem voorbij te laten gaan. In het voorbijgaan loerde een oudere, donker verbrande man naar hen. Hij had een zonnehoed op en in een hoek van zijn tandeloze mond bungelde een sigaret.

'Dat Mahmoud Gharoub,' zei Zahir toen de kar voorbij was. 'Hij niet goed man. U niet praat met hem.'

Hij keek haar even aan om de boodschap goed te laten doordringen, zette de jeep weer in de versnelling en reed verder. Het struikgewas werd dunner en maakte plaats voor een open plek met paars bloeiende jacarandabomen. Voor hen, achter op de open plek, stond Alex' huis: een witte bungalow met een satellietschotel op het dak en een voordeur omrankt door bougainville. Zahir stopte, stapte uit, pakte Freya's koffer van de achterbank en liep naar de voordeur.

'Zeker weet niet willen slapen in hotel?' vroeg hij. Hij haalde een sleutelbos uit zijn djellaba en maakte de deur open. 'Mijn broer hebben goed hotel in Mut.'

Ze bedankte hem en zei dat ze het hier prima naar haar zin zou hebben.

Hij haalde zijn schouders op, opende de deur en zette haar koffer binnen neer.

'Huishoudster hebben eten neerzetten,' zei hij. 'U warmen op fornuis. Heel makkelijk.'

Hij gaf haar de sleutels en zijn mobiele nummer, dat ze meteen in haar gsm zette.

'Niet lopen in bomen zonder schoen,' waarschuwde hij. 'Veel slangen. En niet praten tegen Mahmoud Gharoub. Heel slecht man. Ik komen morgenochtend halfacht om u meenemen naar dokter Alex'...' Hij stokte, alsof hij aarzelde om het woord te zeggen.

'Begrafenis,' zei ze. 'Dank u.'

Ze stonden daar, Zahir schuifelend alsof hij iets wilde gaan zeggen terwijl Freya juist wilde dat hij wegging. Hij leek haar gedachten te lezen, want met een kort knikje stapte hij weer in de Land Cruiser, keerde en reed weg.

Toen de auto uit het zicht was, ging Freya naar binnen en deed de deur achter zich dicht. Het loeien van de motor van de jeep stierf langzaam weg en alleen het gepruttel van een irrigatiepomp in de verte en af en toe het zachte ratelende geritsel van palmbladeren die heen en weer zwaaiden in de wind bleven over.

Binnen was het koel en schemerig en eventjes stond ze daar, blij dat ze eindelijk alleen was. Daarna liep ze door de ruime woonkamer naar een paar louvredeuren, opende ze en stapte naar buiten, de veranda aan de achterkant van het huis op. Het was een prachtige plek in de schaduw van een enorme jacaranda en met een schitterend uitzicht over de woestijn, geurend naar bloesem en citrus. Ze zag voor zich hoe Alex hier stond en er kwam een glimlach op haar gezicht die weer verdween toen ze aan het eind van de veranda een rolstoel zag staan. Ze huiverde en keek er met afgrijzen naar, alsof het een martelinstrument was, draaide zich om en ging naar binnen.

Aan de woonruimte grensde een aantal kamers – keuken, slaapkamer, werkkamer, voorraadkamer – en ze liep er naar binnen om de sfeer te proeven. Er was weinig meubilair of versiering – typisch Alex: een eenvoudig bestaan, een hekel aan rommel – maar toch was het onbetwistbaar het huis van haar zus, was haar karakter overal en in alles zichtbaar. Je zag het in de verzameling cd's, (Bowie, Nirvana, Richard Thompson, haar geliefde nocturnes van Chopin), in de landkaarten die overal aan de muren waren opgehangen, in de geëtiketteerde stenen die op alle vensterbanken lagen. Het rook er zelfs naar Alex, onnaspeurbaar voor vreemden misschien, maar onmiskenbaar voor Freya, die ermee was opgegroeid: Wright's Coal Tar Soap vermengd met Sure-deodorant en een miniem vleugje Samsara-parfum.

De laatste kamer die ze binnenging was de slaapkamer. Op een haak achter de deur vond ze Alex' oude suède reisjack – mijn god, hoe lang had ze dat al? Ze sloeg haar armen eromheen en drukte haar neus in het versleten materiaal, liep naar het bed en ging erop zitten. Op het tafeltje naast het bed lagen drie boeken: *The Physics of Blown Sand and Desert Dunes*, door R.A.Bagnold, *The Heliopolitan Tomb of Imti-Khentika*, door Hassan Fadawi – sinds wanneer was Alex geïnteresseerd in egyptologie? – en, het meest ontroerend, Walt Whitmans *Leaves of Grass*, het stukgelezen exemplaar met de ezelsoren dat van hun vader was geweest. Drie boeken, en ook drie foto's: een van hun ouders, een van een knappe man met donker haar met een licht academische uitstraling door zijn ronde bril en ribfluwelen jasje, en een...

Ze boog zich naar voren en pakte de derde foto op. Een foto van haar, Freya, verlegen glimlachend met in haar handen de hoogste bergsporttrofee van de wereld, de Gouden Rotshaak. Die had ze pas vorig jaar gewonnen, dus god mocht weten hoe Alex aan die foto was gekomen. En in de hoek van de lijst was nog een fotootje geschoven: de twee zussen als tieners, genomen in een fotocabine, gekke bekken trekkend naar de camera en lachend. Ze drukte de foto tegen haar borst terwijl de tranen haar in de ogen sprongen.

'Ik mis je,' fluisterde ze.

Later, veel later, toen ze weer een beetje de oude was, liep ze het huis uit en de woestijn in. Ze beklom het dichtstbijzijnde duin en ging met gekruiste benen in het zand zitten. Zo zat ze een tijdje naar de zon te staren die langzaam naar de westelijke einder zakte, en trok toen de verkreukelde envelop met de Egyptische postzegel tevoorschijn en haalde de brief eruit. De laatste brief die Alex haar had geschreven. 'Aan mijn liefste zus Freya,' las ze.

Caïro – de Amerikaanse Universiteit

Nadat hij aan het eind van de middag zijn colleges voor die dag had gegeven – Hiërogliefen (gevorderden), Theorie en praktijk van de archeologie te velde, Oude Egyptische Literatuur, en was ingevallen voor iemand die met verlof was – Engels voor beginners – glipte Flin de kamer binnen van 'Interessante' Alan Peach om te proberen meer te weten te komen van diens recente ontmoeting met Hassan Fadawi.

'Blijkbaar heeft Mubarak zelf gezorgd voor zijn eerdere vrijlating,' zei Peach afwezig, de blik gericht op de werktafel voor hem waar hij de scherven van een grote aardewerken pot aan het lijmen was. 'Vanwege zijn verdiensten voor de egyptologie en zo. Maar drie jaar is nog altijd niet niks. Zou je me…'

Hij knikte naar een tube lijm op de hoek van de tafel. Flin haalde de dop eraf en gaf de tube aan Peach. Die liet een dun lijntje lijm op de rand van de scherf lopen, drukte die stevig tegen een andere en hield ze zo tot ze vastzaten.

'Hij komt natuurlijk nooit meer aan een baan,' ging hij verder. 'Niet na wat hij heeft gedaan. Ik begrijp nog altijd niet wat hem bezielde. Verdomd tragisch. Een briljante man die zijn aardewerk kende.'

Hij draaide het stuk om en om onder zijn bureaulamp om zeker te weten dat de fragmenten echt op hun plaats zaten.

'Bedja?' vroeg Flin op de gok, wetend dat de beste en feitelijk enige manier om zijn collega aan de praat te houden was hem in de stemming te brengen door over zijn geliefde aardewerk te beginnen. Peach knikte, legde de gelijmde stukken voorzichtig op tafel en hield een andere scherf omhoog.

'Uit het arbeidersdorp in Gizeh,' zei hij. 'Moet je kijken.'

Op de scherf was een sterk vervaagde cartouche gestempeld waarvan de hiërogliefen – zonneschijf, *djed*-zuil en gehoornde adder – nauwelijks nog zichtbaar waren.

'Djedefre,' las Flin.

'Los van de cartouches uit het bootgraf is dit de enige rechtstreekse vermelding van Khufu's zoon die ooit in Gizeh is gevonden,' zei Peach stralend. 'Te gek, toch?'

'Helemaal te gek,' beaamde Flin.

Hij nam er nog even de tijd voor. Peach legde het bestempelde stuk opzij en begon de andere scherven te doorzoeken naar bij elkaar passende fragmenten.

'Wat zei hij verder nog?'

'Hmm?'

'Fadawi. Toen je hem tegen het lijf liep. Wat zei hij verder nog?'

'O, dat.'

Peach leek enigszins met die vraag in zijn maag te zitten, alsof hij had gedacht dat dat onderwerp afgehandeld was.

'Nou, om eerlijk te zijn raaskalde hij wat. Zag er belazerd uit, die arme man, zo mager als een bonenstaak. Je weet hoe hij altijd op zijn uiterlijk was, toch wel een beetje een charmeur. Playboy is de technische term, dacht ik. Maar o, als je hem nu ziet...'

Hij hield weer twee scherven op waarvan de rafelige breuklijn van de ene perfect op die van de andere paste.

'Fadawi,' porde Flin in een poging hem bij de les te houden.

'Wat? O ja, ja. Bleef maar beweren dat hij onschuldig was. Dat het allemaal een misverstand was en dat hij erin was geluisd. Treurig, hoor. Ik bedoel, naar wat ik ervan heb gehoord, was er overtuigend bewijs. Hij had, en dat zei iedereen, zelfs spullen van Toetanchamon. Ik begrijp echt niet wat hem bezielde.'

Hij schudde het hoofd. Boog zich voorover, trok een slakachtige spoortje over de zijkant van een van de scherven, klemde hem tegen de andere en hield ze, net als eerst, onder de lamp om te zien of ze goed zaten.

'Heeft hij het nog over mij gehad?' Flin probeerde het nonchalant te laten klinken, zakelijk.

'Hmm?' Peach keek door zijn oogharen naar de breuklijn, keerde de scherven om en om.

'Heeft hij het nog over mij gehad?' herhaalde Flin, luider nu.

'Ja, toevallig wel.' Peach keek heel even naar hem op. 'Hij zei in feite nogal onaardige dingen. Heel onaardige. Ik weet wel dat jij aan de bel hebt getrokken en zo, maar...'

Hij dwaalde af omdat hij merkte dat de stukken niet goed zaten. Met een geërgerde klik van zijn tong boog hij zich naar de lamp en probeerde hij uiterst voorzichtig de stukken naadloos aan elkaar te krijgen.

'Wat zei hij dan?' vroeg Flin.

Geen antwoord.

'Wat zei Fadawi dan, Alan?'

'Ik vind dat ik dat soort taal hier niet kan herhalen,' mopperde zijn collega terwijl hij de scherven stevig tegen elkaar drukte. 'Hij draaide zich ontzettend op... Hè, verdorie!'

De scherven hadden weer losgelaten. Hij wierp een geërgerde blik over zijn werktafel alsof hij wilde zeggen dat dit niet zou zijn gebeurd als hij niet was afgeleid door zulke stomme vragen. Hij stak een hand uit naar de tube, maar voor hij hem kon pakken snaaide Flin hem onder zijn vingers vandaan en de lucht in, zodat Peach wel moest opkijken. 'Wat zei hij, Alan?'

Even haakten hun blikken in elkaar, toen legde Peach met een vermoeide zucht de twee stukken op tafel en leunde achterover.

'Wanneer de geruchten, die ik heb opgevangen, waar zijn: precies hetzelfde als wat hij in de rechtszaal tegen je zei toen ze hem veroordeelden. Ik weet zeker dat je je dat nog wel herinnert.'

Dat was inderdaad het geval. Hoe zou Flin dat kunnen vergeten.

'Ik vermoord je, Brodie!' had Fadawi geschreeuwd. 'Ik snij je ballen eraf en daarna vermoord ik je, vuile verrader!'

'Ik zou het niet te persoonlijk opvatten,' zei Peach.

'Hoe moet ik het dan wel opvatten?'

'Ach, ik weet zeker dat hij het niet meende. Hij is archeoloog, geen gangster. Goed, ex-archeoloog. Krijgt nooit meer werk na wat hij heeft gedaan. Kan me echt niet voorstellen wat hem heeft bezield. Mag ik...'

Hij knikte naar de lijm. Flin gaf hem de tube en Peach boog zich weer over de tafel.

'Ga je vanavond nog naar de presentatie van Donalds boek?' vroeg hij, overgaand op een ander onderwerp. 'Wordt vast een gezellige bedoening, mits die bloeddorstige vriend van hem zich niet laat zien.'

Flin schudde zijn hoofd, kwam overeind. 'Ik vlieg om vijf uur naar Dakhla. Veel plezier nog.' Hij stak een hand op en liep naar de deur.

'Hij zei ook nog iets over een oase.'

Flin bleef staan en draaide zich om. Peach zat nog over zijn pot gebogen, zich kennelijk niet bewust van het effect dat de laatste losse opmerking had gehad.

'Kon er eerlijk gezegd geen touw aan vastknopen,' ging hij door, geheel opgaand in zijn werk. 'Hij kakelde maar door, heel emotioneel. Beweerde dat hij iets had gevonden. Of te weten was gekomen. Ik weet het niet precies meer. Een van de twee. In elk geval over een oase. En hij ging het aan niemand vertellen en dat was zijn wraak. Hij was heel geagiteerd, heel emotioneel. En zo mager als een lat. Tragisch, als je er goed over nadenkt.

Heb ik je wel verteld over de hiëratische wijnvatlabels uit Abydos, van de Tweede Dynastie? Dief of niet, hij kende zijn aardewerk wel, dat moet ik hem nageven.'

Peach keek op, maar Flin was weg.

Dakhla

Zittend op het duin waar een plotseling opstekende wind het zand om haar heen liet fluisteren en sissen, las Freya Alex' laatste brief. In haar hoofd hoorde ze de stem van haar zus.

Dakhla-oase, Egypte
3 mei

Aan mijn liefste zus Freya,

Ik begin met die woorden, want al is het jaren geleden dat we elkaar voor het laatst hebben gezien of gesproken en is er veel verdriet en woede geweest, zijn ze altijd waar gebleven. Ook ben je nooit maar enig moment uit mijn gedachten geweest. Je bent mijn kleine zusje, en wat er tussen ons ook is gebeurd en wat er ook is gezegd en gedaan, mijn liefde voor je is altijd gebleven, en zal ook altijd blijven.

Ik wil dat je dit weet, Freya, omdat ik er de laatste tijd achter kom dat de toekomst een onzekere plek is, vol twijfels en duisterheden, en als we ons hart nu, in het heden, niet luchten, bestaat de kans dat we het nooit meer kunnen. Dus zeg ik het nog maar een keer: ik hou van je, zusje, meer dan ik kan zeggen, meer dan je misschien ooit kunt bevatten.

Het is nu 's avonds laat en er staat een volle maan aan de hemel, de grootste, helderste maan die je je kunt indenken, zo helder dat je de kraters en de zeeën op zijn oppervlakte kunt zien. Hij is zo groot dat je het gevoel hebt dat je maar een hand hoeft uit te steken om hem aan te raken. Herinner je je het verhaal dat papa ons vertelde? Dat de maan eigenlijk een deur was en dat als je erheen klom en die deur opende, je door de hemel heen een andere wereld kon betreden? Weet je nog dat wij droomden hoe het daar zou zijn, in die geheime wereld? Een prachtige, betoverende plek vol bloemen en watervallen en vogels die konden praten. Ik kan het niet uitleggen, Freya, maar ik heb laatst achter die deur gekeken en een glimp van die andere wereld gezien, en het is er net zo betoverend als wij ons voor-

stelden. Nog betoverender. Wanneer je die geheime wereld een keer hebt gezien, moet je wel hoop voelen. Zusje, er is altijd ergens een deur en daarachter is er licht, hoe zwart het ook mag lijken.

Ik zou je nog zoveel willen vertellen, zoveel met je willen delen en voor je beschrijven, maar het is al laat en ik heb niet meer zoveel energie als vroeger. Maar voor ik stop is er één ding dat ik je wil vragen, je al heel lang heb willen vragen, en dat is vergeving. Gebeurd is gebeurd, en hoeveel verdriet het me ook heeft gedaan, ik had het moeten zien aankomen en meer moeten doen om het te voorkomen, om jou te beschermen. Het was mijn fout, Freya, en nu er zoveel jaren verstreken zijn en ik niet de zus ben geweest die ik had moeten zijn, hoop ik dat deze brief, hoe bescheiden ook, iets goed kan maken.

Ik stop nu. Wees alsjeblieft niet verdrietig. Het leven is goed, en er is zoveel moois in de wereld. Wees sterk, klim hoog, en weet dat, wat er ook gebeurt, waar je ook bent, ik altijd op welke manier dan ook bij je ben. Ik hou zoveel van je.

Alex xxx

P.S. De ingesloten bloem is een Sahara-orchidee. Heel zeldzaam, heb ik me laten vertellen. Koester hem en denk aan mij.

Freya veegde haar tranen weg, legde de brief naast zich in het zand en haalde de bloem uit de envelop. De gedroogde blaadjes waren zo dun als rijstpapier en diep goudoranje van kleur, net als het zand om haar heen. Ze keek ernaar, vouwde de brief er voorzichtig omheen, sloeg haar armen om haar knieën en keek hoe de zon heel langzaam naar de einder zakte, terwijl een briesje over het zand ruiste en de woestijn naar de verte rimpelde en golfde als een grote lap gekreukte tafzijde.

Ze begroeven haar de volgende ochtend vroeg, niet ver van haar huis, te midden van een groepje bloeiende acacia's, helemaal aan de rand van de kleine oase. Er bloeiden bloemen – zinnia's en maagdenpalm – en er hing de geur van kamperfoelie in de lucht, en ergens van achter de bomen klonk het druppelen van water in een ondergrondse watertank. Freya vond het een van de mooiste, vredigste plekken waar ze ooit was geweest.

Er waren niet veel mensen en dat was zoals Alex het had gewild: zijzelf,

Zahir, dokter Rashid van het ziekenhuis, Molly Kiernan en een knappe, ietwat slonzige man in een gekreukt ribfluwelen jasje die ze herkende als de man van de foto naast Alex' bed. Hij stelde zich voor als Flin Brodie. Er waren ook wat mensen uit de buurt, voornamelijk boeren die Alex de laatste eer kwamen bewijzen, en zich terughoudend opstelden, en drie bedoeïenenvrouwen, van wie één de vrouw was van Zahir, elk in traditionele dracht: zwart lang gewaad, hoofddoek, sierlijk bewerkte zilveren sieraden. Toen de kist in de grond verdween, kwamen ze naar voren en begonnen te zingen – *Aloosh,* zo verklaarde Zahir, een liefdeslied van de bedoeïenen over 'een heel mooie vrouw'. Hun heldere, nasale stemmen vervlochten en ontvlochten zich, stegen op en daalden, nu eens zacht en bijna onhoorbaar, het volgende ogenblik aanzwellend tot het hele bos ervan galmde. Het leek een lied zonder woorden te zijn, in elk geval kon Freya ze er niet in ontdekken, alleen een golvende draad van geluid die toch door de veranderingen en contrasten in de melodie, soms licht, soms donker, een voor haar begrijpelijk verhaal leek te vertellen over liefde en verlies, vreugde en verdriet, hoop en wanhoop. Ze voelde hoe Molly Kiernan haar hand uitstak en de hare pakte, er stevig in kneep, terwijl het lied over en om hen heen dreef, zachter werd en ten slotte uitstierf, zodat er alleen nog het tinkelen van het water en boven hen het zachte gekwetter van een paar hoppen klonk.

Even bleef iedereen staan, in gedachten verzonken. Toen liet Kiernan Freya's hand los, schraapte haar keel en liep naar het hoofdeinde van het graf.

'Freya heeft me gevraagd een paar woorden te zeggen,' zei ze na eerst een blik op Freya te hebben geworpen, en daarna op Flin, die naar de kist keek. 'Ik beloof u dat het slechts enkele woorden zullen zijn, omdat iedereen die het voorrecht heeft gehad Alex te kennen, weet dat zij een hekel had aan gedoe en kletspraat.'

Haar stem was zacht, maar leek de hele open plek te vullen.

'Nu dertig jaar geleden heb ikzelf ook iemand verloren van wie ik heel erg veel hield. Mijn man. In die donkere periode hebben twee dingen mij erdoorheen geholpen. Het eerste waren de liefde en steun van mijn vrienden. Ik hoop dat jij, Freya, op deze mooie plek vandaag onze liefde voelt voor Alex, en ook voor jou. We zijn er voor je als je ons nodig hebt, hoe, waar en wanneer dan ook.'

Ze schraapte opnieuw haar keel en frunnikte aan het gouden kruisje om haar nek.

'Het andere dat mijn verdriet in die ellendige tijd heeft verlicht, waren de Bijbel en de woorden van onze Heer Jezus Christus. Ik zou er graag uit citeren, maar ik weet dat Alex niet gelovig was, en hoewel de liefde van Jezus voor iedereen is, zal ik deze herdenking niet bezoedelen door stil te staan bij gevoelens waarbij Alex zich niet prettig voelde.'

Het was vluchtig en bijna onmerkbaar, maar terwijl ze dit zei, verstrakte er iets rond haar mond, alsof ze het afkeurde.

'In plaats daarvan,' ging ze verder, 'zou ik iets willen voorlezen wat Alex nauw aan het hart lag, en dat is een gedicht van Walt Whitman.'

Ze rommelde in de zak van haar jasje, trok er een tekst uit en zette een bril op.

'O Ik! O Leven!' zei ze met het gedicht voor zich.

O Ik! O Leven! van de vragen van die steeds terugkeren,
Van de eindeloze stoet ongelovigen, van steden vol dwazen,
Van mezelf die mij eeuwig verwijt (want wie is dwazer dan ik en wie ongeloviger?)
Van ogen die vergeefs naar licht verlangen, van armzalige objecten, van immer hernieuwde strijd,
Van povere resultaten van alles, van de ploeterende en inhalige massa's die ik om me heen zie,
Van de lege en loze jaren van de rest, de rest waarmee ik ben verbonden,
De vraag: O Ik! Zo treurig, keert steeds terug – welk goed is er temidden hiervan: O Ik! O Leven!

Antwoord

Dat jij hier bent – dat het leven bestaat en identiteit
Dat het machtige spel verdergaat – en dat je een dichtregel mag bijdragen.

Ze vouwde het papier dicht, zette haar bril af en ging met een wijsvinger over haar oog.

'Ik zou zoveel over Alex kunnen vertellen, over haar schoonheid, haar intelligentie, haar moed, haar avontuurlijke instelling. Ik denk dat Walt Whitman het het beste formuleert wanneer hij het heeft over "een dichtregel bijdragen". Alex droeg een gedicht bij aan al onze levens, een heel bijzonder gedicht, een dat ons allen verrijkte en verlichtte. Zus, vriendin, collega... haar dood is een verarming van onze wereld. Dank je Alex. We missen je.'

Ze kwam weer naast Freya staan en pakte haar opnieuw bij de hand terwijl er twee mannen uit de buurt met een schop naar voren kwamen en het graf begonnen dicht te gooien. De plof van aarde op de kist weerklonk dof tussen de bomen, een rauw, dissonant geluid dat niet hoorde bij de verder zo idyllische sfeer. Even trof Freya's blik die van Flin, die een klein knikje gaf als om aan te geven dat hij haar verdriet zowel begreep als meevoelde, waarna ze beiden een andere kant op keken. Het graf was snel gevuld tot er niets restte dan een rechthoekige zandheuvel omgeven door bloemen.

'Dag, Alex,' fluisterde Freya.

Na afloop excuseerde dokter Rashid zich met de mededeling dat hij dienst had en terug moest naar het ziekenhuis. Ook de mensen uit de buurt druppelden weg, zodat alleen Freya, Molly, Flin, Zahir en een jongeman met een baard die door Zahir werd voorgesteld als zijn broer Saïd, achterbleven. Terwijl ze gevijven over het pad naar Alex' huis terugliepen, dook Flin naast Freya op.

'Niet de ideale situatie, dat besef ik,' zei hij. 'Maar ik ben blij dat ik eindelijk kennis met je kan maken.'

Ze knikte, maar zei niets.

'Alex heeft me veel over je verteld,' ging hij verder. 'Over je beklimmingen en zo. Ik kreeg het er Spaans benauwd bij, eerlijk gezegd. Ik heb al hoogtevrees als ik op een trapje sta.'

Een heel flauw glimlachje. 'Heb je haar goed gekend?'

'Redelijk goed,' antwoordde hij en hij stak zijn handen diep in de zakken van zijn spijkerbroek. 'We deelden onze belangstelling voor de woestijn. Zo werden we vrienden, goede vrienden.'

Ze keek hem even aan, trok haar wenkbrauwen op.

'Waren jullie...?'

'Jezus, nee!' Een geamuseerd gesnuif. 'Ze had helemaal niks met neurotische Engelse boekenwurmen. Voorzover ik heb kunnen ontdekken viel ze meer op het type hippiesurfer.'

Het beeld van Greg, Alex' vroegere verloofde, dook in Freya's hoofd op: blond, gebruind, sixpack. Ze schudde haar hoofd om het kwijt te raken.

'Ze was een echte vriendin voor me,' zei Flin. 'Ze heeft me geholpen toen ik... diep in de puree zat. Ze was eigenlijk meer een zus dan een vriendin.'

Hij schopte tegen een steen op het pad, wendde zich toen met gefronste wenkbrauwen tot haar.

'Sorry, dat had ik niet... een misplaatste analogie.'

Ze wuifde zijn excuus weg. Ze keken elkaar even aan en daarna weer weg, naar het pad dat hen door een schaduwrijke olijfgaard voerde, waar de grond was bezaaid met koeienvlaaien en stoffige zwarte olijven, en uiteindelijk naar Alex' huis.

Iemand – de huishoudster naar Freya aannam – had op de tafel in de grote kamer een eenvoudig ontbijt klaargezet: kaas, tomaten, uien, bonen, brood en thermosflessen koffie. Ze verzamelden zich eromheen en namen hier en daar wat van, alleen Zahir en zijn broer hadden echt trek. Aarzelende pogingen tot conversatie stierven weg in lange stiltes. Er verstreek een halfuur waarna Flin en Kiernan aankondigden dat ze weg moesten om hun vliegtuig naar Caïro te halen.

'Weet je zeker dat je het redt in je eentje?' vroeg Kiernan toen ze naar buiten liepen, naar Zahirs Land Cruiser. 'Als je wilt, kan ik langer blijven.'

'Ik red me best,' zei Freya. 'Ik blijf een paar dagen hier, pak Alex' spullen in en dan ga ik weer naar huis. Mijn vliegtuig gaat pas vrijdag.'

'Zullen we voor je terugvliegt in Caïro op het vliegveld afspreken?' zei Kiernan. 'Dan lunchen we samen en nemen we fatsoenlijk afscheid.'

Dat vond Freya een goed idee, en de vrouwen omarmden elkaar; Kiernan kuste Freya op de wang, maakte zich los en stapte achter in de Toyota. Flin kwam naar Freya toe en gaf haar een kaartje: Prof. F. Brodie, American University in Cairo, Tel: 202 2794 2959.

'Ik betwijfel of het gebeurt, maar als je ooit eens helemaal niks anders weet, moet je echt langskomen. Dan kun je me bang maken met je klimverhalen en kan ik jou op mijn beurt dood vervelen met verhalen over neolithische rotsinscripties.'

Hij boog zich naar haar toen en even leek het erop dat hij haar wilde omhelzen. Maar hij gaf haar alleen een kusje op haar wang, liep om de jeep heen en ging naast Kiernan zitten. Zahir en zijn broer gingen voorin zitten, de motor kwam luidkeels tot leven en ze kwamen net in beweging toen Freya een hand door het open raampje stak en Kiernan bij haar pols pakte.

'Ze heeft toch niet geleden, hè?' Het klonk gesmoord, gespannen. 'Toen ze... Alex... je weet wel, de morfine... Toen ze die inspoot... Dat ging toch snel, hè, zonder pijn?'

Kiernan gaf een kneepje in haar hand.

'Volgens mij heeft ze helemaal geen pijn gehad, Freya. Naar wat ik ervan heb gehoord, moet het heel snel en heel vredig zijn gegaan.'

Flin naast haar leek er iets aan te willen toevoegen. Hij opende zijn mond half, maar sloot hem weer. Freya trok haar hand terug.

'Ik moest het gewoon weten,' mompelde ze. 'Ik zou de gedachte niet kunnen verdragen dat ze...'
'Ik snap het, meisje,' zei Kiernan. 'Je moet me geloven als ik zeg dat Alex op geen enkele manier heeft geleden. Een klein prikje toen de naald er inging, meer niet. Geen pijn, dat verzeker ik je.'
Ze boog zich naar buiten, legde even haar hand op Freya's arm, knikte naar Zahir en toen reden ze weg. Pas toen ze achter de bomen waren verdwenen en Freya naar het huis terugliep, besefte ze plotseling wat de vrouw precies had gezegd. Ze draaide zich om terwijl de kleur uit haar gezicht wegtrok.
'Maar Alex zou nooit...'
Op dat moment was het lawaai van de motor al weggestorven en was er alleen nog het zoemen van vliegen en, in de verte, het zachte ploffen van de irrigatiepomp.

Caïro

Met zijn elleboog duwde Angleton de deur van Flin Brodies appartement dicht. Erbuiten stierf het ritmische geflap van de plastic slippers van de huismeester weg op de trap naar de begane grond. Hij had willen blijven, zien wat Angleton ging doen, maar de Amerikaan had een extra stapeltje bankbiljetten gegeven naast het geld dat hij al had betaald om de deur te laten openen, en hij had de man gezegd te verdwijnen. Hij was oud en vies en onhandig en Angleton wilde niet dat hij spullen zou verplaatsen en zo Brodie zou waarschuwen dat hij bezoek had gehad. Dit was werk, niet zomaar wat rondsnuffelen. Hou het professioneel, hou het strak. Daar werd hij voor betaald. Daarom was hij de beste.
De deur sloot zich met een gedempte klik. Angleton stak zijn hand in zijn zak, haalde er een paar rubber handschoenen uit en trok ze aan, waarbij het rubber siste en knapte toen hij het over zijn polsen trok. Samen met de overschoenen die hij op de overloop al had aangetrokken zouden ze ervoor zorgen dat er geen sporen van hem achterbleven, geen aanwijzingen dat hij er was geweest. Hij wist bijna zeker dat hij overdreven voorzichtig was. Brodie had geen enkele reden om dit soort inbraak te verwachten, noch om na thuiskomst te kijken of er een was gepleegd. Maar je kon nooit te voorzichtig zijn. De kans was misschien één op duizend dat de Engelsman achterdochtiger was dan hij hem inschatte – en met zijn achtergrond bestond die kans altijd – maar hij wilde niet het ri-

sico lopen de hele operatie te laten mislukken door onnodig sporen achter te laten.

Hij keek op zijn horloge – meer dan genoeg tijd, want de vlucht uit Dakhla was nog niet eens in de lucht – en hij begon wat rond te lopen. Niet dat hij naar iets op zoek was, hij wilde alleen gevoel voor Brodie krijgen, een idee van wat hij wist, wat zijn relatie met het Sandfire-gedoe was. Woonkamer, keuken, badkamer, twee slaapkamers, een werkkamer. Hij keek overal rond, maakte foto na foto met zijn digitale camera, nam zijn bevindingen op met een kleine Olympus-dictafoon.

Voor het ongeoefende oog zou het appartement weinig over zijn bewoner hebben losgelaten: een alleenstaande, vrijgezelle egyptoloog met belangstelling voor klassieke muziek, woestijnonderzoek, de actualiteit, vooral betreffende het Midden-Oosten, en afgaande op de sjaal en de gesigneerde foto van de ploeg in de woonkamer, voor voetbalclub El-Ahly. Die zaken en nog wat details – Brodie hield zichzelf in conditie, las minstens vijf talen, hield zich verre van alcohol en bezat een maatschappelijk geweten (dankbrieven van een weeshuis in Luxor en een hulpprogramma voor de Zabbaleen in Manshiet Nasser) zouden waarschijnlijk alles zijn geweest. Een verbind-de-punten-portret dat een basale karaktertekening gaf maar zonder dimensies, zonder vlees op de botten.

Maar Angleton beschikte over een geoefend oog. Terwijl hij zich door de kamers bewoog las hij tussen de regels van hun inhoud, haalde hij er de onderliggende informatie uit. Zo vond hij in de badkamer, weggestopt in een van Brodies afgedragen sportschoenen, een supermoderne snelheids- en afstandsmeter met in het geheugen details van wat de Engelsman de laatste twee weken had gelopen. Tien kilometer in 31:02 minuten, twintig kilometer in 1:03:31, vijftien kilometer in 45:12. Brodie was niet alleen in conditie, hij werkte er serieus aan. In de slaapkamer hadden de geblutste lamp op het nachtkastje, de plekken op de muur pal erachter en het voor driekwart lege doosje kalmeringstabletten Angleton van alles te vertellen. Brodie, zo zeiden ze, was iemand die nachtmerries had, in het donker rondmaaide om de schakelaar van de lamp te vinden en antipaniekpillen te slikken om tot rust te komen. Allemaal bevestigingen van wat Angleton al uit zijn onderzoek naar de man wist.

De foto van Alex Hannen in de woonkamer was interessant. Angleton wist niet met zekerheid of die twee nu wel of niet minnaars waren geweest. Per saldo was zijn antwoord nee: minnaars, zo was zijn ervaring, hadden meestal meerdere foto's van elkaar, zeker als ze apart woonden, terwijl er hier maar één foto was. Brodie gaf duidelijk om haar – erg veel zelfs, afgaand op de dure zilveren lijst waarin de foto was gevat – maar als je het Angleton op de man af vroeg, zou hij eerder voor een goede vriendschap dan een liefdesrelatie kiezen.

Hoe het ook zij, wat hem meer bezighield waren de veelzeggende kleine aanwijzingen die waren weggestopt in de hoeken van de foto. Die was duidelijk genomen op een afgelegen plek in de woestijn – de Westelijke Woestijn, vermoedde hij, gezien hun beider belangstelling voor dat gebied – en door Brodie zelf, die net te zien was in de spiegelende glazen van Hannens zonnebril.

Op de achtergrond, links en enigszins onscherp, stonden een paar oranje materiaalkisten (er stond er net zo een in de hal van het appartement met een soort radar- of meetapparaat). Achter Brodies weerspiegeling in Hannens zonnebril was iets wat hem nog meer intrigeerde, iets wat bijna niet te zien was – Angleton moest ontzettend turen met het minivergrootglas dat hij altijd bij zich had – iets wat op de punt van een soort vleugel of zeil leek, maar veel te klein voor een vliegtuigje. Een vlieger? Een hangglider? Een microlight? Hij wist het niet, en er was te weinig tijd om de foto mee te nemen en hem digitaal te vergroten. Maar het bleef leerzaam en suggereerde, wanneer je de materiaalkisten en de afgelegen woestijnlocatie meetelde, dat Brodie en Hannen ook op een bepaalde manier hadden samengewerkt. Een uniek tripje? Deel van een groter project? Opnieuw wist hij het niet zeker, maar het was weer een deel van de puzzel. Stukje bij beetje.

Hij nam bijna twintig minuten de tijd voor het bestuderen van de foto voordat hij weer op zijn horloge keek – nog meer dan genoeg tijd – en terugging naar de werkkamer. Hij had er al rondgekeken, maar het was duidelijk het zenuwcentrum van Brodies wereld en als zodanig wilde hij er nog eens goed rondkijken voor hij wegging, kijken of hij er nog iets wijzer kon worden.

Opnieuw bekeek hij de prent achter het bureau, sprak nogmaals het bijschrift – *De stad Zerzura is wit als een duif, en op de stadspoort is een vogel gebeiteld* – in op zijn dictafoon, ook al had hij dat bij zijn eerste vluchtige inspectie al gedaan.

De houten archiefkasten naast het bureau werden ook aan een tweede inspectie onderworpen. Elk telde vijf laden die allemaal waren volgepropt met bundels aantekeningen, artikelen, foto's, grafieken, prints en landkaarten, gerangschikt volgens een alfabetische indeling, beginnend met Almasy in de bovenste la van de eerste kast en eindigend met Zerzura in de onderste la van de laatste kast.

Het was veel te veel materiaal om gedetailleerd te onderzoeken, dus beperkte hij zich tot het openen van elke la, het met zijn rubbergehandschoende vingers over de kaartruiters lopen en er hier en daar een map uit vissen – bedoeïen; Khepri; Long Range Desert Group; Pepi II Wingate – om daarna weer verder te gaan. Hij bleef nooit te lang bij een bepaald onderwerp stilstaan, keek er vluchtig naar.

Er waren maar twee dossiers die hem ertoe brachten te stoppen voor een nadere bestudering. Het ene, met het etiket GILF KEBIR/SATELLIETBEELDEN, bevatte een stel kleurenfoto's. Het begon met overzichtbeelden van de hele zuidwesthoek van Egypte waarna de beelden steeds gedetailleerder inzoomden op bepaalde delen van de Gilf, zodat het woestijnlandschap steeds duidelijker en scherper afgetekend werd. De laatste twintig foto's waren zo scherp dat Angleton de wanden van de oostelijke rand van de Gilf echt kon zien. Her en der was een plukje groen – vermoedelijk gewoon een paar bomen of wat struiken – maar verder was het gebied volstrekt levenloos en leeg. In elk geval nergens een teken van Brodies geheimzinnige oase.

Het andere dossier dat zijn aandacht trok had als etiket Gegevens Magnetometrie. (Was dat het meetapparaat in de hal? Een magnetometer?) De inhoud van de map – vel na vel met betekenisloze vlekken en vegen – zei hem niets. De gegevens zelf waren niet interessant. Wat hem aan het denken zette was het feit dat Brodie überhaupt een magnetometer gebruikte. Voorzover Angleton wist, werden magnetometers gebruikt voor ondergrondse structuurbeelden en metaaldetectie. Maar tijdens de lezing die Brodie onlangs had gegeven, had hij nadrukkelijk gesteld dat de steentijdbewoners van de Gilf nog niet in staat waren geweest metaal te bewerken. Er was ongetwijfeld een volmaakt onschuldige verklaring, maar het bleef merkwaardig.

'Wat moet hij met een magnetometer?' sprak hij op zijn lijzige toon in de dictafoon, drukte de pauzeknop in om meteen erna de opnameknop weer in te drukken.

'En hoe komt hij aan al die satellietbeelden? NASA? Oliemaatschappijen? Nagaan wie dit materiaal zou kunnen hebben.'

Hij beëindigde zijn onderzoek van de archiefkasten en liet zijn blik weer over de boekenkasten gaan. Voorzover hij kon zien was het allemaal egyptologie, behalve een sectie die was gewijd aan actuele zaken – veel over Irak. En achter een rij in leer gebonden boeken over oude Egyptische architectuur, zodat hij het aanvankelijk over het hoofd had gezien, een boek over, uitgerekend, Russische vliegtuigen.

'Osprey Encyclopedia of Russian Aircraft,' las hij voor in de dictafoon. 'Wat moet dat hier in godsnaam?'

Als laatste was Brodies bureau aan de beurt. Het was een groot geval, ouderwets, van gepolitoerd eiken, met een telefoon, lamp, vloeiblad, papierbakje, pennenbakje – het gangbare spul, keurig geordend. Geen computer, wat erop kon wijzen dat de Engelsman op een laptop werkte. En die moest hij hebben meegenomen naar Dakhla, want in het appartement was hij niet te vinden. Vervelend. Angleton zocht naar een geheugenstick die Brodie misschien als back-up had thuisgelaten, maar ook daar was geen spoor van te vinden. De klok tikte door, dus hij brak het onderzoek af en richtte zijn aandacht op de inhoud van de prullenmand die niets bijzonders opleverde, en als laatste op het boek midden op het vloeiblad midden op het bureau: *Teksten in spijkerschrift in de Hermitage in Sint-Petersburg.*

Ongeveer op de helft stak er een A4-tje uit. Toen Angleton het boek bij die pagina opende, keek hij neer op een foto van een toffeekleurig kleitablet, zwaar afgesleten en bedekt met rijen kleine wigvormige tekens. Er was een onderschrift bij: *Het Egyptetablet. Koninklijk archief van Lugal-Zagesi (ca. 2375-50 v.C.) Uruk. Collectie N. Likhachev.*

Hij staarde naar de foto, richtte toen zijn aandacht op het velletje A4. Daarop had Brodie uiterst nauwkeurig de tekens van het kleitablet overgenomen, voorzover ze te lezen waren. Daaronder had hij, naar Angleton aannam, een transcriptie van de spijkertekst geschreven door de tekst fonetisch in Latijnse letters weer te geven. En daaronder – en weer gokte Angleton, hoewel het een redelijk goede gok leek te zijn – een rechtstreekse vertaling in het Engels, met stippeltjes op de plaatsen waar het spijkerschrift onduidelijk of beschadigd was, en tussen haakjes gissingen en vraagtekens naast de woorden waarvan Brodie de betekenis niet zeker wist.

... westelijk voorbij kalam *(Sumer) achter de horizon... grote rivier* artiru *(Iteru/Nijl) en het land* kammututa *(Kemet/Egypte)...50* danna *van* buranun *(Eufraat?)... rijk aan... koeien, vis, graan,* geshnimbar *(dadelpalmen?)... stad genaamd* manarfur *(Mennefer/Memphis?)... koning die over allen regeert... grote angst bij zijn vijanden voor...* tukul *(wapen?) genaamd... van an (hemel/lucht?) in de vorm van een* lagab *(steen?) en in de slag voor het leger van de koning uit gedragen...* bil *(brandt?) met een verblindend licht en* u-hub *(oorverdovend?)... pijn en duizelingen. Met dit wapen worden de vijanden van* kammatuta *in het noorden vernietigd*

en in het zuiden vernietigd... oost en west bijten in het stof zodat hun koning heerst over alle landen rond artiru *en niet een zal tegen hem opstaan noch hem aanvallen of hem ooit verslaan want in zijn hand is de* mitum *(knuppel?) van de goden... het gruwelijkste wapen waarvan bekend is dat... pas op en verzet u nooit tegen de koning van* kammututa *want in zijn toorn zal hij... volledig verwoest.*

Angleton las het een aantal malen door, maar kon er kop noch staart aan vinden.

'Maf gelul over stenen en wapens,' zei hij in zijn dictafoon en schudde zijn hoofd, verbijsterd over de dingen die mensen interessant vonden. Hij zweeg even, voegde er toen aan toe: 'Waarschijnlijk niet relevant.'

Hij legde het A4-tje terug in het boek en verschoof het laatste iets over het vloeiblad zodat het precies zo lag als hij het had gevonden. Hij liet zijn blik nog eenmaal door de kamer gaan, plaatste de GSM-afluisterapparaatjes – een in de telefoon, een achter de boekenkast en een onder de bank in de woonkamer – en verliet het appartement. Hij was nog geen anderhalf uur binnen geweest, en volgens zijn berekening was Brodie nog niet halfweg zijn vlucht naar Caïro. Mooi, secuur werk, dacht hij bij zichzelf. Daar betaàlden ze hem voor. Daarom was hij de beste.

Dakhla

'Alex zou zichzelf nooit injecteren, nog in geen miljoen jaar. Er klopt iets niet. Gelooft u me nou maar. Er klopt iets niet.'

Tegenover haar fronste dokter Rashid zijn wenkbrauwen en trok aan zijn linkeroorlelletje.

'U moet me geloven,' herhaalde ze. 'Alex had een fobie voor naalden. Ik zou al eerder iets gezegd hebben, maar ik ging ervan uit dat ze pillen had geslikt of iets had gedronken. Ze had zichzelf nooit kunnen injecteren. Nooit.'

Ze was emotioneel, geagiteerd, en dat was ze vanaf het moment dat Molly Kiernan bij het afscheid iets had gezegd over een prik. Toen het tot haar doordrong wat Kiernan eigenlijk had gezegd, had ze onmiddellijk geprobeerd Zahir op zijn mobieltje te bellen om hem te vragen terug te komen en haar te vertellen hoe het zat. Zijn gsm was uitgeschakeld. Hetzelfde bij Kiernan en Brodie. Ze had zelfs niet de moeite genomen iets in te spreken. Koortsachtig had ze alleen maar haar rugzak gegrepen en was ze gaan rennen, tussen de palmen en de olijven door en over het karrenspoor in de woestijn terug naar de grote oase. Ze wist niet wat ze ging doen, alleen dat er iets helemaal mis was en dat ze iets moest doen. Na ongeveer een kilometer had ze achter zich geratel en gebonk gehoord en was er een ezelwagen naast haar komen rijden met op de bok de oude, tandeloze man die zij en Zahir de vorige middag op weg naar Alex' huis waren gepasseerd: Mohammed, Mahmoud of zoiets. Zahir had haar gewaarschuwd uit zijn buurt te blijven, maar ze was veel te opgefokt om zich er iets van aan te trekken, dus accepteerde ze zijn lift omdat ze zo snel mogelijk naar Mut wilde. Hij kwebbelde een eind weg en schoof onnodig dicht naar haar toe, nam de vrijheid met zijn hand langs haar dijbeen te strijken, maar dat merkte ze nauwelijks.

'Mut,' bleef ze tegen hem zeggen. 'Alstublieft, ziekenhuis, Mut. Snel.'

In het dorp met de lemen huizen was hij voor de Kodakwinkel met het bord FAST FOTO DEVLIP gestopt en had een vrachtwagentje aangehouden dat haar de rest van de weg had meegenomen. Dokter Rashid was op zijn ronde door de zalen, kreeg ze te horen toen ze het ziekenhuis had bereikt, en zou pas na de middag met haar kunnen praten. Ze had erop gestaan hem te spreken, had een scène geschopt zodat er ten slotte telefoontjes waren gepleegd, piepers hadden gepiept en hij was gekomen en haar had meegenomen naar zijn kamer.

'U moet me geloven,' zei ze voor de derde keer en ze probeerde haar stem onder controle te houden. 'Alex kan er geen einde aan hebben gemaakt. Niet op deze manier. Dat kan niet.'

De dokter ging ongemakkelijk verzitten, zijn ogen schoten heen en weer tussen Freya en zijn bureaublad.

'Miss Hannen,' begon hij langzaam terwijl hij nog steeds aan zijn oorlelletje trok. 'Ik weet hoe moeilijk...'

'Dat weet u niet!' snauwde ze. 'Alex kan zichzelf geen spuitje hebben gegeven. Dat kon ze niet! Echt niet!'

Ze klonk nu schel, over haar toeren. Hij gunde haar even de tijd om te kalmeren, probeerde het toen opnieuw.

'Miss Hannen, wanneer een geliefd persoon sterft...'

Ze opende haar mond om hem in de rede te vallen, maar hij stak een hand op, het verzoek om hem te laten uitpraten.

'Wanneer een geliefd persoon sterft,' herhaalde hij, 'in het bijzonder op deze manier, kan dat heel moeilijk te accepteren zijn. We willen het niet geloven, niet erkennen dat iemand van wie we houden, intens houden, zoveel pijn kan hebben dat zelfmoord te verkiezen valt boven doorgaan met leven.'

Hij legde zijn handen op de rand van zijn bureau, schuifelde met zijn voeten.

'Alex had een ongeneeslijke ziekte die steeds erger werd. Die had in heel korte tijd al gemaakt dat ze zich nog nauwelijks kon bewegen en zou onvermijdelijk tot haar dood leiden, waarschijnlijk binnen enkele maanden. Alex was een moedige vrouw met een sterke wil, en ze besloot om, als ze dan moest sterven, in elk geval te kunnen bepalen waar, wanneer en hoe het zou gebeuren. Ik ben er niet gelukkig mee en ik had gewild dat ze het niet had gedaan, maar ik begrijp haar argumenten en ik respecteer haar beslissing. U moet dat ook proberen, hoe pijnlijk dat ook is.'

Freya schudde haar hoofd, leunde naar voren en greep de armleuningen van haar stoel vast.

'Alex zou zichzelf nooit een spuitje hebben gegeven,' hield ze vol met de nadruk op elk woord. 'Als ze een overdosis van iets had genomen, of zich had verhangen, of...'

Ze onderbrak zichzelf, overmand door emoties om de scenario's die ze beschreef.

'Al zolang ik me kan herinneren, sinds onze jeugd, was Alex als de dood voor naalden,' ging ze even later door. 'Ik weet wel dat we elkaar al een hele tijd niet hadden gesproken, maar ik weet ook dat dit soort angsten niet zomaar weggaan. De aanblik van een naald was al te veel voor haar, laat staan dat ze een spuit met morfine zou kunnen vullen en er zichzelf mee injecteren. Dat bestaat niet.'

Dokter Rashid keek omhoog naar het plafond, en weer omlaag, en ademde langzaam uit.

'Soms, als je heel erg ziek bent, doe je het onmogelijke,' zei hij vriendelijk. 'Dat heb ik als arts vele malen meegemaakt. Niet dat ik wil suggereren dat u ongelijk hebt wat uw zus betreft, of dat haar angst niet was zoals u aangeeft. Ik wil alleen maar zeggen dat als je lijdt zoals zij, angst relatief wordt. Wat haar doodsangst aanjoeg toen ze gezond was, deed dat waarschijnlijk minder dan haar grote angst voor een langzame, pijnlijke dood, een dood die haar elke dag verder ontdeed van de weinige waardigheid die ze nog over had. Tegen het eind was Alex de wanhoop nabij, en wanhopige mensen doen wanhopige dingen. Het spijt me dat ik het zo bot moet zeggen, maar ik wil niet dat u op deze manier uw verdriet nog groter maakt. Alex heeft haar eigen leven genomen. We moeten accepteren dat...'

Een luid gepiep onderbrak hem. Hij verontschuldigde zich, pakte de telefoon, drukte een toets in, draaide zich van haar af en sprak op gedempte toon. Freya stond op en liep naar het raam waar ze neerkeek op een grote, geplaveide binnenplaats met in het midden een hoge laurierboom. In de schaduw van de boom zat een gezin te ontbijten, een man in een blauwe pyjama schuifelde rond met een infuusstandaard op wieltjes en een sigaret hangend in zijn mondhoek. Ze keek naar hem, trommelde met haar vingers op de vensterbank, wachtte tot de dokter was uitgebeld.

'Heeft Alex u verteld dat ze zoiets ging doen?' vroeg ze hem zodra hij had opgehangen om het gesprek meteen voort te zetten. 'Heeft ze er tegen u iets over gezegd?'

Rashid zette zijn stoel goed en legde zijn handen weer op de rand van het bureau. 'Niet met zoveel woorden,' antwoordde hij. 'Het is een paar keer ter sprake gekomen op een... hoe zeg je dat... abstracte manier. Ze heeft in elk geval niet om hulp gevraagd, als u dat bedoelt. En die zou ik haar ook beslist niet hebben gegeven. Ik ben arts. Het is mijn werk mensenlevens te redden, niet ze te nemen. Ze wist hoe ik erover dacht.'

Freya deed een stap naar voren. 'Wie heeft haar gevonden?'
'Miss Hannen, toe, deze vragen...'
'Wie?' Haar toon was bot, vasthoudend.
'De huishoudster,' zei hij met een zucht. 'Toen ze 's morgens in het huis kwam.'
'Waar? Waar heeft ze Alex gevonden?'
'Achter, op de veranda, geloof ik. In haar rolstoel. Daar zat ze graag, met uitzicht op de woestijn, vooral tegen het eind toen bewegen steeds lastiger werd. De morfine en de spuit lagen op de tafel naast haar. Precies zoals je kon verwachten.'
'Had ze een brief achtergelaten?'
'Voorzover ik weet niet.'
'Vond u dat niet vreemd? Iemand pleegt zelfmoord maar zonder iets achter te laten, zonder een brief met een verklaring.'
'Miss Hannen, het was duidelijk wat ze had gedaan en waarom ze het had gedaan. Ze had al laten weten dat, als haar iets zou overkomen, we u moesten waarschuwen en dat ze in de oase bij haar huis begraven wilde worden. Ze had geen reden om een brief achter te laten.'
'En het flesje met morfine?' ging ze door. 'En de spuit? Wat is daarmee gebeurd?'
Hij schudde zijn hoofd en er verscheen een lichtelijk geërgerde uitdrukking op zijn gezicht. 'Ik heb geen idee. Ik denk dat de huishoudster ze heeft weggegooid. Gezien de omstandigheden zou het morbide zijn geweest om...'
'Er zit een blauwe plek op haar schouder,' onderbrak Freya hem. Ze gooide het over een andere boeg. 'Een grote blauwe plek. Hoe is ze daar aan gekomen?'
'Dat zou ik echt niet weten,' antwoordde hij hulpeloos. 'Gevallen, ergens tegen aan gestoten... Door haar conditie was ze heel onvast ter been. Mensen met MS zitten vaak onder de blauwe oplekken. Gelooft u me alstublieft, miss Hannen, als er iets was...'
'Waar heeft ze het gedaan?' beet Freya hem toe, opnieuw dwars door zijn verhaal heen.
'Pardon?'
'Die prik. Waar heeft ze die gegeven?'
'Miss Hannen...'
'Waar?'
Op zijn gezicht werd de ergernis duidelijker zichtbaar.
'In haar arm.'

'Haar rechterarm?' Freya dacht terug aan de morgen, aan het naakte lichaam van haar zus op de baar. 'Net onder de elleboog? Daar zit een kleine blauwe plek.'

Hij knikte.

'Hoe heeft ze dat gedaan?'

Hij kneep zijn ogen tot spleetjes, begreep haar vraag niet.

'Hoe heeft ze het gedaan?' herhaalde ze, luider nu. 'U zei dat ze alleen haar rechterarm nog kon gebruiken, dat haar linkerarm verlamd was. Maar jezelf met je rechterhand in je rechterarm een injectie geven lukt niet. Dat is fysiek onmogelijk. Ze zou het dus met haar linkerhand hebben moeten doen. Maar die was volgens u verlamd. Hoe dus? Hoe? Vertelt u me dat eens.'

Hij deed zijn mond open om te antwoorden, maar sloot hem weer, fronste. Die vraag was blijkbaar nog niet bij hem opgekomen.

'Hoe kan iemand zichzelf met zijn rechterhand een injectie in zijn rechterarm geven? Dat lukt niet. Kijk maar.'

Ze demonstreerde het, boog haar rechterarm, boog de pols en kon met haar vingers net haar biceps aanraken. Dokter Rashid zat nog steeds verbijsterd voor zich uit te kijken; hij knipperde met zijn ogen alsof hij zijn uiterste best deed om met een antwoord te komen.

'MS is soms een heel onduidelijke conditie,' zei hij na een tijdje. Hij sprak langzaam, aarzelend, alsof hij nog probeerde te overdenken wat hij ging zeggen. 'De symptomen kunnen heel snel opduiken en verdwijnen en het ziekteverloop is heel moeilijk te voorspellen.'

'Bedoelt u dat haar linkerarm plotseling beter is geworden?'

'Ik bedoel te zeggen dat met een conditie als deze er vreemde dingen gebeuren, plotselinge terugvallen en oplevingen...' Hij klonk niet overtuigd. 'Het is moeilijk te voorspellen,' herhaalde hij. 'Het is soms een zeer... verwarrende ziekte.'

'Hebt u al meer van dit soort gevallen meegemaakt?' Freya drukte door. 'Mensen met... hoe noemt u het ook alweer? Het Malburg Syndroom?'

'De Marburgvariant,' verbeterde hij.

'Hebt u dit al eerder meegemaakt, dat mensen opeens weer een arm of been konden gebruiken? Hebt u dat meegemaakt, hebt u ervan gehoord?'

Een lange stilte, en toen schudde hij zijn hoofd. 'Nee,' gaf hij toe. 'Nee. Misschien wel met andere vormen van deze ziekte, minder ernstige. Maar met de Marburg... Nee, daar heb ik nooit van gehoord.'

'Dus hoe dan?' vroeg ze nogmaals. 'Hoe kan mijn zus zichzelf een injectie in haar rechterarm hebben gegeven? Ook als we buiten beschouwing laten dat ze rechtshandig was en doodsbang voor naalden. Hoe kan ze dit hebben gedaan?'

Dokter Rashid opende zijn mond, sloot hem weer, wreef over zijn slapen, ging achteruit zitten. Er viel een lange stilte. 'Miss Hannen,' zei hij ten slotte, 'mag ik vragen wat u... wat u precies bedoelt?'

Ze keek hem recht aan, hield zijn blik vast. 'Ik denk dat iemand mijn zus heeft gedood. Dat ze geen zelfmoord heeft gepleegd.'

'U bedoelt vermoord? Is dat wat u bedoelt?'

Ze knikte.

Hij bleef haar aankijken, frunnikte aan de manchet van zijn witte jas. Vanbuiten kwam het gekwetter van vogels en, heel zwak, het gebrom van autoverkeer. Er verstreken vijf seconden. Tien. Toen leunde hij naar voren, pakte de hoorn van de haak, toetste een nummer en sprak in snel Arabisch.

'Kom,' zei hij terwijl hij de hoorn oplegde en opstond.

'Waarheen?'

Hij stak een arm uit, wees naar de deur. 'Naar de politie van Dakhla.'

Tussen Dakhla en Caïro

'Wilt u nog koffie, meneer?'

'Graag.' Flin zette zijn kopje op het blad dat hem werd voorgehouden. De steward schonk het vol uit een plastic thermoskan en gaf het hem terug.

'U, mevrouw?'

'Nee, dank u,' zei Molly Kiernan en hield een hand boven haar kopje.

De steward knikte en schoof door. Kiernan las verder in een artikel over Irans atoomprogramma in de *Washington Post*. Flin nam kleine slokjes van zijn kopje en tikte af en toe wat op zijn laptop. De cabine dreunde van het lage, monotone gebrom van de motoren. Er vergleden wat minuten waarna Flin wat heen en weer schoof in zijn stoel en zijn reisgenote aankeek.

'Dat heb ik nooit geweten.'

Ze keek hem aan over de rand van haar leesbril en trok vragend haar wenkbrauwen op.

'Dat je getrouwd bent geweest. Heb ik al die jaren niet geweten.' Hij wees naar de ring aan haar linkerhand. 'Ik heb al die tijd gedacht dat het was om ongewenste bewonderaars af te wimpelen. Dat je eh... Je weet wel.'

Het duurde even voor ze begreep wat hij bedoelde. Maar toen slaakte ze een kreet van gespeelde boosheid.

'Flin Brodie! Zie ik eruit als een lesbienne?'

Een verontschuldigend schouderophalen. 'Mag ik vragen hoe hij heette?'

Even zweeg ze, daarna liet ze met een zucht haar krant zakken en zette haar bril af. 'Charlie. Charlie Kiernan. Mijn grote liefde.' Een korte stilte, en toen: 'Gestorven bij de uitoefening van zijn plicht, in dienst van het vaderland.'

'Was hij...'

'Nee, nee, hij was marinier. Legerpredikant. Gesneuveld in Libanon. In '83, bij de bomaanslagen op de kazernes. We waren net een jaar getrouwd.'

'Wat erg,' zei Flin. 'Wat verschrikkelijk.'

Ze haalde haar schouders op, vouwde de krant op en stak hem in de stoelzak voor haar, legde haar hoofd tegen de rugleuning en keek omhoog.

'Morgen zou hij zestig zijn geworden. Daar hadden we het altijd over, wat we gingen doen als we oud waren. Een lapje grond ergens in New Hampshire, een veranda, schommelstoelen, kinderen, kleinkinderen. Kneuterig. Charlie was kneuterig.'

Ze zuchtte en ging weer rechtop zitten, borg met veel omhaal haar bril weg, een gebaar dat aangaf dat het onderwerp wat haar betreft had afgedaan.

'Over de oase?' vroeg ze.

'Hmm?'

Ze knikte naar zijn laptop, het bestand waar hij aan werkte.

'O, nee. Ik geef volgende week een lezing in het *American Research Center* in Egypte over Pepi II en de ondergang van het Oude Rijk. Zelfs mij verveelt het, dus ik heb te doen met de arme drommels die ernaar moeten luisteren.'

Ze lachte en keek, met haar hoofd tegen het raampje geleund, naar de woestijn onder hen, naar het bultje van Djosers trappenpiramide in de verte dat als een smerig bruin ijsbergje langsdreef.

'Fadawi is vrij,' zei ze na een tijdje, zonder om te kijken.

'Dat heb ik gehoord.'

'Denk je...'

'Beslist niet,' onderbrak hij haar, omdat hij aanvoelde wat ze wilde gaan zeggen en het verwierp voor ze de kans kreeg het onder woorden te brengen. 'Zelfs als hij iets weet, zal hij het me niet vertellen. Hij bijt nog liever zijn tong af. Hij geeft mij de schuld van wat er is gebeurd. Terecht, als ik eerlijk ben.'

'Het was jouw schuld niet, Flin,' zei ze en ze draaide zich naar hem toe. 'Jij kon het niet weten.'

'Doet er niet toe.' Hij klapte zijn laptop dicht en ritste hem in de draagtas. Boven hun hoofd klonk een zacht 'ping' toen het lampje 'fasten seatbelt' aanging. 'Hij wordt nooit gevonden,' zei hij rustig. 'Drieëntwintig jaar, Molly. Hij wordt nooit gevonden.'

'Jij komt er, Flin. Geloof mij nou maar, jij vindt hem.'

Er klonk een stem uit de luidsprekers, eerst in het Arabisch, daarna in het Engels.

'Dames en heren, we zetten de daling in naar het vliegveld van Caïro. Wilt u uw riem vastmaken en alle losse artikelen in de bak boven uw hoofd opbergen?'

'Jij komt er,' zei ze nogmaals. 'Met Gods hulp kom jij er.'

Volgens mij heeft God net als wij geen idee waar het is, dacht Flin. Hij hield de gedachte voor zich omdat hij wist dat Kiernan zijn godslastering zou afkeuren. Hij legde zijn hoofd tegen de rugleuning, sloot zijn ogen en nam het nog maar weer eens allemaal door: het Oog van Khepri, de Mond van Osiris... Zijn oren plopten toen het vliegtuig laag over Caïro scheerde.

De Vloeken van Sobek en Apep...

Dakhla

Toen de bedoeïenen de top van de duinkam hadden bereikt en in de verte de Dakhla-oase zagen zinderen, hadden ze twee dagen niets te drinken gehad. Uitgeput dirigeerden ze hun kamelen naast elkaar en hieven als één man hun handen ten hemel.

'Hamdulillah!' riepen ze met schorre stemmen. Hun rijdieren hijgden en hoestten onder hen. 'God zij gedankt.'

Als ze water hadden gehad, waren ze nu afgestegen en hadden ze daar ter plekke thee gezet om het einde van hun tocht te vieren, om te genieten van dit moment op die plek boven de woestijn waar het woeste land zich aan de ene kant uitstrekte en de beschaving aan de andere kant voor hen opdoemde. Maar ze hadden allang geen water meer en bovendien waren ze te moe en afgepeigerd om iets anders te willen dan zo snel mogelijk hun plaats van bestemming bereiken. Zonder omhaal spoorden ze hun kamelen aan de andere kant omlaag en zetten ze hun tocht voort, in stilte, op af en toe een aansporing na: *'hut hut'* of *'yalla yalla'*.

De afgelopen drie dagen, sinds de vondst van het geheimzinnige lichaam, had de woestijn hen dwarsgezeten door hen uit de koers te dwingen met eindeloze rijen duinen zo hoog als bergen, door hen te geselen met een hitte zoals geen van hen in deze tijd van het jaar ooit had meegemaakt. Maar nu leek het ergste achter de rug. Vandaag was het koeler, en alsof de woestijn er genoeg van had met hen te spelen, was het landschap vlakker en gefragmenteerder geworden, was de duinendoolhof uiteengevallen in verspreide kronkels en zandbulten met daartussen grindvlakten, minder zwaar voor de kamelen en sneller over te trekken. Binnen een uur had de vage zindering van de oase vastere vorm gekregen en was hij een zware groene veeg geworden tegen de bleke achtergrond van de steile Djebel el-Qasr. Nog geen twee uur later konden ze aparte boomgroepen onderscheiden en de witte stippen van huizen en duiventillen. Ze gingen over in een zwalkende draf, de leider voorop, zijn metgezellen in een rommelige rij achter hem aan, met opbollende gewaden, en hoe dichterbij het water en de behouden aankomst kwamen, hoe sneller ze hun rijdieren lieten lopen.

Alleen de achterste ruiter hield hen niet bij. Hij kwam langzaam steeds verder achter tot er een paar honderd meter tussen hem en de man voor hem was. Nu hij buiten gehoorsafstand was, haalde hij zijn mobieltje tevoorschijn zoals hij de laatste twee dagen om de paar uur had gedaan, om naar het schermpje te kijken. Hij grijnsde: nu had hij signaal. Hij koos een nummer, ging laag boven het zadel hangen zodat niemand kon zien wat hij deed en toen hij verbinding had, begon hij opgewonden te praten.

Caïro – Manshiet Nasser

'Onze geëerde gast van vandaag behoeft geen nadere introductie, dames en heren. Zoals u weet is hij in onze gemeenschap geboren en blijft hij er een geacht en geëerd lid van, ook al heeft zijn leven hem naar elders gevoerd. In de loop van de jaren heeft zijn generositeit hier in Manshiet Nasser talloze projecten op het gebied van gezondheid en opvoeding mogelijk gemaakt, waarvan deze inloopkliniek slechts het laatste is, en hoewel hij zowel rijkdom als succes heeft vergaard, is hij zijn afkomst nooit vergeten, en heeft hij zijn mede-Zabbaleen niet in de steek gelaten. Hij is voor ons allen een vriend, een weldoener en – ik weet zeker dat hij het niet erg vindt als ik dat zeg – een vader. Graag een warm applaus voor mister Romani Girgis.'

Er klonk applaus en een man met een zuur gezicht, een vaalgele huid, een donkere bril en een perfect gesneden maatpak stond op. Hij was schraal, zijn grijzende, geoliede haar lag plat op zijn schedel en hij had duidelijk iets van een hagedis: de ingevallen wangen, de dunne lippen, de manier waarop zijn tong telkens in zijn mondhoek naar buiten kwam. Hij begroette de aanwezige hoogwaardigheidsbekleders met een knikje, bukte zich om de Koptische bisschop naast hem een kus op de wang te geven, en liep naar voren waar hij de vrouw die hem had geïntroduceerd een hand gaf.

'Dank u,' zei hij terwijl hij zich naar de aanwezigen keerde, met een lage, trage stem, als het rommelen van een zware vrachtwagen, niet direct het soort stem dat je van iemand met zijn lichaamsbouw zou verwachten. 'Ik ben vereerd dat ik hier dit nieuwe medische centrum kan openen. Jegens miss Mikhail...'

Hij knikte naar de vrouw.

'Zijne Hoogwaardige Excellentie bisschop Marcos, de raad en bestuurders van het Stedelijk Ontwikkelingsfonds voor de Zabbaleen spreek ik nogmaals mijn dank uit.'

Er klonk gedempt klikken toen een fotograaf heen en weer schoof en foto's maakte van Girgis en de gasten.

'Zoals miss Mikhail u heeft verteld,' ging hij op gedragen toon verder, 'ben ik een Zabbal en daar ben ik trots op. Ik ben hier in Manshiet Nasser geboren, drie straten hier vandaan. Als kind heb ik met de rest van mijn familie op de vuilniswagens gewerkt, en hoewel mijn omstandigheden dankzij Gods gunst, zijn veranderd en verbeterd...'

Hij wierp een blik op de bisschop, die glimlachte en knikte en met zijn hand door zijn baard ging.

'... blijft Manshiet Nasser toch mijn thuis, blijven de inwoners mijn broeders en zusters.'

Beleefd applaus. Meer camerageklik.

'De Zabbaleen zijn onlosmakelijk verbonden met het leven in deze stad,' ging hij door en hij trok aan de manchetten van zijn overhemd, zodat er uit de mouwen van zijn jasje precies evenveel wit tevoorschijn kwam. 'De afgelopen vijftig jaar hebben zij het afval verzameld, gesorteerd en gerecycled op een manier die model staat voor duurzame afvalverwerking. Omdat ze met de hand sorteren, behalen ze een efficiency die door geen enkele mechanische werkwijze wordt geëvenaard. Om diezelfde reden echter zijn ze ook bijzonder vatbaar voor hepatitisinfecties via de sneden en schaafwonden die ze oplopen bij dat sorteerwerk. Zowel mijn vader als mijn grootvader is aan deze verschrikkelijke ziekte overleden, dus verheugt het me in verband te worden gebracht met een project dat zal helpen het aantal infecties te verlagen door gratis hepatitisvaccinaties te geven aan allen die ze nodig hebben.'

Goedkeurend gemompel bij het publiek.

'Ik ben al lang genoeg aan het woord, dus ik dank u alleen nog voor uw aanwezigheid en verklaar hiermee het Romani Girgis Manshiet Nasser Vaccinatiecentrum...'

Hij spreidde zijn armen en omvatte daarmee de binnenplaats waar men bijeen was gekomen, de omringende gebouwen en de glazen deuren waarop een rood kruis was geschilderd.

'... voor geopend!'

Hij kreeg van miss Mikhail een schaar aangereikt, draaide zich onder applaus om en zette de schaar in het stevige lint dat over de binnenplaats was gespannen, terwijl de fotograaf op een knie ging zitten om de gebeurtenis vast te leggen. Om een of andere reden verzette het materiaal zich tegen de schaar zodat hij gedwongen was opnieuw te knippen. En toen nog eens, hakkend in de hoop zo door de stof heen te komen. En nog gaf het materiaal geen krimp, en nu de seconden wegtikten en hij bleef stuntelen, stierf het applaus achter hem langzaam weg en maakte het plaats voor gegeneerd gefluister en hier en daar gegiechel. Zijn handen begonnen te trillen, zijn gezicht verstrakte, eerst in een uitdrukking van ergernis, daarna van woede. Miss Mikhail kwam naar voren om hem te helpen; zij trok aan het lint terwijl Girgis bleef worstelen met de schaar.

'Ik betaal jou en jij zet me voor gek,' sist hij zachtjes.

'Het spijt me, mister Girgis,' mompelde ze en haar handen trilden nog meer dan de zijne.

'En zeg tegen die lul dat hij stopt met dat gefotografeer.'

Witheet hakte hij nog een keer en eindelijk ging het lint in tweeën. Hij bracht zijn gezicht weer in een grootmoedige plooi, draaide zich terug naar de gasten en hield de schaar omhoog. Het applaus nam weer toe en echode over de binnenplaats. Hij wachtte even, pakte toen miss Mikhails hand en drukte de schaar in de muis van haar hand zodat hij diep in het vlees drukte, haar pijn deed, waarbij Girgis zo te werk ging dat alleen zij twee merkten wat er gebeurde.

'Zet me niet nog eens voor schut, vette teef,' mompelde hij zonder dat de glimlach van zijn gezicht verdween. Hij gaf de schaar nog een extra duwtje om zijn boodschap te benadrukken, liet hem los en ging naar zijn plaats terug. De vrouw sloeg haar handen met een bevende onderlip voor haar lichaam ineen.

'Mister Romani Girgis!' stamelde ze en ze had moeite om niets te laten merken. 'Onze geliefde weldoener. Laat merken hoezeer u hem waardeert.'

Het applaus klonk tweemaal zo hard toen Girgis ging zitten, zich vooroverboog om een stofje van de neus van zijn schoen te vegen om daarna met bescheiden gebogen hoofd weer achterover te leunen. De bisschop boog zich naar hem over en legde een hand op zijn arm.

'Je bent een voorbeeld voor ons allen, Romani. Wat een geluk voor deze arme zielen dat ze jou als beschermer hebben.'

Girgis schudde zijn hoofd. 'Ik ben degene die geluk heeft, excellentie. Dat ik de middelen heb om deze mensen, mijn eigen mensen, te helpen... Echt waar, ik ben een gezegend mens.'

Hij pakte hand van de bisschop, bracht hem naar zijn lippen en kuste de ring, waarna hij, als paste het hem niet over zichzelf te praten, weer voor zich uit keek. Een groep meisjes in dezelfde jurkjes en hoofddoekjes kwam naar voren en begon te zingen.

Allemaal gelul natuurlijk, Manshiet Nasser zijn thuis, de Zabbaleen zijn broeders en zusters: gelul in het kwadraat. Girgis walgde van deze wijk toen hij jong was, en walgde er, nu hij zich eruit omhoog had gewerkt, nog meer van. Verachtelijk, goor, een smeerbende, vol stank, bevolkt door simpele zielen zonder opleiding die zich het schompes werkten, zich aan de wet hielden, hun gebeden zegden, en waarvoor? Een ontzettend zwaar leven dat werd doorgebracht met scharrelen over vuilnisbelten en wonen in huurkazernes waar het krioelde van de kakkerlakken, sociale paria's, het laagste van het laagste. Trots een Zabbal te zijn? Hij had net zo goed kunnen zeggen dat hij er trots op was dat hij kanker had.

Schone schijn, daarom en alleen daarom liet hij zich hier nog zien, steunde hij verscheidene hulpprogramma's, speelde hij de nederige zoon van de Kerk. Omdat het leek of hij een goed mens was, dat was alles, meer niet. Het leidde de aandacht af van de minder heilzame activiteiten waarbij hij betrokken was. Hij lachte zachtjes. Verbazingwekkend wat een beetje filantropie al niet deed voor je image. Een kliniek hier, een school daar... Jezus, zelfs Susan Mubarak bewonderde hem ('een steunpilaar voor de Egyptische samenleving', had ze hem genoemd). Voor de Zabbaleen zelf kon hij niet meer gevoel opbrengen dan voor de groepen varkens die op de vuilnisbelten van Manshiet Nasser rondwroetten. Business, daar ging het om. Dat was het enige wat altijd had geteld. Dat was waarom hij was wat hij was – multimiljonair – en zij waren wat zij waren: stinkende paupers die hun dagen sleten met rotzooi sorteren en doodgaan aan hepatitis.

Het nummer was afgelopen en de meisjes dromden weg. Van achter zijn donkere glazen oogde Girgis hen na. Mooie meiden, allemaal groene ogen en pronte borstjes, en hij nam zich voor hun namen en adressen te achterhalen. Voor Kopten kon hij altijd een hogere prijs bedingen dan voor moslima's, vooral als ze jong waren. Hoewel hij zich al jaren niet meer rechtstreeks met die kant van zijn werkzaamheden bezighield omdat hij zijn energie liever op profijtelijker activiteiten richtte – wapenhandel, antieksmokkel, witwaspraktijken – hield hij graag een vinger in de pap. Koop de ouders om – lukt dat niet, ontvoer dan de meisjes – en zet ze aan het werk, laat ze geld voor hem verdienen. Ze gingen niet lang mee, met die aids en de ruige seks waar veel van zijn klanten van hielden, maar dat was zijn zorg niet. Zijn zorg was winst maken. En trouwens, met het leven dat de Zabbaleen leidden, waren ze waarschijnlijk niet veel beter af als ze hier bleven. Zijn glimlach werd breder, een iele, onaangename uitdrukking, alsof iemand zijn gezicht met een scalpel had bewerkt.

Nu de meisjes weg waren, volgden er meer toespraken en een eindeloos vioolrecital door een te dik blind jochie, waarbij Girgis zijn best deed enthousiast te kijken terwijl hij steeds vaker een blik op zijn horloge wierp. Toen het recital eindelijk was afgelopen, stond iedereen op en dromde naar binnen voor de verfrissingen en een rondgang door de kliniek. Alleen Girgis sloeg het af, gebruikte drukke werkzaamheden als excuus, heel spijtig, ja, was graag gebleven enzovoort. Hij aanvaardde de dankwoorden van het personeel van de kliniek, nam afscheid – sloeg nadrukkelijk miss Mikhail over – en liep, opgelucht dat hij eindelijk weg kon, de binnenplaats over en een hoge houten poort door de straat op. Zijn neusvleugels protesteerden tegen de zware zoetzure lucht van rottend afval.

Toen hij buiten kwam, knipte hij met zijn vingers. Twee figuren maakten zich los van de muur waar ze tegenaan hadden staan leunen en haastten zich naar hem toe. Het waren mollige maar tegelijkertijd stevige, vierkante spierbundels in een grijs Armani-pak en daaronder, geheel misplaatst, een roodwit El-Ahly FC-shirt. De ene had een platte boksersneus, de andere een gerafelde oorlel, maar verder waren ze tot in detail identiek, elk het spiegelbeeld van de ander: dezelfde rijk beringde vingers, hetzelfde rossige naar opzij over hun schedel geplakte haar, hetzelfde aura van dreigend gevaar. Ze drentelden wat heen en weer nu Girgis een zakdoek tevoorschijn haalde en zijn neus bette, en toen hij wegliep, liepen ze in de pas naast hem mee.

Ze bevonden zich op een heuvel en de pokdalige, ongeplaveide weg, vol gaten en afval, liep steil voor hen af. Aan beide zijden drong een wanorde van huizen zich op, met slordig, slecht metselwerk, de balkons behangen met guirlandes van kleurig wasgoed. Er ratelden ezelkarren langs, hoog opgeladen met reusachtige vuilniszakken vol papier, stof, plastic, glas en ander afval; overal waren tegen muren net zulke zakken – als bergen volgevreten larven – hoog opgestapeld en blokkeerden ze de toch al smalle doorgangen. Af en toe rook je een houtvuur en klonk het rammelen van granulatoren, er waren vrouwen in zwarte gewaden en overal, in elke deuropening, in elk steegje, achter elk raam, op elke trap, zag je hoop na hoop rottend, stinkend, met vliegen bezaaid vuil, alsof de hele wijk een enorme zak van een stofzuiger was die al het vuil van de stad rigoureus had opgezogen.

Dit was de wereld waar Girgis de eerste zestien jaar van zijn leven had doorgebracht en dit was de wereld die hij de daaropvolgende vijftig jaar, vergeefs, uit zijn systeem had proberen te schrobben. Aftershaves uit Parijs, gezichtscrèmes uit Italië, zeep en balsems en geurende bodylotions, hoeveel geld hij er ook aan besteedde, hoe hard hij zich ook waste en boende, hij raakte de lucht niet kwijt. Nooit zou hij echt gedesinfecteerd zijn, verlost van de helse stank van zijn jeugd: de stank, de ziektekiemen, de ratten, de kakkerlakken. Overal kakkerlakken. Multimiljonair, en hij had er elke piaster voor over om zich gewoon schoon te voelen.

Hij versnelde zijn pas, drukte een zakdoek tegen zijn neus, de bodyguardtweeling baande voor hem een weg tussen de mensen door terwijl ze de steil aflopende straat uitliepen die opeens scherp naar rechts afsloeg. Onverwachts verdwenen de gebouwen aan beide zijden en kwamen ze op een groot, zonovergoten vlak stuk dat in de berg was uitgehouwen. Boven hen rezen de Muqqatam-kliffen op als enorme plakken cake, in de wand waren polychrome afbeeldingen van Christus en de heiligen uitgehakt. Beneden hen strekte de wirwar van huizen en vuilnisbelten zich naar omlaag uit om abrupt tot stilstand te komen tegen de Al-Nasr-snelweg en de Noordelijke Begraafplaats.

Een limousine – lang, zwart, getinte ramen – stond aan de kant van de weg; dichter bij de kliniek kon hij niet komen. Er stond een chauffeur in zwart pak naast die naar voren schoot om het achterportier te openen.

Girgis klom naar binnen en slaakte een zucht van verlichting toen het portier achter hem dichtging en hem achterliet in het koele, naar leer ruikende, brandschone interieur van de auto. Hij haalde een pakje vochtige doekjes uit zijn zak, rukte er een stel uit en begon er verwoed mee over zijn handen en gezicht te wrijven.

'Walgelijk,' mompelde hij, en zijn lichaam rilde alsof hij kleine beestjes over zijn huid heen en weer voelde rennen.

Hij ging door met wrijven, terwijl de tweeling en de chauffeur voorin plaatsnamen en de limousine langzaam door de nauwe straatjes manoeuvreerde. Buiten gleed de wereld voorbij: mannen, zwart van het vuil, die met grote zakken vuilnis liepen, vrouwen en kinderen die hopen plastic flessen sorteerden, een stal vol glibberige, zwarte varkens. Pas toen ze onder aan de helling hotsend een spoorwegovergang hadden genomen en op de snelweg vaart maakten, terug naar de stad, begon Girgis te ontspannen. Hij veegde nog een keer zijn handen af, stopte de doekjes weg, pakte zijn gsm en controleerde de voicemail. Eén bericht. Hij drukte een toets in en luisterde. Er verstreek een halve minuut. Met een frons drukte hij de toets opnieuw in, luisterde het bericht nogmaals af. Toen het afgelopen was, was de grijns terug op zijn gezicht. Hij wachtte even, toetste een nummer in en bracht de telefoon naar zijn oor.

'Er is iets gebeurd,' zei hij toen hij verbinding had. 'Zou een van de bemanningsleden kunnen zijn. Bel me op het gebruikelijke nummer.'

Hij hing op, klapte een deel van de armleuning open en haalde er een intercom uit.

'Zorg dat de Agusta me thuis oppikt. En zeg de tweeling dat ze naar Dakhla gaan.'

Hij stopte het apparaat terug en legde zijn hoofd tegen de lederen neksteun.

'Drieëntwintig jaar,' mompelde hij. 'Drieëntwintig jaar, en eindelijk... eindelijk...'

Dakhla

Het was al halverwege de middag toen Freya bij Alex' huis terug was. Tegen die tijd had ze zichzelf er bijna helemaal van overtuigd dat ze zich dingen verbeeldde en dat de dood van haar zus toch zelfmoord was.

Ze had bijna vier uur op het politiebureau in Dakhla gezeten, een onbeduidend, crèmekleurig gebouw omgeven door wachttorens, een stukje verder aan dezelfde weg als het ziekenhuis. Eerst had ze het moeten doen met een plaatselijke politieagent die maar een fractie leek te begrijpen van wat ze zei. Uiteindelijk was er iemand anders gevonden om haar verhaal aan te horen: een rechercheur uit Luxor die een dag lang voor een bepaalde zaak naar Dakhla was gekomen en vloeiend Engels sprak.

Inspecteur Joesoef Khalifa was vriendelijk en terzake geweest en had haar verdenkingen serieus genomen. Zijn aandachtige optreden had er paradoxaal genoeg voor gezorgd dat haar verdenkingen steeds minder gefundeerd leken. Hij had met haar doorgenomen wat ze dokter Rashid had verteld over Alex' angst voor naalden, ondertussen aantekeningen makend en kettingrokend – hij moest tijdens de ondervraging minstens een pakje Cleopatra hebben gerookt – voordat hij een ruimer gebied ging bestrijken.

'Had uw zus vijanden naar u weet?' vroeg hij.

'Weet u, we hadden elkaar al heel lang niet gesproken,' antwoordde Freya, 'maar ik denk het niet. In haar brieven heeft ze het er niet over gehad. Ze was niet het type dat vijanden maakte. Iedereen...'

Ze had willen zeggen 'hield van Alex' maar de woorden bleven in haar keel steken en tranen welden op in haar ogen. Khalifa had uit de doos op het bureau een tissue gepakt en aan haar gegeven.

'Sorry,' had ze gegeneerd gemompeld.

'Toe, miss Hannen, daar hoeft u zich niet voor te verontschuldigen. Ik heb zelf een paar jaar geleden een broer verloren. Neemt u rustig de tijd.'

Hij had geduldig gewacht tot ze haar tranen had gedroogd en was toen doorgegaan met vragen stellen, heel rustig, vriendelijk. Wist ze of haar zus in moeilijkheden had verkeerd? Was er enig teken dat er bij haar zus was ingebroken? Had Freya verdachte personen in de buurt van het huis gezien? Was er een reden waarom ze dacht dat iemand haar zus kwaad zou hebben willen doen?

Zo was het eindeloos doorgegaan; de rechercheur had elke mogelijke invalshoek, elk denkbaar motief en scenario onderzocht. Tegen het eind van die vier uur was in de eerste plaats duidelijk geworden hoe weinig Freya van haar zus wist, en ten tweede hoe zwak haar verdenkingen waren wanneer je ze objectief en nuchter bekeek. Alles, de blauwe plek op Alex' schouder, haar angst voor injecties, het ontbreken van een afscheidsbrief, het feit dat ze niet het soort mens leek dat zichzelf van het leven beroofde, kon rationeel worden verklaard, net zoals dokter Rashid eerder die dag bij hem op zijn kamer had gedaan.

Bijna uit wanhoop had Freya Mahmoud Gharoub te berde gebracht, had ze verteld dat de oude boer haar met zijn ezelwagen een lift had gegeven, dat hij haar met zijn blikken had uitgekleed en haar been had aangeraakt, dat ze het advies had gekregen hem te vermijden.

'Misschien heeft hij er iets mee te maken,' had ze gesuggereerd, elke mogelijkheid aangrijpend om haar twijfel levend te houden.

Nadat Khalifa op het bureau navraag naar Gharoub had gedaan, werd ook dat spoor dood verklaard.

'Deze Gharoub is een bekende van de politie,' deelde hij Freya mee. 'Een beruchte... hoe zeg je dat? Loerder?'

'Gluurder,' verbeterde ze.

'Precies. Een viespeuk, volgens mijn collega's, maar ongevaarlijk. Zeker niet tot een moord in staat.'

Hij stak weer een sigaret op en voegde eraantoe: 'Blijkbaar is zijn vrouw degene met de losse handjes. En voornamelijk tegenover hem.'

Uiteindelijk was het neergekomen op de kwestie waar Alex zichzelf had geïnjecteerd: hoe kon iemand met een verlamde linkerarm een naald in zijn rechterarm steken? Dat was het voornaamste struikelblok geweest en daarom had de ondervraging zo lang geduurd. En toen, tegen het eind van de middag, had dokter Rashid, die naar het ziekenhuis was teruggegaan, gebeld en met Khalifa gepraat. Rashid verklaarde dat hij contact had gehad met neurologen in Engeland en Amerika die op dit gebied veel deskundiger waren dan hij en, in tegenstelling tot wat hij eerder had gezegd, was eruit gekomen dat er gevallen bekend en beschreven waren van mensen met de Marburgvariant bij wie een aantal symptomen plotseling en onverklaarbaar waren verdwenen. Eén geval leek zelfs griezelig veel op dat van Alex: drie jaar geleden had een Zweedse man de motorische functies in al zijn ledematen verloren. Op een morgen was hij wakker geworden, had ontdekt dat hij zijn rechterarm weer kon gebruiken, een kans die hij niet ongebruikt wilde laten, want hij had uit de la van zijn nachtkastje een pistool gepakt en zich een kogel door zijn hoofd gejaagd.

Waarom Alex als rechtshandige had gekozen voor een injectie met haar linkerhand kon de dokter niet verklaren. Het ging erom dat het vanuit medisch standpunt gezien volstrekt mogelijk was dat Alex zich op die manier had geïnjecteerd. Ongewoon, dat zeker, maar desondanks mogelijk.

Nadat Khalifa had opgehangen, had hij dat aan Freya doorgegeven.

'Ik voel me ontzettend dom,' zei ze.

'Dat moet u niet zeggen,' zei hij vermanend. 'Het was volkomen terecht dat u die vragen stelde. Uw twijfel was volkomen gerechtvaardigd.'

'Ik heb uw tijd verspild.'

'Integendeel, u hebt me een grote dienst bewezen. Zonder u had ik vanmiddag een bijeenkomst moeten bijwonen over politiecontroles in het goevernaat Nieuwe Vallei. Ik sta voor altijd bij u in het krijt.'

Ze had geglimlacht, blij dat haar verdenkingen ongefundeeerd leken.

'Als u nog ergens mee zit...' zei hij.

'Nee, nee, echt niet.'

'Want er zijn nog andere wegen die we kunnen volgen. Wat is er gebeurd met de fles morfine en de spuit, hoe kwam ze aan de morfine...'

Nu leek hij degene die háár ervan probeerde te overtuigen dat er meer onderzoek naar Alex' dood moest worden gedaan.

'Nee, eerlijk,' zei ze, 'u hebt al meer dan genoeg gedaan. Ik wil gewoon terug naar Alex' huis. Het is een lange dag geweest.'

'Natuurlijk. Ik zal zorgen dat u wordt gebracht.'

De rechercheur was opgestaan, had de deur van de kamer waar ze hadden zitten praten geopend en haar via een lange gang en een trap naar de begane grond gebracht. Daar zei hij iets in het Arabisch tegen de uniformagent achter de balie, naar Freya aannam om een auto te regelen. Als antwoord wees de agent met een hoofdknik naar de uitgang waar ze Zahir in zijn Land Cruiser zagen zitten, met zijn vingers trommelend op het stuur. Hoe hij had ontdekt dat Freya op het politiebureau was, wist ze niet, maar zodra hij hen zag, boog hij zich naar het portier aan de passagierskant en opende het, wat hij gepaard liet gaan met een niet erg vriendelijke blik op Khalifa.

'Kent u die man?' vroeg de rechercheur.

'Hij heeft voor mijn zus gewerkt. Hij...'

Ze stond op het punt 'zorgt voor me' te zeggen, maar aarzelde en zei toen: 'Rijdt me overal heen.'

'Dan vertrouw ik u hem onder zijn hoede toe,' zei Khalifa. Hij liep met haar mee naar buiten. 'Aarzelt u alstublieft niet om contact met ons op te nemen als u toch nog ergens mee zit,' zei hij toen ze bij de auto kwamen.

'Dank u,' antwoordde Freya. 'U bent ontzettend behulpzaam geweest. Het spijt me dat ik zo...'

De rechercheur onderbrak haar, wuifde het weg. Met een hoofdknikje begroette hij Zahir, die alleen maar grommend voor zich uit keek, en deed een stap achteruit toen Freya instapte en de deur dichttrok.

'Het was me een genoegen kennis met u te maken,' zei Khalifa. 'En ik betuig u mijn deelneming met het overlijden van...'

Voor hij kon uitspreken gaf Zahir plankgas en scheurde weg terwijl hij de politieman in de achteruitkijkspiegel een boze blik toewierp.

‘Politie niet goed,’ mopperde hij toen ze de hoek om gingen en net een kar met watermeloenen misten. ‘Politie niet snappen dingen.’

Op de terugweg was hij ongewoon spraakzaam, bestookte haar met allerlei vragen over Alex’ dood, waarom ze verdenkingen had gehad, wat de politie had gezegd, terwijl hij haar al die tijd steeds steels aankeek. Ze had zich er ongemakkelijk bij gevoeld en haar antwoorden waren kort en bondig geweest, ontwijkend, hoewel ze niet goed wist wat ze eigenlijk probeerde te ontwijken. Toen hij ten slotte voor het huis van haar zus stopte, wist ze niet hoe snel ze moest uitstappen. Ze mompelde een kort bedankje en verdween naar binnen waar ze de deur achter zich dichtsloeg en er met haar rug tegenaan bleef staan, opgelucht dat ze van hem af was.

Nu hij weg was en ze alleen achterbleef, werd ze plotseling overspoeld door een golf van vermoeidheid, alsof haar lichaam, nu haar zus begraven was en haar verdenkingen gesust waren, eindelijk een hand opstak en ‘Genoeg!’ zei. Voor het eerst in drie dagen besefte dat ze zich nergens ongerust over hoefde te maken, geen obsessies hoefde te koesteren. Ze was naar Egypte gereisd, had Alex begraven en de kwesties betreffende haar dood opgelost. Alles wat ze moest doen, had ze gedaan. Behalve rouwen. En er was het schuldgevoel. Daar viel nog heel veel aan te doen.

Tijdens haar overhaaste vertrek die morgen had ze de louvredeuren wagenwijd open laten staan en de woonkamer was nu vol vliegen, en de ontbijtrestanten op de tafel verspreidden een scherpe, kaasachtige lucht. Ze ging erheen, wapperde de vliegen weg en stapelde wat brood, tomaatjes en komkommer op een bord. Daarna sleepte ze een leunstoel naar de veranda, liet zich erin zakken, trok haar benen onder zich, liet haar blik over de woestijn gaan en at met haar handen. Ze had honger, want ze had drie dagen niet echt goed gegeten, en het bord was in een paar minuten leeg. Ze wilde best meer eten, maar de vermoeidheid sloeg nu in alle hevigheid toe, zodat het stukje lopen naar de woonkamer al te veel was. Ze zette het bord op de grond, kroop op de kussens van haar stoel, liet haar hoofd op haar arm rusten, sloot haar ogen en viel bijna meteen in slaap.

‘Salaam.’

Freya werd met een schok wakker, geschrokken, omdat ze dacht dat ze droomde, dat ze even was weggedoezeld. Toen zag ze hoe rood de zon nu was en hoe laag hij stond, bijna aan de horizon. Ze had een uur of langer geslapen. Slaapdronken rekte ze zich uit, geeuwde, en was net bezig op te staan toen ze drie meter verderop, aan de rand van de veranda, iemand zag staan. Ze verstijfde.

'Salaam,' herhaalde de stem, een bruuske mannenstem. Hij had een linnen sjaal voor zijn gezicht zodat alleen zijn ogen te zien waren.

Even stonden ze daar zo, oog in oog, zonder iets te zeggen. Freya, nu klaarwakker, begon achteruit te lopen terwijl ze haar handen afwerend opstak, tot vuisten balde, en haar blik omlaag liet gaan naar het grote, gebogen mes dat in de gordel van de onbekende stak. Hij moest zich hebben gerealiseerd wat ze dacht, want hij hield zijn handen op, de palmen naar voren, en brabbelde iets in het Arabisch.

'Ik versta u niet,' zei Freya met een stem die schriller klonk dan ze wilde. Ze deed nog een stap achteruit, keek om zich heen naar iets dat als wapen zou kunnen dienen als hij haar te na kwam. Er stond een hark tegen de stam van een jacaranda links van haar. Ze stapte behoedzaam van de veranda, in de richting van de hark. Opnieuw scheen de man te beseffen wat er door haar heen ging, want hij schudde zijn hoofd, liet zijn hand zakken, trok het mes uit zijn gordel, legde het op de grond en deed een stap achteruit.

'Geen gevaar,' zei hij in haperend Engels met een zwaar accent. 'Hij geen gevaar jou.'

Ze bleven elkaar aankijken, de lucht was vol gekwetter van vogels en het raspende getsjirp van cicaden. Langzaam stak hij een hand op, trok de sjaal weg en onthulde een lang gezicht, met een baard en een huid met diepe groeven, donker als ebbenhout, de jukbeenderen zo hoog en geprononceerd en de wangen eronder zo ingezonken dat het was of iemand met een lepel het vlees eruit had geschept. Zijn ogen waren rood van vermoeidheid en Freya zag dat er zand en gruis in zijn baard zaten.

'Hij geen gevaar jou,' herhaalde hij en hij klopte met zijn hand op zijn borst. 'Hij vriend.'

Freya's handen zakten iets, maar haar vuisten bleven gebald. 'Wie bent u?' vroeg ze. Het klonk geruster nu de eerste schrik van zijn verschijnen voorbij was. 'Wat wilt u?'

'Hij komen dokter Alex,' zei hij. 'Hij...' Hij zocht naar het goede woord en zijn ogen vernauwden zich. Met een gefrustreerde klak van zijn tong gaf hij het op en deed in plaats daarvan het kloppen op een deur na.

'Niet iemand,' legde hij uit. 'Hij gaan achter huis. U...' Weer een gebarenspel, deze keer van zijn handen als een kussen onder zijn hoofd. Zo had hij Freya aangetroffen: slapend. 'Hij sorry. Hij niet willen maken bang.'

Het was nu duidelijk dat hij haar geen kwaad wilde doen en Freya's handen gingen open vielen langs haar zij. Met een hoofdknik gaf ze aan dat hij zijn mes kon oppakken. Hij bukte zich, schoof het mes in zijn gordel. Daarna liet hij een canvas tas van zijn schouder glijden en stak hem haar toe.

'Dit vinden,' zei hij en hij gebaarde met zijn hoofd richting woestijn. 'Voor dokter Alex.'

Freya beet op haar lip, ze kreeg even geen adem.

'Alex is dood,' zei ze. Het klonk vreemd dof en ongeëmotioneerd, alsof ze probeerde afstand te nemen van wat ze zei. 'Ze is vier dagen geleden heengegaan.'

De man begreep het duidelijk niet. Freya herhaalde het in andere bewoordingen, ook zonder succes, en omdat ze niets beters wist te bedenken, ging ze met een vinger langs haar hals, het enige gebaar dat ze kon bedenken om 'dood' aan te geven. Zijn wenkbrauwen schoten omhoog en hij mompelde iets in het Arabisch, hief zijn handen geschokt en vol ongeloof hemelwaarts.

'Nee, nee, niet vermoord,' zei ze snel, schudde haar hoofd, besefte dat hij het verkeerd begreep. 'Ze heeft er zelf een eind aan gemaakt. Zelfmoord.'

Ook nu zeiden de woorden hem niets, en ze had er nog een halve minuut met uitleg en gebaren voor nodig voor het hem eindelijk begon te dagen. Er brak een brede glimlach vol bruine tanden door.

'Dokter Alex gaan weg,' zei hij triomfantelijk. 'Vakantie.'

Ze had geen idee hoe ze kans had gezien hem die indruk te geven, maar het zou te ver gaan hem nogmaals te corrigeren, en dus knikte ze maar.

'Ja,' zei ze, 'dokter Alex is weggegaan.'

'U *okht*?'

'Pardon?'

'Okht?' herhaalde hij. 'Zus?'

'Ja,' zei ze en ondanks alles moest ze grinniken, geamuseerd door het absurde van de situatie. 'Ja, ik ben dokter Alex' zus. Freya.'

Ze stak ter begroeting een hand op en hij deed hetzelfde, waarna hij haar opnieuw de canvas tas voorhield. 'U geven dokter Alex.'

Freya liep naar hem toe en nam de tas van hem over. 'Is deze van Alex?'

Hij fronste, in verwarring. Toen realiseerde hij zich wat ze zei en schudde zijn hoofd. 'Nee dokter Alex. Hij vinden. In zand. Ver.' Hij maakte een hakkend gebaar richting woestijn. 'Ver, ver. Half naar Gilf Kebir. Man.'

Hij ging met een vinger langs zijn keel, zoals Freya had gedaan. De man over wie hij sprak moest dood zijn, hoewel ze niet zeker wist of hij bedoelde dat hij was vermoord of gewoon gestorven.

'Dokter Alex geven geld,' ging hij verder. 'Dokter Alex zeggen hij vinden man in woestijn, hij vinden nieuw ding in woestijn, hij breng.'

Hij stak een hand in de zak van djellaba, haalde er een stalen Rolex uit en gaf die ook aan haar.

'Ik begrijp het niet,' zei Freya met de tas in haar ene en de Rolex in haar andere hand. 'Wat zou Alex met die dingen willen?'

'U geven dokter Alex,' zei hij nogmaals. 'Zij weten.'

Freya bleef doorvragen, vroeg hem waarom Alex hem geld had gegeven, wie de man in de woestijn was, waar het allemaal om ging, maar nu hij haar de spullen had gegeven, besloot hij duidelijk dat het doel van bezoek was bereikt. Met een laatste 'U geven dokter Alex' maakte hij een kleine buiging, draaide zich en verdween om de hoek van het huis, zodat Freya hem machteloos nastaarde.

Egypte – tussen Caïro en Dakhla

De Agusta, een helikopter, vloog snel en laag, niet meer dan een paar honderd meter boven de woestijn, zodat de schaduw over de duintoppen eronder scheerde. Het klappen van de door een Pratt & Whitney aangedreven rotorbladen weerklonk dof over het zand als het bonzen van verre trommels. Alle acht plaatsen waren bezet, een door de piloot, vijf door mannen met harde koppen en Heckler & Koch-pistoolmitrailleurs op schoot, en twee, helemaal achterin, door Girgis' tweeling in hun grijze Armani-pakken en rood-witte El-Ahly FC-voetbalshirts. Ze waren verdiept in een voetbaltijdschrift dat een van hen op schoot had en gingen er helemaal in op.

De piloot keek even met een schuin oog achterom om zeker te weten dat ze niet luisterden en stootte de man naast hem aan. 'Ze zijn nou al zeven jaar bij Girgis en niemand weet hoe ze heten. Zelfs hij weet het blijkbaar niet.'

De man naast hem zei niets, schudde alleen even met zijn hoofd om aan te geven dat dit de tijd noch de plaats voor een dergelijk onderwerp was.

'Ze hebben een van zijn pooiers vermoord,' ging de piloot verder; hij negeerde de waarschuwing en kreeg de smaak van het onderwerp te pakken. 'Hebben hem in stukken gesneden en in de Nijl gedumpt omdat hij had gezegd dat El-Ahly een rotclub was en dat Hafeez van de verkeerde kant was. Girgis was zo onder de indruk dat hij ze meteen in dienst heeft genomen.'

Nu volgde er een heftiger hoofdschudden vergezeld door een snijdende beweging van de hand ten teken dat het gesprek nu moest stoppen. Opnieuw pikte de piloot de hint niet op.

'Hun moeder is verslaafd, heb ik gehoord, maar zij aanbidden haar. Ze hebben al veertig mensen vermoord en...'

'Kop dicht, verdomme, en vliegen,' kwam een stem van achteren.

'Of het worden er eenenveertig,' zei een andere, bijna identieke stem.

De handen van de piloot omklemden de stuurknuppel, zijn gezicht werd lijkbleek, en hij drukte zijn dijen tegen elkaar als om zijn kruis te beschermen. De rest van de reis deed hij zijn mond niet meer open.

Dakhla

Terug in huis opende Freya de mysterieuze canvas tas en haalde de inhoud eruit. Ze legde alles naast de Rolex op de tafel in de woonkamer. Landkaart, portefeuille, camera, een filmrolletje in een buisje, vuurpijlen, noodrantsoenen, zakdoek met miniatuurobelisk van klei erin gewikkeld, en als laatste een groen metalen kompas met een klapdeksel. Dit legde ze niet neer maar hield ze in de hand; ze opende het, met een droef lachje. Het was precies hetzelfde model als haar zus als kind had gehad: een militair kompas met een windroos, stelring, loepje, en in het deksel een gleuf met daarin een haardun koperdraadje. ('Je richt het draadje op het punt waar je heen wilt en dan lees je de koers af door het loepje,' had Alex uitgelegd. 'Het is het zuiverste kompas dat er is.')

Of dit exemplaar zo betrouwbaar was, betwijfelde Freya, want het richtdraadje was geknapt, zodat een accurate aflezing bijna onmogelijk was. Ondanks dat koesterde ze het alsof het een onbetaalbaar stuk antiek was, werd ze door het gevoel en het gewicht naar haar kindertijd teruggeworpen, naar die sprookjesachtige, zorgeloze zomers in Markham, voordat het allemaal misliep, voor ze haar zus' hart had gebroken. Ze hield het kompas omhoog, bracht het lensje, de roos en richtspleet in één lijn, precies zoals Alex haar had geleerd, zag hoe de naald lui ronddraaide. Ze hoorde Alex weer, het verhaal dat ze altijd vertelde van hoe het kompas ooit had toebehoord aan een marinier die had gevochten bij Iwo

Jima. Er ging bijna een minuut voorbij, toen sloot ze het kompas met een zucht, legde het op de tafel en richtte haar aandacht op de andere voorwerpen.

De portefeuille bevatte wat Duits papiergeld, een paar creditcards, een stapeltje bonnen, allemaal uit 1986. En er zat een identiteitskaart in, met een foto van de eigenaar van de portefeuille: een knappe, blonde man met een groot litteken op zijn kin, net onder zijn mond.

'Rudi Schmidt,' las ze hardop.

Die naam zei haar niets. Een vriend van Alex? Een collega? Na de naam een paar maal te hebben herhaald, stopte ze de kaart weer in de portefeuille en ging verder. Ze bekeek de obelisk van klei met de merkwaardige motieven op de zijkanten, het filmbusje, de camera waar nog een rolletje in zat met volgens de teller nog ruimte voor twee opnamen. Als laatste vouwde ze de landkaart open, schoof de andere spullen opzij en spreidde hem op tafel uit.

Het was een kaart van de westelijke helft van Egypte, vanaf de grens met Libië tot de Nijl, schaal 1: 500.000. Het papier was gekreukt en op de vouwen begon het door het vele gebruik te scheuren.

Ze keek erop en haar ogen werden getrokken naar de linker onderkant waar een cirkel was getrokken om de woorden Gilf Kebir Plateau. Een denkrimpel: was dat niet waar Alex had gewerkt? Ze hield haar hoofd scheef, probeerde zich te herinneren wat haar zus daarover in haar brieven had geschreven, keek weer op de kaart, boog zich erover, richtte haar aandacht op de diagonale streep die van de noordoostkant van de Gilf naar de dichtstbijzijnde groene plek liep: de Dakhla-oase, waar ook een kring omheen stond. De streep werd door vier kruisje in stukken gedeeld, te beginnen bij de Gilf en doorlopend tot ongeveer een kwart van de afstand tot Dakhla. Bij elk kruisje stonden wat cijfers: een kompaskoers in graden en een afstand in kilometers. De koers was steeds dezelfde, 44 graden, terwijl de afstanden tussen de kruisjes gerekend vanaf de Gilf steeds kleiner werden: 27 km, 25 km, 20 km, 14 km, 9 km.

Het verslag van een tocht, dacht Freya meteen. Een tocht van vier dagen, te voet te oordelen naar de relatief kleine afstanden die waren afgelegd, begonnen bij de Gilf en 73 kilometer volgehouden tot hij midden in de kale, gele leegte van de woestijn abrupt ten einde was gekomen. Wie Rudi Schmidt was, wat hij daar deed, of de kaart misschien een heel ander verhaal vertelde, dat waren vragen waar ze geen antwoord op had. Wat ze wel wist, was dat er iets niet klopte. Er klopte helemaal niets van. Waarom zou haar zus belangstelling hebben voor deze spullen? Waarom zou ze er geld voor over hebben? Hoe langer ze erover nadacht, hoe vreemder ze het vond. Ze merkte dat ze haar gedachten weer over Alex' zelfmoord liet gaan – haar verlamde linkerarm, haar afkeer van injecties – en alle twijfel van eerder die dag bekroop haar weer. Alle verklaringen die ze had gekregen leken plotseling niet overtuigend. Ze vroeg zich af of ze naar het politiebureau terug zou gaan – die aardige rechercheur had gezegd dat ze contact moest opnemen wanneer ze nog ergens mee zat – maar wat moest ze dan zeggen? Er is iemand bij het huis van mijn zus opgedoken met de spullen van een dode man? Het klonk zo paranoïde, zo... onbenullig. Bovendien had die rechercheur gezegd dat hij maar een halve dag in Dakhla was, dus waarschijnlijk was hij weer op de terugweg naar Luxor. Dat betekende niet alleen dat ze met een ander weer helemaal van voren af aan moest beginnen, maar dat ook nog in een taal die geen van de andere rechercheurs fatsoenlijk sprak.

Misschien moest ze Molly Kiernan bellen. Of Flin Brodie. Maar ook nu weer: wat moest ze hun vertellen? Dat ze dacht dat er iets verdachts aan de gang was? Jezus, dan leek ze erg op een personage in een derderangs B-film. Freya staarde nog een tijdje naar de kaart, vouwde hem op en begon de andere spullen in de tas terug te doen, terwijl ze ondertussen probeerde te beslissen wat ze ging doen en zich afvroeg of haar twijfel terecht was. Ze stopte er even mee om de miniatuurobelisk te bekijken – een soort souvenir of een talisman, vermoedde ze – om hem daarna ook in de tas te laten vallen, gevolgd door de camera, het kompas en als laatste het plastic buisje met het filmrolletje. Toen alles erin zat, begon ze de tas dicht te gespen. Maar bijna meteen maakte ze hem weer open, met een peinzend gezicht alsof er opeens iets bij haar opkwam. Ze dook er weer in en haalde het fotorolletje en de camera eruit, woog ze op de hand, overwoog. Na een paar tellen knikte ze, pakte haar rugzak en stopte beide voorwerpen erin, onder de fleece die ze erin bewaarde. Ze pakte ook het kompas, omdat ze het bij zich wilde hebben als een band, hoe zwak ook, met haar zus en betere tijden. Ze liet de canvas tas op tafel staan, sloot het huis af en ging op weg naar de grote oase in de hoop dat de Kodakzaak in het dorp nog open zou zijn. In de hoop vooral dat wat er op de filmpjes in het buisje en in de camera zou staan, meer zou kunnen vertellen over wie en wat Rudi Schmidt was, waarom hij midden in de Sahara had rondgelopen en waarom haar zus in hemelsnaam in hem geïnteresseerd was geweest.

De bedoeïenen bleven lang genoeg in Dakhla om hun waterzakken te vullen, brandhout te verzamelen en een geit en andere mondvoorraad in te slaan. Omdat ze liever op zichzelf waren, trokken ze zich terug in de woestijn en sloegen ongeveer anderhalve kilometer buiten de oase hun kamp op, naast een stel knoestige acacia's en *abal*-struiken die in deze leegte toch houvast hadden weten te vinden.

Toen de leider van zijn bezoek aan Alex' huis terugkwam, waren de kamelen vastgelegd en kauwden ze op hoopjes verse *bersiim*, alfalfa, was de geit geslacht en hing die te roosteren boven een vuurtje, zaten de mannen in een kring een oud bedoeïenenlied te zingen over een slechte woestijndjin en een jongen die hem te slim af is. De leider bond zijn rijdier vast naast de anderen, zocht een plaatsje in de kring en zijn makkers schoven een stukje op om ruimte voor hem te maken. Met zijn volle, sonore stem nam hij de coupletten voor zijn rekening terwijl de anderen invielen bij het refrein. De eerste sterren twinkelden aan de hemel en de lucht was vervuld van rook en de krachtige, vette geur van de geroosterde geit. Toen het lied uit was, deelden ze sigaretten rond en begonnen ze te discussiëren over welke terugweg ze zouden nemen. Enkelen wilden dat ze dezelfde route terug zouden nemen, anderen vonden dat ze beslist noordelijker moesten gaan, om de Djebel Almasy heen en boven de Gilf langs. Het gesprek werd steeds luider en geanimeerder, heftiger en ruzieachtiger, tot iemand riep dat de geit klaar was en de spanning wegebde. De geit werd van het vuur getild, ze spietsten één eind van het spit rechtop in het zand, begonnen met hun mes op het vlees in te hakken en sneden er lange, glibberige hompen af. Ze aten met hun handen, hun stemmen stierven weg tot er niets over was behalve het knappen van het vuur, het geluid van hun ritmisch kauwende kaken en, ergens heel ver weg in het noorden, nauwelijks hoorbaar, een pruttelend, ronkend geluid, als van een enorm vliegend insect.

'Wat is dat?' vroeg een van de mannen. 'Een waterpomp?'

Niemand reageerde, het geluid werd gestaag luider.

'Helikopter,' zei de leider uiteindelijk.

'Leger?' vroeg een van zijn makkers. Hij trok een lelijk gezicht, want de relaties tussen de bedoeïenen en het leger waren nooit bijzonder hartelijk geweest.

De leider haalde zijn schouders op, legde zijn eten opzij en stond op. Hij tuurde naar het noorden, met een hand om het gevest van zijn mes. Na een halve minuut hief hij een arm en wees naar het noorden. 'Daar.'

Een voor een stonden de anderen op en tuurden in de verte. Ze zagen hoe een vage, trillende veeg zich langzaam losmaakte uit de schemering, hoe de omtrek langzaam scherper werd tot ze ten slotte duidelijk zagen wat het was: een zwarte helikopter, lang en slank, die als een pijl op een paar honderd meter boven het woestijnoppervlak naderbij stoof. Hij kwam recht op hen af, tot hij pal boven hen langs scheerde en de luchtstroom van de rotorbladen hun djellaba's wild liet opwaaien en hele zandwolken in hun gezicht blies.

De helikopter keerde, draaide in een onmogelijk kleine boog rond en vloog weer over hen heen, lager deze keer zodat de bedoeïenen zich op de grond moesten laten vallen. Hun protesten gingen ten onder in het beukende gehamer van de wieken.

Zodra het toestel voorbij was, sprong de leider op en rende naar de kamelen waar hij een ouderwets grendelgeweer dat aan een van de zadels was gebonden losmaakte. De helikopter draaide weer terug, schoot naar voren om plotseling te steigeren en vijftig meter verderop te landen. Donkere figuren sprongen eruit en renden op hen af.

De andere bedoeïenen waren ook opgesprongen. De leider trok de laatste lus los en wierp het geweer naar de dichtstbijzijnde man. Die ving het met twee handen, haalde in één vloeiende beweging de grendel door, draaide zich naar de naderende figuren, hief het wapen en mikte. Voor hij de trekker kon overhalen kraakte er geweervuur en draaide hij om zijn as, vloog het wapen uit zijn handen, tolde hij met wapperende armen rond en viel hij voorover op de grond. Een zwarte vlek verspreidde zich over zijn gewaden alsof ze van vloeipapier waren. Er klonk meer geweervuur, het zand rond de bedoeïenen stoof op zodat ze gedwongen waren onbeweeglijk te blijven staan. De mannen van de helikopter kwamen naar hen toe, stelden zich in een rij op naast het vuur met hun machinepistolen in de aanslag. Een tijdje bleven de twee groepen elkaar alleen maar aankijken, zwijgend, terwijl een scherpe metalige stank zich mengde met het zoete aroma van het geroosterde vlees. Toen kwam er wat beweging bij de nieuwkomers en schoven ze uit elkaar om ruimte te maken voor twee figuren die achter hen waren opgedoken. Vierkant, gespierd, bijna volstrekt identiek met hun keurig geplakte rossige haar en in grijze pakken en El-Ahly-voetbalshirts, leken ze in dit woestijndecor volkomen misplaatst.

'Jullie hebben iets gevonden,' zei een van hen zakelijk, niet onder de indruk van het geweld van zonet.

'Verderop in de woestijn,' zei de ander.

'Waar zijn die dingen?'

Geen antwoord. De tweeling keek elkaar aan, daarna hieven ze als één man hun wapen en openden het vuur op de dichtstbijzijnde kameel. De bedoeïenen schreeuwden hun afschuw uit toen de kogels het dier in nek en flank raakten en het vlees aan stukken reten. Het schieten ging vijf seconden door, toen stierf het geknal weg en daalde er een intense, schokkende stilte neer. De tweeling haalde rustig de lege patroonhouders uit hun wapens en klikten er volle in.

'Jullie hebben iets gevonden,' herhaalde de eerste broer, op precies dezelfde toon als de eerste keer.

'Verderop in de woestijn.'

'Waar zijn die dingen?'

'Taala elhass teezi, ya kalbeen,' siste de leider van de bedoeïenen, en in het licht van het vuur vonkten zijn ogen. 'Lik mijn reet, smerige honden.'

Opnieuw keken de twee elkaar aan. Opnieuw openden ze het vuur zodat er nog twee kamelen in elkaar zakten, waarna ze hun wapens richtten op de man naast de leider. De kracht van de kogelregen tilde hem op en wierp hem achterwaarts op het zand waar hij nog even schokte en toen stil bleef liggen.

'Hij heeft ze meegenomen!'

Het klonk schril, doodsbang. Een van de bedoeïenen was naar voren gestapt, met zijn armen in de lucht, een kleine, verschrompelde man met een schriel baardje en een pokdalig gezicht.

'Hij heeft die dingen meegenomen,' herhaalde hij terwijl hij met bevende handen naar zijn leider wees. 'Dat heb ik gezien.'

De tweeling bekeek hem.

'Ik heb jullie gebeld,' jankte de man en zwaaide met zijn mobiele telefoon om het te bewijzen. 'Ik ben jullie vriend. Ik help jullie.'

De leider liet een minachtend gesnuif horen en ging met een hand richting zijn mes, maar trok die terug toen meer kogels het zand voor zijn voeten wegvraten.

'Je moeder was altijd al een hoer, Abdoel-Rhaman,' mompelde hij. 'En je zus een hondenneukster.'

De man negeerde hem en deed nog een stap naar voren. 'Ze hebben me geld beloofd,' zei hij. 'Voor als ik belde. Dat heeft mister Girgis beloofd.'

'In ruil voor de spullen,' zei een van de tweelingen.

'Waar zijn ze?' vroeg de ander.

'Dat zeg ik toch. Hij heeft ze meegenomen. Ze zaten in een tas en hij heeft ze meegenomen.'

'Waarheen?'

'Naar de oase. Hij heeft ze aan iemand gegeven. Ik weet niet aan wie, dat wou hij niet zeggen. Ik heb gedaan wat ik had beloofd. Ik wil mijn geld.'

'Val dood.'

Een dondersalvo van kogels doorboorde zijn gezicht en borst en dood-de hem op slag. Zijn lichaam was nog bezig ineen te zakken toen de twee-ling het vuur op de andere bedoeïenen opende en hen afslachtte, behalve de leider, die als enige ongedeerd bleef. Hij bleef staan waar hij stond, overwoog wat zijn kansen waren. Opnieuw omhulde de zware stilte van de woestijn hem en de sintels gloeiden fel rood op nu de schemering langzaam overging in duisternis. Toen rukte hij het mes uit zijn gordel en wierp zich naar voren met een hoog gehuil van woede en vechtlust, en met de gedachte minstens een van de aanvallers uit te schakelen voor hij zelf werd gedood. Toen hij dat deed, dromden er mannen om hem heen die zijn armen grepen, het mes uit zijn hand wrongen en hem sloegen en trapten, naar het vuur sleurden waar ze hem op zijn knieën dwongen en zijn hoofd achterover rukten. Bloed stroomde uit zijn mond en zijn neus. De tweeling boog zich over hem heen, aan elke kant een.

'Jullie hebben iets gevonden.'

'In de woestijn.'

'Waar zijn die dingen?'

Hij was taaier dan ze hadden gedacht. En moediger. Ze moesten zijn beide voeten en een van zijn handen verbranden voor hij uiteindelijk toe-gaf en hun vertelde wat ze wilde weten. Ze hielpen hem uit zijn lijden en schoten de overgebleven kamelen dood; het was een afgelegen plek en het zou dagen zo geen weken duren voor de massaslachting werd ontdekt. Toen ze hun werk hadden gedaan, keerden de schutters naar de helikop-ter terug en vertrokken ze met grote snelheid naar het zuiden, de nacht in.

In zichzelf giechelend, met zijn smerige bruine djellaba ter hoogte van zijn kruis al verwachtingsvol voorzien van een tentstok, liep Mahmoud Gharoub met de houten ladder door de olijfgaard naar het huis van dok-ter Alex. Het was donker, de maan was nog niet op, de olijfgaard was ge-huld in een inktzwarte nevel van halfduister en donkere plekken. Hij was al verscheidene keren gestruikeld. Hij vertrapte het tapijt van dorre bladeren waarmee de grond was bedekt en het uiteinde van de ladder kwam telkens met een luide klap tegen de stammen. Hij maakte zich niet druk over het lawaai. Hij had de Amerikaanse vrouw over het pad richting Dakhla zien draven en wist dat hij tijd genoeg had om voor ze terug was zijn plaats in te nemen, dus ging hij verder zonder zich te storen aan het lawaai dat hij maakte. Hij babbelde in zichzelf, barstte af en toe los in een liedje zonder melodie.

O mooie meid met je pronte jonge borstjes
Kom, open je benen en laat me proeven van je pruim!

Bij Alex' huis gekomen, baande hij zich een weg naar de achterkant, wrong zich tussen een paar bloeiende oleanders en zette de ladder tegen de muur. Hij klom, hoger en hoger, tot hij het platte dak bereikte. Aan de ene kant glinsterden verspreid de lichtjes van Dakhla, aan de andere kant golfde de grijze deining van de woestijn. Hij pakte een fles uit de zak van zijn djellaba en nam een slok, liep daarna naar het daklicht boven de badkamer en hurkte ernaast neer. De jeuk in zijn kruis nam toe.

Hij had de zus van de vrouw al vele malen bespied, ook toen ze ziek was en haar schoonheid had verloren. Zijn eigen vrouw was dik en lelijk, eerder een waterbuffel dan een vrouw. Alles was beter dan dat, zelfs een invalide die op een speciale stoel moest als ze ging douchen. Hij had het jammer gevonden dat ze dood was, omdat hij dacht dat de pret nu afgelopen was. Maar nu was haar zus gekomen, jong en blond en gezond. En losbandig, zoals alle westerse vrouwen. Mahmoud Gharoub kon zich nauwelijks bedwingen. Hij zou al eerder zijn gekomen, maar zijn vrouw vertrouwde het niet, en het was alleen te danken aan het feit dat ze naar haar familie was dat hij weg had gekund. Hij nam nog een slok uit de fles en keek door het dakraam de badkamer in. Daar was het pikdonker, een bron van ondoordringbare duisternis, maar wanneer het licht eenmaal aanging, zou hij alles kunnen zien: de douche, het toilet, elke beweging, elke lichaamslijn, zijn eigen privéshow. Hij begon weer te zingen en wreef in zijn kruis.

Ga liggen, mijn liefje, en sluit je ogen,
Laat me bij je binnen, diep, o zo diep...

Hij stopte, tilde zijn hoofd op en hield het schuin, luisterde. Wat was dat? Het geluid werd harder, een sputterend, zoemend geluid. Helikopter.

Kwam recht op hem af, zo te horen. Hij stond op, plotseling gespannen, bang dat het misschien de politie was. Er viel wel wat uit te leggen als hij hier op andermans dak werd gevonden, zowel aan de autoriteiten en, veel zorgwekkender, aan zijn verschrikking van een vrouw. Zijn erectie verslapte, de badkamer was vergeten, hij haastte zich over het dak naar de ladder, zwaaide zich erop en begon naar beneden te klimmen, met maar één wens: maken dat hij wegkwam. Hij had nog maar een paar sporten gehad toen er een beukende wind over hem heen kwam, zijn djellaba wild om hem heen wapperde en er zand en stof in zijn ogen waaiden. Er was een verblindend wit licht toen het zoeklicht van de helikopter aanging en alle kanten op draaide, tot het hem ving en op hem gericht bleef. Gharoub klampte zich aan de ladder vast, jammerend en doodsbang. Hij riep dat hij alleen maar bezig was het dak te vegen, dat het allemaal een misverstand was. Toen werd de neerwaartse luchtstroom zo sterk dat hij de ladder moest loslaten, zodat hij ruggelings van de muur weg viel en met een hoge gil en het geluid van brekende takken tweeënhalve meter lager in de struiken terechtkwam. De helikopter zweefde als een monsterachtige libel boven hem, hield met zijn ene oog de kronkelende en spartelende oude man in de gaten, die nog steeds riep dat het een misverstand was, dat hij alleen bezig was het dak te vegen, dat er allemaal blad had gelegen, veel blad, hele hopen blad...

Het bezoek aan de Kodak-winkel bleek pure tijdverspilling, zij het dat de wandeling van veertig minuten terug naar Dakhla Freya in elk geval de kans gaf haar benen te strekken en haar hoofd wat helderder te krijgen.

De zaak was nog wel open toen ze er kwam, de helverlichte ramen waren op honderden meters afstand al te zien. Binnen zag het er, met zijn airco, marmeren vloeren, chromen meubels en soft-focus foto's van grijnzende jonggehuwden en te dikke baby's, veelbelovend uit, evenals het feit dat de jongedame achter de toonbank echt Engels sprak. Maar voor de rest was het bagger. De ontwikkelmachines achter in de zaak werkten niet, hadden het blijkbaar nooit gedaan. Wat betreft de FAST FOTO DEVLIP HERE die het bord buiten beloofde, het 'fast' moest worden opgevat in de Dakhla-betekenis van het woord: ongeveer een week. Freya onderdrukte haar frustratie en bleef een tijdje met de vrouw staan praten, vond het goed dat die haar blonde haar aanraakte, probeerde uit te leggen waarom ze op haar zesentwintigste nog niet getrouwd was en ging daarna weg. Ze had even met het idee gespeeld een lift naar Mut te vragen om te zien of ze de filmpjes daar kon laten ontwikkelen, maar besloot toen dat het te laat was en te veel gedoe, en zette weer koers naar Alex' huis.

Ze liep nu weer op het pad, de hemel boven haar was één grote sterrenzee en de enige geluiden waren het zachte knerpen van haar voetstappen en in de verte het balken van een ezel. Er was een zacht briesje opgestoken dat de laatste hitte van de dag verdreef, achter haar kwam de maan langzaam op, en de botergele gloed gaf de woestijn een sepiakleur zodat het was of ze door een oude foto liep. De eenzaamheid werkte kalmerend en ontspannend, en tijdens de wandeling knapte ze steeds meer op. Als ze terug was, zou ze wat eten, misschien wat muziek draaien, een lange nacht maken en morgenochtend de hele zaak nog eens bekijken. 's Ochtends waren de dingen altijd helderder.

Ze kwam op het plateau vanwaar Zahir haar de vorige middag Alex' huis had gewezen. De miniatuuroase lag beneden voor haar, een donkere, lange ellips die op het verder kale landschap was gestempeld, het spookachtige silhouet van het huis duidelijk zichtbaar. Ze liep de helling af en stak het vlakke stuk over, tussen de buitenste akkers van de oase door, om vervolgens het met bomen begroeide deel in te duiken. Dichte muren van groen drongen zich van beide kanten op, sloten al het licht dat er was buiten zodat ze in het bijna volkomen duister liep. Ze bleef even staan om haar ogen eraan te laten wennen en toen viel haar in de verte een jankend, hakkend geluid op. Het klonk steeds harder: een helikopter. Dichterbij kwam hij, steeds dichterbij, en het geluid werd steeds harder. De lucht beefde door de klappen van de rotors, de takken in haar buurt begonnen te zwiepen en te ritselen toen het toestel rechts van haar laag over de boomtoppen scheerde, de contouren net zichtbaar door de wirwar van takken boven haar hoofd.

Freya bleef staan waar ze stond, verwachtte dat het geluid zou afnemen. Maar het bleef zoals het was, het werd niet harder en niet zachter, alsof de helikopter op één plaats bleef hangen. Een paar tellen later was er, ongeveer in de richting van Alex' huis, opeens een ijzige lichtexplosie. Nevelige lichtflarden sijpelden door het struikgewas naar haar toe, tekenden een deel van het groen om haar heen scherper af en dompelden andere delen juist nog meer in het duister. Op hetzelfde moment hoorde ze, bijna overstemd door het zware klappen van de wieken, iets dat op een schreeuw leek. Meer instinctief dan na een bewust besluit verliet ze de weg en sloeg een paadje in dat ervan wegvoerde. Ze liep nog verder het bos in, probeerde niet te denken aan Zahirs waarschuwing voor slangen en hoorde hoe de wieken langzamer gingen draaien en tenslotte stil werden. Het licht verdween. De helikopter moest zijn geland. Gesmoorde stemmen, nog een schreeuw en daarna het gerinkel van brekend glas.

Het was nu weer donker, zwart. Freya bleef doodstil staan, met bonzend hart, en probeerde te bedenken wat er aan de hand kon zijn. Na een halve minuut kregen de blaadjes en takken weer een zwarte scherpte en begon ze te lopen. Langzaam, behoedzaam om niet te veel geluid te maken, drong ze dieper in het bos door, volgde ze het paadje dat kronkelde en draaide en via een rietkraag op een open stuk land uitkwam.

Hier was meer licht, de maan stond hoger dan toen ze aan haar wandeling vanuit het dorp begon, en zijn licht legde over alles een mat zilveren laagje. Ze bleef staan om zich te oriënteren, stak toen het veld over en koos een paadje in de verste hoek, zodat ze met een bocht door de oase in een donkere olijfgaard kwam waarachter ze de bleke omtrek van Alex' huis kon zien. Het licht was er aan. Meer stemmen.

Ze aarzelde, vroeg zich af of ze zich niet beter gedeisd kon houden, wachten tot degenen, wie het ook waren, vertrokken waren. Toen klonk er weer een schreeuw, van een man, zwak, in doodsangst. Haar nieuwsgierigheid werd haar de baas en ze ging verder, heel voorzichtig om de dorre bladeren waarmee de grond bezaaid was niet in beroering te brengen, schoof van boom naar boom. Haar ademhaling was snel, nerveus. Ze kwam bij een heggetje aan de rand van de olijfgaard en hurkte erachter neer. De stemmen waren nu luider, duidelijker, en opnieuw vroeg ze zich af of ze de zaak niet beter op een veilige afstand moest bekijken. Opnieuw kreeg haar nieuwsgierigheid de overhand. Ze kroop door een gat in de heg en sloop naar het huis, bleef om de paar meter staan, klaar om zich om te draaien en weg te rennen wanneer er iemand naar buiten zou komen. Dat gebeurde niet, en zo kon ze om het huis heen sluipen. Ze drukte zich tegen een van de jacaranda's die voor schaduw op de veranda zorgden. Nu kon ze door het raam in de woonkamer kijken.

Daar waren mannen, gespierde, gevaarlijk ogende mannen. Ze zag er drie, maar uit Alex' werkkamer kwam het lawaai van laden en kasten die werden geopend wat suggereerde dat er meer waren. Twee van de drie waren uiterlijk identiek: dezelfde bonkige lichaamsbouw en het gladde, rossige haar, vingers die in het lamplicht flonkerden van de ringen. Zo te zien spraken ze tegen iemand in de andere hoek van de kamer, iemand die niet te zien was. De woorden 'camra' en 'film' werden telkens herhaald. Een doodsbange stem gaf kakelend antwoord. Die ging maar door, steeds dezelfde woorden, telkens hetzelfde jammerende antwoord tot een van de twee geërgerd zijn hoofd schudde en met zijn vingers knipte. Er was beweging en er werden nog drie personen zichtbaar: twee breedgeschouderd en gevaarlijk ogend, net als de andere. Tussen hen in, bibberend en handenwringend, een magere hond die door een stel grotere beesten wordt getreiterd, stond Mahmoud Gharoub, de scharminkelige boer die haar eerder die dag met zijn ezelkar een lift had gegeven. Freya drukte zich nog steviger tegen de stam aan en keek geschokt maar gefascineerd toe. Haar hand ging naar haar rug en raakte even de rugzak aan met de camera en het filmpje.

Op een teken werd Gharoubs djellaba tot zijn middel opgesjord zodat zijn magere benen en groezelige onderbroek zichtbaar werden. In dezelfde beweging werden er handen achter zijn rug en onder zijn dijen ineen geslagen en werd hij, flauwtjes tegenstribbelend, opgetild. Zijn benen werden van elkaar gehaald alsof hij op het punt van bevallen stond.

'La!' jammerde hij, met ogen zo groot van angst dat het was of ze uit de kassen zouden springen. *'La! Minfadlak la!'*

Zijn ondervragers kwamen naar hem toe, met uitgestreken gezichten, alsof ze een alledaags huishoudelijk karweitje gingen afmaken. Tot Freya's afgrijzen haakte een van hen een vinger achter het kruis van de onderbroek van de oude man en rukte het opzij; de andere klikte een stiletto open. Hij boog zich voorover tussen de benen van de oude man en legde de punt op het blootgelegde vlees. Hun slachtoffer gaf een brul van schrik en zijn heupen schokten op en neer. Er werden meer vragen gesteld. Toen de gewenste antwoorden niet werden geleverd, werd er druk op het mes gezet. Freya kreeg een scherpe zure smaak in haar mond toen het mes achter het scrotum van de oude man werd gezet, de huid werd ingedrukt en toen scheurde.

'Nee!'

Haar stem vulde de nacht. Even was het doodstil, een seconde, niet langer, het tafereel in de kamer een tableau vivant, toen werd er geroepen en daverde het van de voetstappen. De deuren van de veranda vlogen open, mensen stroomden naar buiten, rode flitsen toen er geschoten werd, kogels die in de jacaranda sloegen waar Freya had gestaan. Maar daar was ze niet meer. Ze rende langs het huis terug naar de olijfgaard, nam het heggetje als een hordenloopster en slalomde tussen de bomen door, struikelde op de ongelijke bodem. Haar hart beukte in haar borst, achter haar klonken schoten en geschreeuw.

Ze kwam bij het eind van de olijfgaard, wilde weer een horde nemen en kwam voorover in de dichte rietkraag terecht. Ze vocht zich er doorheen naar het open stuk. Het schieten was nu opgehouden, maar het schreeuwen ging door. Een stuk of zes stemmen, allemaal uit een iets andere richting nu haar achtervolgers zich verspreidden, op haar joegen. Ook hoorde ze een dreigend gierend geluid en kloppen toen de helikopter werd gestart.

Ze stak het veld over en krabbelde omlaag en door een diepe irrigatiegreppel waarin ze tot haar enkels in de modder zonk, waar haar handen op de andere oever wegleden en ze zich klauwend omhoog de greppel uit moest werken. Ze struikelde verder. Eerst door een citroengaard en door een veld hoog opgeschoten maïs, daarna over een ogenschijnlijk eindeloze vlakte met dicht struikgewas, waar ze met haar armen maaide en uithaalde naar het groen alsof ze aan het zwemmen was, tot er plotseling een eind aan het groen kwam. Ze stond aan het einde van de oase, de woestijn kabbelde aan haar voeten. Links van haar, gehuld in duisternis, stond een soort schuurtje. Muren van gasbeton en een dak van palmriet. Ze rende erheen, probeerde of het open was, maar er hing een hangslot. Ze keek koortsachtig om zich heen, hurkte daarna neer naast een oude houten kar die tegen een van de muren was geparkeerd. Ze beefde over haar hele lijf, haar ademhaling was snel, pijnlijk rauw.

De helikopter was nu in de lucht en cirkelde laag boven de boomtoppen. Het zoeklicht sneed als een zwaard door de duisternis eronder. De klappen van de wieken overstemden alle andere geluiden hoewel Freya dacht dat ze af en toe een kreet hoorde, en één keer het onmiskenbare geluid van schieten.

'Zij hebben Alex vermoord,' mompelde ze bij zichzelf omdat het tafereel waarvan ze zojuist getuige was geweest er bij haar geen twijfel over liet bestaan wat er met haar zus was gebeurd. 'Ze hebben Alex vermoord en nu gaan ze mij vermoorden. En ik weet niet eens waarom.'

Ze veegde het zweet van haar voorhoofd en vervloekte zichzelf omdat ze haar mobieltje in het huis had laten liggen. Wat moest ze doen? De kans bestond dat alle commotie in Dakhla was opgemerkt en dat er mensen hierheen zouden komen om te kijken wat er aan de hand was, maar daar kon ze niet op rekenen. En ze kon ook niet de rest van de nacht kat en muis blijven spelen. De oase was klein en er waren niet veel plaatsen waar ze zich kon verbergen. Ook in het donker en met de dichte vegetatie zouden ze haar uiteindelijk vinden, zeker met die helikopter in de lucht.

Ik moet naar Dakhla, dacht ze en hapte naar adem. Ik moet weg uit de oase en door de woestijn terug naar Dakhla.

Maar hoe? Met die helikopter boven haar hoofd en een maan die steeds meer licht verspreidde, zouden ze haar zien zodra ze de bomen en struiken achter zich liet.

Ze ging staan, keek om zich heen om zich te oriënteren en liet zich weer zakken. Zo te zien bevond ze zich helemaal aan de zuidpunt van de oase. Links van haar, zo'n vijf kilometer verder, maar achter een breed kanaal, lag het eigenlijke Dakhla. Met overal twinkelende lichtjes, en de spookachtige flank van de Djebel-el-Qasr hoog oprijzend erachter.

Het lag voor de hand die kant op te gaan, want het was de kortste route naar de veiligheid. Maar het terrein was helemaal open, bestond alleen maar uit kiezelvlakten en lage zandheuveltjes. Nergens enige dekking, nergens een plek om neer te hurken, uit het zicht van het spiedende oog van het helikopterzoeklicht. Ze zou onmiddellijk worden gespot, vastgepind, als een konijn in de koplampen van een auto.

Naar het zuiden toe zag het er niet veel beter uit, hoewel het terrein daar geaccidenteerder en gevarieerder was, met hoog oprijzende duinen en overal losse rotsblokken en plukken groen. Het was nog wel open, maar niet zo heel erg en je had er de mogelijkheid om je misschien niet helemaal te verbergen, maar in elk geval wel min of meer. Ze kon een kilometer of wat in zuidelijke richting lopen, een eind van de oase vandaan, en dan pas naar het oosten richting Dakhla, in de hoop dat haar achtervolgers hun zoektocht niet zo ver zouden uitbreiden.

Freya besloot dat dat haar de beste kans bood. Haar enige kans. Het probleem was dat tussen het schuurtje waar ze zat weggedoken en de eerste plek die dekking bood – een grote pluk woestijngras – tweehonderd meter vlak, hard zand lag. Bij het oversteken zou ze afschuwelijk goed zichtbaar zijn, alsof ze in haar eentje midden op een ijsbaan stond.

Elke bergbeklimming heeft een lastig punt, het zwaarste deel van de beklimming waarachter de rest van de route opeens open ligt en makkelijker wordt. Dit was het lastige punt van Freya's vlucht. Als ze die tweehonderd meter kon overbruggen, had ze een kans. Wanneer ze werd gezien, vanuit de lucht of door een van de kerels op de grond, was het afgelopen.

Het kloppen van de helikopter werd opeens luider toen hij bijna recht over haar heen vloog, met de lichtbundel links en rechts zocht en de bomen door de luchtverplaatsing woest heen en weer zwiepten. Freya liet zich onder de kar rollen waar zand en stof in haar gezicht stoven en dunne wafels van licht tussen de planken door op haar vielen. De machine bleef even hangen, zeilde weg naar het noorden, naar de andere kant van de aanplant. Het geluid werd zachter tot het toestel keerde en weer naar haar toe kwam. Dat scheen het zoekpatroon te zijn: heen en weer over de oase, als baantjes trekken in een zwembad, op zoek naar haar, een halve minuut de ene kant op en een halve minuut terug. Als ze enige hoop koesterde over het vlakke stuk te ontkomen, moest ze haar sprint afstemmen op dat patroon, beginnen zodra de heli aan zijn baantje de andere kant op begon, en klaar zijn voor hij keerde en terugkwam, want dan zou ze meteen in zijn blikveld komen.

Ze drukte een hand tegen haar voorhoofd en sloeg aan het rekenen. Tweehonderd meter in dertig seconden. Op een sintelbaan zou het makkelijk zijn: op de middelbare school had ze gelopen voor Markham County en die afstand net onder de vierentwintig seconden gelopen. Maar dit was op zand, en 's nachts. Het zou krap zijn, griezelig krap. En dan hield ze nog geen rekening met de mannen op de grond. Stel dat een van hen haar zag. Stel dat ze al waren uitgewaaierd in de woestijn omdat ze met deze mogelijkheid rekening hielden. Ze beet op haar lip, opeens vol twijfel, angstig, bang dat het te riskant was. Aan de andere kant waren ze niet met zo velen. En het was donker, het struikgewas was op veel plaatsen heel dicht, het moest haar lukken aan hen te ontkomen, hun een stap voor te blijven.

Toen hoorde ze schreeuwen. Gespannen tuurde ze de duisternis in, de oren gespitst, en probeerde ze te ontdekken waar het vandaan kwam. Ergens achter haar, achter de dichte vegetatie waar ze zich even daarvoor doorheen had geworsteld. Nog wel een eind weg, maar ook weer niet zo heel ver. Er werd op gereageerd met een andere schreeuw, en toen nog een. Drie man die haar kant op kwamen, samenkwamen. Een zou ze nog wel kunnen ontlopen, misschien zelfs twee, maar drie... vergeet het maar. Het besluit werd genomen. Ze zou moeten rennen. Als het al niet te laat was.

Een daverend geratel en de helikopter zwaaide weer boven haar hoofd, het zoeklicht kerfde verblindende lichtwegen om en op het schuurtje. Tijdens de vorige keer was de heli bijna onmiddellijk omgekeerd. Deze keer bleef hij precies boven haar hangen. Freya hield haar oren dicht tegen het lawaai, de kar boven haar rammelde als een gek, alsof hij door onzichtbare handen heen en weer werd geschud. De storm die de wieken veroorzaakten, tilde een deel van het strodak van het schuurtje en blies het tollend de nacht in. Het duurde en duurde en elke tel bracht de mannen op de grond dichterbij zodat haar kansen steeds kleiner werden. Ze had de hoop al bijna opgegeven, geaccepteerd dat ze als een rat in de val zat, toen het gedaver eindelijk minder werd en de lucht om haar heen tot rust kwam. De machine draaide weg en begon aan zijn retourbaantje naar het andere eind van de oase.

Ze was meteen onder de kar vandaan en overeind en, zich nauwelijks bewust van wat ze deed, gedreven door een basaal, met adrenaline gevoed instinct tot zelfbehoud, sprintte ze langs het schuurtje de zandvlakte op. Ze had geen idee waar haar achtervolgers waren, bad alleen maar dat ze zich nog steeds door het dichte struikgewas achter het schuurtje worstelden en haar door het zware bladergordijn niet zouden kunnen zien. Het zand was vlak, hard, bijna zo hard als een sintelbaan, en de eerste honderdvijftig meter legde ze vlot af, met pompende ellebogen en benen die haar met kracht voortjoegen naar de grote pol woestijngras voor haar.

Ze begon net te denken dat ze het misschien wel zou halen, toen haar voeten het moeilijk kregen. Het oppervlak onder haar werd losser, het zand zoog aan haar schoenen, hield haar tegen. Met elke stap ging het moeizamer, haar longen zwoegden, haar dijen brandden nu de spieren werden overspoeld door een golf melkzuur.

Toen ze nog jong waren, hadden Alex en zij nog wel eens belletje getrokken, en als ze wegrenden wachtten ze bij elke stap in angst op de woedende kreten die de bewoner hen nariep. Nu had ze datzelfde gevoel, maar dan duizend maal zo sterk, een ademloze, desperate hoop niet te worden gepakt gecombineerd met de misselijkmakende verwachting dat het bijna zeker ging gebeuren.

Trager en trager, met voeten die glibberden en weggleden en vochten om houvast. Maar ze ging door. Het kwaadaardige geratel van de wieken bleef constant. De helikopter hing boven het andere eind van de oase, en het geluid zwol weer aan toen hij draaide en weer naar haar toe kwam. Freya wist dat ze te laat was, dat ze zou worden gezien, dat het niet anders kon nu ze zich pal in de baan van de helikopter bevond. Desondanks beulde ze door, bleef haar lichaam doorrennen terwijl haar geest vertraagde en de hoop opgaf. Ze klauwde door over de laatste tien meter van het vlakke stuk, dook recht voorover door de grote pol gras heen en een steile helling af aan het eind waarvan ze in een regen van zand tuimelend tot stilstand kwam.

Een tijdje bleef ze daar gewoon liggen, hijgend, met benen die het uitschreeuwden van de pijn, en wachtte ze tot de helikopter haar zou overspoelen met licht. Het bleef donker. Ze rolde zich op haar buik, kroop omhoog en maakte voorzichtig een kleine opening in de dichte bos grashalmen. Tweehonderd meter verderop hing de helikopter nu recht boven het schuurtje en zwaaide van rechts naar links en terug. Daaronder, gevangen in het licht, stonden drie mannen in pak met hun handen in de lucht alsof ze wilden zeggen: 'Hier is ze niet.' Er werden wat gebaren gemaakt en gezwaaid en toen schoot de helikopter terug over de oase en verdwenen de mannen tussen de struiken.

Ze had het gered.

Dakhla-oase

Na zijn avondgebed te hebben gezegd – buigend en knielend op de binnenplaats van zijn huis – at Zahir zijn avondeten, samen met zijn vrouw en zijn zoontje. Het drietal zat in de woonkamer met gekruiste benen op de grond en plukte zwijgend met hun vingers hapjes uit kommen met rijst, bonen en *molocchia*. Na het eten haalde de vrouw een sisha, een waterpijp, en zette die naast haar man waarna ze het jongetje meenam en Zahir alleen achterliet. Hij zat daar, onbeweeglijk, in gedachten verzonken, en het enige geluid was het puffen van zijn lippen als hij aan de waterpijp trok. Na een kwartiertje legde hij het mondstuk weg, stond op en liep het huis door naar de binnenplaats. Hij stak hem over naar de eerste deur aan zijn rechterhand en opende die. Binnen deed hij het licht aan. Tegenover hem, aan de wand boven het bureau, hing de foto die miss Freya had gezien. De gekromde arm van steen, en dokter Alex die eronder stond. Hij staarde ernaar en trommelde nerveus met zijn vingers op de deurpost.

'Wat zit je dwars?'

Zijn vrouw was naast hem komen staan en legde een hand op zijn arm. Hij zei niets, bleef alleen maar naar de foto staren.

'Je bent zo afwezig,' zei ze. 'Wat is er?'

Nog gaf hij geen antwoord, maar hij legde zijn hand op de hare en gaf er een zacht kneepje in.

'Is het die Amerikaanse vrouw?' vroeg ze.

'Ze is naar de politie gegaan,' mompelde hij. 'Ze denkt dat iemand haar zus heeft vermoord.'

'Nou, en?'

Hij haalde zijn schouders op.

'Je moet met haar gaan praten,' zei zijn vrouw. 'Erachter komen wat ze weet.'

Hij knikte. 'Morgen,' zei hij. 'Morgen ga ik met haar praten.'

Hij kuste haar op haar voorhoofd, aaide met een vinger over haar wang en gaf toen te kennen dat ze hem alleen moest laten. Toen ze weg was, ging hij de kamer in, sloot de deur, liep naar het bureau en ging erachter zitten, al die tijd zonder zijn ogen van de foto af te houden.

'Sandfire,' mompelde hij.

Freya wachtte nog een paar minuten, ineengedoken achter de graspol. Het geluid van de helikopter zwol aan en nam af, afhankelijk van de richting waarin hij patrouilleerde. Ze controleerde of de camera, het filmrolletje en het kompas nog veilig in haar rugzak zaten en depte het ergste bloed op haar armen en in haar nek; die waren nogal geschramd toen ze zich halsoverkop door al het struikgewas had gestort. Daarna begon ze aan haar tocht in zuidelijke richting.

Het was een heldere nacht, koel tegen koud aan, de maan stond nu hoog aan de hemel en de woestijn was een vlakte van ijzig zilver. Doodsbang dat ze zou worden gezien, bewoog ze zich alleen wanneer de helikopter de andere kant op vloog. Dan rende ze van de ene dekking naar de andere, van rotsblok naar duin naar stapel stenen naar bosje om daar weer in elkaar te duiken. Een paar keer hoorde ze schieten, en één keer vloog de helikopter door en recht over haar heen terwijl ze opgerold tot een bal onder een dunne rotsplaat lag. Het leek alsof de piloot erop gokte dat hij het geluk zou hebben haar te zien, en na een tijdje te hebben rondgevlogen, keerde hij het toestel en vloog terug. Daarna waren er geen tekenen van een achtervolging meer.

Ze liep twee uur naar het zuiden, eerst behoedzaam, later, toen de oase achter haar uit het zicht verdween, verloren ging achter duinen en grindheuvels, met meer vertrouwen. Het werd bitter koud en ze haalde de fleece uit haar rugzak en trok hem aan, ging af en toe over in een drafje om warm te blijven. Ze probeerde de gebeurtenissen in gedachten door te nemen, naar antwoorden te zoeken, maar ze was de kluts kwijt en alles was een warboel en niets was duidelijk. Afgezien van het feit dat iemand haar zus had vermoord, had geprobeerd haar te vermoorden en dat het allemaal te maken had met de voorwerpen die de bedoeïen haar die middag had gebracht, kon ze verder nergens een touw aan vastknopen.

Toen ze een kilometer of vier had afgelegd, vond ze dat het veilig genoeg was om naar het oosten af te slaan, terug naar de fonkelende lichtjes van Dakhla. Het duurde nog een uur voor ze de eerste landerijen bereikte en daarna nog eens veertig minuten om zich een weg te zoeken door de doolhof van rietkragen, visvijvers en irrigatiekanalen. Ten slotte kwam ze, met meer geluk dan wijsheid, via een veld met dicht op elkaar staand suikerriet op een asfaltweg uit, de hoofdweg door de oase.

Van rechts kwamen koplampen. Ze aarzelde, stapte weer terug tussen de rietstengels, keek gespannen de weg af, bang dat het haar achtervolgers zouden zijn. Pas toen ze zag dat het de lampen van een grote tankwagen waren, kwam ze tevoorschijn en bracht ze het voertuig door heftig met haar armen te zwaaien tot stilstand. Er klonk een zware hoorn, het sissen van remmen en de tankwagen remde af en kwam naast haar tot stilstand. De chauffeur draaide zijn raampje open en boog zich naar buiten.

'Help me, alstublieft,' smeekte ze. 'Ik moet naar Mut. Naar het politiebureau. Ze willen me vermoorden. Alstublieft, ik moet naar de politie. Begrijpt u wat ik bedoel? Mut. Politiebureau. Mut. Mut.'

De woorden kwamen er in een onduidelijke stortvloed uit. De chauffeur, een vlezige man met een besnord gezicht dat onder de olievegen zat, haalde zijn schouders op en schudde zijn hoofd: hij begreep het duidelijk niet.

'El-Qahira,' zei hij, 'ga El-Qahira. Caïro.'

Hij scheen te denken dat ze stond te liften. Gefrustreerd balde ze haar vuisten, begon haar verhaal opnieuw en hield toen op. El-Qahira, Caïro. Ja, dacht ze, misschien is dat wel beter. Ga helemaal weg uit de oase, zover mogelijk weg. In Caïro kon ze naar de ambassade, of ze kon Molly Kiernan bellen, landgenoten, mensen die Engels spraken. Mensen die haar konden helpen.

'Ja,' zei ze met een benauwde blik achterom. 'Caïro. Ja, dank u, Caïro.'

Ze holde naar de andere kant, opende het portier, klom naar boven en trok het portier met een klap dicht.

'Ze probeerden me te vermoorden,' zei ze toen ze wegreden, bevend, vol ongeloof. 'Snapt u wel? Er waren mannen en die wilden me vermoorden.'

Net als daarvoor haalde de chauffeur zijn schouders op. '*Ingleezaya*?' vroeg hij.

'Pardon?'

'*Ingleezaya? Iengliesh?*'

Ze schudde haar hoofd. 'Amerikaanse. Ik ben Amerikaanse.'

Hij grijnsde. 'Amrieka goed,' zei hij. 'Boes Wielis. Amal Sjwasnegar. Heel goed.'

Ze wilde het zo wanhopig graag uitleggen, hem aan zijn verstand brengen dat ze hadden geprobeerd haar te vermoorden en dat het haar op het nippertje was gelukt aan hen te ontkomen en dat ze urenlang door de woestijn had gelopen en dat ze het koud had en dorst had en bang en bekaf was. Maar het had geen zin. Ze knikte naar hem, trok haar knieën op, sloeg haar armen eromheen en legde haar hoofd tegen het raam, keek naar buiten.

'Ja, ja, heel goed,' grinnikte de chauffeur en klopte waarderend met zijn vlakke handen op het stuur. 'Boes Wielis en Amal Sjwasnegar. Heel, heel goed.'

Terwijl ze vaart maakten, was eventjes de witte stip van het helikopterzoeklicht te zien aan de andere kant van het stuk woestijn. Het verdween achter hen en ze daverden weg, de nacht in, naar het noorden.

Caïro

Het meisje was jong. Vijftien of zestien, niet ouder, volgestopt met drugs en in schooluniform. Ze zat op het bed, met een wazige blik, verward, niet goed wetend wat er ging gebeuren. Onder goedkeurend gemompel kwamen de Ethiopiërs binnen, paradeerden wat heen en weer, deden gekke dingen met hun penis, lieten vooral zien hoe lang en dik ze waren en gingen daarna over tot het serieuze werk. Ze kleedden het meisje uit, smeten haar neer, drongen zich in haar mond. De zakenlui grijnsden en puften aan hun sigaren terwijl het meisje kokhalsde en huilde en smeekte om met rust gelaten te worden.

In de kamer ernaast zat Girgis door de éénrichtingsspiegel te kijken en tevreden te knikken. Niet om de verkrachting – hij gaf niet om dit soort dingen, überhaupt niet om seks – maar om de deal die eraan vooraf was gegaan. Iedereen wist dat zaken doen met Romani Girgis betekende dat hij goed voor je zorgde, breed uitpakte, en omgekeerd liepen de onderhandelingen dan gesmeerd. Zo ook deze avond. Bijna te gesmeerd. Omdat de Noord-Koreanen wisten wat voor vermaak er voor hen was geregeld, wisten ze niet hoe snel ze de contracten moesten tekenen; vijftig FIM-92 Stinger-raketten voor 205.000 dollar per stuk, waarvan Girgis als tussenpersoon twintig procent kreeg. Glimlachend dacht hij erover het meisje ook een deel te geven, als beloning voor haar zware inspanningen. Maar ja, ze zou waarschijnlijk het eind van de nacht niet halen. Haar lichaam zou in de Nijl of ergens in de woestijn worden gedumpt, dus kon hij het geld net zo goed zelf houden. Bij die gedachte werd zijn glimlach nog breder.

Hij bleef nog even kijken naar de verkrachting die steeds woester en beestachtiger werd. Daarna wierp hij een blik op zijn horloge, draaide zich om en liep de kamer uit, de marmeren gang door en de trap op naar zijn werkkamer op de bovenste verdieping. Na deze show zouden er nog meer komen – jonge jongens met oudere vrouwen, drie meisjes met elkaar, een meisje en een hond – waarna zijn gasten naar hun slaapkamers zouden worden gebracht, waar ze werden voorzien van hoeren, drugs, porno, wat ze maar wilden. Het vermaak zou tot in de kleine uurtjes doorgaan en zijn mensen zorgden overal voor. Hij had nu andere zaken te behartigen, belangrijker zaken. Belangrijker zelfs dan de twintig procent commissie over dik tien miljoen dollar.

Boven aan de trap bukte hij zich om een kruimel van de vloerbedekking te schieten – stomme schoonmakers, geen enkel oog voor detail. Hij liep de gang door en ontsloot aan het eind een deur. Langs één wand was een hele rij tv-schermen van het interne beveiligingssysteem opgesteld, elk aangesloten op een ruimte in het pand. Hij liep de kamer door naar zijn bureau, ging zitten en nam na weer een blik op zijn horloge de telefoon op. De hoorn legde hij, na de luidsprekerknop een tik te hebben gegeven, op het bureau.

'Is iedereen er?'

Instemmend gemompel aan de andere kant bevestigde dat ze er inderdaad waren en klaar zaten voor de telefonische vergadering: Boutros Salah, zijn rechterhand, Ahmed Usman, zijn oudheidkundige, Mohammed Kasri, zijn jurist en degene die het contact met de politie en de veiligheidsdiensten onderhield. Dit waren zijn vertrouwelingen.

'Goed, we beginnen,' zei Girgis. 'Boutros?'

Salah schraapte zijn keel. 'Het is beslist de copiloot,' kwam zijn stem door, hees en kortademig, de stem van een zware roker. 'We hebben de gegevens uit de portefeuille gecontroleerd en ze kloppen. Hij heeft blijkbaar geprobeerd te voet de woestijn door te trekken.'

'En hij kwam uit de oase vandaan?' vroeg Girgis. 'Is dat zeker?'

'O ja, geen enkele twijfel,' klonk een andere stem, aarzelend, een beetje binnensmonds: Ahmed Usman. 'Echt geen enkele twijfel. We wisten dat het de plek is waar het toestel is neergestort, dankzij het laatste radiobericht, maar het artefact bevestigt dat nog eens. Een votiefobelisk met het sedjet-teken die zo dicht bij de Gilf is gevonden, dat kan alleen maar Zerzura zijn. Geen twijfel mogelijk.'

Girgis knikte, klemde zijn handen om de rand van het bureaublad. 'En het filmpje in de camera?'

Weer een kuch toen Salah zijn keel schraapte. 'De kaart is het enige wat we nodig hebben,' hijgde hij. 'De tweeling is nu op zoek naar het lichaam van de copiloot. Ze hebben een goede beschrijving gekregen van de leider van de bedoeïenen en de sporen van de kamelen zijn nog te zien, dus zo moeilijk is het spoor niet te volgen. Wanneer ze hem hebben gevonden, hoeven ze alleen de kompaskoers op de kaart maar om te keren en ze terug te volgen naar de Gilf. In theorie brengt ons dat rechtstreeks naar het vliegtuig.'

'In theorie?'

'Nou ja, die knaap moet er tegen het eind heel slecht aan toe zijn geweest, dus het kan best zijn dat zijn peilingen niet deugen. Maar hoe dan ook, het brengt ons er in elk geval dichtbij, en als we in de buurt zijn moet het met de helikopter makkelijk te vinden zijn, zelfs in het donker. Als alles goed gaat, moeten ze het in een paar uur, misschien minder, kunnen vinden. Wanneer ze terug moeten naar Dakhla om te tanken, kost het vier of vijf uur. Tegen zonsopgang, dan hebben we het. Met zonsopgang, zeker weten.'

Er werd op de deur geklopt en er kwam een bediende in een wit jasje binnen met een glas thee. Girgis wuifde hem zonder op te kijken naar voren. De man zette het glas op het bureau en ging weg, al die tijd met zijn ogen strak op de grond gericht.

'En de militairen?' vroeg Girgis. 'De Gilf ligt in een veiligheidszone. Ik wil geen gedonder.'

'Allemaal geregeld,' antwoordde een derde stem. Glad, zalvend: Mohammed Kasri. 'Ik heb gepraat met de mensen die daarover gaan. Die hebben ons het groene licht gegeven. Generaal Zawi was buitengewoon behulpzaam.'

'Dat is hem geraden ook met wat we hem betalen,' zei Girgis snuivend, hij pakte de thee en nam een slokje.

Er viel even een stilte, toen klonk Usmans stem weer.

'Mag ik weten hoe het met de veiligheid is? Ik bedoel, we weten niet hoe het spul er na zoveel jaar aan toe is, wat de klap voor gevolgen heeft gehad. We moeten echt speciale apparatuur meenemen, en mensen die weten wat ze doen.'

'We hebben het in de hand,' antwoordde Girgis.

'Want we hebben het hier niet over zomaar een partij wapens. Dit is geen kwestie van even in een kist stoppen en ermee wegvliegen. We hebben te maken met dingen...'

'We hebben het allemaal in de hand,' herhaalde Girgis, nadrukkelijker deze keer. 'Voor alle technische ondersteuning wordt gezorgd.'

'Natuurlijk, meneer Girgis,' mompelde Usman. Hij voelde dat hij te ver was gegaan. 'Ik was niet van plan... Ik wilde het alleen zeker weten.'

'Nu weet je het,' zei Girgis.

Hij nam weer een slokje, bijna zonder dat zijn lippen de vloeistof raakten. Daarna zette hij het glas neer en depte zijn lippen met een zakdoek.

'Blijft alleen die meid over,' zei hij. 'Ik neem aan dat we die nog niet hebben gevonden?'

Salah erkende dat dat het geval was.

'We hebben vijf mensen in Dakhla achtergelaten, en we hebben er bevriende relaties. Als ze daar nog is, vinden we haar.'

'En de politie?' vroeg Girgis. *'Jihaz amn al daoula?'*

'Ik heb al onze contacten gewaarschuwd,' zei Kasri. 'Als ze zich daar laat zien, geven ze het door. Ik neem aan dat onze Amerikaanse...'

'Gewaarschuwd,' zei Girgis. Hij depte nogmaals zijn lippen, vouwde vervolgens de zakdoek keurig op en stopte hem in zijn zak. 'Ik wil dat ze wordt gevonden,' zei hij. 'Ook als de kaart alles oplevert wat we nodig hebben, wil ik dat ze wordt gevonden. Ik heb geen drieëntwintig jaar gewacht om te zien hoe de hele zaak de mist in gaat door een of andere slet die haar mond niet kan houden. Ik wil dat ze wordt gevonden en dat ze wordt opgeruimd. Duidelijk?'

'Duidelijk,' klonk het eenstemmig.

'Bel me zodra jullie nieuws hebben.'

Geklik op de lijn toen ze een voor een ophingen. Girgis bleef even onbeweeglijk zitten en keek naar de tv-schermen tegenover hem – een gruizig mozaïek van seks en geweld – en boog zich toen naar voren.

'Hebt u het allemaal meegekregen?'

Uit de hoorn kwam een nauw hoorbaar bevestigend gemompel. De stem was iets hoger dan die van de sprekers die net hadden opgehangen, en je kon onmogelijk vaststellen of het de stem van een man of een vrouw was.

'Hierbij heb ik uw hulp nodig,' zei Girgis. 'Als die meid contact zoekt met de ambassade...'

Opnieuw gemompel aan de andere kant en daarna werd er opgehangen. Girgis keek naar de hoorn, zijn ogen tot spleetjes. Zijn tong schoot een aantal malen bij zijn mondhoek naar buiten. Met een knikje legde hij de hoorn op het toestel, stond op, pakte zijn thee en liep ermee naar het balkon waar hij uitkeek over de siertuin die achter het pand tot aan de Nijl doorliep.

Twintig jaar woonde hij hier nu, in een weelderig landhuis uit de koloniale tijd, in Zamalek, aan het water. Zelfs nu nog verbaasde het hem: hij, de zoon van vuilnisophalers, kleinzoon van *saidi fellahin*, kon wonen op een van de meest exclusieve plaatsen in Caïro en ging om met de elite. Van Manshiet Nasser tot hier, van drugs dealen op straathoeken tot multimiljonair met een zakenimperium: hij had het beslist heel ver geschopt. Verder dan hij had kunnen hopen of verwachten. Alleen het Gilf Kebir-fiasco was een vlek op een verder schitterende carrière: een deal die een glorieuze bekroning had moeten zijn, gedurfd, zelfs voor zijn eigen begrippen, was helemaal in de soep gelopen door een bizarre weersontwikkeling.

Hij fronste, en zijn mond vertrok in een nijdige grimas. Dat duurde maar heel even. Toen veranderde zijn gelaatsuitdrukking in een glimlach.

Want de deal was niet verkloot. Uitgesteld, dat wel. Maar niet verkloot. Verre van dat. De crash had hem en zijn klanten uiteindelijk een dienst bewezen door een gewaagde en ambitieuze onderneming te veranderen in iets nog groters. Het had tijd gekost voor men het zich had gerealiseerd, maar nu was hij eindelijk in staat de vruchten ervan te plukken. Elke wolk heeft wel een gouden randje. Of in dit geval: elke zandstorm.

Hij nam een slokje thee en keek over de Nijl naar het Carlton Hotel en de in licht gehulde torens van de Nationale Bank van Egypte. Van beneden klonken kreten, van pijn en angst. Zijn grijns werd breder en hij giechelde weer. Je kon zeggen wat je wou, maar Romani Girgis zette een goede show neer.

Caïro – De Amerikaanse ambassade

Na een beker warme melk te hebben ingeschonken, liep Cy Angleton door naar de woonkamer en liet zich in zijn leunstoel zakken. Zijn pens hing over de rand van zijn pyjamabroek en zijn heupen drukten hard tegen de armleuningen. (Verdomme, wat voor lui ontwierpen dit meubilair? Dwergen?) De meeste ambassademedewerkers woonden buiten het complex, in Garden City of aan de overkant van de rivier in Gezira en Zamalek, maar het was hem gelukt een van de flatjes boven in Caïro 2 te bemachtigen. Het was maar klein, niet meer dan een slaapkamer, woonkamer, badkamer en een keukentje, en het was zo krap dat je na een paar stappen in elke richting al tegen een muur botste. Maar het was veiliger dan buiten het terrein wonen, minder kans dat mensen kwamen rondsnuffelen. En het betekende bovendien dat hij al zijn maaltijden naar boven kon laten komen uit de marinierskeuken in de kelder, fatsoenlijk eten, Amerikaans eten, met inbegrip van een constante toevoer van kok Barneys *Mississippi Mud Pie*. God, wat was die toch lekker. Woog bijna op tegen alle ellende. Bijna.

Hij nam langzaam een grote slok melk, pakte de afstandsbediening en zette de cd-speler aan. Na het volume te hebben geregeld, scrolde hij door de nummers tot hij had wat hij wilde: Patsy Clines 'Too Many Secrets'. Even bleef het stil, toen klonk het vrolijke getoeter van klarinetten en begon het nummer. Hij zuchtte vergenoegd, legde zijn hoofd tegen de rugleuning, sloot zijn ogen, trommelde mee op de armleuning.

Hij was dol op country, altijd al geweest, vanaf zijn jeugd thuis in Brantley, Alabama, waar hij had geluisterd naar krakende 78-toerenplaten op de pick-up van zijn oma. Hank Williams, Jimmie Rodgers, Lefty Frizzell, Merle Travis: zonder hen zou hij die eerste jaren nooit hebben overleefd: het pesten, de eindeloze bezoeken aan ziekenhuizen, zijn vaders dronken woede-uitbarstingen ('Godsamme, kijk dat nou! Ik vraag God om een zoon en wat geeft hij me? Een dik, vet, nichterig varken!). Countrymuziek bood een ontsnappingsmogelijkheid, een toevluchtsoord, een plek waar hij zich niet zo eenzaam voelde. Zoals nu. Hij had er nu zelfs nog meer behoefte aan dan toen, met alle leugens en verdenkingen en stinkende, corrupte troep waar hij altijd maar doorheen moest baggeren. 'Country is niet zomaar muziek,' zei zijn moe altijd. 'Het helpt je erdoorheen.' En ze had gelijk gehad. De ingelijste eervolle vermelding aan de muur tegenover hem was het bewijs: 'De Onderscheiding voor Heldhaftigheid van het ministerie van Buitenlandse Zaken is toegekend aan Cyrus Jeremiah Angleton. Voor moed betoond tijdens werk onder bijzonder gevaarlijke omstandigheden.' Country had hem die bezorgd. Hij wou dat zijn moe er nog was zodat ze kon zien hoezeer ze gelijk had.

Hij luisterde naar het eerste couplet en het refrein, draaide het volume een stuk terug, dronk zijn melk op en boog zich voorover en keek naar de grond. Voor hem lag een grote kaart van Egypte uitgespreid, bedekt met een wirwar van potloodkrabbels: namen, data, telefoonnummers, geldbedragen, cijferreeksen die wel eens van bankrekeningen konden zijn. Verder waren er foto's, een heleboel, verspreid over het hele land, allemaal formaat pasfoto, op drie grotere na die naast elkaar in de linkerbenedenhoek van de kaart lagen, boven de woorden 'Gilf Kebir Plateau': Flin Brodie, Alex Hannen, Molly Kiernan. Hij boog zich voorover, wat veel moeite kostte, en pakte ze op. Hij leunde weer achterover, shuffelde de foto's alsof het speelkaarten waren. Hij bekeek ze stuk voor stuk: Brodie, Hannen, Kiernan, terug naar Brodie. Er begonnen zich dingen af te tekenen, verbanden te vertonen, dat voelde hij, dat voelde hij heel duidelijk. Er viel nog een heel traject te gaan, maar hopelijk zou het niet te lang duren voor hij hier weg kon. Geen Sandfire meer, geen hitte meer, niet langer rondkruipen: klus geklaard, geld verdiend, werkgevers tevreden. Ook geen Mississipi Mud Pie van kok Barney meer, maar daar kon hij wel buiten. Hij kon overal buiten, behalve zijn geliefde countrymuziek. Na de foto's te hebben teruggegooid, pakte hij de afstandsbediening en drukte op 'herhalen'; het werd stil in de kamer en daarna klonk opnieuw de opgewekte intro van het nummer. 'Too Many Secrets'. Hij grinnikte. Dat was hem op het lijf geschreven.

Dakhla

De oostelijke hemel kleurde koel roze en vroege vogels zaten in de bomen te krijsen toen Fatima Gharoub door de oase stampte. Haar ruime zwarte gewaden flapten om haar heen, ze bewoog zich verwonderlijk snel, gegeven haar zware figuur. Af en toe bleef ze even staan om in het stof te spugen en kwaad voor zich heen te mompelen, waarna ze verderging over het karrenspoor dat zich door palmbossen en olijfgaarden slingerde tot ze uitkwam bij het huis van de Amerikaanse vrouw.

'Sloerie!' bulderde ze en ze schreed naar de voordeur. 'Waar is hij? Wat heb je met mijn Mahmoud gedaan?' Ze hief haar vuist op om ermee op de deur te bonken, tot ze zag dat die al op een kier stond. 'Kom hier, ik weet dat je er bent! De ezel en zijn hoer! Veertig jaar getrouwd en dan flikt hij me dit!'

Ze stond te luisteren, haar gezicht vertrokken van woede. Ze greep een plastic stofferblik van de vensterbank en liep richting slaapkamer, het blik als een wapen boven haar hoofd.

'Kom tevoorschijn, Mahmoud Gharoub, laat me je niet hoeven zoeken!' schreeuwde ze. 'Hoor je me? Want als ik je moet zoeken en ik vind je, dan zul je dat de rest van je leven berouwen, neem dat maar van mij aan!'

Ze was halverwege de woonkamer toen ze een beweging voelde. Er kwam iemand de slaapkamer uit. Ze bleef staan, haar mond viel open van verbazing. 'Zahir al-Sabri? Mijn god, hoeveel man heeft ze hier wel niet?'

'Ik weet niet waar je het over hebt,' snauwde Zahir. Hij trok een lelijk gezicht, duidelijk niet blij dat hij hier werd aangetroffen.

'Nou, dat weet je best!' riep Fatima Gharoub uit. 'Ik weet best wat hier allemaal gebeurt. Hij loopt hier altijd rond te snuffelen. Behekst! Ze hebben hem behekst, die vuile snolletjes. Mahmoud! Mahmoud! Mijn mooie Mahmoud!'

Ze begon te jammeren, aan haar kleren te plukken, met het blik op haar hoofd te slaan. Even plotseling als hij was gekomen verdween haar hysterische aanval en vernauwden haar ogen zich. 'Wat doe jij hier?'

Zahir stond wat te schutteren. 'Ik moest miss Freya spreken.'

'Om zes uur 's morgens?'

'Ik heb haar ontbijt bij me.' Hij knikte naar een mand die op de tafel stond. 'De deur stond open en ik ben doorgelopen om te zien of alles goed was.'

'Je kwam hier rondsnuffelen,' zei de oude vrouw en schudde beschuldigend met haar vinger. 'Je neus in andermans spullen steken.'

'Ik kwam kijken of alles goed was met miss Freya,' herhaalde hij. 'Ze is er niet. Haar bed is niet beslapen.'

'Snuffelen en rondneuzen,' hield ze vol en ze voelde dat ze op een vette roddel was gestoten. 'Naar dingen kijken waar je niet naar mag kijken. Wacht maar tot ik het aan haar... Wat bedoel je met haar bed was niet beslapen?'

Zahir opende zijn mond om te antwoorden, maar voor hij iets kon zeggen, schreeuwde de gekrenkte vrouw het alweer uit, trok ze aan haar kleren, sloeg ze zich op het voorhoofd.

'O god, ik wist het. Ze zijn er samen vandoor! Ze heeft mijn Mahmoud ingepikt. Mahmoud, Mahmoud! Mijn kleine Mahmoud!'

Ze smeet het blik de kamer door, draaide zich om en leek van plan de achtervolging in te zetten, want ze rende het huis uit en liet Zahir staan waar hij stond. Hij schudde zijn hoofd en was duidelijk niet blij.

Caïro

Degenen die voor Girgis werkten, voelden wanneer er geweld in de lucht hing. Ze wisten dat ze dan beter uit zijn buurt konden blijven, of als dat onmogelijk was, dat ze zich onzichtbaar moesten maken, doorgaan met waar ze mee bezig waren en vooral geen aandacht op zich vestigen.

Het broeide de hele ochtend al. Kort na zonsopgang had Girgis buiten op het terras achter zijn huis een telefoontje gekregen, en volgens de oude tuinman, die op dat moment even verderop de geraniums water gaf, was Girgis niet blij geweest. Nee, allerminst blij: hij had geschreeuwd tegen degene aan de andere kant van de lijn, en zo hard met zijn vuist op de houten tafel geslagen dat zijn kop koffie omgevallen en op de grond was gekletterd zodat er een lelijke vlek in het glanzende witte marmer zat. De tuinman had niet gehoord waar het precies om ging, maar hij had in elk geval de woorden 'oase' en 'helikopter' opgevangen. En iets over een zwarte toren en ook over een boog, maar toen had hij zich uit Girgis' gezichtsveld teruggetrokken en had hij het misschien niet goed gehoord.

Daarmee was het begonnen. Vanaf dat moment was Girgis' stemming in de loop van de ochtend alleen maar slechter geworden. Om acht uur waren zijn drie luitenants gearriveerd – Boutros Salah, Ahmed Usman en Mohammed Kasri – en in zijn werkkamer verdwenen. Een dienstmeisje meldde dat ze brekend glaswerk had gehoord en de uitroep 'Je zei dat de kaart genoeg was!' Een uur later, om negen uur, was een klusjesman die onder aan de grote trap een stopcontact verving bijna ondersteboven gelopen toen Girgis langs stormde met een mobieltje aan zijn oor en schreeuwde: 'Die brandstof kan me geen donder schelen! Blijf zoeken! Je hoort wat ik zeg! Blijf zoeken!'

Hij was steeds kwader geworden en de spanning was gestegen, tot net na de middag het donderen van rotorbladen hoorbaar werd en Girgis' helikopter op het heliplatform in de tuin landde, de tweeling uitstapte en het grasveld overstak waar Girgis hen opwachtte. De meeste medewerkers hadden nu wel door dat er iets mis was en keken stiekem van achter de ramen toe; alleen de oude tuinman was dichtbij genoeg om te horen wat hun werkgever tegen de tweeling zei.

'Spoor haar op,' riep hij uit. 'Spoor die meid op, en het filmpje uit die camera, steek haar ogen uit en dump haar in de woestijn. Horen jullie me? Vind dat sekreet!'

'Hij gaat zo iemand te lijf,' fluisterde hij tegen zijn hulpje en keek niet op van het bloembed dat hij aan het wieden was. 'Let op mijn woorden, hij gaat zo iemand te lijf.'

Dat dacht iedereen toen Girgis naar binnen stormde. Zijn personeel stoof uiteen, als een school vissen voor een roofvis, en bleef op veilige afstand toen hij door de gang en de trap op naar zijn werkkamer liep.

Allemaal, op Adara al-Hawwari na. Ze werkte pas sinds drie dagen in het grote huis en wist niet dat haar baas erg explosief kon zijn, was alleen maar blij dat ze een baan had gevonden. Als weduwe van zestig kwam je moeilijk aan een baan en de kans om in zo'n mooie omgeving te werken, al was het voor maar vijftig piaster per uur, had haar een godsgeschenk geleken. Drie dagen wachtte ze al op een gelegenheid om haar nieuwe werkgever te bedanken, hem te vertellen hoe dankbaar ze was voor zijn vriendelijkheid. En terwijl ze de teakhouten balustrade van de overloop aan het poetsen was, kwam hij daar de trap op, haar kant op. Ze was schuchter en het was voor haar niet normaal zo'n groot en belangrijk man aan te spreken. Maar ze vond dat het haar plicht was en toen hij boven aan de trap was, deed ze een stap naar voren, raakte met een hand haar borst aan en dankte hem haperend en nederig voor de vriendelijkheid die hij een oude weduwe betoonde. Girgis negeerde haar, liep straal langs haar heen de gang door naar zijn kamer. Halverwege draaide hij zich opeens om. Hij kwam met grote passen terug en gaf haar een harde klap in haar gezicht.

'Praat niet tegen me,' snauwde hij. 'Begrepen? Spreek me nooit aan!'

Adara al-Hawwari staarde hem aan; op haar wang verscheen een grote, rode afdruk. Haar zwijgen scheen hem nog kwader te maken en hij gaf haar nog een klap. Harder nu, zodat haar neusbeen brak en ze ruggelings tegen de balustrade viel waar het bloed uit haar neus drupte.

'Hoe durf je tegen me te praten!' schreeuwde hij, met steeds meer stemverheffing. Zijn woede en frustratie richtten zich nu geheel en al op de ineengedoken persoon voor hem. 'Hoe durf je! Hoe durf je!'

Hij sloeg haar nog een keer, tegen haar slaap. Hij rukte een pakje vochtige doekjes uit de zak van zijn jasje, haalde er een uit en veegde er fanatiek zijn handen mee af.

'En zorg ervoor dat je die troep opruimt,' hijgde hij en hij wees op de bloedvlekken op het tapijt. 'Begrepen? Ik wil dat je vuiligheid wordt opgeruimd. Ik wil dat het smetteloos is! Smetteloos!'

Hij smeet haar het doekje toe, draaide zich om en verdween de gang in. Adara al-Hawwari bleef bevend in een gepijnigde stilte achter; ze vroeg zich af of werken voor Romani Girgis nog wel zo'n zegen was.

Caïro – de Koptische Wijk

Onder het neuriën van 'What a Friend We Have in Jesus', haar favoriete gezang, liep Molly Kiernan door de kronkelstraatjes van de Masr al-Qadima – Oud Caïro – en over de versleten treden de kerk van de Sint-Sergius en Sint-Bacchius binnen.

Anders kerkte ze altijd in een kleine kapel in de Maadi-wijk waar de kantoren van de USAID, haar werkgever, waren en waar ze woonde in een kleine driekamerbungalow in de schaduw van *flame trees* en jasmijn. Maar vandaag, 7 mei, was Charlies verjaardag, en op deze bijzondere dag wilde ze ergens anders heen, een speciale plek. En zo kwam ze hier terecht, in de oudste kerk van Caïro, een eeuwenoude, vervallen basiliek, volgens overlevering gebouwd op de plek waar de Heilige Familie op hun reis naar Egypte ooit zou zijn gestopt.

Charlies verjaardag vierde ze altijd volgens een vast ritueel, en dat deed ze al een kwart eeuw. Ze maakte dan een speciaal ontbijt voor hem – bacon, eieren, grutten, wafels en bosbessenjam – opende de cadeautjes die ze voor hem had gekocht en ingepakt, keek een tijdje met hem in haar fotoalbums, bladerde door het verhaal van hun leven samen heen, glimlachend als ze dacht aan de fijne tijd die ze hadden gehad, aan wat een knappe, aparte man haar Charlie was geweest.

'O, schat van me,' zuchtte ze dan. 'O, mijn liefste, dierbare man.'

Later vulde ze dan een picknickmand en ging naar de dierentuin – daar had hij haar op hun eerste afspraakje mee naartoe genomen, de dierentuin in Washington – en daarna naar de kerk. Daar bracht ze dan de rest van de middag door met danken dat Charlie had bestaan, en probeerde ze zich er weer van te overtuigen dat er een reden was waarom God hem op die verschrikkelijke manier tot zich had genomen, dat het allemaal onderdeel was van een hoger plan, hoewel ze na al die jaren nog altijd grote moeite had te peilen wat dat plan precies was. Zo'n aardige, zachte man die door die moordzuchtige wilden was opgeblazen. O, mijn liefste. O mijn liefste, dierbare man.

Kiernan liep de basiliek in en bleef even staan om naar de grote icoon van de Maagd Maria net voorbij de ingang te kijken. Ze liep door en ging op een van de houten kerkbanken zitten. Een paar mussen fladderden rond in het houten koepelgewelf boven haar.

Ze vond het heerlijk hier, zoals ze wist dat Charlie er ook van zou hebben genoten. De aftandse eenvoud hier had wel iets: de vervaagde fresco's, de versleten vloerkleden, de koele, muffe lucht van vocht en stof en steen. Het was of ze werd teruggevoerd naar de allereerste dagen van het christendom, de tijd dat het geloof nog jong en zuiver was, onschuldig, vrij van de verschrikkelijke morele dilemma's waarmee het in de loop van de tijd was belast. Ooit, zo leek het haar, was christen-zijn eenvoudigweg een zaak van liefde en geloof geweest, een aanvaarden dat de goedheid van Christus voldoende was om de kwalen van de wereld te genezen. Zo had Charlie de zaken in elk geval gezien: een simpele, bijna kinderlijke overtuiging dat als je genoeg geloof had en zo dicht mogelijk in Christus' voetstappen trad, alles uiteindelijk goed zou komen, dat het goede het kwade zou overwinnen.

Maar Kiernan wist dat de dingen toch wat gecompliceerder waren, verwarrender, zoals Charlies dood had bewezen. Zoals alles dezer dagen leek te bewijzen. Het Lam Gods werd van alle kanten belaagd door jakhalzen, en liefde alleen was niet langer voldoende om je er doorheen te helpen. Lang geleden had ze al geaccepteerd dat je als christen moest koorddansen, manieren moest zien te vinden om in Christus te leven en tegelijkertijd strijd te leveren tegen mensen die het slechte wilden. Deemoed en kracht, geloof en strijd... het was allemaal zo moeilijk, zo ontzettend pijnlijk en verwarrend. Dat was de reden waarom Kiernan hier zo graag kwam. Hier kon ze zich verliezen, al was het maar voor een middag, in de koele, heldere eenvoud van dit mooie, eeuwenoude bouwwerk. Alleen zij, God en Charlie, verenigd in stilte, weg van de dilemma's waarmee haar dagelijks leven gevuld was.

Ze ging rechtop zitten en legde haar handen in haar schoot, keek om zich heen, nam de marmeren pilaren aan beide zijden van het schip in zich op, de verfijning van de ingelegde iconostase aan het eind van het schip, de enorme koperen kroonluchters boven haar, terwijl ze ondertussen dacht aan Charlie en hun leven samen. Alles wat ze hadden gedeeld in die te korte periode. Alles wat ze verloren had.

Ze waren laat getrouwd, allebei in de dertig. Zij werkte voor de overheid, hij was legerpredikant bij het 1ste Bataljon 8ste Regiment Mariniers. Zij had de hoop opgegeven nog iemand te vinden en geaccepteerd dat haar werk haar leven zou worden, de ongehuwde staat haar lot. Maar op het moment dat ze haar oog op hem liet vallen toen hij naast haar stond in de National Gallery of Art in Washington – heel toepasselijk voor Carpaccio's *Vlucht naar Egypte* – had ze instinctief geweten dat hij het was: de man op wie ze al die jaren had gewacht. Ze waren aan de praat geraakt, hij had haar mee uit gevraagd, een halfjaar later waren ze verloofd en vijf maanden daarna getrouwd. Ze hadden het over kinderen gehad, over reizen die ze zouden gaan maken, over samen oud worden – ze was zo gelukkig geweest, zo ongelooflijk gelukkig.

Maar nog geen jaar na hun trouwen werd Charlies bataljon overgeplaatst naar Libanon, als deel van de internationale vredesmacht. Ze hadden nog twee magische weken samen gehad en toen had ze op een morgen ontbijt voor hem gemaakt – bacon, eieren, grutten, wafels, bosbessenjam – hij had haar op de wang gekust en haar het kruisje gegeven dat ze nog steeds om haar hals droeg, en nadat hij zijn plunjezak op zijn schouder had gehesen, was hij de dageraad in gelopen. Dat was het laatste wat ze van hem had gezien. Een maand later, op 23 oktober 1983, kwam het nieuws binnen van een explosie in Beiroet, een zelfmoordaanslag op de marinierskazerne, enorm veel slachtoffers, en ze had meteen geweten dat haar Charlie dood was. Twee jaar was alles wat ze samen hadden gehad. Niet meer dan twee jaar. De allerbeste jaren van haar leven.

Een gekakel van stemmen onderbrak haar gedachten: een groep Italiaanse toeristen dromde de kerk in, hun gids leidde hen naar de plaatsen om haar heen en dwong haar weg te gaan om ruimte voor hen te maken. Ze waren jong en leken geen belangstelling voor de kerk te hebben, geen besef van de wijding die er hing. Ze voerden op luide toon onderlinge gesprekken, aten chips en een van hen zat zelfs met zijn gameboy te spelen. Ze probeerde hen te negeren, maar toen kwam er nog een groep binnen, Japanners deze keer, en nu werd de kerk gevuld met een ononderbroken stroom stroboscopisch geflits. De stem van deze gids vulde de hele ruimte want ze kakelde tegen hen via een draagbare versterker. Kiernan kon er niet meer tegen: waarom konden ze niet stil zijn, haar in stilte laten rouwen? Ze stond op en werkte zich uit de kerkbank. In het middenpad blokkeerde een Japans echtpaar de doorgang, hield een camera op, grijnsde, boog en vroeg of ze een foto van hen wilde maken. Er knapte iets.

'Wat bezielt jullie!' riep ze. 'Dit is een kerk. Snappen jullie dat dan niet? Toon een beetje respect! Toon alsjeblieft een beetje respect!'

Ze rende langs het echtpaar naar buiten, struikelde de trappen op naar het straatje erboven, met tranen in haar ogen.

'Ik kan niet zonder je, Charlie,' snikte ze. 'Ik kan het niet meer alleen. O god, ik heb je zo nodig. Mijn man, mijn liefste, dierbare man.'

Toen Freya eindelijk de buitenwijken van Caïro bereikte, was het al een uur 's middags geweest, en het duurde nog zo'n veertig minuten voor ze door dicht opeengepakt, langzaam rijdend verkeer het centrum van de stad binnenreden. De chauffeur van de tankwagen stopte aan het begin van een reusachtig open plein naast een strook gras met palmen en overal afval.

'Midan Tahrir,' deelde hij haar mede en trok zich niets aan van het woedende getoeter van de auto's achter hem.

Het had hun ruim zestien uur gekost, de rit van Dakhla naar Caïro, een eindeloze reis die nog eindelozer werd doordat de chauffeur hoe dan ook wenste te stoppen bij alles wat ook maar enigszins op een wegcafé leek om thee te drinken. Freya had meer dan eens overwogen hem in de steek te laten en te proberen een lift van een ander te krijgen. Ze had besloten het niet te doen uit angst voor de mogelijkheid dat de mannen uit de oase misschien collega's hadden gevraagd naar haar uit te kijken zodat ze met de verkeerde lieden op stap zou gaan. De tankwagenchauffeur mocht dan langzaam zijn, hij leek in elk geval betrouwbaar.

Tijdens de reis had ze af en toe wat gedommeld, een uurtje hier, een veertig minuten daar, maar de meeste tijd was ze wakker geweest. Soms had ze de rugzak geopend en naar de camera, het filmrolletje en het kompas gekeken die daar veilig zaten. Ze had vooral naar buiten gekeken, naar de eindeloze woestijn, naar de kilometerborden die langzaam aftelden, door al-Farafra, Bahariya en verder naar Caïro.

En nu waren ze er, eindelijk.

'Midan Tahrir,' herhaalde de chauffeur.

'Telefoon,' zei ze en ze deed of ze een hoorn tegen haar oor hield. 'Ik moet bellen.'

Hij fronste, glimlachte en wees voor haar langs naar een groengele telefooncel. 'Menatel,' zei hij, rommelde in een vakje onder het dasboard en haalde er een telefoonkaart uit die hij haar gaf. Haar aanbod van geld wuifde hij weg. Ze bedankte hem zowel voor de kaart als de lift, hing haar rugzak om en sprong uit de cabine op straat. De chauffeur riep nog een keer 'Boes Wielis, Amal Sjwassnegar!' en reed weg.

Freya bleef even staan, doodmoe, en nam de omgeving in zich op: het razende verkeer, de drommen voetgangers, net mieren, de hoge, vervuilde gebouwen met op de daken enorme billboards van Coca-Cola, Vodafone, Sanyo en Western Union. De rit mocht dan verschrikkelijk traag zijn geweest, het had iets veiligs en geruststellends gehad, de cabine van de tankwagen. Opeens voelde ze zich erg alleen en zichtbaar, als een slak die zijn huisje kwijt is. Bij de stoplichten even verderop zat een taxichauffeur te bellen met zijn mobieltje. Het was of hij haar recht aanstaarde. Hetzelfde bij een oud vrouwtje een paar meter verder dat aanstekers verkocht die op een omgekeerd krat lagen. Freya liet haar hoofd zakken en haastte zich naar de telefooncel, rommelde in haar zak en haalde er het kaartje uit dat Molly Kiernan haar bij hun eerste ontmoeting had gegeven. Ze schoof de telefoonkaart in de gleuf, koos Engels als taal, klemde de hoorn tegen haar oor en toetste Kiernans nummer in. Stilte, daarna een beltoon en tot

Freya's ergernis een voicemailbericht: 'Hoi, Molly Kiernan hier. Ik kan u helaas niet te woord staan. Laat een boodschap achter en ik bel u zo spoedig mogelijk terug.'

'Molly, met Freya,' zei ze na de piep, op gespannen, dringende toon. 'Freya Hannen. Ik bel vanuit een telefooncel. Er is... je moet me helpen. Iemand heeft geprobeerd me... ik denk dat ze Alex hebben vermoord... Het waren... Gisteren kwam er een man naar het huis met een tas... er zat een camera in... hij zei dat hij hem in de woestijn had gevonden...'

Ze stopte omdat ze merkte dat ze wartaal uitsloeg en had moeten bedenken wat ze wilde zeggen voor ze was gaan bellen. Beter om het kort te houden, alles later uit te leggen. 'Luister, ik ben in Caïro,' zei ze. 'Ik moet je spreken. Ik sta op...'

Ze brak weer af, probeerde zich te herinneren wat de chauffeur had gezegd. 'Midan en nog iets. Een groot plein.' Ze keek om zich heen, zocht herkenningspunten. 'Er is een Hilton hotel, en een soort eettent, Hardees, en... en...'

Haar oog viel op een groot, crèmekleurig gebouw aan de overkant van de straat. Gebouwd in Ottomaanse stijl – allemaal boogramen, bewerkte houten luiken en decoratieve daklijsten – met een spijlenhek eromheen en een hoge, stoffige heg. Langs de bovenrand van de gevels stond in blauwe letters THE AMERICAN UNIVERSITY IN CAIRO. Was dat niet waar... Ze rommelde weer in haar zak ondertussen 'eh, eh, eh' in de hoorn mompelend, zich verontschuldigend voor de vertraging, en haalde er het kaartje uit dat Flin Brodie haar had gegeven: Professor F. Brodie, American University in Caïro. Ze begon weer te praten, zelfverzekerder nu.

'Ik sta voor de American University,' zei ze. 'Ik ga daar naar binnen om te zien of ik Flin Brodie kan vinden. Als hij er niet is, ga ik naar de ambassade. Ik denk dat ik gevaar loop. Ik moet...'

Het gesprek werd afgebroken. De display op de telefoon meldde dat ze geen beltegoed meer had. Ze vloekte, hing op en ging de cel uit, voetgangers drongen zich langs haar heen. De taxichauffeur met de mobiele telefoon was nu doorgereden, maar het vrouwtje met de aanstekers keek nog steeds strak haar kant op. Even vroeg Freya zich af of ze niet beter naar de ambassade kon gaan om een soort officiële bescherming te vragen, maar het vooruitzicht te maken te krijgen met een stel verveelde bureaucraten en het hele verhaal weer van voren af aan te moeten doen, weerhield haar. Waar ze nu behoefte aan had, was een bekend gezicht, iemand die ze kon vertrouwen, iemand die haar verhaal serieus nam. Toegegeven, ze kende Brodie amper, maar hij was een vriend van haar zus geweest en dat was haar genoeg. De ambassade kon wachten. Flin Brodie zou haar helpen, dat wist ze zeker. En hij wist wat er moest gebeuren.

Ze gaf een klopje op haar rugzak en wierp een snelle blik op de aanstekerverkoopster, die naar haar bleef staren, en wier gouden tanden glansden in de middagzon. Toen zag Freya een gaatje in het verkeer en draafde naar de overkant waar ze het hek langs de zijkant van het universiteitscomplex volgde en naarstig naar de ingang zocht.

De Amerikaanse ambassade beschikte over uitzonderlijk geavanceerde afluister- en bewakingsvoorzieningen, en een paar uitzonderlijk handige mensen om ze te bedienen. Maar gezien het feit dat hij voor de afdeling Voorlichting werkte, was het voor hem niet haalbaar daar gebruik van te maken. Niet zonder dat er allerlei lastige vragen werden gesteld. Hij had zijn nek kunnen uitsteken, zijn invloed kunnen gebruiken, de benodigde toestemmingen kunnen lospeuteren – misschien dat hij dat alsnog moest doen – maar voorlopig was het makkelijker om te improviseren. Hij voelde er niets voor het spelletje te onthullen. Nog niet tenminste.

En dus had hij zijn eigen afluisterpost ingericht, buiten het terrein, in een suite helemaal boven in de vaaloranje wolkenkrabber van het Semiramis Intercontinental Hotel. De spulletjes waren niet zo high-tech als de apparatuur op de ambassade, en mevrouw Malouff, die de post op basis van een dagelijkse afspraak bemande, was eerder competent dan deskundig. Maar het werkte, het gaf Angleton de mogelijkheid telefoongesprekken af te luisteren en, dankzij zijn kennis als insider van diverse codes en wachtwoorden die er in gebruik waren, voicemails en e-mailaccounts te hacken en zich zo een beeld te vormen van wie wat zei tegen wie en hoe het onderling met elkaar in verband stond. Hij wist bijna zeker dat hij niet het hele verhaal had, dat er communicatiekanalen waren waarvan hij het bestaan nog niet kende, maar voorlopig was het genoeg. Stukje bij beetje.

Angleton kwam 's middags per taxi: hij ging overal per taxi heen, liep nooit. Hij liep door de grote foyer van het hotel, bleef op de begane grond staan bij de patisserie en kocht er twee eclairs en een soort buitenmodel merengue met een gekonfijt citroenpartje erop, en ging door naar de liften.

Hij had het Intercontinental voor een deel gekozen omdat het geliefd was bij Amerikaanse toeristen en zijn aanwezigheid dus weinig aandacht trok, maar vooral omdat het een bekende hangplek voor de betere prostituees van Caïro was. Als iemand hem volgde – wat niet het geval was, dacht hij, maar je kon nooit voorzichtig genoeg zijn – dan zou die ervan uitgaan dat hij er voor de pret heen ging. Het betekende wel dat mevrouw Malouff zich moest opdirken, of 'neerdirken' zoals zij het zag, iets wat haar helemaal niet beviel, maar voor het geld dat hij haar betaalde, was ze bereid het als een boerin met kiespijn te doen.

De lift kwam en schudde enigszins toen hij instapte. Hij drukte op de knop voor de zevenentwintigste verdieping en schoof achteruit om een groep oudere dames in identieke rode T-shirts in te laten stappen die zo'n beetje op praktisch alle tussenliggende knoppen drukten.

'Ik ben bang dat we het voor u een langzame rit maken,' zei een van hen verontschuldigend toen de deuren zich sloten en ze omhooggingen. Haar accent was puur Texas.

'Hoe langzamer hoe beter,' antwoordde Angleton met een opgewekte grijns. 'Dan heb ik meer tijd om te genieten van dit charmante gezelschap.'

Ze koerden van genoegen en kletsten met Angleton die al zijn zuidelijke charme gebruikte, met hen grapte en grolde en ondertussen in zijn achterhoofd bezig was met zijn bezoek die morgen aan het USAID-gebouw waar Molly Kiernan werkte en waar hij het grootste deel van de dag had doorgebracht.

Een grote modernistische structuur van donker glas en glanzend staal op een zwaar bewaakt terrein boven aan de Ahmed Kamelstraat met uitzicht op een groot stuk zanderig land vol rotsblokken. Angleton had een afspraak met de directeur geregeld en het verhaal opgehangen dat hij net op Voorlichting werkte en vond dat ze meer moesten doen om het voortreffelijke werk van USAID te bevorderen, meer synergie en meerwaarde te creëren, een voorbeeld van vooruitgang. Een berg loze managementkreten die de directeur gretig had geslikt. Hij had hem een uitgebreide rondleiding door het gebouw gegeven en hem alles wat hij mogelijk zou willen weten verteld over de organisaties, de werknemers en alle programma's waar USAID bij betrokken was.

Het interesseerde Angleton geen bal, maar hij had het spel meegespeeld. Hij kon moeilijk zonder omhaal vragen: 'Vertel me alles wat u weet over Molly Kiernan.' Je moet de vis wat ruimte geven voor je hem inhaalt. En dus had hij rondgelopen en interesse geveinsd, enthousiast gedaan over de drainageprojecten en schooluitwisselingsprogramma's, en zo het vertrouwen van de directeur gewonnen alvorens heel langzaam en heel subtiel het gesprek in de door hem gewenste richting te sturen.

Kiernan was het middelpunt, dat wist hij zeker. Flin Brodie, Alex Hannen waren allebei belangrijk, maar Kiernan was de sleutelfiguur in Sandfire. Hij had haar bungalow al doorzocht, een van de eerste aanloophavens toen hij zijn instructies kreeg, maar hij had er niets gevonden, geheel volgens zijn verwachting. Ze was te slim om iets te laten rondslingeren, te voorzichtig.

Hij had veel meer losgekregen uit de directeur, wat op zich al verhelderend was. Het bevestigde wat alle andere onderzoekmogelijkheden hadden aangegeven: Molly Kiernan liet zich niet in de kaart kijken. Ze was een van de mensen die het langst bij USAID werkten en was sinds eind 1986 in Caïro gestationeerd, waar ze de leiding had over diverse programma's in de Westelijke Woestijn: een kliniek voor gezinsplanning in Kharga, een landbouwschool in Dakhla, een soort wetenschappelijk onderzoeksproject helemaal in de Gilf Kebir. De directeur was niet helemaal op de hoogte van de details.

'Eerlijk gezegd heeft Molly de neiging haar eigen weg te zoeken,' had hij gezegd. 'Ze doet jaarlijks verslag en dat is het zo ongeveer. Het heeft geen zin iemand met zoveel ervaring in detail aan te sturen. We laten haar haar eigen gang gaan. Zeg, zal ik je het nieuwe rioolzuiveringssysteem laten zien dat we in Asyut financieren? Ik heb een powerpointpresentatie op mijn kamer.'

'Graag,' had Angleton gezegd.

Zoals verwacht was het een slaapverwekkende vertoning geweest. Gelukkig had hij er maar een paar minuten van hoeven uitzitten, want zoals afgesproken had de directeur een telefoontje gekregen van een met Angleton bevriende journalist die had gevraagd of hij hem een interview kon komen afnemen. Angleton had de verontschuldigingen van de directeur weggewuifd en gezegd dat hij wat wilde rondlopen als dat goed was, om de sfeer te proeven. En hij was rechtstreeks naar Kiernans kamer gelopen. Die lag aan het eind van een gang op de tweede verdieping, op slot natuurlijk. Maar hij had ingebroken en alles grondig doorzocht – niets, helemaal niets. Hij was weer weg en terug in de kamer van de directeur voor het interview was afgelopen.

Dat was dus alles wat zijn bezoek had opgeleverd. Geen nieuwe sporen, geen nieuwe informatie, een grote blinde vlek. Praktisch helemaal wat hij had verwacht, maar hij moest zekerheid hebben. Uiteindelijk zou hij deze harde noot, zoals altijd, natuurlijk kraken – daar hadden ze hem voor aangenomen – maar het zou niet makkelijk gaan. Het zag ernaar uit dat Molly Kiernan en Sandfire een van zijn grootste uitdagingen zouden worden.

'We zijn er,' zeiden de laatste twee dames in T-shirt toen de liftdeuren op de vierentwintigste verdieping opengingen. 'Het was een waar genoegen kennis met u te maken.'

'Het genoegen is geheel aan mijn kant,' antwoordde Angleton naar het nu terugkerend. 'Maak er een mooie vakantie van, dames. En denk eraan, doe rustig aan met buikdansen.'

Giechelend stapten ze uit, de deuren gingen dicht en de lift steeg geruisloos naar de zevenentwintigste verdieping waar Angleton uitstapte. Hij liep een gang met vaste vloerbedekking door en negentiende-eeuwse aquarellen aan de muur – kamelen en piramides en mannen met tulband, typisch toeristenspul – en bleef staan voor een witte, houten deur met een koperen plaatje erop: 2704. Hij gaf vijf klopjes – drie snelle, twee langzame – stak een plastic sleutelkaart in het slot, opende een deur en ging naar binnen.

Daar was het een chaos van technische toestanden: draden, kabels, recorders, servers, computers, modems. Het meubilair was aan de kant geschoven om er ruimte voor te maken. Mevrouw Malouff zat achter een bureau dat tegen de achterwand stond, met in haar ene hand een koptelefoon die ze tegen haar oor hield, terwijl ze met de andere een grote versterker afstelde. Ze was een gezette vrouw van achter in de veertig in een te strak cocktailjurkje en met te veel make-up, geheel in overeenstemming met haar dekmantel als nachtvlinder, hoewel het volgens Angleton wel een heel donkere nacht moest zijn wilde iemand haar ook maar enigszins aantrekkelijk vinden. Ze gaf hem een zuur knikje, boog zich over het bureau en gaf hem een stapeltje transcripties van de opnamen van die dag. Hij pakte ze aan en ging naar het balkon. In de verte waren net de piramides van Gizeh te zien, wazige driehoeken aan de rand van de stad. Hij gunde ze amper een blik, ging op een stoel naast een grote satellietschotel zitten en begon de papieren door te nemen. Verscheidene telefoontjes van en naar Brodie, de meeste over universiteitszaken; een paar flutboodschappen op Kiernans privévoicemail, wat dingetjes van andere taps die hij had geplaatst, e-mails, niets waar hij wat aan had.

'Is dit alles?' riep hij.

'Kiernan heeft net iets op haar mobiele telefoon gekregen,' antwoordde mevrouw Malouff. 'Ik heb nog geen tijd gehad om het uit te typen.' Ze klonk gekweld.

'Laat maar gewoon horen.'

Er klonk een geërgerd geluid, gevolgd door het klikken van knoppen die werden ingedrukt. Daarna even een geluidsuitbarsting – hoog gekwaak toen de band werd teruggespoeld – en een vrouwenstem, gespannen, gejaagd, met op de achtergrond een zwakke fanfare van claxons.

'Molly, met Freya, Freya Hannen. Ik bel vanuit een cel. Er is... je moet me helpen. Iemand heeft geprobeerd me... ik denk dat ze Alex hebben vermoord...'

Angleton zat onbeweeglijk, ademde amper, zijn ogen vernauwden zich tijdens het afspelen van het bericht tot spleetjes. Toen de band was uitgedraaid, gaf hij mevrouw Malouff opdracht hem opnieuw af te spelen.

'Ik sta voor de American University. Ik ga daar naar binnen om te zien of ik Flin Brodie kan vinden. Als hij er niet is, ga ik naar de ambassade. Ik denk dat ik gevaar loop. Ik moet...'

Een zachte klik toen de opname was afgelopen. Even zei Angleton helemaal niets, ademde hij langzaam uit. Daarna stak hij glimlachend zijn hand in de gebaksdoos, haalde er een eclair uit en zette zijn tanden erin.

'Mooi,' mompelde hij en er kropen kleine sliertjes slagroom uit zijn mondhoeken. 'Heel mooi.'

Cairo, de American University

Het grote tempelcomplex van Iunu (de 'plek van de zuilen'), of om het zijn Griekse naam Heliopolis (Stad van de Zon) te geven, was wellicht – nee, was zonder twijfel! – de belangrijkste en hoogste religieuze locatie in heel oud-Egypte. Tegenwoordig is er weinig over van deze schitterende plek, van wat ooit de voornaamste tempels en schrijnen waren, alles is nu tot stof vergaan, diep begraven onder Caïro's buitenwijken Ain Shams en Matariya (op één enkele obelisk van Senwosret I na, zo treurig, zo aangrijpend). Het is bijna niet te geloven dat deze onaantrekkelijke plek drieduizend jaar lang, van de in nevelen gehulde dagen van de Late Predynastie tot de komst van de Grieken en Romeinen, het uitzonderlijke centrum voor de erediensten voor de grote zonnegod Ra was, het tehuis voor de heilige Ennead, de plaats om de Mnevis-stier te aanbidden, de benu-vogel, de geheimzinnige en dwaze benben…'

'Jezus christus.' Flin Brodie slaakte een vermoeide zucht en gooide de paper op zijn bureau. Het was de eerste van een hele stapel papers die hij de volgende morgen moest hebben gecorrigeerd ('Verklaar en behandel de betekenis van Iunu/Heliopolis voor de oude Egyptenaren'). Zoals altijd bij zijn studenten was hun taal bloemrijk en ouderwets ter compensatie van het feit dat Engels niet hun moedertaal was. Drieëndertig papers, elk minimaal vier bladzijden. Het zag ernaar uit dat het een lange nacht ging worden.

Hij wreef in zijn ogen en stond op, liep naar het raam en keek naar beneden waar in de tuin van de universiteit groepjes studenten in rieten stoelen luierden, rookten en kletsten. Hij kon wel een borrel gebruiken, wel meer dan één, maar bevocht de aandrang. De tijd dat hij een fles whisky in de bovenste la van zijn archiefkast bewaarde, lag ver achter hem en afgezien van zijn misser de vorige avond was hij van plan het zo te houden.

Daar beneden kwam Alan Peach zijn blikveld binnen en de studenten maakten geeuwende gebaren toen hij langsliep, wat Flin ergerde, hoewel hijzelf ook vaak grapjes maakte over Peach' langdradigheid. Hij keek hoe zijn collega om de hoek verdween en ging terug naar zijn bureau. Toen hij zat, vouwde hij zijn handen achter zijn hoofd en staarde naar het plafond.

Hij had het benauwd, en niet alleen wegens het vooruitzicht drieëndertig onleesbare papers te moeten beoordelen. Niet verstikkend benauwd, de soort bevende, paniekerige benauwdheid die hem af en toe overviel, waarbij hij een enorme steen op zijn maag had en zijn hele wereld leek in te storten en hem onder het ondraaglijke gewicht van zijn verleden verpletterde. Nee, dit was minder erg, meer een soort zeurende bezorgdheid op de achtergrond, het gevoel dat er iets niet in orde was. Hoewel het in het geval van Sandfire nooit voor honderd procent in orde zou zijn.

De bezorgdheid was er sinds een paar dagen geleden toen er in het Windsor Hotel een dikke Amerikaan naar hem toe was gekomen en een paar gerichte opmerkingen over de Gilf Kebir had gemaakt. Hij voelde in de zak van zijn spijkerbroek en haalde er het kaartje uit dat de man hem had gegeven: Cyrus J. Angleton, afdeling Voorlichting, Ambassade van de Verenigde Staten, Caïro.

Als het daarbij was gebleven, zou hij het waarschijnlijk uit zijn gedachten hebben gezet. Het punt was dat hij Angleton daarna nog een paar keer had gezien. Eergisteren toen hij rondliep op het terrein van de American University, en opnieuw gisteravond op de tribune van de Gezira Sportclub waar hij zelf drie of vier keer per week op de atletiekbaan ging hardlopen. Voor de eerste keer kon hij wel een verklaring bedenken: rationeel gezien was het niet bijzonder dat een Amerikaanse ambtenaar een bezoek bracht aan de American University. Dat hij hem op de sportclub had gezien was verontrustender. Toegegeven, hij had slechts een glimp van de man helemaal boven aan de tribune gezien, en hij was verdwenen op het moment dat hij in zijn richting was gedraafd, maar hij wist zeker dat het Angleton was geweest. Hetzelfde crèmekleurige jasje, hetzelfde dikke lijf. Er was geen reden voor Angleton om daar te zijn, geen enkele reden – Flin wist heel goed dat hij een van de weinige westerlingen was die van de club gebruikmaakten – en het feit dat de man daar was geweest, was op zijn minst… verwarrend.

En dan was er nog iets. Het klonk belachelijk, maar toen hij gistermiddag na Alex' begrafenis in zijn appartement terugkwam, had hij het merkwaardige gevoel dat er iemand was geweest. Niet dat er iets weg was of verkeerd stond of lag. Er waren geen duidelijke tekenen van inbraak, geen onregelmatigheden die zijn vermoeden bevestigden. Maar zijn zesde zintuig had hem verteld dat er iemand had rondgeneusd, en dat die iemand Angleton was. Hij was naar beneden gegaan en had Taïb de conciërge ermee geconfronteerd. Die had alles ontkend, maar hij had een ontwijkende, schuldige blik gehad. Maar Taïb had altijd een ontwijkende, schuldige blik, dus dat was op zich geen enkel bewijs.

Het was allemaal denkbeeldig, gefluister en vage vlekken. De ongerustheid was er, en het was een feit dat die negen van de tien keer op de realiteit bleek te zijn gebaseerd. Misschien verbeeldde hij het zich, misschien ook niet. Hij zou hoe dan ook zijn ogen wijd open houden, nog voorzichtiger zijn dan anders. Misschien moest hij het er met Molly over hebben, kijken wat zij ervan vond.

Hij bleef nog even zo zitten. Toen schudde hij een paar keer krachtig met zijn hoofd als om zijn verdenkingen te verjagen, boog zich over zijn bureau, pakte de paper op en begon weer te lezen. Hij was nog maar een paar alinea's opgeschoten toen er op zijn deur werd geklopt.

'Kom later maar terug,' riep hij zonder op te kijken. 'Ik ben bezig.'

De persoon hoorde hem blijkbaar niet, want er weer geklopt.

'Zou je alsjeblieft later terug willen komen?' herhaalde hij, harder nu. 'Ik zit papers te beoordelen.'

'Flin?' Het klonk aarzelend, onzeker. 'Ik ben het, Freya Hannen.'

'Goeie genade!' Hij smeet de paper neer, sprong overeind, beende de kamer door en gooide de deur open.

'Freya, wat een heerlijke verrassing! Ik had niet gedacht je al zo snel in Caïro...' Hij viel stil toen hij haar bemodderde spijkerbroek en sneakers zag, en de schrammen op haar armen en in haar nek. 'Jezus, Freya, alles goed met je?'

Ze zei niets, stond daar alleen maar in de deuropening.

'Freya,' zei hij bezorgd, 'wat is er gebeurd?'

Ze zei nog niets. Hij wilde het haar net voor de derde keer vragen toen de dam brak.

'Iemand heeft Alex vermoord,' gooide ze eruit. 'En ze hebben ook geprobeerd om mij te vermoorden. Gisteravond, in de oase, was er een stel mannen, en een tweeling, en ze kwamen met een helikopter en ze folterden...'

Ze onderbrak zichzelf, drong haar tranen terug, deed er alles aan om haar zelfbeheersing te bewaren. Flin weifelde even, niet goed wetend wat hij moest doen, deed toen een stap naar voren, sloeg een arm om haar heen en trok haar naar binnen. Hij duwde de deur met zijn voet dicht, bracht haar naar een stoel en liet haar zitten.

'Stil maar, stil maar,' zei hij zachtjes. 'Rustig maar. Hier ben je veilig.'

Ze wreef in haar ogen, schudde zijn arm van zich af, misschien iets te heftig, maar ze schaamde zich voor haar zwakheid, moest zich weer bewijzen. Er viel een stilte. Flin keek op haar neer. Freya hield haar ogen strak op de grond gericht terwijl ze probeerde zich weer in de hand te krijgen. Flin verontschuldigde zich en ging de kamer uit. Hij kwam even later terug met een washandje en een dampende beker.

'Thee,' zei hij. 'De Engelse oplossing voor alles.'

Ze leek nu wat tot rust gekomen en er kon een flauw lachje af. Ze pakte het washandje aan en depte er haar blote armen mee. 'Dank je,' mompelde ze. 'Sorry, hoor. Het was niet mijn bedoeling om...'

Hij stak een hand op om aan te geven dat ze zich niet hoefde te verontschuldigen. Na de beker op de hoek van zijn bureau te hebben gezet, trok hij een stoel bij en ging tegenover haar zitten. Hij wachtte even voor hij haar opnieuw vroeg wat er was gebeurd.

'Iemand heeft geprobeerd me te vermoorden,' zei ze en het klonk nu flinker. 'Gisteravond, in de oase. Alex is ook vermoord. Het was geen zelfmoord.'

Hij had zijn mond al halfopen om iets te zeggen, bedacht zich en liet haar het verhaal op haar eigen manier vertellen, in haar eigen tempo. Freya legde het washandje weg, pakte de beker, nam een paar slokjes en vermande zich. Toen begon ze te praten, vertelde alles wat er de vorige dag was gebeurd, te beginnen met Molly Kiernans mededeling over de morfine-injectie en over dokter Rashid, het politiebureau, de mysterieuze canvas tas, de tweeling, de achtervolging door de oase... alles. Flin luisterde, voorovergebogen, zijn ogen geconcentreerd toegeknepen, zonder iets te zeggen, uitwendig kalm, hoewel zijn intense manier van kijken en een licht trillen van zijn handen de indruk gaven dat haar verhaal hem meer deed dan hij wilde toegeven. Toen ze was uitverteld, vroeg hij of hij de voorwerpen mocht zien die ze had meegenomen. Ze tilde de rugzak op haar knie, maakte hem open en gaf hem de spullen, een voor een: camera, filmrolletje, kompas. Flin pakte ze stuk voor stuk aan en bekeek ze.

'Ze hebben Alex vermoord,' herhaalde ze. 'En het heeft iets maken met de man die ze in de woestijn hebben gevonden en de spullen in zijn tas. Rudi Schmidt, dat was de naam in de portefeuille. Zegt die naam je iets?'

Flin schudde zijn hoofd, zijn blik op de camera. Hij keek haar niet aan. 'Nooit van gehoord.'

'Waarom zou Alex belangstelling voor die dingen hebben gehad? Waarom zouden ze haar ervoor vermoorden?'

'We weten niet zeker of ze vermoord is, Freya. We moeten niet te snel...'

'Ik weet het zeker,' hield ze vol. 'Ik heb ze gezien. Ik heb gezien wat ze met die oude boer hebben gedaan. Ze hebben mijn zus vermoord, ze hebben haar een spuitje gegeven. En ik wil weten waarom.'

Hij keek op, keek haar recht aan. Het leek of hij iets wilde gaan zeggen maar zich opnieuw bedacht en dus maar aarzelend knikte.

'Goed, ik geloof je. Iemand heeft Alex gedood.'

Ze bleven elkaar nog even aankijken, daarna ging hij door met het bestuderen van de voorwerpen. Hij legde de camera en het filmrolletje op zijn bureau, opende het kompas, keek door de loep en plukte aan het geknapte koperdraadje.

'Vertel eens wat meer over de andere spullen in de tas? Over die kaart en dat obeliskje van klei.'

Ze beschreef ze voor hem, de geheimzinnige tekens op de obelisk, de afstanden en peilingen op de kaart. Al die tijd zat Flin met het kompas te spelen. Het was of hij met een half oor luisterde, maar net als daarvoor verrieden een nauw merkbaar trillen van zijn handen en de intensiteit van zijn blik een grotere belangstelling – opwinding zelfs – dan zijn nonchalante houding liet merken.

'Volgens mij probeerde deze Rudi Schmidt van de Gilf Kebir naar Dakhla te lopen,' zei Freya terwijl ze naar de Engelsman keek, probeerde hem te peilen, te ontdekken of hij haar wel of niet serieus nam. 'Ik weet dat Alex bij de Gilf Kebir heeft gewerkt. Dat heeft ze me geschreven. Er is een verband tussen die twee. Ik weet niet wat het is, maar er is beslist een verband, en daarom is ze vermoord.'

Ze boog zich naar voren, pakte de camera en het filmrolletje en hield ze op. 'En ik denk dat hierop het antwoord te vinden is. Daarom wilden die kerels in de oase de filmpjes hebben. Daar staat op waar het over gaat, en daarom moeten we ze laten ontwikkelen.'

Er viel een stilte. Flin bleef het kompas om en om draaien. Tot hij het, alsof hij een besluit had genomen, in Freya's rugzak liet vallen en opstond.

'We moeten je ergens veilig onderbrengen,' zei hij. 'Ik breng je naar de Amerikaanse ambassade.'

'Nadat we de filmpjes hebben laten ontwikkelen.'

'Nou,' zei hij, 'ik weet niet wat er gaande is en wie die mensen zijn, maar ze zijn duidelijk gevaarlijk en hoe eerder je van de straat bent, hoe beter. Kom, we gaan.'

Hij stak een hand uit om haar overeind te helpen, maar ze bleef zitten waar ze zat.

'Ik wil weten wat er op die filmpjes staat. Ze hebben mijn zus gedood en ik wil weten waarom.'

'Freya, die filmpjes hebben midden in de Sahara gelegen, misschien wel jarenlang. De kans dat er iets te ontwikkelen valt, is één op honderd. Eén op duizend.'

'Toch wil ik het proberen,' zei ze. 'Dat doen we eerst en daarna gaan we naar de ambassade.'

'Nee.' Zijn toon was opeens bits, kortaf. 'Freya, de filmpjes kunnen wachten. Ik wil je in veiligheid brengen. Je weet niet...' Hij zweeg.

'Wat?' zei ze. 'Wat weet ik niet?'

Hoewel haar ogen rood waren van vermoeidheid en ze er bleek en afgetrokken uitzag, was ze alert en energiek. Haar ogen boorden zich in die van Flin.

Hij slaakte een geïrriteerde zucht.

'Luister nou. Alex was een goede vriendin van me...'

'En ze was mijn zus.'

'... en ik ben het haar verplicht ervoor te zorgen dat jou niets overkomt.'

'En ik ben het haar verplicht uit te zoeken waarom ze is vermoord.' Ze begonnen met stemverheffing te praten.

'Ik laat je niet door Caïro zwerven,' blafte hij. 'Niet na wat er is gebeurd. Ik breng je naar de ambassade.'

'Nadat ik de filmpjes heb laten ontwikkelen.'

'Freya, je hebt bescherming nodig.'

'Behandel me niet als een kind.'

'Ik behandel je niet als een kind! Ik probeer je te helpen.'

Nu was het haar beurt om uit te vallen. 'Ik heb geen hulp nodig en ook geen bescherming. Ik moet weten wat er op die filmpjes staat, waarom ze hebben geprobeerd me te vermoorden. Waarom ze Alex hebben vermoord.'

'We weten niet of...'

'Dat weten we wel! Ik heb die mannen in haar huis bezig gezien, ik heb gezien waar ze toe in staat zijn. Ze hebben Alex vermoord en ik wil weten waarom.' Ze stond op, zo wild dat ze de stoel omgooide. Ze schoof de camera en het filmrolletje in haar rugzak, gooide de deur open en stak de gang over naar de lift. Flin kwam haar achterna.

'Wacht. Wacht nou even.'

Ze negeerde hem, drukte met haar duim op de liftknop boven en hield hem daar.

'Freya, geloof me nou toch,' soebatte hij. 'Ik woon in Egypte en ik ken dat soort mensen. Wat je Alex ook verplicht bent, niet dat je je laat vermoorden.'

De houten liftdeuren ratelden open en ze stapte de lift in, drukte op de knop voor de begane grond en negeerde hem.

'Freya, alsjeblieft, luister nou. Ik probeer alleen maar...'

De deuren schoven dicht maar Flin zette zijn voet ertussen.

'Godsamme, je bent al net zo koppig als je zus!'

'Alex was de makkelijkste van ons twee,' snibde ze terug. Ze duwde op de knoppen, probeerde de deuren dicht te krijgen. Er was even sprake van een patstelling: Freya die doorging met op het bedieningspaneel drukken, Flin die de deuren blokkeerde, tot hij opeens een geamuseerd gesnuif liet horen. Ze keek hem vuil aan, maar toen brak er ook bij haar een vermoeid lachje door. Hij deed een stap achteruit, ze kwam achter hem aan de lift uit en de deuren bonkten dicht.

'Een compromis,' zei hij. 'Jij geeft mij mijn zin en gaat naar de ambassade en ik laat de filmpjes ontwikkelen. Ik heb een vriend die hier in het Museum voor Oudheden werkt, op de fotoafdeling, en die kan dat meteen doen. Zodra ze klaar zijn, kom ik ze brengen. Deal?'

Ze dacht even na, knikte toen.

'Deal.'

'Goed,' zei hij. 'Hou jij de lift vast, dan pak ik even wat papieren en mijn portemonnee en mijn telefoon.'

Hij verdween zijn kamer in en deed de deur achter zich dicht. De lift werd door iemand anders gebruikt en daalde rammelend af naar beneden. Ze drukte op de knop en slenterde de gang in, keek eerst op het prikbord – aankondigingen van allerlei concerten, van een tweedehandsboekenverkoop, een symposium over Naguib Mahfouz – en daarna naar buiten. Uit het trappenhuis naast de lift kwam vaag het geluid van voetstappen, nauwelijks hoorbaar achter de deur naar het trappenhuis.

Brodies kamer was op de derde en hoogste verdieping, om een of andere reden bij de faculteit Engels, en van daar af had je een goed uitzicht over de campustuin: gazons, palmbomen, bloemperken – en daarachter de chaotische draaikolk van de Midan Tahrir. Ze zag een groepje studenten langsslenteren, gevolgd door twee potige kerels met ruige koppen, een bonkige, gespierde manier van lopen die op dit universiteitsterrein niet thuishoorde. Opeens sloeg de angst weer toe.

'Flin,' riep ze.

'Ik kom,' klonk zijn stem.

De lift kwam weer naar boven, zwoegend en met een hoog mechanisch gieren. Ze liep erheen, drukte opnieuw op de knop, ging terug naar het raam en vroeg zich af waar Flin bleef. De twee mannen waren nog beneden in de tuin, stonden daar wat, de een rokend, de ander bellend. De voetstappen in het trappenhuis werden luider. Een ritmisch, weerklinkend kletsen van schoenen op linoleum, twee of drie man zo te horen. Ze stak de gang weer over, opende de deur van het trappenhuis en keek naar beneden. Ze zag leuningen, een streepje trap, en twee verdiepingen lager, een mannenhand die over de leuning naar boven kwam. Een grote, vlezige hand die half verborgen bleef achter een partij grove, gouden zegelringen. Net als... Ze deinsde achteruit. Zachtjes sloot ze de deur en rende naar Flins kamer, stormde er naar binnen.

'Ze zijn hier!'

Hij stond met de telefoon in zijn hand, geschrokken door haar entree, leek het wel.

'Freya, ik was net aan het...'

'Ze zijn hier,' onderbrak ze hem. 'De mannen uit de oase, de kerels die me wilden vermoorden. Ze komen de trap op. En ook met de lift, denk ik.'

Ze verwachtte half en half dat hij zou aarzelen, zou vragen of ze het zeker wist, maar hij reageerde meteen.

'Ik bel je terug,' blafte hij, smeet de hoorn erop, greep Freya bij haar arm en duwde haar de gang weer op. Op dat moment klonk er een bonk en een klik en begonnen de liftdeuren open te gaan. Ook nu reageerde hij meteen. Hij veegde haar met een beschermend armgebaar achter zich en deed een stap naar voren. Toen de deuren helemaal open waren, kwam er een man in een pak naar buiten, met een pistool in zijn hand. Flin haalde uit, verbijsterend hard, met een vuist die als een stalen bliksemflits toesloeg en de neus van de man verbrijzelde. De man vloog achteruit, het bloed stroomde over zijn lippen en zijn kin, en hij knalde tegen de achterwand. Voor hij tijd had te bedenken wat er gebeurde stapte Flin haar hem toe en diende hem razendsnel nog drie stoten toe, een in zijn maag, zodat hij dubbelklapte, een op zijn nieren zodat hij naar opzij in de hoek van de lift belandde, en een op zijn kaak zodat hij languit op de vloer terechtkwam en daar dizzy en kreunend bleef liggen.

'O, mijn god,' mompelde Freya, verbijsterd.

'Ik had niet de indruk dat hij gezellig op de thee kwam,' zei Flin ter verklaring, greep haar arm en leidde haar de gang door en via een branddeur naar buiten. Op het moment dat die dichtging, zwaaide de deur van het trappenhuis open.

Ze stonden op een metalen brandtrap die naar een dak van een iets lager gebouw ernaast liep. Ze stormden er met twee treden tegelijk af, sprongen op het met tegels geplaveide dak en renden over een smal looppad tussen reusachtige airco-units door.

'Waar heb je dat geleerd?' hijgde ze.

'Cambridge,' zei hij en hij keek achterom om zeker te weten dat ze niet werden gevolgd. 'Tweemaal voor uitgekomen met boksen. De enige manier om drie jaar het schrift van het Middenrijk te overleven.'

Ze kwamen bij een andere trap. Die bracht hen omhoog naar een veel groter dak met in het midden een wit koepeltje en potten cactussen in groepjes op de hoeken. Toen ze aan de oversteek ervan begonnen, vloog de branddeur achter hen open. Er klonk geschreeuw en het bonken van voetstappen. Ze zetten het op een lopen en een groepje studenten keek verbaasd op toen ze langs de bank draafden waarop ze zaten.

'Je bent te laat met je paper, Aisha Farsi,' riep Flin. Hij draaide zich half om en zwaaide met een vermanende vinger naar een dik meisje met een hoofddoekje. 'Morgenochtend op mijn bureau.'

'Ja, professor Brodie,' mompelde en ze probeerde een sigaret achter haar hand te verbergen.

'En niet roken!'

Ze kwamen door een gebedsruimte waar mannen op hun knieën en met hun voorhoofd op de vloerbedekking lagen en doken door een andere deur het gebouw weer in. Flin sloeg de deur achter zich dicht en schoof onder en boven grendels dicht.

'Snel!' riep hij.

Hij nam haar mee door een schemerig verlichte gang langs een reeks collegezalen en kantoorruimten. Het hele gebouw leek te schudden toen vuisten en voeten op de deur beukten die ze zojuist hadden afgesloten. Ongeveer halverwege de gang was aan de rechterkant een smalle trap, aan beide zijden geflankeerd door waterkoelers. Ze begonnen aan de afdaling maar gingen snel terug toen er onderaan twee figuren verschenen: de mannen die Freya buiten had zien rondhangen.

'Shit!' mompelde Flin. Achter hen werd het gehamer luider en woester. 'Shit, shit, shit!'

Hij keek wild om zich heen. Hij greep een van de waterkoelers, schoof hem over de vloer en kiepte hem de trap af naar de twee mannen die van beneden op hen af stormden. Hun kreten werden abrupt gesmoord toen de koeler met een klap en een plons tegen hen aan knalde. De deur leek het nog te houden.

'Kom mee!' riep Flin en greep Freya's hand.

Ze renden verder de gang door, barstten door een andere branddeur naar buiten en over een brandtrap naar een binnenplaats.

'Te laat voor je college, Flin?' riep een bekende stem. 'Lieve help, zelfs de oude Egyptenaren hielden de tijd beter bij dan jij!'

'Heel leuk, Alan,' mompelde Flin. Hij sleurde Freya mee langs zijn collega de mensa in. Ze renden de zaal door waar de eters verbaasd toekeken hoe ze tussen de metalen tafels en stoelen door slalomden en aan de andere kant weer een deur door renden, het universiteitsterrein op. Ze hielden in en bleven hijgend staan. Bijna gelijkertijd klonk er links van hen geschreeuw en stormden er drie kerels de hoek om, en nog meer geschreeuw toen de tweeling de mensa binnendaverde, als bulldozers het meubilair opzijschoven zodat borden en drinkgerei op de vloer kletterden en de eters luidkeels protesteerden.

'Jezus, ze zijn overal!' riep Flin uit en hij wees Freya met een armzwaai naar een met lattenwerk overhuifd pad tussen tennisbanen en volleybalvelden. Ze doken naar rechts, vervolgens naar links over een brede laan geflankeerd door mededelingenborden en naar buiten door de grote ijzeren poort. Ze waren nu op een straat die langs de universiteit liep en voor hen langs zoefden auto's en taxi's.

Hun achtervolgers waren nog niet op de laan, en even dacht Freya dat ze het zouden redden, dat ze konden opgaan in de mensenmassa op de stoep. Tot ze twintig meter rechts van haar een glanzende zwarte BMW langs de stoeprand zag staan waar twee kerels tegen leunden, beide met dezelfde ruwe koppen als van de mannen die hen achternazaten. Een zelfde auto stond recht tegenover hen voor de McDonald's, ook met twee man ernaast, terwijl honderd meter naar links bij de stoplichten aan het eind van de straat nog drie zware jongens rondhingen. Er klonken snelle voetstappen en hun achtervolgers doken achter hen op, blokkeerden de laan, vertraagden hun pas toen ze beseften dat hun prooi in de val zat. Flin sloeg een beschermende arm om Freya en trok haar tegen zich aan.

'Tering!' zei hij.

Dakhla

Waar de Dakhla-oase begint, staan aan beide zijden van de grote weg door de woestijn een paar ruw metalen beelden in de vorm van palmbomen. Afgezien van de telegraafpalen en een paar verkeersborden zijn het de enige door de mens gemaakte dingen in een verder leeg landschap.

Op deze plek wachtte Zahir op zijn broer Saïd. Hij zat in zijn Land Cruiser die hij had geparkeerd op een smalle schaduwstrook bij een van de palmen. Tussen deze plek en de golvende duinen verderop lag alleen een gebied met wat struiken. Er verstreken tien minuten, toen verscheen in de verte, verwrongen en verdraaid door de hitte, een motorfiets. De weg waarover hij reed was opgelost in een glazige spiegeling zodat het leek of de motorrijder over water reed. Hij kwam steeds dichterbij tot hij opeens helder in beeld was, de laatste paar honderd meter aflegde en slippend naast de Land Cruiser tot stilstand kwam.

'Iets ontdekt?' vroeg Zahir met zijn hoofd buiten het raampje.

'Mafeesh haga,' antwoordde Saïd. Hij zette de motor af en klopte het stof uit zijn haar. 'Niks. Ik ben helemaal naar Kharga gereden en niemand weet iets. Ben je nog naar *el-shorty* geweest? De politie?'

Zahir snoof laatdunkend. 'Idioten. Ze zeiden dat ze vast was weggelopen met Mahmoud Gharoub. Ze lachten me in mijn gezicht uit. Ze denken dat alle bedoeïenen dom zijn.'

Zijn broer gromde. 'Wil je dat ik blijf zoeken? Ik kan naar al-Farafra gaan en met de mensen daar praten.'

Zahir overwoog het even en knikte.

'Ik blijf het in Dakhla vragen. Iemand moet toch iets weten.'

Zijn broer kickstartte de motor, een afgereden Jawa 350, en knetterde na een knikje naar het noorden.

Zahir keek hem na en startte de Land Cruiser. Hij zette hem niet meteen in zijn versnelling maar bleef een tijdje zitten met de koppeling ingetrapt en draaiende motor en liet zijn blik over de woestijn gaan. Toen rommelde hij in de zak van zijn djellaba en haalde er een groen metalen kompas uit. Hij leunde met zijn polsen op het stuur, opende het en keek naar de initialen die in de binnenkant van het deksel waren gekrast. AH. Hij frunnikte aan de loep en de draairing, ging met een vinger over de strakke richtdraad en mompelde iets in zichzelf. Hoofdschuddend stopte hij het kompas weer in zijn djellaba, schakelde in zijn één en reed weg. De wielen van de Land Cruiser sloegen door en slipten op het grind zodat er een stofwolk achterbleef.

Caïro

'Wat nu?' vroeg Freya.

'Ik zou het niet weten,' zei Flin met gebalde vuisten en hij draaide zijn hoofd alle kanten op, schatte de situatie in. Twee man die rechts van hen op straat tegen een BMW leunden, twee tegenover hen naast een tweede BMW, nog drie man bij het verkeerslicht en nog eens vijf man onder leiding van de tweeling in hun Armani-pakken en roodwitte voetbalshirts die achter hen oprukten.

Die achtervolgers kwamen nu door het hek naar buiten en bleven op een paar meter van hen staan, door een dichte stroom voetgangers van Freya en Flin gescheiden. Ze trokken de panden van hun jasje opzij zodat een glimp van een glock onthuld werd. Een van hen wees op Freya en gromde iets in het Arabisch.

'Wat zegt hij?' vroeg ze.

'Hij zei dat je je rugzak af moet doen en naar hem toegooien,' antwoordde Flin.

'Zal ik het doen?'

'Zo te zien hebben we weinig keus.'

De tweeling herhaalde de eis, luider deze keer. Dreigend.

'Doe het rustig aan,' zei Flin.

Toen Freya haar rugzak begon af te doen, stopte er een taxi, een geblutste zwart-witte Fiat 124, langs de stoeprand achter hen. Freya had de rugzak afgedaan en stond ermee in haar handen, niet echt bereid er afstand van te doen.

'Yalla nimsheh!' riep de tweeling en gebaarde dat ze de rugzak naar hen toe moest gooien. *'Bisoraa! Bisoraa!'*

De taxichauffeur was nu uitgestapt, liet zijn portier openstaan en de motor draaien terwijl hij een oudere dame achter uit de taxi hielp uitstappen. Flins blik schoot die kant op, net als die van Freya.

'Bisoraa!' schreeuwde de tweeling die het geduld verloor. Beide broers openden hun jasje en pakten hun pistool.

'Je kunt hem ze beter geven,' zei Flin en hij draaide zich naar Freya. Hij stak zijn handen uit naar de rugzak terwijl zijn ogen weer naar de taxi schoten waarvan de chauffeur naar de achterklep liep, die opende en er een enorme koffer uittilde.

'Schiet op, Freya, het is geen spelletje!' Flin riep het onnodig hard, overdreven zelfs. 'Geef ze die rugzak nou.'

Hij probeerde haar de rugzak uit handen te nemen. Freya voelde dat hij iets van plan was en hield hem vast, gaf hem een paar tellen speelruimte nu de chauffeur de koffer met enige moeite op het asfalt zette en de klep dichtsloeg. Op dat moment gaf Flin een ruk aan de rugzak zodat zijn gezicht vlak bij dat Freya kwam.

'Achterbank,' mompelde hij. 'Ik rijd.'

Hij ging weer achteruit, schudde aan de rugzak, speelde verontwaardiging en liet het ding plotseling los, dook opzij zodat een man met een groot blad *aish baladi*, brood, op zijn hoofd achteruit tegen de tweeling aan vloog. Geschreeuw, maaiende armen en luid gekletter toen het blad op de grond viel. Tijdens dat korte moment van verwarring dook Freya achter in de taxi en wierp Flin zich op de bestuurdersstoel. Hij nam niet eens de moeite het portier te sluiten, maar gooide de auto in de versnelling en gaf plankgas. De eigenaar van de taxi keek stomverbaasd hoe zijn middel van bestaan ervandoor scheurde.

'Hou je vast!' riep Flin. Zijn lange lijf opgevouwen op de krappe plaats achter het stuur. Hij ontweek een bus en de rechterachterkant ervan gaf de twee open portieren van de taxi een oplawaai zodat ze dichtsloegen. Hij rukte de versnellingspook in zijn twee en daarna drie, zigzagde overal tussendoor en won steeds meer snelheid. De taximeter op het dashboard tikte als een gek.

Achter hem krabbelde Freya overeind tot ze zat en keek achterom. De tweeling stond aan de stoeprand wanhopig naar een van de BMW's te zwaaien terwijl de andere aan de overkant al met rokende banden wegreed.

'Ze komen eraan!' riep ze.

De taxi was nu bijna bij de stoplichten aan het eind van de straat en voor hen opende zich de weidse chaos van de Midan Tahrir. De lichten stonden op rood, auto's stonden met draaiende motoren te wachten achter de stopstreep, een politieagent in wit uniform stond midden op de weg met één arm in de lucht. Flin schoot naar links naar een lege rijstrook, reed de stoep op, joeg de drie zware jongens die daar stonden uiteen en vloog door het rode licht. Het gevolg was een kakofonisch claxonconcert met schril gefluit van de politiefluit toen ze de hoek om zeilden en tussen het verkeer terechtkwamen dat van opzij het plein op reed. Ze slipten, kwamen recht, slipten opnieuw en ramden een pick-up die op zijn beurt tegen een minibusje knalde dat van de weg raakte en een fruitstalletje omver reed. Voetgangers sprongen schreeuwend en gebarend uit de weg, sinaasappels en meloenen stuiterden als enorme knikkers over straat.

'Iemand gewond?' riep Flin.

'Ik geloof het niet,' antwoordde Freya die naar de puinhoop achter hen keek. Haar maag keerde om.

Hij knikte en jakkerde verder. Zijn voeten dansten een woeste horlepijp met de rem, de koppeling en het gas, terwijl zijn rechterhand heen en weer stuiterde tussen stuur en versnellingspook. Achter hen kwam een van de BMW's de hoek om scheuren. De tweede zat er vlak achter en beide auto's slalomden in een woeste achtervolging tussen de andere weggebruikers door die zich woedend toeterend uit de voeten maakten. De BMW's waren veel sneller dan de Fiat en liepen snel op hen in tot ze zo'n twintig meter achter hen zaten. Flin remde en rukte het stuur naar rechts zodat ze slippend het plein verlieten een brede straat in met wat ooit fraaie panden in koloniale stijl moesten zijn geweest. Borden flitsten langs – Memphis Bazaar, Turkish Airlines, Pharaonic American Life Assurance Company – en de snelheidsmeter van de Fiat zat tegen zijn maximum toen Flin weer in de remmen ging, een grote vluchtheuvel met een beeld van een man met een fez omzeilde en een andere straat inschoot. De BMW's verdwenen even, zwierden weer in zicht.

'Ze zijn te snel,' riep Flin uit na een snelle blik in de spiegel. 'We blijven ze nooit voor.'

Als om dat punt te benadrukken maakte de voorste BMW opeens snelheid, stoof vooruit en ramde hun achterbumper. Freya slaakte een kreet.

'Gaat het?' riep Flin.

'Ja, niks aan de hand,' zei ze en ze gaf een klopje hem op zijn schouder, probeerde minder geschrokken te klinken dan ze was.

De BMW liet zich terugzakken, nam een aanloop en ramde hen weer, zwenkte toen de lege baan van tegemoetkomend verkeer op en kwam naast hen rijden.

'Hij gaat schieten!' waarschuwde ze toen de voorste passagier door het open raampje een pistool richtte. Zijn gezicht was zo dichtbij dat ze zijn gele tanden en de moedervlek onder zijn rechteroog kon zien.

'Hou je vast!'

Flin stampte op de rem en de BMW vloog verder, terwijl hij de Fiat een zijstraatje in draaide. Hij week uit voor een groep schoolmeisjes en raasde dwars door het karretje van een notenverkoper – een regen noten en zaden kletterde als hagelstenen op de voorruit – voor hij de wagen weer onder controle had en verder jakkerde. Er waren nu sirenes te horen, hoewel het in de verwarring onmogelijk was te zeggen van welke kant ze kwamen.

'Die andere zit nog achter ons aan,' riep Freya toen de tweede BMW brullend de hoek om kwam. Hij scheurde op hen af, de tweeling leunde uit de ramen en schoot op hen, voetgangers stoven uiteen op de stoepen en zochten schreeuwend dekking. Eén kogel verbrijzelde de achterruit van de taxi zodat Freya een regen van glas over zich heen kreeg. Een andere floot langs Flins schouder en vernielde de taximeter.

'Het ziet ernaar uit dat je deze rit niet hoeft te betalen,' grapte Flin. Hij worstelde om de wagen onder controle te houden toen ze een kruispunt overstaken vlak voor een bus langs. Freya tolde over de achterbank, onder haar knarste het glas; auto's schoven als harmonica's in elkaar toen de bus hard remde om een botsing te voorkomen.

'Die andere zijn we tenminste kwijt,' riep ze en ze ging weer rechtop zitten. Haar haar wapperde wild door de wind.

'Zou je willen,' gromde Flin toen de eerste BMW met gillende banden slippend op het stoffige asfalt uit een zijstraat kwam en achter de auto van de tweeling ging rijden. Het janken van de sirenes werd luider toen één, twee en daarna drie Daewoo's zich bij de jacht aansloten.

'Godallemachtig,' vloekte Flin toen er ook nog een politiemotor ging meedoen, maar die ging bijna onmiddellijk onderuit en belandde in een stapel houten duivenkooien. Freya zag nog net hoe de agent wankelend overeind kwam terwijl veertjes als sneeuw om hem heen dansten. Toen gingen ze een hoek om en was hij weg.

Ze raceten nu weg van het centrum van de stad. Europese architectuur van rond de eeuwwisseling maakte plaats voor lelijke betonblokken afgewisseld door moskeeën en bouwwerken die uit de middeleeuwen leken te stammen, allemaal zwaar metselwerk en fraaie boogramen. Er kwam meer verkeer dat vastliep in steeds compactere opstoppingen en files zodat Flin gedwongen was telkens van richting te veranderen om hun achtervolgers voor te blijven en te voorkomen dat ze voetgangers of andere voertuigen aanreden. Twee van de politieauto's knalden op elkaar toen ze probeerden de achterste BMW in te halen. Mannen achter glazen thee stoven uiteen toen een van de auto's tollend terechtkwam tussen het meubilair voor een café zodat tafels en stoeltjes door de lucht wiekten. De andere botste tegen de stoeprand, sloeg over de klop en gleed in een regen van vonken door tot hij tegen een lantarenpaal tot stilstand kwam. De derde Daewoo zag kans een paar afslagen langer bij te blijven maar crashte ook toen een bocht niet goed werd genomen en de auto achterop een stilstaande veewagen knalde zodat de hevig geschrokken koeien over de laadklep stampten en de benen namen. Andere politiewagens kwamen aan de achtervolging deelnemen, met jankende sirenes en zwaaiende lichten, maar het tempo lag te hoog en een voor een vielen ze af en waren ze weg. Alleen de BMW's hielden Flin en Freya bij, meedogenloos, kopieerden elke bocht en zwaai, weigerden zich te laten afschudden.

Ze raasden een plein op onder een hoog oprijzende vestingmuur en onder luid protest van de motor joeg Flin de taxi om een aantal rotondes en een gevaarlijk smal straatje in waar de mensen in paniek uiteenstoven toen ze over het wegdek vol gaten bonkten. Winkeltjes en kraampjes schoten aan beide kanten langs, een slagerskraam met een grote stapel glibberig roze afval, enorme zakken die uitpuilden van de witte katoen. Het straatje werd steeds nauwer, sloot hen in en maakte het onmogelijk de schoten uit de BMW te ontwijken.

'We moeten eruit!' riep Freya.

Flin zei niets maar keek gespannen voor zich uit en beukte op de claxon terwijl ze met hoge snelheid op een zware stenen poort af reden waarvan de middenboog werd geflankeerd door twee torenhoge minaretten. De poort werd vermoedelijk gerestaureerd, want de voorgevel ging schuil achter een kantwerk van gammele steigers en de planken stonden vol met hoog opgestapelde zakken cement en enorme blokken natuursteen.

'Ze proberen onze banden lek te schieten.' Freya klonk wanhopig, en haar blik schoot heen en weer tussen de BMW's en de poort. 'Flin, je moet uit deze straat weg en je moet het nú doen!'

Hij zei nog steeds niets, hield zijn ogen gericht op de steigers, klemde zijn kaken op elkaar. Hij wierp een blik in de spiegel, nam iets gas terug om de BMW nog ietsje dichterbij te halen en trapte toen het gas weer in, draaide het stuur naar rechts.

'Jezus christus!' gilde ze. 'Wat doe je?'

'Duiken en schrap zetten!' riep hij en hij joeg de Fiat rechtstreeks door de houten schoren die de steiger steunden. Het bouwsel wankelde, zeeg ineen en begon in te storten. De Fiat en de eerste BMW ontkwamen nog net, maar toen kwam de hele constructie in een wolk van stof en rommel naar beneden en kraakte de tweede BMW als een ei onder een moker.

'En toen was er nog één,' mompelde Flin.

Hij remde en zwenkte naar links, zigzagde door een doolhof van steeds breder wordende straten een verhoogde verkeersweg op die naar het centrum terugliep. Er was wel veel verkeer, maar er werd stevig doorgereden. Omdat er veel gaten tussen de auto's zaten, zag Flin kans met de taxi wel honderd te rijden en zeilde hij van de ene naar de andere van de drie rijstroken en vond hij zijn weg tussen auto's en vrachtwagens door. De hoge gebouwen en de billboards van Caïro dromden steeds dichter naar de weg. De BMW was dan wel sneller, maar de Fiat was klein, een miniatuurautootje, heel manoeuvreerbaar en geschikter voor dit soort krappe omstandigheden. Langzaam maar gestaag begonnen ze uit te lopen, raakte de tweeling verder achterop. Tegen de tijd dat ze de verkeersweg verlieten, met grote snelheid een afrit namen en weer aan het begin van Midan Tahrir uitkwamen waar de jacht was begonnen, zat er zo'n vierhonderd meter tussen hen en hun achtervolgers.

'Volgens mij halen we het,' zei Flin met een blik achterom en een grijns naar haar.

'Kijk uit!'

Hij zwenkte, ging vol in de remmen en de Fiat kwam slippend tot stilstand op een paar centimeter achter een vrachtwagentje dat hoog was opgeladen met bloemkolen en aubergines. Voor hen stond het muurvast, zo te zien over de gehele lengte van het plein en drie rijen dik. Hij schakelde krakend in de achteruit met het idee zo in de buitenste rij te komen en met een U-bocht van de opstopping weg te komen. Maar er stopte een touringcar pal achter hen en ook nog een in de buitenste baan, terwijl een betonwagen de blokkade voltooide door rommelend rechts van hen te gaan staan. Opeens konden ze geen kant meer op.

'Shit!' Flin beukte op het stuur. En toen: 'Eruit!'

Hij smeet zijn portier open en zwaaide zijn benen naar buiten. Freya greep haar rugzak en kwam achter hem aan. Ze trokken zich niets aan van het geschreeuw van de andere chauffeurs maar renden tussen de auto's door naar de stoep.

Ze stonden aan de noordkant van de Midan Tahrir, naast een enorm oranjeroze gebouw omgeven door een ijzeren hek. Flin keek achterom, probeerde hun achtervolgers te lokaliseren, pakte toen Freya bij de hand en sleurde haar mee langs het hek en door een poort de tuin voor het gebouw in. Er waren siervijvers, een opstelling van oude Egyptische beelden en overal horden toeristen en schoolkinderen. Er stonden politieagenten in witte uniformen met AK-47's in hun armen. Niemand lette op hen. Flin aarzelde, zijn ogen speurden de omgeving af, hij probeerde te bedenken wat ze konden doen. Vlak achter de ingang was een rij kassahokjes en bij een ervan stond net even niemand. Hij liep erheen en kocht twee kaartjes.

'Snel,' zei hij en voerde Freya mee de tuin door en de trappen op naar de gewelfde ingang. Boven aan de trap pakte ze hem bij de arm en wees.

'Kijk!'

Op het plein zagen ze de dansende hoofden van de tweeling die tussen de rijen stilstaande auto's doordraafde en nog niet bij de lege taxi was. Ze bleven even staan kijken en gingen toen snel naar binnen.

Wanneer Romani Girgis boos was, schreeuwde hij en brak hij dingen. Wanneer hij erg boos was, mishandelde hij andere mensen en verschafte het lijden van de ander hem een welkome afleiding van zijn eigen problemen. Maar wanneer hij werkelijk witheet was, echt op ontploffen stond, het soort woede waarbij andere mensen het schuim om de mond krijgen of schreeuwen en razen, gebeurde er bij hem iets merkwaardigs. Hij voelde dan kakkerlakken. Vele honderden kakkerlakken kropen dan over zijn gezicht en zijn armen en benen en zijn lijf, net zoals ze hadden gedaan toen hij nog als kind in Manshiet Nasser woonde.

Hier waren natuurlijk geen kakkerlakken, het zat allemaal in zijn hoofd. Desondanks voelde het afschuwelijk echt: het walgelijke gekriebel van hun voelsprieten, het scharrelen van hun smerige kleine pootjes. Hij had artsen geconsulteerd, psychoanalytici, hypnotiseurs en in zijn wanhoop zelfs een geestenbezweerder. Geen van hen had hem kunnen helpen. En dus bleven die insecten komen, net als toen hij nog een kind was, en zoals nu na het telefoontje dat ze die griet kwijt waren.

Het begon als een vaag, nauwelijks merkbaar prikkelend gevoel op zijn wangen, en toen het telefoongesprek vorderde en de details naar buiten kwamen, werd het snel heviger en intenser tot er geen enkel plekje was waar hij het niet voelde, toen er geen hoekje of gaatje was waar ze niet waren doorgedrongen: kakkerlakken op zijn vel, kakkerlakken in zijn mond, kakkerlakken onder zijn oogleden, kakkerlakken die op een afstotelijke manier in zijn anus kropen. Zijn hele wezen was overdekt met kakkerlakken.

Terwijl hij zich krabde en sloeg, en onbeheersbaar rilde, beëindigde hij het gesprek en pleegde daarna nog één telefoontje waarin hij degene aan de andere kant van de lijn vertelde wat er was gebeurd en hem opdroeg er alles aan te doen om de vrouw op te sporen. Daarna smeet hij de hoorn op de haak en rende naar de dichtstbijzijnde doucheruimte. Met kleren en al sprong hij in de douchecel, zette de kraan wagenwijd open en sloeg zichzelf alsof hij in brand stond.

'Ga weg!' schreeuwde hij. 'Ga weg! Walgelijk! Gadver! Gadver! Gadverdamme!'

Cy Angleton depte zijn voorhoofd af met zijn zakdoek terwijl hij moeizaam de trappen van de hoofdingang van de American University beklom. Hij bleef even staan om een blik te werpen op de vijf, zes politiewagens die langs de stoep stonden en liep door naar de beveiligingsbalie die de toegang blokkeerde.

'De universiteit is gesloten,' zei de bewaker achter de balie. 'Er mag niemand naar binnen.'

Hij legde uit dat zich iets had voorgedaan en dat de politie de zaak onderzocht en dat Angleton later maar moest terugkomen wanneer het sein 'veilig' was gegeven.

Angleton was gewend met dergelijke lagere beambten om te gaan – dat hoorde bij zijn werk – en wist uit ervaring dat je op twee manieren te werk kon gaan: gooi je charme in de strijd en smeer stroop, of speel de autoriteit en intimideer hen zodat ze je behulpzaam zijn. Hij liet zijn oog even over de man gaan, nam hem op, schatte welke optie in dit geval het best zou werken en trok van leer.

'Ik weet verdomme heel goed dat er iets is voorgevallen,' snauwde hij, rukte zijn legitimatie tevoorschijn en hield het de man onder zijn neus. 'Cyrus J. Angleton, Amerikaanse ambassade. Ik ben net gebeld door de rector magnificus. Er is blijkbaar een landgenoot bij betrokken.'

Hij verwachtte op zijn minst enige weerstand, maar in feite verschrompelde de man op slag: hij verontschuldigde zich, wuifde hem meteen door het rechthoekige poortje van de metaaldetector die blijkbaar niet werkte, want hij had sleutels en pennen en allerlei andere metalen spullen bij zich, maar het ding ging niet af, gaf zelfs geen piepje.

'Dat ding moet worden gemaakt,' zei hij en gaf een dreun op de zijkant van het apparaat. 'Ik wil niet dat er Amerikaanse levens op het spel worden gezet omdat jullie beveiligingsmateriaal het niet doet. Begrepen?'

De man jammerde een excuus, zei dat hij er onmiddellijk naar zou laten kijken.

'Doe dat,' zei Angleton met een vuile blik. Daarna draaide hij zich om en liep de lange hal in. Aan het plafond hingen grote koperen lampen die met hun gelige licht de ruimte een merkwaardig slaapverwekkende, dromerige sfeer gaven. Aan het eind van de hal beklom hij een paar treden naar de liften, die ook buiten werking leken te zijn. Hij was gedwongen de trap te nemen en klom puffend en snuivend naar de derde etage.

Er was daar een hoop politie op de been die wat rondliep maar verder niet veel leek te doen. Er was een geel lint voor de open lift gespannen, er zaten bloedvlekken op de vloer en tegen de achterwand. Hij nam het allemaal in één oogopslag in zich op en beende door naar Brodies kamer waarvan hij de deur opengooide alsof hij alle recht had daar te zijn. Hij ging naar binnen en schopte de deur achter zich dicht. Niet één agent had er iets van gezegd of geprobeerd hem tegen te houden.

Hij had niet verwacht in deze kamer iets te vinden, en hij vond ook niets. Het enige mogelijk bruikbare stukje informatie kreeg hij toen hij de herhaaltoets indrukte en erachter kwam dat Brodie het laatst naar een mobiele telefoon had gebeld. Hij nam niet de moeite het nummer te noteren want dat hoefde hij niet omdat hij het meteen herkende: Molly Kiernan.

Hij snuffelde rond, opende laden, rommelde in archiefkasten, wierp een snelle blik in de stapel papers op het bureau, en verliet de kamer. Terwijl hij in Brodies kamer was, waren er twee nieuwe gezichten bijgekomen: rechercheurs in burger – dat zag je altijd meteen. Een van hen vroeg wat hij daar deed.

'Ik heb even wat papers voor professor Brodie neergelegd. We geven voor één vak samen college. Zeg, is alles in orde? Er lopen hier zoveel agenten rond.'

Nee, het was niet allemaal in orde. Hij hoorde hier niet te zijn, want er had hier een misdaad plaatsgevonden.

'Een misdaad!' Angleton was een en al grootogige schok en verbijstering. 'Grote goedheid! Is er iemand gewond?'

Dat waren ze nu aan het onderzoeken, zei de rechercheur.

'Grote goedheid,' zei Angleton nog eens. 'U gaat me hopelijk niet vertellen dat er iets is gebeurd met Flin. Professor Brodie.'

Ze wisten nog niet zeker wat er was gebeurd, antwoordde de rechercheur, maar het leek er inderdaad op dat professor Brodie er op een of andere manier bij betrokken was.

'Grote goedheid!' zei Angleton ten derden male en hij legde zijn hand op zijn borst, helemaal de schutterige academicus. 'Kan ik ergens mee helpen? Ik bedoel, Flin is een goede vriend van me, en we werken op dezelfde faculteit. Als ik iets kan doen, wat dan ook...'

En vanaf dat moment ging het voor de wind, een fluitje van een cent. De rechercheur begon hem vragen te stellen over Brodie, hij improviseerde de antwoorden, speelde de bezorgde vriend. Al doende ontfutselde hij de rechercheur alles wat ze over de gebeurtenissen van die middag wisten: de vrouw met wie Brodie was, de achtervolging, de tweeling, de diefstal van de taxi, alles.

'En niemand heeft enig idee waar ze nu zijn?' vroeg Angleton met een onschuldig gezicht. 'Weet u dat zeker?'

'Heel zeker,' antwoordde de rechercheur. En als de professor contact met hem zocht...

'Dan bent u de eerste die het hoort,' verzekerde Angleton hem. 'Flin is een dierbare vriend en ik weet dat hij dit zo snel mogelijk opgelost wil zien.'

Daarna ging hij het dak op waar hij de route van de achtervolging naliep en uitkwam bij het hek aan de zijkant van de campus waar ook een geel lint voor was gespannen. Onderweg praatte hij met allerlei mensen en pikte zo nog wat kruimeltjes op – dat de rugzak van de vrouw blijkbaar belangrijk was – maar niets dat het beeld dat de rechercheur had geschetst radicaal veranderde, of dat, wat belangrijker was, een aanwijzing over de verblijfplaats van Brodie en de vrouw gaf. Hij zwierf nog wat rond, besloot toen er voor die dag een punt achter te zetten. Hij dook onder het politielint door dat voor de poort was gespannen en terwijl hij de straat uit wandelde, toetste hij een nummer in op zijn mobieltje en hield het tegen zijn oor.

Museum van Egyptische Oudheden, Caïro

'Dit is het museum, hè?' zei Freya toen ze voorbij de beveiliging in het museum waren. De adrenaline van de achtervolging stroomde nog door haar aderen. 'Het Museum van Oudheden.'

Het was vragen naar de bekende weg gezien de rijen beelden en sarcofagen overal om hen heen, en Flin knikte alleen maar en nam haar mee tot onder een hoge ronde koepel. Van daaruit liepen links en rechts lange galerijen en voor hen uit, een paar treden lager, strekte zich een spelonkachtig atrium met een glazen dak uit. Vanaf het andere eind staarden twee kolossale zittende beelden, een man en een vrouw, hen met een ijzige blik aan.

'We duiken hier een tijdje onder en dan nemen we een taxi naar de ambassade,' zei Flin. 'En dan liefst een met een ander aan het stuur.'

Hij wierp een blik op haar en liep toen de linkergalerij in. Freya bleef waar ze was.

'We kunnen de films laten ontwikkelen,' riep ze hem na.

Hij bleef staan en keerde zich om.

'Je zei dat je hier een vriend had die op de fotoafdeling werkte.' Ze hield de rugzak op. 'We kunnen de filmpjes laten ontwikkelen.'

Ze verwachtte dat hij tegenwerpingen zou maken, maar in plaats daarvan dacht hij even na en knikte toen. Hij kwam terug, pakte haar bij de arm en nam haar mee de andere kant op, de rechtergalerij in. 'Wint het vermoedelijk van kijken naar neolithische vishaken,' zei hij.

Ze kwamen langs een rij enorme sarcofagen – voornamelijk van graniet en zwarte basalt – die waren bedekt met keurige rijen hiëroglyfen. Groepjes schoolkinderen zaten er op de grond naast en tekenden ze na.

'Allemaal Late Periode en Grieks-Romeins,' vertelde hij terwijl ze er langsliepen. Hij maakte er een armgebaar bij alsof hij een gids was. 'Kwalitatief inferieur.'

'Fascinerend,' mompelde Freya.

Aan het eind van de galerij zat een bewaker achter een balie naast een detectiepoortje. Flin sprak met hem in het Arabisch, liet een soort kaart zien en nam Freya mee langs het poortje en door een deur. Ze waren nu buiten het deel voor het publiek in wat eruitzag als het kantoorgedeelte. Kamers vol bureaus en archiefkasten die naar twee kanten opengingen. Ze liepen een gangetje door en beklommen een wenteltrap waarna ze terechtkwamen in een rommelige open ruimte met vuile ramen en planken van vloer tot plafond met rijen geëtiketteerde archiefdozen.

'Papyri, Ostraca, Vazen, Doodskisten,' las Freya. Ze liet haar ogen over een stel dozen gaan voor ze ze op de rest van de ruimte richtte. Er stonden zes archiefkasten, her en der wat kreupel meubilair, een roestige papiersnijder, en overal, opgestapeld in hoeken en gaten en op planken en onder tafels, een partij ongeregelde fotoapparatuur en vergrotingstoestellen, het meeste ouderwets en gedateerd, en allemaal smerig en onder het stof. Lichtbakken, projectoren, vergrotingsapparaten, wankele stapels zwart-witfotopapier. Freya vond dat het meer op een uitdragerij dan een fotoafdeling leek.

Aan de andere kant van de ruimte zat een man achter een bureau – dik, krulhaar, dikke brillenglazen en een schreeuwerig hawaïhemd – te bellen. Ze drentelden wat heen en weer en wachtten tot hij had opgehangen. Toen het er niet naar uitzag dat hij dat ging doen, liet Flin een overdreven gekuch horen. De man keek op, zag hen en er brak een brede glimlach door. Snel beëindigde hij het gesprek, smeet de hoorn erop en kwam stuiterend overeind.

'Professor Flin!' riep hij uit en kwam druk gebarend naar hen toe. 'Hoe maak je het, mijn vriend?'

'Kwas, sahebi,' antwoordde Flin en kuste hem op beide wangen. 'Freya, dit is Majdi Rassoul, de beste archeologische fotograaf in Egypte.'

Freya en Majdi gaven elkaar een hand.

'Kijk maar uit met hem,' zei de Egyptenaar met een grijns. 'Hij is een verschrikkelijke hartenbreker!'

Freya keek naar de grond en zei dat ze het zou onthouden.

Ze wisselden wat beleefdheden uit en Majdi begon aan een uitgebreide beschrijving van hoe hij onlangs een doos tot nu toe niet-gepubliceerde glasnegatieven van Antonio Beato had gevonden – 'Honderdvijftig jaar oud en nog nooit gezien! Een gouden vondst, zeker weten!' – voordat Flin de conversatie de kant van het doel van hun bezoek op stuurde.

'Je moet me een plezier doen,' zei hij. 'Wat foto's ontwikkelen. Snel, als dat kan. Lukt dat?'

'Dat mag ik hopen,' antwoordde Majdi en stak een hand uit. 'We zijn tenslotte de afdeling fotografie.'

Flin knikte en Freya opende haar rugzak en gaf hem de camera en het plastic buisje met het filmrolletje.

'Ze hebben in de woestijn gelegen,' zei Flin. 'Misschien wel jaren, dus ik heb niet veel hoop.'

'Ligt eraan wat je bedoelt met "in de woestijn",' zei Majdi en draaide de voorwerpen om en om. Eerst onderzocht hij de Leica, daarna het buisje, wipte het dekseltje eraf en schudde het rolletje in zijn hand. 'Als ze op een duintop in de volle zon hebben gelegen, ja, dan is het filmpje gebakken en is het niet te ontwikkelen. Maar wanneer ze ergens in hebben gezeten...'

'Ze zaten in een canvas tas,' zei Freya.

'In dat geval levert het misschien wat op. Ik doe eerst het rolletje. Het filmpje in de camera is misschien een stuk lastiger. Willen jullie de klaar-terwijl-u-wachtservice?'

Flin lachte. 'Dat zou prachtig zijn.'

'Deluxe klaar-terwijl-u-wacht met thee van het huis?'

'Dat zou echt perfect zijn.'

Majdi riep bij het trapgat iets naar beneden en na de camera op zijn werktafel te hebben gelegd, liep hij naar een deur aan de overkant van de galerij en deed die open. Erachter was een donkere kamer: een gootsteen, een ontwikkeltank, droogkast, lichtbak, planken met rijen flessen met chemicaliën.

'Ik heb twintig minuten nodig,' zei hij, gooide het rolletje in de lucht en ving het weer op. Hij knipoogde, ging naar binnen en deed de deur achter zich dicht. 'En geen gerotzooi op de sofa!' klonk het gesmoord.

De opmerking van de Egyptenaar bracht hen even van hun à propos.

'Alles goed met je?' vroeg Flin.

Ze knikte. Ze was nu kalmer, haar pols was normaal na de opwinding van de achtervolging.

'Echt?'

Weer een knikje.

'En jij?' vroeg ze.

Hij opende zijn handen. 'Ik ben in een museum. Het kan niet beter.'

Freya glimlachte, eerder vanwege zijn poging tot humor dan dat ze die echt geslaagd vond. Ze hielden elkaar blik vast, wisten geen van tweeën precies wat ze moesten zeggen, hoe ze het schokkende van wat ze hadden meegemaakt moesten verwoorden.

'Weet jij wie die mannen waren?' vroeg ze ten slotte.

'In elk geval niet de Marx Brothers.'

Deze keer lachte ze niet. Flin gaf een geruststellend kneepje in haar schouder.

'Het komt allemaal goed,' zei hij. 'Echt waar. We komen er heus wel uit.'

Zo bleven ze even staan, oog in oog. Daarna was het of ze te intiem werden, want ze maakten zich los van elkaar. Freya liet zich in een leren fauteuil vallen en begon in een boek met luchtfoto's van Egyptische monumenten te bladeren. Flin slenterde naar de rijen archiefdozen bij de muur en ging met zijn vingers langs de loskrullende sepiakleurige etiketten, trok er op goed geluk een doos uit – Bas-reliëfs – en begon afwezig in de inhoud te rommelen. Er verscheen een oudere man met twee glazen thee waar hij eerst nog suiker in schepte voor hij zich omdraaide en wegschuifelde. Er fladderde een mus door een van de ramen die even op een ventilator ging zitten en via dezelfde weg naar buiten vloog. Er verstreken twintig minuten. Vijfentwintig. Dertig. Het duurde uiteindelijk drie kwartier voor de deur van de donkere kamer openging en Majdi zijn hoofd naar buiten stak.

'Gelukt?' vroeg Flin en liep naar hem toe.

De Egyptenaar fronste. Hij leek heel wat minder vrolijk dan eerst. 'Ja, ik heb de foto's ontwikkeld, als je dat bedoelt, maar ik moet zeggen... Kijk, ik wil niet als een moraalridder overkomen, maar...' Hij schudde zijn hoofd en gebaarde dat ze moesten komen. 'Jullie kunnen beter zelf even komen kijken.'

Flin en Freya keken elkaar aan en volgden hem de donkere kamer in. Het licht was nu aan, een kaal peertje aan het plafond. Majdi opende de droogkast en haalde er een lange rij negatieven uit. Hij legde ze op de lichtbak, deed het licht uit en knipte tegelijkertijd de lichtbak aan. Tl-licht gloeide op door de perspex bovenkant en verlichtte de beelden.

'Ik ben net zo ruimdenkend als ieder ander,' snoof hij en ging opzij om ruimte te maken. 'Maar moet je horen... dit is een museum, geen seksclub.'

Ze bogen zich over de lichtbak, bekeken de negatieven. Het duurde even voor ze doorhadden wat ze eigenlijk zagen. Toen het zover was, vielen hun monden open en waren ze zowel geschokt als geamuseerd.

De foto's – zwart-wit – waren van een forse, niet onaantrekkelijke vrouw gekleed in kousen, een jarretelgordel, een string en push-upbeha, hoewel na een aantal foto's de beha en de string verdwenen zodat er borsten, een rijkelijk behaarde schaamstreek en, het brandpunt van de meeste foto's, een uitzonderlijk ruim bemeten achterwerk zichtbaar waren. Soms lag ze op haar rug met haar benen atletisch gekruist, meestal op haar knieën met haar posterieur naar de camera, haar hand met daarin een onnatuurlijk dikke banaan gekromd tussen haar dijen.

‘Ik hoef nooit meer een bananasplit,’ zei Majdi somber en hij frunnikte aan zijn bril. ‘Hoe kom je er in godsnaam bij om zulke foto’s…’

‘Die heb ík niet gemaakt!’ zei Flin woedend. ‘Jezus, Majdi, je denkt toch niet dat ik…’

‘We weten niet wie ze heeft genomen,’ zei Freya en ze klonk aanzienlijk minder van haar stuk gebracht dan de twee mannen. ‘De camera is gevonden in de woestijn en wij hoopten dat de foto’s konden vertellen wie de eigenaar was en wat hij daar deed.’

‘Onderzoek, zo te zien.’ Majdi hield zijn hoofd scheef om een bijzonder verwrongen pose te bekijken. ‘Hoe krijgt ze het godsnaam voor elkaar?’

‘Hou op,’ snauwde Flin. ‘Niet doen.’

Er waren in totaal 35 opnamen en ze bestudeerden ze stuk voor stuk. Halverwege ging Freya de kamer uit omdat ze tot de conclusie was gekomen dat het tijdverspilling was. Ze ging terug naar de wachtruimte. Flin bleef, gebogen over de lichtbak. Majdi scharrelde achter hem rond terwijl Flin methodisch de overige foto’s bekeek, er geconcentreerd naar staarde in de vergeefse hoop dat er iets bruikbaars geopenbaard werd. Toen hij bij de laatste paar foto’s kwam, accepteerde ook hij dat het een verloren zaak was en hij kwam al overeind toen hij plotseling verstrakte en zich weer vooroverboog met zijn gezicht op een paar centimeter boven het perspex van de bak.

‘Wat doet ze daar?’ vroeg Majdi, die zijn belangstelling merkte en zich naast hem over de foto boog.

Flin negeerde de vraag.

‘Ik moet hier een afdruk van hebben,’ zei hij met een tikje op de laatste foto van de rol, en hij klonk plotseling dwingend.

‘Flin, we zijn al heel lang bevriend, maar…’

‘Geen bananen, Majdi, dat beloof ik.’

De Egyptenaar slaakte een vermoeide zucht.

‘Goed dan.’

Hij zwiepte een vel Ilford-fotopapier van een stapeltje op een van de planken, schoof Flin de kamer uit en trok de deur dicht.

‘Heb je iets gevonden?’ vroeg Freya opkijkend.

‘Misschien, misschien niet,’ zei Flin. ‘Majdi maakt er een afdruk van.’

‘Wat dan?’

‘Laten we even op de afdruk wachten.’

Ze probeerde meer uit hem te krijgen, maar hij wimpelde alle vragen af, liep te ijsberen en ging uiteindelijk terug naar de donkere kamer en bonsde op de deur.

‘Is het al klaar?’

'Mag ik even?' kwam het gedempte antwoord.
'Hoe lang nog?'
'Tien minuten.'
Flin begon weer te ijsberen, keek om de haverklap op de klok aan de muur, klopte met zijn hand op zijn dij tot eindelijk de donkere kamer opengіng en Majdi tevoorschijn kwam met een glanzend A4'tje in de hand. Flin draafde op hem af en rukte hem de afdruk bijna uit handen. Freya kwam erbij staan en keek over Flins schouder mee.
Ze wist niet wat ze had verwacht, duinen misschien. Of een foto van Rudi Schmidt, een aanwijzing waarom haar zus in hem geïnteresseerd moest zijn, en waarom die interesse haar dood was geworden. De foto leverde geen van de gehoopte antwoorden. Hij leek zelfs niet in de woestijn te zijn genomen. Er stond een soort enorme stenen poort of toegang op, begroeid met weelderige erupties van groen alsof het gebouw waar hij toegang toe gaf lang geleden was verlaten en overgelaten aan de natuur. Ze boog zich er dichter naartoe, probeerde de betekenis ervan te zien, bekeek alle details van de rechthoekige houten deur, het silhouet van een vogel in de latei erboven, de hoge trapeziumvormige torens aan elke kant. Ze tuurde ernaar, stak toen een hand uit en wees op wat er in het oppervlak van de torens was gebeiteld: een obelisk met erop een merkwaardig motief van een kruis en een lusvormige lijn.
'Dat heb ik eerder gezien,' zei ze. 'Op de aardewerken obelisk in Rudi Schmidts tas. Daar heb ik je over verteld.'
Flin antwoordde niet, keek er alleen maar naar. De foto in zijn hand trilde een beetje. *'De stad Zerzura is wit als een duif,'* fluisterde hij. *'En op de deur is een vogel gebeiteld.'*
'Wat betekent dat?'
Opnieuw antwoordde hij niet, schijnbaar geheel in gedachten verzonken. Na nog een lange blik op de foto, liep hij de ruimte door, greep de Leica van tafel en stak hem Majdi toe.
'We moeten het filmpje dat erin zit ontwikkelen,' zei hij en zijn toon was dwingend, opgewonden. 'Het moet eruit worden gehaald en worden ontwikkeld.'
'Flin, ik vind het heerlijk om je te helpen, maar ik heb nog andere dingen te doen.'
'Dat filmpje moet worden ontwikkeld, Majdi. Ik moet weten wat er op staat. Nu. Alsjeblieft.'
De Egyptenaar knipperde met zijn ogen, van slag door Flins bruuske optreden. Maar met een knikje pakte hij de camera aan.

'Als het zo belangrijk is.'
'Ja, zo belangrijk is het,' zei Flin. 'Neem dat van mij aan.'
De Egyptenaar draaide de camera om en om.
'Dit gaat waarschijnlijk meer tijd kosten dan het andere rolletje,' zei hij. 'Het terugspoelmechanisme zit vast, hij zit waarschijnlijk vol zand en gruis – Leica's zijn daar berucht om – en zelfs als ik het filmpje eruit krijg, kan ik niet garanderen...' Hij haalde zijn schouders op. 'Ik zal zien wat ik kan doen. Geef me veertig minuten de tijd, dan weet ik of er iets te redden valt.'
Hij draaide zich om en ging terug naar de donkere kamer.
'Dank je, *sahebi*,' riep Flin hem na. En na een korte stilte: 'En sorry dat ik zo'n drammer ben.'
Majdi wuifde het weg. 'Je bent egyptoloog. Dan ben je automatisch een drammer.'
Hij draaide zich om, knipoogde en verdween de donkere kamer in zodat ze weer alleen waren.
'Zou je me willen vertellen waar het over gaat?' vroeg Freya. 'Wat is dat voor plek daar op die foto?'
Flin stond er weer naar te staren, hoofdschuddend alsof hij nauwelijks kon geloven wat hij zag. Om zijn mondhoeken speelde een heel flauw glimlachje. Het bleef lang stil.
'Ik weet het niet voor honderd procent zeker,' zei hij eindelijk. 'Niet zonder te zien wat er op het andere rolletje staat.'
'Maar je denkt dat je het weet.'
Opnieuw stilte, en toen: 'Ja, ja.'
Hij keek op naar haar. Hij zag er bleek en vermoeid uit, maar zijn ogen straalden, een combinatie die hem nog knapper leek te maken. 'Ik denk dat het een plek is die Zerzura heet,' zei hij.
'En waar is dat precies?'
Tot haar ergernis gaf hij geen antwoord, maar keek hij weer naar de foto en daarna op zijn horloge. Hij nam een besluit, haalde zijn gsm uit zijn zak en toetste met zijn duim een nummer in terwijl hij naar de andere kant van de ruimte liep zodat hij buiten gehoorsafstand was. Ze wierp haar handen in de lucht alsof ze wilde zeggen 'Wat krijgen we nou?', maar hij stak een hand op en ratelde in de telefoon. Toen hij klaar was, stopte hij de gsm weg, liep de kamer door en pakte haar bij de arm.
'Wat weet je van het oude Egypte?' vroeg hij en nam haar mee naar de wenteltrap.

'Ongeveer net zoveel als van kwantumfysica.'
'Dan is het tijd voor een korte stoomcursus.'

Yasmin Malouff had een geheim, een dat ze verborgen hield voor haar ouders, haar broers en zussen, haar man Hosni en ook voor haar Amerikaanse werkgever. Ze rookte.

Zoals de meeste geheimen was ook dit niet wereldschokkend. Maar in haar ogen was het niet iets waar een dame mee te koop liep. Hosni zou waarschijnlijk niet heel erg geschokt zijn als hij het had ontdekt, maar haar familie zou het beslist niet goed vinden. En vooral meneer Angleton had van het begin af aan duidelijk gemaakt dat hij roken op het werk niet tolereerde. Verder mocht ze in de hotelkamer doen wat ze wilde, had hij gezegd – 'Jezus, voor mijn part werkt u in uw nakie als dat goed is voor de concentratie' – maar sigaretten waren streng verboden.

Ze was geen zware rookster – niet meer dan drie of vier Cleopatra Lights per dag – en het kostte niet echt veel moeite om ervan af te blijven als ze op de afluisterpost zat. Alleen tegen het eind van de middag werd de behoefte te sterk. Dan deed ze de deur op slot, nam de lift naar een verdieping lager, ging aan het eind van de gang bij een open raam zitten en stak er een op.

Vandaag was de hunkering om een of andere reden sterker dan anders. Nadat ze er een had gerookt, stak ze meteen de volgende aan. Zodoende liepen de normale vijf minuten uit tot tien. Toen merkte ze dat ze geen pepermuntjes meer had en moest ze met de lift helemaal naar de shop op de begane grond om in te slaan. Toen ze uiteindelijk weer op de kamer terugkwam, haar adem afdoende verhuld, de asresten van haar jurk geveegd, was ze ruim twintig minuten weg geweest. Dat zou geen probleem zijn geweest als er niet tijdens haar afwezigheid een telefoontje naar Molly Kiernan was doorgekomen: het rode waarschuwingslampje op de recorder dat dit nummer in de gaten hield, knipperde haar furieus tegemoet toen ze de kamer binnenkwam.

Elk ander gesprek naar elk ander nummer was geen punt geweest, maar bij zijn bezoek eerder die middag had meneer Angleton haar specifiek opgedragen hem onmiddellijk te informeren over elk telefoontje van of naar Kiernans Nokia. Yasmin Malouff smeet de deur dicht, gooide haar tas op het bed en holde naar de recorder. Ze graaide haar pen en schrijfblok van tafel, drukte op de afspeelknop en ging zitten om het gesprek uit te schrijven. Statische ruis, dan een stem, zacht en dringend:

'Molly, met Flin. Ik ben in het Egyptisch Museum, met Freya Hannen. We laten wat foto's ontwikkelen – dat leg ik later wel uit – en dan breng ik haar naar de Amerikaanse ambassade. Kun je ons daar ontmoeten? Het is dringend, Molly, echt dringend. Goed, en bedankt.'

Einde gesprek.

Ze speelde het nog een keer af, controleerde of ze geen fouten had gemaakt, iets had gemist of niet goed gehoord. Daarna pakte ze de speciale telefoon die Angleton had laten installeren en draaide een nummer. Na twee belletjes werd er opgenomen.

'Meneer Angleton, met Yasmin Malouff. Er is gebeld naar Kiernans mobieltje. Het gesprek ging als volgt...'

Ze hield het schrijfblok op en begon voor te lezen.

'Denk je dat het veilig is?' vroeg Freya toen Flin haar meenam het museum in. Het beeld van de achtervolgende tweeling stond haar nog scherp voor de geest en de grote galerij vol mensen leek heel erg open na de besloten ruimte van de afdeling fotografie. 'Stel dat ze ons nog lopen te zoeken.'

'We zijn nu ruim een uur verder,' antwoordde Flin. Hij bleef staan naast een reusachtige stenen sarcofaag en keek speurend rond. 'Als ze dachten dat we hier naar binnen zijn gegaan, zijn ze naar mijn idee ook allang weer weg. Ik kan het natuurlijk niet garanderen, dus hou je ogen open. Als je iets ziet...'

'Wat?'

Hij haalde zijn schouders op.

'Dan is het rennen geblazen.'

Hij keek nog even om zich heen en liep toen de galerij door, de foto van de poort nog steeds in zijn hand. Freya liep met hem mee. Hij maakte dan wel geen echt ontspannen indruk, maar leek wel kalmer en geruster dan zij, alsof de aanwezigheid van zoveel oude voorwerpen op een of andere manier de ernst van het gevaar waarin ze verkeerden verminderde. Ze waren ongeveer op de helft van de galerij die gevuld was met het geluid van stemmen en het geschuifel van voeten, toen Flin begon te praten.

'Zerzura is een verloren gegane oase in de Sahara,' verklaarde hij en ging opzij toen een horde schoolkinderen in identieke blauwe uniformen naar hem toe golfde, geleid door een getergde leraar. 'Ik heb er een heel goede powerpointpresentatie van, maar ik ben bang dat je het in de huidige omstandigheden moet doen met een mondelinge versie.'

'Mij best,' zei Freya die nog ongerust om zich heen keek alsof ze verwachtte dat een van de tweeling achter een beeld vandaan zou springen.

'De naam komt van het Arabische woord *zarzar*,' ging Flin verder. Hij begon op gang te komen. 'Dat betekent spreeuw, mus, vogeltje. We weten niet veel over die plek, behalve dat hij voor het eerst is genoemd in een middeleeuws handschrift, de *Kitab al-Kanuz*, het Boek van de Verborgen Parels. Vermoedelijk ligt het ergens in de buurt van de Gilf Kebir, hoewel de Lancey Forth het in de Grote Zandzee plaatst, en Newbold...'

Hij zag dat ze niet meer luisterde en stopte, stak zijn handen op. 'Sorry, te veel informatie. Dat is het risico als je je hele leven met zo'n onderwerp bezig bent: je kunt het nooit eenvoudig houden. Het enige wat je voor nu moet weten is dat het een verdwenen oase is en dat de meeste woestijnonderzoekers van de twintigste eeuw, zoals Ball, Kemal el-Din, Bagnold, Almasy en Clayton, vergeefs hebben geprobeerd hem te vinden. Eigenlijk was de zoektocht naar Zerzura de aanleiding tot veel van de oorspronkelijke ontdekkingsreizen.'

Ze kwamen bij de hoge koepel bij de ingang van het museum en gingen rechtdoor naar een galerij met de aanduiding 'Het Oude Rijk' en beelden en reliëfs langs de muren.

'Er zijn veel mensen die beweren dat Zerzura nooit heeft bestaan,' vervolgde Flin. Hij ging zo op in zijn verhaal dat hij geen belangstelling leek te hebben voor wat er tentoon werd gesteld of de mensen om hen heen, dit in tegenstelling tot Freya, die voortdurend nerveus om zich heen bleef kijken.

'Dat het niets anders is dan een legende, net als El Dorado of Shangri La of Atlantis, een van die verleidelijke maar uiteindelijk verzonnen verhalen waar onherbergzame streken als woestijnen toe lijken te inspireren. Ik ben altijd blijven geloven dat hij bestaat en dat Zerzura gewoon een andere naam, een veel latere naam is voor een plaats die de oude Egyptenaren "wehat seshtat" noemden, de Geheime Oase.'

Hij keek even naar haar om zich ervan te vergewissen dat ze luisterde. Freya knikte ten teken dat ze hem kon volgen.

'Het is jammer dat we, net als bij Zerzura, niet veel van wehat seshtat weten,' zei Flin met een lichte frons als uit frustratie om dit gebrek aan informatie. 'Op één opmerkelijke uitzondering na, waar ik zo op terugkom, zijn de bewijzen bijzonder fragmentarisch en lastig te interpreteren:

enkele stukken papyrus, een paar zwaar beschadigde hiëroglyfen, wat inscripties en een zeer warrige vermelding in Manetho's Aegyptiaca... Ik zal je niet vervelen door ze allemaal te behandelen. Wat we in feite bij elkaar hebben weten te sprokkelen – en ik herhaal dat veel ervan openstaat voor herinterpretatie – is dat het gaat om een diepe kloof of een wadi aan de oostkant van de Gilf Kebir en dat heel lang geleden, voor de Sahara een woestijn werd...'

'Hoe lang geleden is dat?' onderbrak Freya hem. Ondanks haar nervositeit merkte ze dat het verhaal haar steeds meer boeide.

'Een precieze datum is moeilijk te geven,' zei hij, duidelijk blij met haar belangstelling. 'Maar we hebben het dan over minstens tien- of twintigduizend jaar voor Christus, misschien zelfs wel het mesopaleolithicum.'

Die term zei Freya niets, maar ze ging er niet op door, wilde het verhaal niet ophouden.

'Het is hoe dan ook, heel lang geleden, in de nevelen van de prehistorie,' ging Flin verder. Hij pakte de draad van zijn verhaal weer op. 'Ook toen al schijnt deze kloof, oase of hoe je het ook wilt noemen, te zijn beschouwd als een plaats van het hoogste religieuze belang en is de precieze locatie zorgvuldig geheimgehouden. Wanneer en waarom men het ooit als zodanig is gaan beschouwen, weten we niet, maar het schijnt die status helemaal tot het eind van het Oude Rijk te hebben behouden. Dat was ongeveer tweeduizend voor Christus. Daarna is de kennis van de locatie van de oase verloren gegaan en uit de geschiedschrijving verdwenen.'

Ze waren aan het eind van de galerij gekomen en gingen een trap op; tijdens hun klim naar de bovenste verdieping werd om hen heen het gedrang van de toeristen minder. Boven was het stiller en minder hectisch dan op de begane grond. Hij nam haar mee terug in de richting van de koepel en sloeg toen rechtsaf een kleine, verlaten zaal in met vitrines vol simpele stenen en aardewerken voorwerpen, allemaal duidelijk van veel ouder datum dan alles waar ze tot dan toe langs waren gelopen. Hij bleef voor van de vitrinekasten staan en wees. Tussen een paar ivoren kammen en een grote aardewerken schaal lagen drie voorwerpen die Freya herkende: kleine obelisken van klei, elk ongeveer een vingerlengte hoog, elk met hetzelfde teken erin uitgesneden als in de obelisk in de tas van Rudi Schmidt. Ze tuurde naar het kaartje dat erbij stond: *Votief Benben, predynastie (ca. 3000 v. C.), Hierakonpolis.*

'Wat is een Benben?' vroeg ze, en de gedachte aan hun achtervolgers verschoof steeds verder naar de achtergrond.

'Dé Benben,' corrigeerde Flin en leunde naast haar op de vitrine; hun ellebogen raakten elkaar lichtjes. 'Ik ben bang dat we op dit punt even een zijsprong moeten maken naar de zeer complexe wereld van de Egyptische kosmologie. Ik weet dat het niet boven aan je lijst van interesses prijkt, maar het moet even want het is relevant. Ik zal proberen het eenvoudig te houden.'

'Barst maar los,' zei ze.

Er kwam een jong stel naar de vitrine; ze keken er even in maar geen van beiden met speciale belangstelling, en liepen door. Flin wachtte tot ze buiten gehoorsafstand waren en ging toen verder.

'De Benben was een centraal element in de religie en de mythologie van het oude Egypte,' legde hij uit. 'In veel opzichten was hij het centrale element. Hij symboliseerde de oerheuvel, de eerste kleine punt droog land die bovenkwam uit Nu, de oeroceaan van Chaos. Volgens de Piramideteksten, de oudste bekende verzameling religieuze teksten uit Egypte, vloog Ra-Atum, de scheppende God, over de zwartheid van de Nu in de vorm van de Benu-vogel...' Hij tikte op de foto in zijn hand, wees naar de vogel met lange staart in de latei boven de deuren. '... en landde op de Benben, en vanaf die plek leidde zijn gezang de eerste zonsopgang in. Vandaar de naam, uit het oud-Egyptish *weben*, "stralend oprijzen".'

Het jonge stel kwam achter hen langs, het meisje liep te bellen. Opnieuw wachtte Flin tot ze weg waren voor hij verderging met zijn uitleg. 'Maar de Benben was meer dan slechts een symbool,' zei hij met zijn gezicht helemaal tegen het glas gedrukt, zijn elleboog nog steeds tegen die van Freya. 'Uit oude teksten en inscripties weten we dat het een echt object was: een stuk rots of een steen met een obeliskachtige vorm. Er wordt wel gesuggereerd dat het van oorsprong een meteoriet of een deel ervan is geweest, hoewel de relevante teksten ingewikkeld en voor meerdere uitleg vatbaar zijn. Wat we wel weten is dat de Benben was ondergebracht in het heilige der heiligen van de grote zonnetempel van Iunu en volgens alle mededelingen over buitengewone, bovennatuurlijke krachten beschikte.'

Freya snoof geamuseerd.

'Ik weet, ik weet het, het klinkt allemaal nogal naar *Raiders of the Lost Ark*, hoewel we heel wat ondersteunende bronnen hebben die opmerkelijk consistent zijn in hun beschrijvingen, onder andere een uit de Sumerische archieven. Er staat in dat de Benben in de strijd vóór het leger van de farao uit werd gedragen en een vreemd geluid en een verblindend licht uitzond dat de legers van de tegenstander volkomen vernietigde. Wat de twee alternatieve namen verklaart die er zijn gebruikt om hem te beschrijven: *khereu-en Sekhmet,* de stem van Sekhmet, een oude Egyptische oorlogsgod, en *iner-en sedjet,* de Steen van Vuur. Daar staat dat teken voor.' Hij wees op het motief op de zijkant van de obelisk. 'Sedjet, het hiëroglief voor vuur. Dat kruisvormige eindteken stelt een vuurkorf voor, met een opstijgende vlam…'

Hij zweeg weer, stak zijn handen op zoals hij eerder had gedaan. 'Maar daar gaat het nu niet om. Waar het wel om gaat is dat de Benben en de wehat seshtat – de Geheime Oase – onlosmakelijk met elkaar verbonden waren en dat je de een niet kan bespreken zonder de ander. Blijkbaar bevond de steen zich oorspronkelijk in een tempel in de oase; zoals ik al zei, we hebben het over tienduizenden jaren voor Christus, lang voor het Nijldal was gekoloniseerd. En hoewel we het niet zeker weten, is er enig bewijs dat suggereert dat de reden waarom de oase als zo heilig werd beschouwd, in de eerste plaats was omdat daar de Benben was ontdekt. Ze maken allebei deel uit van hetzelfde geheel. En dat is de reden waarom de oase niet alleen wehat seshtat werd genoemd, maar ook *inet benben,* het Dal van de Benben.'

Hij keek haar aan, bezorgd dat hij haar met informatie had overladen. Maar ze knikte alleen maar, stak haar duim op, en na nog een laatste blik in de vitrine te hebben geworpen wenkte hij haar mee, de zaal uit. Ze liepen onder de koepel door en over een galerij die aan één kant open was en van waaraf ze neerkeken in het atrium.

'Er is nog een reden waarom de Benben hiervoor van betekenis is,' zei hij en hield de foto op. 'En dat is dat veruit de duidelijkste en meest gedetailleerde beschrijving van de Geheime Oase opduikt in een tekst die specifiek betrekking heeft op de Benben. Hier naar binnen.'

Ze gingen rechtsaf een zaal in, ook verlaten, in dit geval met een verzameling papyri met hiërogliefen. Aan het eind van de zaal stond een glazen vitrinekast, borsthoog, die bijna de hele wand besloeg. Flin liep erheen, bleef ervoor staan en keek erin; er speelde een vaag, weemoedig lachje om zijn mond. In de kast lag een papyrus die van begin tot eind vol stond met ongelijke tekstkolommen in zwarte inkt. In tegenstelling tot de andere tentoongestelde papyri, waarvan de meeste schitterend waren uitgevoerd met mooie kleuren en ingewikkelde versieringen, zag dit document er eentonig en onverzorgd uit, leken de hiërogliefen tegen elkaar aan te zwalken, alsof ze haastig waren neergepend. Het leken zelfs geen echte hiërogliefen: de symbolen waren slordig en hanepoterig, liepen door elkaar, deden meer aan Arabisch schrift dan traditionele Egyptische pictogrammen denken. Freya boog zich erover en las de uitleg op de toelichting aan de muur achter de vitrine.

Imti-Khentika Papyrus. Uit de tombe van Imti-Khentika, Hogepriester van Iunu/Heliopolis, zesde dynastie, regering van Pepi II (ca. 2246-2152 v.C.)

'Ondanks het uiterlijk met afstand de belangrijkste papyrus in deze zaal,' zei Flin met een knik naar de vitrine. 'Op de Turijnse Koningslijst en de Oxyrhynchusteksten na waarschijnlijk de belangrijkste Egyptische papyrus, punt.'

Hij legde zijn hand op de glazen bovenkant en er was iets van eerbied in de manier waarop hij naar de inhoud keek. Het bleef stil.

'Hij is veertig jaar geleden ontdekt,' ging hij ten slotte verder en streek zacht met zijn hand over het glas alsof hij een zeldzaam dier aaide. 'Door ene Hassan Fadawi, een van de grootste archeologen die Egypte heeft voortgebracht en een oude...'

Hij stond op het punt 'vriend van me' te zeggen, tenminste, dat vermoedde Freya, maar na een minieme stilte veranderde hij het in 'collega'.

'Het is een ongelooflijk verhaal, net als van Carter en Toetanchamon. Fadawi was nog maar twintig, net afgestudeerd. Hij was bezig met routinewerk, het opruimen van opgegraven grond, in de Necropolis van de Zieners – de begraafplaats van de hogepriesters van Iunu – en ontdekte het graf van Imti-Khentika, puur door toeval. De verzegeling van de deur was intact, en dat betekende dat het graf ongeschonden was, precies zoals het vierduizend jaar geleden was afgesloten. Het belang van deze vondst valt niet te overschatten, een van de weinige intacte graven uit het Oude Rijk die ooit zijn gevonden, bijna duizend jaar ouder dan Toetanchamon.'

Hoewel hij duidelijk goed bekend was met de papyrus en het verhaal ervan heel goed kende, klonk hij nog steeds vervuld van ontzag, als een opgewonden schooljongen. Zijn enthousiasme werkte aanstekelijk, trok Freya mee het verhaal in. Haar angsten was ze nu even kwijt, alsof ze deel waren van een andere werkelijkheid.

'En wat zat erin?' vroeg ze en keek hem verwachtingsvol aan. 'Wat vonden ze in het graf?'

Flin zweeg even als voor een spectaculaire openbaring. En toen: 'Niks.' Zijn ogen glommen ondeugend.

'Niks?'

'Toen Fadawi de deur had opengebroken, bleek het graf leeg te zijn.

Geen versieringen, geen inscripties, geen lichaam. Niks, behalve een houten kistje met daarin...'

Hij klopte met een knokkel op het houten kozijn van de vitrine. 'Het was een enorm gênante vertoning. De hele wereldpers was bij de opening aanwezig, en president Nasser... Fadawi stond heel erg voor schut. Dat wil zeggen, tot hij las wat er op de papyrus stond. Toen besefte hij namelijk dat het graf nog belangrijker was dan wanneer het propvol gouden schatten was geweest.'

Er was iets in de manier waarop Flin dit zei die bij Freya een rilling over haar rug liet lopen. Vreemd, dacht ze, dat ze met alles wat er aan de hand was zo helemaal kon opgaan in een geschiedenisles. 'Ga door,' drong ze aan.

'Nou, het is een zeer gecompliceerd document dat duidelijk snel is geschreven. Het is in hiëratisch schrift, een soort hiërogliefensteno. Er wordt nog steeds hevig gestreden over de interpretatie van bepaalde delen, maar in essentie is het zowel een verslag van Imti-Khentika's leven, zijn autobiografie bij wijze van spreken, en tegelijkertijd een verklaring waarom zijn lichaam niet begraven ligt in het graf dat hij voor zichzelf had laten maken. Ik zal je niet vermoeien met een vertaling van begin tot eind omdat het eerste deel...' Hij wees naar links. '... niet bijzonder relevant is, alleen een heel verhaal over zijn verschillende titels, zijn verplichtingen als hogepriester, allemaal standaardformuleringen.

'Vanaf deze plek...' Hij legde zijn hand op het glas ter hoogte van de plek waar hij stond, ongeveer halverwege de papyrus. '... wordt het interessant. Zonder enige aanleiding begint hij opeens uit te pakken over de politieke situatie van zijn tijd, de enige enigszins gedetailleerde beschrijving van de laatste jaren van het Oude Rijk en de ineenstorting met als gevolg de interne chaos van het Eerste Tussenrijk.'

Freya had geen idee waar hij het over had. Maar net als hiervoor liet ze het erbij, wilde ze hem niet onderbreken.

'Het is ontzettend warrig,' ging Flin verder. 'Ik parafraseer enorm, maar in wezen komt het erop neer dat Imti uitlegt hoe Egypte uiteenvalt. Farao Pepi II is oud en dement – hij heeft op dat moment 93 jaar op de troon gezeten, langer dan welke vorst in de geschiedenis ook – en het centrale gezag is bezweken. Er heerst hongersnood, er woedt een burgeroorlog en buitenlandse troepen vallen het land binnen. In Imti's woorden: Maat, de godin van de orde, is overweldigd door Seth, heer van woestijnen, chaos, conflict en het kwaad.'

Hij liep langzaam langs de vitrine, volgde het verhaal zoals zich dat op de papyrus ontvouwde.

'Volgens Imti komen de leidende figuren van het land met het oog op deze algehele crisis in een geheim conclaaf bijeen en nemen ze een zwaarwegend besluit: in het belang van zijn eigen veiligheid en om te voorkomen dat hij in handen valt van wat hij "kwaadwillenden" noemt, moet de Benben-steen uit de Tempel van Iunu worden weggehaald en onder leiding van Imti weer door de woestijn worden gebracht naar...'

Hij bleef staan, boog zich over de vitrine en begon te lezen. Zijn stem was plotseling dieper en voller, alsof hij van ver terug in de tijd klonk.

'... *set ityu-en wehat seshtat inet-djeseret mehet wadjet er-imenet er-djeru ta em-khet sekhet-sha' em ineb-aa en-Stekeh.* De Plaats onzer Voorvaderen, de Geheime Oase, het Heilige Dal weelderig en groen, in het verre westen, aan het eind van de wereld, voorbij de velden van zand, in de grote muur van Seth.'

Hij keek op; een lichte blos kleurde zijn wangen. 'Heel bijzonder, vind je niet? Zoals ik al zei, de duidelijkste en meest gedetailleerde beschrijving van de oase die we hebben.'

'Noem je dat duidelijk?'

'Naar oud-Egyptische maatstaven glashelder,' antwoordde hij. 'De velden van zand is de Grote Zandzee, de muur van Seth de oostflank van de Gilf Kebir. Zoals ik als zei is Seth de oud-Egyptische god van de woestijn. Op een postcode na kan het niet nauwkeuriger. En dat is nog niet alles.' Hij liep nog verder langs de vitrine. 'Imti gaat verder met een beschrijving van de expeditie zelf, een boeiend uitgangspunt gegeven het feit dat hij het verslag heeft geschreven voor hij op pad ging en dus gebeurtenissen beschrijft die nog moesten plaatsvinden. Ook nu weer zal ik het niet woord voor woord weergeven, maar aan het laatste stuk hebben we wat.'

Hij bleef staan bij het eind van de papyrus, boog zich weer voorover en begon opnieuw te lezen, en opnieuw werd zijn timbre dieper en voller.

'En zo kwamen we aan het verste eind van de wereld, de Westelijke Muur, en het Oog van Khepri werd geopend. We gingen door de Mond van Osiris, we gingen de Inet Benben binnen, we kwamen bij de *hut aat*, de grote tempel. Hier is uw huis, o Steen van Vuur, van waaruit u kwam bij het begin van alles, en tot waar u nu terugkeert. Dit is het einde. De poorten zijn gesloten, de Spreuken van het Verbergen zijn uitgesproken, de Twee Vloeken zijn neergelegd – mogen kwaadwillenden worden vermorzeld in de kaken van Sobek en opgeslokt in de buik van de slang Apep! Ik, Imti-Khentika, Grootste aller Zieners, zal niet van deze plaats terugkeren, want het is de wil van de goden dat mijn graf tot in der eeuwigheid leeg zal blijven. Moge ik de mooie wegen bewandelen, moge ik het hemelse firmament doorkruisen, moge ik elke dag naast Osiris eten. Geprezen zij Ra-Atum!'

Hij zweeg en ging weer rechtop staan. Freya wachtte op meer, maar er kwam niets.

'Is dat alles?' Ze kon haar teleurstelling niet verbergen. Na die hele aanloop had ze dan misschien geen verpletterende openbaring verwacht, maar minstens een verklaring, een aanwijzing van wat er gaande was en waarom. In plaats daarvan vond ze het nog verwarrender en ondoorzichtiger dan het was toen Flin aan zijn uitleg begon. Oog van Khepri, mond van wat dan ook, vervloekingen en slangen... het zei haar niets, helemaal niets. Ze had het gevoel dat ze door een ingewikkelde doolhof geleid en op precies dezelfde plaats naar buiten kwam als waar ze begonnen, zonder ook maar iets dichter bij het midden te zijn geweest.

'Is dat het?' vroeg ze nogmaals. 'Is dat alles?'

Flin haalde verontschuldigend zijn schouders op. 'Zoals ik al zei, er is niet veel informatie te vinden. Je weet nu evenveel als ik.'

Het werd opeens heel rumoerig in de zaal nu er een groep toeristen naar binnen dromde onder leiding van een vrouw met een opgerolde paraplu. Ze liepen rechtdoor en verlieten de zaal aan de andere kant zonder ook maar een blik te werpen op wat er tentoongesteld was. Freya staarde naar de papyrus, stak haar hand uit en pakte de foto uit Flins hand.

'Als het zo moeilijk is om de oase te vinden...'

'Hoe kwam Rudi Schmidt er dan terecht?' Flin maakte de zin voor haar af. 'Dat is de hamvraag, nietwaar? Een van de verbijsterende kanten aan het hele Zerzura-wehat-seshtat-verhaal is het feit dat ondanks dat de oase "verborgen" is...' Met opgeheven handen kromde hij zijn vingertoppen om aanhalingstekens aan te geven. '... er toch nog wel eens mensen tegen aan schijnen te lopen. Bijvoorbeeld Rudi Schmidt. En degene die de informatie heeft verschaft waarop de beschrijving in de *Kitab al-Anuz* was gebaseerd, was er ook een. Waarschijnlijk een bedoeïen. Er zijn lange tijd geruchten geweest dat bepaalde woestijnstammen wisten waar het was, maar ik heb het zelf nooit ergens kunnen bevestigen.'

'Hoe hebben ze het dan kunnen vinden?' vroeg Freya.

Flin stak zijn handen in de lucht.

'God mag het weten. De Sahara is een geheimzinnige plek waar geheimzinnige dingen gebeuren. Sufferds als ik zijn een heel leven naar de oase op zoek, en een ander wandelt er zo naar binnen. Er is niets zinnigs over te zeggen. Je kunt het geloven of niet, maar de meest overtuigende verklaring die ik ooit heb gehoord was van een paranormaal begaafd iemand, een heel vreemde vrouw die in Aswan in een tent woonde en beweerde dat ze een reïncarnatie was van Pepi II's vrouw, koningin Neith. Ze vertelde dat er verhullingsspreuken over de oase waren uitgesproken, en dat hoe harder je zocht, hoe moeilijker zij te vinden was. Dat alleen degenen die er niet naar zochten ooit de plaats zouden vinden. Voor die parel van wijsheid heb ik haar vijftig pond betaald.'

Hij liet een vreugdeloos gegrom horen en keek op zijn horloge. 'Kom, we moeten weer eens terug.'

Ze wierpen nog een laatste blik op de volgekriebelde papyrus en keerden op hun schreden door het museum terug. Ergens klonk een bel ten teken dat het sluitingstijd was.

'Wist Alex hiervan?' vroeg ze toen ze de trap naar de benedenverdieping afliepen. 'Van de oase en de Benben?'

Flin knikte. 'We hebben samen heel veel tijd bij de Gilf Kebir doorgebracht en dan verveelde ik haar 's avonds bij het kampvuur met deze dingen. Alhoewel ze me eerlijk gezegd met gelijke munt betaalde. Als ik nooit meer iets hoor over lacustriene sedimenten, zal ik daar niet echt mee zitten.'

Ze waren onder aan de trap en liepen terug door de galerij van het Oude Rijk. Bezoekers dromden naar de uitgang, voortgedreven door geüniformeerde bewakers.

'Hoe belangrijk is de oase?' vroeg Freya. 'Ik bedoel, is zij... snap je?'

'Vol juwelen en andere schatten?' Flin grinnikte. 'Dat betwijfel ik ten zeerste. De *Kitab al-Kanuz* beweert dat wie hem vindt grote rijkdommen zal ontdekken, maar ik weet bijna zeker dat dat een overdrijving is. Wat bomen en een hoop oude ruïnes, dat is het enige wat er zal zijn. Wetenschappelijk van grote waarde, maar voor mensen die een echt leven leiden...' Hij haalde zijn schouders op. '... volslagen onbelangrijk.'

'En de Benben-steen?' vroeg ze.

'Nogmaals, voor studiehoofden als ik zou het een enorme ontdekking zijn. Een van de totemachtige symbolen van het oude Egypte. Ja, absoluut enorm. Maar op de keper beschouwd is het gewoon een stuk steen, zij het dan een unieke steen. Hij is niet van massief goud of zo. Er zijn heel wat objecten die commercieel gezien stukken waardevoller zijn.'

Ze waren voorbij de koepel en liepen door de galerij met de reusachtige sarcofagen. Freya bleef staan, hield de foto van de geheimzinnige poort omhoog en stelde de vraag die haar bezighield van het moment dat ze er een eerste blik op had geworpen. 'Waarom in godsnaam zou iemand hiervoor mijn zus willen vermoorden?'

Flin keek haar aan, keek weer weg. Het duurde even voor hij iets zei. 'Ik weet het niet, Freya. Het spijt me, maar ik weet het echt niet.'

Ze gingen het kantoorgedeelte van het museum weer in en klommen via de wenteltrap naar de fotoafdeling. De deur van de donkere kamer was nog dicht.

'Hoe staat het ervoor, Majdi?' riep Flin en hij klopte aan.

Geen antwoord. Hij klopte nog eens, harder. 'Majdi? Ben je daar?'

Nog geen reactie. Hij klopte nog een laatste keer, pakte de kruk en opende de deur. Het duurde heel even voor zijn ogen aan het donker gewend waren, en toen: 'O god! Nee!'

Freya stond achter Flin die haar met zijn lange lijf het zicht ontnam. Ze deed een stap naar voren en keek om hem heen. Haar hand schoot naar haar mond toen ze besefte wat ze zag en diep uit haar keel kwam een kokhalzend geluid van ontzetting. Majdi lag ineengekrompen op de vloer van de donkere kamer, met wijd opengesperde ogen. Zijn keel was van oor tot oor opengesneden. Overal was bloed, het lag in een stroperige zwarte laag op het gezicht van de Egyptenaar, op zijn shirt, zijn handen, in een plas als een halo rond zijn hoofd.

'O, Majdi,' kreunde Flin en hij beukte met zijn vuist op de deurpost. 'O, wat heb ik gedaan, mijn vriend?'

'Salaam.'

Flin en Freya draaiden zich razendsnel om. De tweeling zat op de bank aan de andere kant van de ruimte. Een van hen hield een strook ontwikkelde film op, de ander zat met een met bloed besmeurd stiletto in de hand. Ze keken allebei heel onaangedaan en blanco alsof het tafereel in de donkere kamer niet schokkender was dan het beeld van iemand die thee dronk of pingpongde. Bonkende voetstappen klonken toen er achter hen boven aan de wenteltrap nog vier criminelen verschenen die elke mogelijke ontsnapping blokkeerden. Een van hen had een blauw oog en een belachelijk gezwollen neus en lip: de man die Flin op de universiteit de lift in had geslagen. Hij riep iets tegen de tweeling en die knikte. Hij kwam naar voren, kwam recht voor Flin staan en keek hem vuil aan voor hij twee enorme handen met kracht op de schouders van de Engelsman liet neerkomen en een boosaardige knie in zijn kruis plantte.

'Ta'ala mus zobry, ya-ibn el-wiskha,' gromde hij toen Flin op de grond in elkaar zakte, naar adem happend van de pijn. 'Lik mijn pik, hoerenzoon.'

Freya was even te geschokt om te reageren, maar toen balde ze een vuist en haalde uit naar de man. Die haalde ze bij lange na niet, want iemand greep van achteren haar arm beet, trok hem met een ruk op haar rug en snaaide toen de foto uit haar hand. Ze worstelde en trapte en schold, maar ze waren te sterk voor haar en toen er een pistool tegen haar slaap werd gezet, wist ze dat verder verzet zinloos was en gaf ze het op. Flin werd kreunend van de pijn op zijn voeten gezet en gefouilleerd, zijn mobieltje werd uit zijn zak gehaald en stuk getrapt. Daarna werden Freya en hij naar de trap geduwd, de tweeling stond op en kwam achter hen aan. Degene met de stiletto veegde onder het lopen met een zakdoek het lemmet schoon. Toen ze de trap af gingen, verdraaide Freya bijna haar nek om achterom te kijken, eerst naar het met bloed doordrenkte lijk van Majdi, daarna naar Flin.

'Sorry,' zei ze, haar stem hees van de schrik, haar gezicht grauw. 'Ik had je hier nooit bij moeten betrekken. Geen van jullie beiden.'

Flin schudde zijn hoofd.

'Het spijt *míj*,' zei hij schor, door de pijn nauwelijks in staat iets te zeggen. 'Ik had jou er nooit bij moeten betrekken.'

Voor ze kon vragen wat hij bedoelde, grauwde een van de boeven iets en duwde hij het pistool harder in haar nek zodat ze gedwongen werd voor zich te kijken. Daarna waren de enige geluiden de voetstappen op de metalen trap en het gepijnigde raspen van Flins ademhaling.

Buiten het Museum van Egyptische Oudheden zat Cy Angleton op een zuilvoet in de hoek van de beeldentuin en zag hoe Freya en Flin door een zijdeur naar buiten werden gewerkt. Hoewel Brodie strompelde en de mannen om hen heen een beetje dichter tegen hen aan liepen dan strikt nodig was, viel hun groepje niet op door iets wat merkwaardig overkwam, en niemand, noch de toeristen die in drommen de tuin bevolkten noch de politieagenten in witte uniformen die met tussenruimten rond het museum op wacht stonden, besteedde extra aandacht aan hen.

Alleen Angleton keek, volgde hen gespannen terwijl ze door de tuin liepen en door de hoofdpoort naar buiten. Hij wachtte even, stond op en volgde hen, hield ze in de gaten toen ze op het voetgangersgebied voor het museum rechts afsloegen, weg van de Midan Tahrir. Taxichauffeurs en verkopers van snuisterijen zwermden om hem heen, wilden hem ansichtkaarten verkopen, beeldjes en onvermijdelijk 'de speciale trip naar de piramiden en de papyrusmakerij die geen ander u biedt'. Angleton wuifde ze weg, volgde het groepje langs het Hilton Hotel en de Corniche el-

Nil waar twee auto's, een zwarte BMW en een zilveren Hyundai personenbusje, met draaiende motor stonden te wachten. De tweeling stapte in de BMW, de twee westerlingen werden de Hyundai in gegooid en het portier werd achter hen dichtgesmeten. Op dat moment sloeg Brodie toevallig zijn ogen op en zijn blik viel op Angleton voordat het konvooi zich in het avondverkeer mengde.

'U wil antiek, mister?'

Een jong knaapje, niet ouder dan zes of zeven jaar oud, dook naast Angleton op en hield hem een grof en duidelijk modern beeldje van een kat voor.

'Twintig Egyptische ponden,' zei het jongetje. 'Heel oud. U wil?'

Angleton zei niets, zijn blik liet de auto's die over de Corniche jakkerden niet los.

'Tien pond, mister. Heel goed beeld. U wil, mister?'

'Wat ik wil,' mompelde Angleton, 'zijn antwoorden, verdomme.'

Hij keek tot de auto's uit het zicht waren. Daarna stak hij zijn hand in zijn zak, haalde er een stapel bankbiljetten uit, stak ze het jongetje toe waarna hij zich omdraaide en terugslenterde richting museum.

'U wil gaan piramide, mister? U wil gaan parfumwinkel? Echt Egyptisch parfum. Heel goedkoop, heel goed voor vrouw.'

Angleton gaf geen antwoord, zwaaide even met zijn hand over zijn schouder en liep door.

Op het terrein van de Amerikaanse ambassade liep Molly Kiernan ongedurig te ijsberen. Haar legitimatie wapperde aan zijn kettinkje om haar hals, haar ogen schoten heen en weer tussen haar mobieltje en de noordelijke poort van de ambassade. Alle personeel en bezoekers moesten daar doorheen, en af en toe zwaaide de deur van de ruimte met de beveiligers open en kwam er iemand tevoorschijn. Elke keer bleef Kiernan staan om te kijken, waarna ze haar hoofd schudde en doorging met ijsberen, ondertussen op haar telefoon kloppend alsof ze hem wilde dwingen over te gaan. Dat gebeurde tweemaal en in beide gevallen nam Kiernan hem al aan voor de eerste bel was afgelopen. Het waren niet de telefoontjes waar ze op hoopte, en beleefd maar duidelijk hield ze het kort.

'Kom nou,' mompelde ze. 'Kom nou toch. Wat is er aan de hand? Waar blijven jullie? Schiet op!'

Caïro – Samalek

'En hoe krijgt u ze eigenlijk het land uit, meneer Girgis?'

'Volgens mij is dat wat men het geheim van de smid noemt, monsieur Colombelle. Het enige wat u hoeft te weten is dat de beelden op de afgesproken datum en de afgesproken tijd in Beiroet aankomen. En voor de afgesproken prijs.'

'En ze zijn achttiende dynastie? Dat kunt u absoluut zeker bevestigen?'

'Ik lever wat ik beloof te zullen leveren. U hebt te horen gekregen dat deze stukken achttiende dynastie zijn en dat is dan ook exact wat ze zijn. Ik handel niet in nep of reproducties.'

'Met de Akhnaton-cartouche?'

'Met de Akhnaton-cartouche, de Nefertiti-cartouche en verder alles wat mijn oudheidkundigen u hebben beschreven. Helaas is meneer Usman vanavond bezet wegens andere zaken en niet in staat ons gezelschap te houden, maar ik kan u verzekeren dat de goederen aan uw verwachtingen zullen voldoen, zoniet ze zullen overtreffen.'

Monsieur Colombelle, een zwierige kleine fransoos met onnatuurlijk zwart haar, liet een tevreden lachje horen.

'We gaan een heleboel geld verdienen, meneer Girgis. Een heleboel geld.'

Girgis opende zijn handen.

'Dat is voor mij de enige reden om zaken te doen. Als ik u iets mag aanraden, de kreeftravioli is buitengewoon goed.'

De Fransman tuurde op zijn menukaart terwijl Girgis aan een glas water nipte en over tafel naar zijn twee collega's keek: Boutros Salah, een dikke man met onderkinnen, een borstelige snor en een sigaret bungelend uit zijn mondhoek, en Mohammed Kasri, lang met een baard en een haakneus. Ze keken terug en alle drie gaven met een klein knikje te kennen dat de deal binnen was.

Het diner was een onwelkome afleiding voor Girgis, maar Colombelle was speciaal naar Caïro komen vliegen en nu zijn klanten wachtten op de levering van de gestolen beelden, kon het echt niet worden uitgesteld. Het bedrag, twee miljoen dollar, was niet enorm, te verwaarlozen in vergelijking met de Zerzuradeal, maar zaken waren zaken en dus was de ontmoeting doorgegaan. Met hun vieren hadden ze de details van de deal behandeld, terwijl Girgis onder tafel ongeduldig met zijn voet had zitten tikken. Hij verwachtte nieuws over wat er op het filmpje in de camera zat en of het hem naar de oase zou brengen. Hij had gehoopt op eerder resultaat – zijn mensen zaten nu al meer dan een uur naar die negatieven te kijken – maar hij probeerde rustig te blijven. In elk geval hadden ze de negatieven, en Brodie en die meid, dus dat was een stap in de goede richting. Hij nam nog een slokje water, controleerde zijn mobieltje en begon zijn eigen menukaart te bestuderen. Terwijl hij daarmee bezig was, werd hij benaderd door een ober die zich naar hem toe boog en iets in zijn oor fluisterde. Girgis knikte, duwde zijn stoel achteruit en stond op.

'Monsieur Colombelle, u moet het me vergeven, maar er is opeens iets gebeurd en mijn aanwezigheid wordt elders gevraagd. Mijn collega's zullen alle vragen die u mocht hebben beantwoorden en als u dat wenst regelen zij na de maaltijd enig vermaak voor u. Het was een genoegen zaken met u te doen.'

Hij schudde de Fransman, die niet goed raad wist met het plotselinge vertrek van zijn gastheer, de hand en draaide zich zonder verdere poespas om en verliet het restaurant. Buiten stond zijn limousine te wachten. De chauffeur hield het achterportier voor hem open en een dikke, onverzorgde man met een bloempotkapsel en een bril met dikke, kunststof glazen schoof op de achterbank een stuk op om ruimte voor Girgis te maken: Ahmed Usman, zijn oudheidkundige.

'En?' vroeg Girgis toen het portier was gesloten.

Usman trommelde met zijn vingertoppen tegen elkaar. Zijn gedrag had iets merkwaardig mol-achtigs.

'Helaas, meneer Girgis: niks. De helft van het filmpje was vergaan, en de andere helft...' Hij gaf hem een stapeltje foto's op A4-formaat. 'Onbruikbaar, volstrekt onbruikbaar. Ziet u, alle opnamen zijn in de oase gemaakt, geen enkel houvast voor het vaststellen van de locatie. Het is alsof je een huis midden in de stad zoekt terwijl je alleen maar een foto van de badkamer hebt. Volstrekt onbruikbaar.'

Girgis bladerde de foto's door, en zijn mondhoeken krulden op in iets wat tussen een grimas en een grauw in zat.

'Kunnen jullie iets over het hoofd hebben gezien?'

Usman haalde zijn schouders op, tikte zijn vingertoppen weer tegen elkaar.

'Ik heb ze ongelooflijk nauwkeurig bestudeerd, dus ik zou zeggen van niet. Anderzijds...' Hij liet een nerveus lachje horen. 'Ik ben niet de grootste autoriteit op dat gebied.'
'Brodie?'
'Professor Brodie is dé autoriteit.'
'Dan denk ik dat we maar eens een gesprek met hem moeten hebben,' zei Girgis, hij gaf de foto's terug, pakte de intercom en gaf de chauffeur zijn instructies.
'Ik kan me niet voorstellen dat hij wil helpen,' zei Usman en schoof een stukje bij hem vandaan. 'Zelfs als het hem zou lukken iets te ontdekken. Van wat ik van hem weet...' Weer zo'n nerveus lachje. '... is hij erg koppig.'
Girgis trok de manchetten van zijn overhemd recht, veegde een stofje van zijn jasje.
'Neem maar van mij aan, Ahmed, dat als Manshiet Nasser klaar is met professor Brodie, er niets is dat hij niet voor ons wil doen. Dan smeekt hij of hij mag helpen. Dan bedelt hij erom.'

Caïro – Manshiet Nasser

'Hebbes,' mompelde Freya en ze vertrapte de kakkerlak onder de punt van haar sneaker. Het huidpantser maakte een vochtig, krakend geluid toen ze hem langzaam fijnwreef op de grond, hem over de stoffige betonvloer uitsmeerde en zijn geelbruine binnenste zich mengde met dat van de andere kakkerlakken die ze het voorgaande uur naar de andere wereld had gestuurd.
'Gaat het?' vroeg Flin.
Ze haalde haar schouders op. 'Niet echt. Hoe is het met je...' Ze knikte in de richting van zijn kruis.
'Ik overleef het wel, maar voorlopig ga ik maar niet fietsen, denk ik.'
Ze lachte flauwtjes. 'Wat denk je dat ze met ons gaan doen?'
Nu was het Flins beurt om zijn schouders op te halen. 'Uitgaande van recente gegevens, niet iets zeer aangenaams. Maar dat weten zij beter.'
Hij knikte naar drie man die zwijgend tegenover hen zaten, elk met een pistoolmitrailleur op schoot.
'Hé, jongens, wat zijn jullie plannen?' riep hij naar hen.
Geen antwoord.
'Het moet zeker een verrassing blijven,' zei hij, dook ineen en wreef over zijn slapen.

Ze bevonden zich op de bovenste verdieping van wat een gedeeltelijk voltooid gebouw leek, een grote, donkere ruimte verlicht door een enkele tl-buis die plat op de grond lag, dicht bij de bewakers. De vloer, het plafond, de trap en de dragende pilaren waren er allemaal – kaal beton waar hier en daar als fossiele takken roestige uiteinden betonijzer uitstaken – maar er waren maar drie muren. De vierde zijde was toegankelijk voor de nacht, een gapend gat dat uitkeek over de twinkelende lichtjes van Caïro, als de opening van een grot hoog in een klif. Flin en Freya bevonden zich aan deze kant van de ruimte waar ze op een paar omgekeerde kisten zaten. Achter hen hield de vloer abrupt op en ging het recht omlaag naar de straat een heel eind in de diepte. Hun bewakers zaten tien meter van hen vandaan in het midden van de ruimte, naast de trap. Zelfs met die ontbrekende muur waren de westerlingen in alle opzichten gevangen.

'Waar zijn we in godsnaam?' had Freya gevraagd toen ze hier net waren.

'Manshiet Nasser,' had Flin haar verteld. 'Daar wonen de Zabbaleen.'

'Zabbaleen?'

'De vuilnismannen van Caïro.'

'Zijn we gekidnapt door vuilnismannen?'

'Ik vermoed dat we hier alleen maar worden vastgehouden,' zei Flin. 'Mijn ervaring is dat de Zabbaleen fatsoenlijke lieden zijn, zij het niet de meest hygiënische.'

Dat was bijna een uur geleden geweest, en nog altijd zaten ze te wachten, waarop konden ze geen van beiden zeggen. Het was nog licht toen ze aankwamen, maar de nacht was snel gevallen. Nu was alles in duisternis verzonken en het kille licht van de tl-balk was niet voldoende om de schaduwen die in de hoeken samenscholen te verjagen. Motten en andere insecten fladderden om de tl-buis, en de atmosfeer was drukkend door de warmte, het stof en de zware, zoetzure stank van rottend afval die overal aan hing, alles doordrong, alles bedekte.

Freya zuchtte en keek op haar horloge: elf over zes. Flin stond op en draaide zich om, stak zijn handen in zijn zakken en keek de nacht in. Ze bevonden zich aan de achterkant van het bouwwerk dat op een steile helling stond. Beneden hen stortte zich een massa daken omlaag als een foto van een aardverschuiving waarin alles versmolt tot een vage warboel van stof en steen en beton en hopen vuilnis. Terwijl de rest van Caïro baadde in het licht – een schitterend tapijt van wit en oranje dat zich tot in de verte uitspreidde – was deze hoek in duisternis gedompeld. Er waren een paar zwak verlichte ramen, schrale kleurvegen in het omringende donker – en over de straat beneden lag een ziekelijke oranje gloed van een stuk of wat natriumlampen. Verder was het overal donker, alsof de gebouwen en de straatjes en steegjes en vuilnishopen in zwarte inkt waren gedoopt. Af en toe hoorde je iets roepen, met pannen rammelen, een eind verderop een maalmachine, maar er waren geen mensen, niet voor zover Flin kon zien. In de wijk hing een merkwaardig spookachtige sfeer, een dorp van spoken vastgespijkerd aan de rand van een stad van levenden.

Flin schuifelde wat verder naar de rand en keek naar de straat onder hem. Links kwam een vrachtwagen de heuvel opgekropen. Het diepe gegrom van de motor vond zijn contrapunt in het getinkel van de stapel flessen die hij vervoerde. Hij reed pal onder hem door, rommelde verder de helling op en verdween om een hoek waar de straat een lus maakte en voor het gebouw langs verder liep. Er ging een minuut voorbij, toen verscheen een volgende vrachtwagen, deze keer met een berg spaghetti van oud elektriciteitsdraad. Erachter, en totaal niet passend in deze vervallen omgeving, verscheen een fraai gestroomlijnde limousine. Flin keek hoe hij de hoek om ging en uit het zicht verdween, en keerde zich om naar Freya.

'Het lijkt erop dat we bezoek krijgen,' zei hij. Op dat moment klonk er buiten een claxon en kwamen de bewakers overeind. Op de trap beneden klonken voetstappen, eerst zacht maar steeds harder toen de bezoekers – zo te horen meer dan één – naar boven kwamen. Instinctief stak Freya een hand uit en pakte die van Flin. De voetstappen kwamen steeds dichterbij en ten slotte verschenen er twee mannen. De ene was klein en dik, slordig gekleed, met een bloempotkapsel en een bruine A4-envelop in de hand. De ander was ouder en slanker, smetteloos gekleed, zijn grijze haar tegen zijn schedel geplakt, met een scherp getekend gezicht, vaalgele huid, lippen zo dun dat ze er bijna niet waren. Hij scheen de algehele leiding te hebben, want de andere Egyptenaren schoven eerbiedig opzij. De groep werd door de streep licht op de grond in een bol kil licht gehuld. Even was er een gespannen stilte, toen:

'Romani Girgis,' mompelde Flin zachtjes.

'Ken je die man?' Freya liet Flins hand los en draaide zich naar hem toe.

'Ik heb van hem gehoord,' antwoordde de Engelsman en keek uitdagend de ruimte door. 'Iedereen in Caïro kent Romani Girgis.' En na een korte stilte ging hij met stemverheffing verder: 'Een absurder stuk ellende kun je je bijna niet voorstellen.'

Als hij al kwaad was vanwege de belediging, of begrepen had wat er werd bedoeld, dan liet Girgis het niet merken. In plaats daarvan gaf hij zijn metgezel een seintje en die scharrelde de ruimte door en gaf Flin de bruine envelop.

'Het is niks voor jou om je vuile werk zelf te doen, Girgis,' zei de Engelsman. Hij trok een stapeltje foto's uit de envelop en bladerde erdoorheen. 'Waar is de olijke tweeling?'

Het duurde even Girgis begreep waar hij het over had. Toen lachte hij, wat zijn gezicht een verwrongen, onaangename uitdrukking verleende, als een reptiel dat ergens in wil bijten.

'Ze zijn op bezoek bij hun moeder,' zei hij in vloeiend Engels met een zwaar accent. 'Zeer plichtsgetrouwe zoons, heel zachtmoedig. Veel meer dan ik, zoals jullie snel genoeg zullen merken.'

Zijn glimlach werd breder maar vertrok tot een masker van afkeer toen er een kakkerlak over de grond recht op hem af scharrelde. Hij deed een stap achteruit, mompelde iets. Een van zijn zware jongens kwam naar voren en zette zijn voet op het insect, schroefde het in het beton. Pas toen hij er zeker van was dat het diertje helemaal was vernietigd, leek Girgis weer zichzelf te worden. Hij veegde over zijn mouwen en richtte het woord tot Flin. Zijn toon was nu koud en scherp als een scheermes en de andere Egyptenaren stonden er zwijgend bij, met strakke koppen en schaduwen die op het plafond boven hen aan alle kanten uitdijden.

'Jij gaat die foto's bekijken,' zei Girgis met een kwaadaardige glans in zijn ogen. 'Je gaat ze bekijken en dan vertel je me waar ze zijn genomen. Waar precies ze zijn genomen.'

Flin bekeek de foto's. 'Nou, deze is genomen in Timboektoe,' zei hij. 'Deze komt uit Sjanghai, dit lijkt op El Paso en dit…' Hij hield een foto op. 'Verdomd als dit mijn tante Ethel in Torremolinos niet is.'

Girgis keek hem aan, knikte alsof hij dit wel had verwacht. Hij haalde een pakje vochtige doekjes uit zijn zak, trok er een uit en wreef ermee over zijn handen. Hij zweeg even, het enige geluid was het zachte ploffen van motten die tegen de tl-buis vlogen, en buiten, het rammelen van een kar en in de verte het geluid van autoclaxons. Toen gooide de Egyptenaar het doekje op de grond en zei iets tegen zijn collega's. Een van de bewakers raapte de tl-buis op, zette hem overeind tegen een stoel en richtte hem op de verste hoek waar plastic zakken van vloer tot plafond waren gestapeld. Er stond een machine naast die nog het meest leek op een grote houtversnipperaar, met bovenin een opening en op de zijkant allerlei knoppen en hendels. Girgis liep erheen en de dikke man draafde als een gehoorzame hond met hem mee. Twee bewakers duwden Flin en Freya er ook heen, porden ze met hun wapen. De derde, de man die de lamp overeind had gezet, verdween de trap af en riep iets naar iemand beneden.

'Weten jullie wat dit is?' vroeg Girgis toen Flin en Freya naast hem stonden en hij klopte op de machine.

Ze gaven geen antwoord, stonden er allebei met een stalen, uitdagend gezicht bij.

'Dit heet een granulator,' zei de Egyptenaar als antwoord op zijn eigen vraag. 'Een heel gewoon apparaat in dit deel van de stad. Normaal gesproken staan ze op de begane grond, maar deze hebben we naar boven gehaald voor... speciale gelegenheden.' Hij gromde geamuseerd waarbij zijn mondhoeken weer in zo'n reptielachtig lachje krulden. 'Ik zal jullie laten zien hoe hij werkt.'

Hij gaf een van zijn mannen een seintje en die haalde een stiletto tevoorschijn en opende hem. Flin spande zijn spieren en ging voor Freya staan, klaar om haar te beschermen. Maar het mes bleek niet voor hen bedoeld te zijn. De man liep naar de stapel zakken en hakte in een ervan een jaap. Er stroomde een golf lege plastic flessen uit.

'Er is niet veel handigheid voor nodig,' ging Girgis verder. Hij haalde weer een doekje uit zijn zak en veegde opnieuw zijn handen af. 'Het is kinderlijk eenvoudig. Letterlijk, want meestal zijn het de kinderen van de Zabbaleen die deze machines in feite bedienen. Dat zal mijn kleine assistent laten zien.'

Achter hen bewoog iets en de man die naar beneden was gegaan kwam terug met een jongetje. Hij kon niet ouder dan vijf of zes zijn, zijn gezicht was smerig en hij was ondervoed, en zijn handen hield hij verstopt in de mouwen van zijn te grote djellaba. Ze kwamen naar hen toe. Girgis fluisterde het jongetje iets in, die vervolgens naar de machine liep. Hij stak zijn linkerhand uit en drukte op een paddestoelvormige rode knop. Er klonk gerommel en gesputter en toen vulde de ruimte zich met een oorverdovend mechanisch kabaal.

'Toen ik jong was, hadden we die dingen niet,' riep Girgis. Hij moest schreeuwen om boven het lawaai uit te komen. 'Maar ze zijn dan ook pas de laatste decennia nodig geworden. Er is tegenwoordig zoveel plastic. Zoals altijd hebben de Zabbaleen zich aan de veranderende tijden aangepast.'

Het jongetje was naar de stapel flessen gelopen en verzamelde er met zijn linkerhand een dozijn van in zijn djellaba. Hij ging terug naar de granulator en begon de flessen er een voor een bovenin te gooien. Er klonk gesis en gekraak en het apparaat braakte een golf van plakjes ter grootte van een munt uit die als hagel over de vloer stuiterde.

'Zoals jullie zien gaan de flessen er in zijn geheel in en worden ze in het apparaat met messen versnipperd,' legde Girgis nog steeds schreeuwend uit. 'Ze komen eruit als een grondstof die kan worden verkocht aan de plasticopkopers in de stad. Heel eenvoudig, en zeer efficiënt.'

Het jongetje had nu alle flessen in de machine gestopt en drukte, op een teken van Girgis, opnieuw op de rode knop en zette de machine uit.

'Heel eenvoudig en heel efficiënt,' herhaalde de Egyptenaar wiens stem onnatuurlijk hard klonk in de stilte die nu in de ruimte was neergedaald. 'Hoewel niet altijd even veilig. Helaas.'

Hij gaf het jongetje een por en die stak zijn rechterarm op. De mouw van zijn djellaba schoof terug zodat een benig stompje zichtbaar werd met littekenweefsel dat helemaal doorliep tot de elleboog alsof de arm in felroze verf was gedoopt. Freya ontsnapte een zachte snik. Flin schudde zijn hoofd, zowel uit medelijden met het jongetje als van walging omdat het op zo'n manier werd tentoongesteld.

'Hun mouwen komen soms tussen de messen, snap je?' zei Girgis stralend. 'Hun arm wordt naar binnen getrokken en het kleine handje afgerukt en in stukjes gehakt. Veel kinderen komen niet op tijd in het ziekenhuis en bloeden dood. In veel opzichten een zegen. Zo'n stralende toekomst hebben ze hier nou ook weer niet.'

Hij liet het even in de lucht hangen, veegde nog steeds zijn handen af. Toen wendde hij zich tot Freya. 'Ik begrijp dat u aan bergbeklimmen doet, miss Hannen.'

Freya zei niets, keek hem alleen maar aan en vroeg zich af waar hij heen wilde.

'Ik vrees dat ik daar weinig van afweet,' ging Girgis verder. 'In mijn bedrijfstak is daar weinig vraag naar. Maar ik zou er best meer van willen weten. Om maar iets te noemen: heb ik gelijk als ik denk dat het heel lastig klimmen is met maar één arm?'

Flin deed een halve stap naar voren. 'Laat haar erbuiten. Wat je verder ook wilt, laat haar erbuiten.'

Girgis maakte tuttende geluiden. 'Maar ze is er gewoon bij betrokken,' zei hij. 'Heel érg bij betrokken. Daarom gaat haar hand in de granulator als je me niet vertelt waar die foto's zijn gemaakt.'

'Jezus!' ontplofte Flin. Hij hield de foto's omhoog en wapperde ermee naar Girgis. 'Het zijn alleen maar ruïnes. Bomen en ruïnes! Hoe moet ik dan in godsnaam vertellen waar ze zijn genomen? Dat kan overal zijn. Overal.'

'Laten we voor miss Hannen hopen dat je me precies kunt vertellen waar dat overal is. Je hebt twintig minuten om naar de foto's te kijken en met informatie te komen. Daarna...'

Hij bonsde met zijn vuist op de rode knop van de granulator, die begon te draaien tot hij weer werd afgezet.

'Twintig minuten,' herhaalde hij. 'Ik wacht beneden.'

Hij gooide het doekje weg en liep, vergezeld door zijn slonzige kompaan, terug de ruimte door, zwenkte om iets op de vloer heen – een kakkerlak, vermoedde Freya – en ging de trap af.

'Je hebt mijn zus vermoord,' riep ze hem na.

Hij hield in en draaide zich om, met toegeknepen ogen alsof hij niet zeker wist of hij het goed had gehoord.

'Je hebt mijn zus vermoord,' herhaalde ze. 'En ik ga jou vermoorden.'

Een stilte, daarna glimlachte Girgis. 'Nou, laten we dan maar hopen dat professor Brodie me kan vertellen waar die foto's zijn genomen, want anders moet je dat met één hand doen.'

Hij knikte en verdween de trap af.

Caïro – Butneya

Hun moeder had hun geleerd hoe ze *torly* met lam moesten maken, een gerecht dat volgens iedereen die het geluk had mogen smaken het te proeven, het beste van heel Caïro, misschien wel van heel Egypte was. Het geheim, had ze hun verteld, was dat ze het lam moesten marineren in *karkady* en dan hoe langer hoe beter, liefst een hele dag. Want het rode sap van hibiscis hielp met zijn rijke smaak niet alleen het vlees zachter te maken, het doordrong het ook met een subtiele, verrukkelijke zoetheid die de andere ingrediënten van de stoofpot, zoals de uien, aardappels, erwten en bonen, zowel aanvulde als in smaak versterkte.

'Eerst doen we het lam in bad,' zong hun moeder altijd toen ze nog jong waren terwijl ze het vlees in de hibiscusmarinade wentelde. 'Daarna leggen we het te slapen in de oven, en dan gaat het...'

'... in onze monden!' riep de tweeling dan, waarbij ze smakten en op hun buik klopten. Hun moeder bulderde dan van het lachen en trok haar zoontjes aan haar boezem. Sloeg haar armen om hen heen.

'Beertjes van me!' lachte ze dan. 'Monstertjes van me!'

Maar deze avond was er, met al dat vliegen en draven voor Girgis – met de helikopter naar de woestijn en daarna zo'n jacht door Caïro – geen tijd geweest om het vlees te marineren, niet echt tenminste, dus hadden ze het in de karkady laten zakken terwijl ze de groenten hakten en klaarmaakten voor ze alles bij elkaar deden in een aardewerken pot en die in de oven zetten.

Ze kookten minstens twee keer per week voor hun moeder in haar krappe tweekamerkrot in Butneya, en vaker als ze het voor elkaar kregen. Daar waren ze opgegroeid, in de grauwe doolhof van straatjes die wegkronkelden achter de al Azhar-moskee. Ze hadden geprobeerd haar zover te krijgen dat ze verhuisde, dat ze bij hen kwam wonen, of dat ze hun in elk geval de kans gaf ergens iets comfortabelers voor haar te huren. Maar hier was ze gelukkig, dus bleef ze waar ze was. Ze gaven haar geld, hadden nieuwe meubels voor haar gekocht, zoals een heerlijk groot bed, een breedbeeld-tv en een dvd-speler, en de buren hielden een oogje in het zeil, dus er werd goed voor haar gezorgd. Toch maakten ze zich ongerust. Ze was jarenlang geslagen door el-Teyaban, de Slang – ze weigerden hem vader te noemen – waardoor ze nu breekbaar en wankel was, en hoewel de Slang allang verdwenen was – nadat de tweeling hem een verdomd hard pak slaag had gegeven – was het kwaad geschied. Diep in hun hart wisten ze dat ze het niet lang meer zou maken. Het was iets waar ze niet over praatten, en wat ze niet erkenden. Het was gewoon te pijnlijk. Hun *omm* was alles wat ze hadden. Alles.

Toen de torly gaar was, haalden ze hem uit de oven. De keuken vulde zich met het beroemde, zware aroma van gekookt vlees doortrokken met een vleugje mint – een van hun moeders andere geheime ingrediënten. Ze droegen de torly naar de woonkamer en zetten hem op de grond. Ze gingen gedrieën met gekruiste benen rond de pot zitten en lepelden de inhoud in hun kommen; hun moeder maakte klokkende geluiden en reageerde opgetogen, slurpte van haar lepel en haar tandeloze oude mond rimpelde als een gedroogde slak.

'Mijn beertjes!' kakelde ze. 'Wat verwennen jullie je oude moeder toch! De volgende keer moeten jullie mij laten koken.'

'De volgende keer,' antwoordden ze, keken elkaar aan en knipoogden omdat ze wisten dat ze het zomaar zei, dat ze het heerlijk vond te worden bediend en vertroeteld. En waarom niet? Ze had in de loop van de tijd genoeg offers voor hen gebracht. Ze was de beste moeder van de wereld. Ze was alles voor hen. Alles.

Onder het eten kletsten ze, tenminste, dat deed hun moeder. Ze bracht hen op de hoogte van alle plaatselijke nieuwtjes en roddels: dat mevrouw Guzmi er een kleinkind bij had gekregen, en dat bij die arme meneer Farid de tweede testikel was verwijderd, en dat Attalas net een gloednieuw fornuis had gekocht ('Zes kookplaten, stel je voor! Zes! En ze hebben er een gratis bakplaat bij gekregen'). Ze vroeg niet naar hun werk en zij praatten er niet over. Het had iets te maken met maatschappelijke betrekkingen, dat was alles wat ze wist. Het had geen zin haar ongerust te maken. Bovendien hadden ze hun langste tijd bij Girgis gehad. In de loop van de tijd hadden ze meer dan genoeg gespaard om hun eigen droom te verwezenlijken: een snackkraam in het Internationale Stadion in Caïro waar ze *taamiya* en *fatir* gingen verkopen, en natuurlijk hun moeders legendarische torly. Binnenkort stapten ze eruit. Ze waren het erover eens dat Girgis een volledig doorgedraaide mafketel was.

Toen de torly op was, brachten ze de vuile spullen naar de keuken en met elk een Red Devils-schort voor deden ze de afwas, terwijl hun mama zich in de verstelbare leunstoel nestelde die ze voor haar hadden gejat in een meubelzaak in Zamalek. Neuriënd wreef ze haar voeten.

'En hebben jullie voor jullie mama nog een aardigheidje meegenomen?' vroeg ze koket toen ze weer bij haar kwamen zitten. 'Iets lekkers als toetje?'

'Mam,' verzuchtten ze beiden, 'het is niet goed voor je.'

Ze jammerde en kermde en smeekte, wrong zich in allerlei bochten in haar stoel, miauwde als een hongerige kat, en hoewel ze het er niet mee eens waren, wilden ze het haar niet ontzeggen omdat ze wisten dat het een van haar weinige echte pleziertjes was. En terwijl dus een van hen de dvd-speler klaarzette, legde de ander de benodigdheden op een schaal: riem, lepel, water, aansteker, wattenstaafje gedrenkt in alcohol, citroensap en watten. Daarna haalde hij een spuit, een naald en het pakje heroïne uit zijn zak en maakte haar fix klaar.

'O, beertjes van me,' mompelde ze terwijl de drug in haar arm werd gespoten. Ze legde haar hoofd achterover en sloot haar ogen. 'Monstertjes van me.'

Ze hielden haar hand vast en streelden haar haar, zeiden dat ze van haar hielden en er altijd voor haar zouden zijn. Toen ze eenmaal was weggedreven naar haar eigen wereld, maakten ze het zich gemakkelijk op de vloer en zetten de dvd-speler aan. Ze klapten opgewonden in hun handen, ook al zagen ze het voor de vijftigste keer: de overwinning met 4-3 van El-Ahly op Zamalek bij de Egyptische Cupfinale van 2007, de meest fantastische voetbalwedstrijd ooit.

El-Ahly, El-Ahly,
Een beter team bestaat er niet,
We spelen snel, we gaan ervoor,
De Rode Duivels gaan altijd door!

Ze zongen het zachtjes bij zichzelf terwijl achter hen hun omm zuchtte en giechelde.

'Beertjes van me,' mompelde ze. 'Monstertjes van me.'

Caïro – Manshiet Nasser

'De afgelopen tien jaar heb ik er elke dag van gedroomd foto's als deze te mogen zien,' zei Flin en staarde naar de foto's in zijn hand. 'En nu ik ze zie, zou ik er werkelijk alles voor overhebben om ze niet te zien.'

Hij legde de foto's anders neer, bekeek ze een voor een, opnieuw.

'Het kan overal zijn,' kreunde hij en schudde wanhopig zijn hoofd. 'Overal, verdomme.'

Freya verdraaide haar nek en keek door het muurloze gat aan het andere einde van de ruimte uit over de stad. Ze voelde zich merkwaardig kalm als je bedacht dat hun twintig minuten bijna om waren. Achter haar zaten de drie bewakers boven aan de trap te kaarten, zich schijnbaar niet bewust van hun aanwezigheid. Naast haar zat Flin naar de foto's te turen zoals hij had gedaan vanaf het moment dat Girgis was vertrokken. Zijn ogen boorden zich in de foto's, zijn handen trilden.

Sommige foto's gaven een totaalbeeld van een kloof vol met bomen waarvan de wanden steil omhoogliepen naar een smalle reep bleke hemel erboven, alsof iemand met een scalpel een diepe snee in de rotsbodem had gegeven. Andere waren specifieker: een hoog oprijzende obelisk met het sedjet-teken op alle vier de kanten. Een brede laan met sfinxen. Een monumentaal standbeeld van een zittende figuur met het lichaam van een mens en de kop van een havik. Er waren zuilen en delen van muren en nog drie foto's van de poort die ze al hadden gezien, alles gehuld in een zware jas van groen: bloemen en bomen en takken en bladeren, alsof de leem en de uitgehakte steen in de loop der tijd weer begonnen op te gaan in het oorspronkelijke landschap, terugkeerden naar hun oorspronkelijke staat.

Lemen blokken, uitgehakte stenen, bomen, rotswanden... maar niets dat een hint gaf van de ruimere context, van de precieze locatie van de oase.

Ze gaan mijn arm afhakken, dacht Freya, volstrekt niet in staat zich iets voor te stellen bij de verschrikking die haar te wachten stond. Het was net of ze het hele tafereel van een afstand bekeek. Alsof het iemand anders' lichaamsdeel was dat zou worden versnipperd. Ze gaan mijn arm afhakken en ik zal nooit meer kunnen klimmen.

Om een onverklaarbare reden kreeg ze de neiging in lachen uit te barsten.

Ze keek op haar horloge – hoogstens nog een paar minuten over – en liep naar de rand van de ruwe betonvloer en keek omlaag naar de straat. Ze dacht erover te springen, maar het was veel te hoog. Minstens dertig meter, eerder nog vijfendertig. Het zou haar dood betekenen, en anders zouden haar benen knappen als luciferhoutjes. Er was ook geen mogelijkheid om naar de vrijheid te klimmen: ze had al eerder geknield over de rand gekeken naar een mogelijke route omlaag, maar het zat er gewoon niet in. En bovendien zouden de bewakers doorhebben wat ze van plan waren nog voor ze zelfs maar aan de klim waren begonnen. Een versnipperde arm, versplinterde benen, doodgeschoten... geen aanlokkelijke opties.

'Denk je dat het alleen maar een dreigement is?' vroeg ze achteromkijkend naar Flin. 'Ik bedoel... die granulator... denk je dat hij me echt...'

Hij keek op en toen weer naar de foto's; hij kon haar niet aankijken. Meer antwoord had ze niet nodig. Nu nog maar een minuut of zo.

Een eind verderop, rechts van haar, klonk het gegrom van een motor en sneden de koplampen van een grote dieplader door de nacht; hij kwam langzaam de hoek boven aan de straat om. Hij schudde en bokte als de chauffeur remde om hem onder controle te houden. Ze vroeg zich af of ze moest roepen, om hulp moest roepen, maar wat had het voor zin? Zelfs als de chauffeur haar hoorde en begreep, was de vraag wat hij moest doen. De politie bellen? De trap op stormen en hen in zijn eentje bevrijden? Het was uitzichtloos, volkomen uitzichtloos.

Ze sloeg haar armen om zich heen, vroeg zich af hoe erg de pijn zou zijn. Of het pijn zou doen of dat ze gewoon bewusteloos zou raken.

'Denk je dat je me naar een ziekenhuis kan brengen?' vroeg ze hardop. 'Is er een in de buurt?'

'In godsnaam,' siste Flin. De spanning was in zijn stem te horen, hij stond op het punt van breken. Zijn gezicht glom van het zweet en had helemaal geen kleur meer. Vreemd genoeg leek hij banger dan zij.

Boven aan de helling was de vrachtwagen nu helemaal de hoek om en hij kwam langzaam hun kant op, met gillende en sissende remmen. Op de laadvloer lag wat er op deze afstand uitzag als een hoop zand of puin. Maar het was moeilijk te zien in het wisselende zwakke, fletse licht van de natriumlantaarns. Ze bleef er even naar kijken, draaide zich met een ruk om toen een van de bewakers een triomfantelijke kreet slaakte, zijn kaarten onder de neus van zijn tegenspelers heen en weer zwaaide en met zijn vingers het gebaar van geld maakte ten teken dat ze hem geld schuldig waren. Mopperend gaven ze hem zijn geld en ze stonden op het punt weer te delen, toen er buiten drie keer kort werd getoeterd. De tijd was om. Alsof ze een harde klap in haar gezicht had gekregen werd Freya plotseling door de werkelijkheid overvallen. Ze begon te beven, moest een neiging om te braken met geweld onderdrukken. Ze keek naar Flin.

'Je moet bij mijn elleboog een tourniquet aanleggen,' fluisterde ze. Haar stem was onvast, haar blik dof van angst. 'Wanneer ze het... wanneer ze het hebben gedaan. Je moet iets straks om mijn elleboog binden, anders bloed ik dood.'

'Ze zullen je niets aandoen,' zei Flin. 'Op mijn woord. Blijf gewoon achter me staan, dan...'

'Wat? Wat doe je dan?'

Hij leek geen antwoord te hebben.

'Gewoon achter me blijven,' herhaalde hij machteloos.

Ze liep naar hem toe, pakte zijn hand en gaf er een kneepje in. Even bleven ze zo staan. Toen liet ze hem los, stak haar handen uit en maakte de gesp van zijn riem los. Flin bleef onbeweeglijk staan terwijl ze de riem uit de lussen van zijn spijkerbroek trok en aan hem gaf.

'Tourniquet,' zei ze rustig. 'Zodra ze het hebben gedaan, moet je die om mijn arm binden. Beloofd?'

Hij zei niets.

'Flin, alsjeblieft.'

Het duurde even voor hij knikte, de riem van haar aanpakte en haar wang aanraakte.

'Blijf gewoon achter me staan.'

De mannen hadden de kaarten opgeborgen en keken in het trapgat naar beneden waar het geluid van voetstappen vandaan kwam. Een van hen keek Freya aan, grijnsde en terwijl hij met zijn rechterhand een hakkend gebaar op zijn linkerpols maakte, deed hij grommend het geluid van de granulator na. Ze huiverde en draaide zich om, liep naar de rand van de vloer en keek weer omlaag naar de vrachtwagen, die nu een meter of veertig hogerop met een slakkengang de heuvel afkwam. Misschien moest ze schreeuwen. Ze had toch niets meer te verliezen. Ze haalde diep adem en opende haar mond, maar om een of andere reden wilde haar stem niet. Het enige wat ze kon, was daar staan kijken hoe de vrachtwagen dichterbij kwam, waarvan de laadbak opeens scherper in het zicht kwam toen hij onder een van de vage straatlantaarns door reed. De lading bestond niet, zoals ze eerst had gedacht, uit zand of puin, maar uit oude materialen: repen en stukken stof, afsnijsel van vloerbedekking, een donzige massa katoenpluksel, iets wat op oude schuimrubbermatrassen leek: een diepe, zachte schokdemper...

'Flin,' fluisterde ze. Haar schouders spanden zich, er liep een elektrische stroom langs haar ruggengraat. En daarna dringender: 'Flin!'

'Ja.' Hij kwam naast haar staan. Freya knikte naar de vrachtwagen die nu minder dan twintig meter van hen vandaan was.

'Heb je *Butch Cassidy and the Sundance Kid* gezien?' vroeg ze. 'Die scène waarin ze...'

'Van het klif springen.' Flin maakte haar zin af. 'Jezus, Freya, ik denk niet dat ik dat kan. Het is te hoog.'

'Dat red je best,' zei ze en probeerde optimistischer te klinken dan ze zich voelde.

'Het is te hoog.'

'Ik laat me geen arm afhakken, Flin.'

Achter hen kwam het geluid van voetstappen steeds dichterbij. Flin keek naar Freya, naar de vrachtwagen en weer naar Freya.

'Goed,' zei hij, en trok een lelijk gezicht alsof hij iets ging drinken waarvan hij wist dat het smerig smaakte.

Hij schoof de foto's onder zijn shirt, knoopte het tot bovenaan dicht en stopte het goed in zijn broek. Een van de bewakers was naar de granulator geslenterd en de andere twee keken nog in het trapgat. Niemand keek echt naar hen.

'Op drie,' mompelde ze toen de voorkant van de vrachtwagen op hun hoogte was. 'Een... twee...'

'In de film... overleven ze de sprong toch?'

Ze knikte. 'Maar later worden ze doodgeschoten. Drie!'

Ze sloegen de handen ineen en stapten de leegte in.

Eventjes vervaagde de wereld om hen heen tot een warrige caleidoscoop van muren en daken en balkons en waslijnen tot hij ineens weer scherp werd op het moment dat ze op de vrachtwagen neerploften. De stapel textiel en vodden veerde onder hen mee en brak hun val. Freya werd opzij gegooid tegen de laadklep aan en kwam tegen een stuk van een doordrenkte schuimrubber matras terecht, kreeg een klap in haar nek maar was verder ongehavend. Flin had minder geluk. Hij stuiterde van een opgerold oud vloerkleed af over de zijkant van de vrachtwagen, vloog door de lucht als een dronken turner en kwam zijdelings terecht in een stapel plastic vaten en van daaraf voorover in een hoop huisvuil waarbij een onduidelijk voorwerp hem een diepe jaap in zijn linkerarm gaf.

Ze bleven even liggen waar ze lagen, versuft, naar adem happend. Toen werd er boven hun hoofd geschreeuwd en kwamen ze overeind. Freya hees zich over de achterklep van de nog rijdende vrachtwagen en kwam op de grond terecht. Flin kwam glibberend en struikelend op de been; de mouw van zijn shirt was met bloed doordrenkt. Hij wankelde naar Freya toe en gaf haar een zet richting een nauw steegje tegenover het gebouw waar ze waren vastgehouden. De kreten van boven werden nu beantwoord door andere op straatniveau. Er moesten kerels hebben gestaan om de achterkant van het bouwwerk in de gaten te houden. Ze bereikten het steegje en stortten zich de smalle zwarte opening in, stommelden halsoverkop door de duisternis. Ze moesten bijna braken van de zurige, verstikkende stank van puur afval en hun schoenen knerpten op een dikke laag vuilnis.

'Er zijn hier ratten!' gilde Freya die iets – heel veel ietsen – langs haar voeten en enkels voelde schieten.

'Niet op letten!' beval Flin. 'Gewoon doorgaan.'

Ze ploegden voort door de smeertroep, liepen meer op instinct dan dat ze iets zagen, want het licht van de straatlantaarns achter hen had weinig effect op de duisternis. Flin struikelde, viel, kwam weer overeind en liet duidelijk horen dat hij walgde. Freya zonk met een voet diep weg in iets dat afgrijselijk veel leek op een dood dier. Ze bleef doorgaan. De duisternis werd steeds dieper, de stank nog ondraaglijker tot het steegje na dertig meter scherp naar links afboog en steil naar beneden begon te lopen. Voor hen scheen licht, ingekaderd door een smalle spleet, het eind van het steegje. Achter hen, om de hoek, klonken de geluiden van een achtervolging: gevloek en getier en het blaffen van vuurwapens. Ze strompelden verder, zo snel ze konden, het vuilnis maakte geleidelijk aan plaats voor een glijbaan van oude olie- en verfblikken. De opening kwam steeds dichterbij tot de muren aan beide zijden ophielden en ze boven aan een drie meter hoge wal stonden. Aan alle kanten drongen sombere huurkazernes op. Links van hen stond een schijnwerper op een paal die een fel, ijskoud licht verspreidde. Van beneden klonk een gesmoord geknor, vergezeld van een krachtige strontlucht.

'Spring!' riep Flin.

'Gadver, dat is een varkenshok!'

'Springen!'

Hij gaf Freya een zet en ze viel omlaag en kwam languit terecht in een taaie soep van modder en stro. Ze zakte met haar armen tot haar ellebogen in de vuiligheid en het geknor ging over in gealarmeerd gepiep toen glibberige zwarte vormen om haar heen uiteen stoven. Met veel moeite kwam ze overeind, draaide zich om en keek omhoog, terwijl ze een slijmerige snuit die tegen haar dij porde een lel gaf. Flin stond nog op de weg boven, met zijn rug tegen de muur net rechts van de ingang van het steegje. Zijn linkerarm zat onder het bloed, hij had zijn vuisten gebald. Het gerammel van blikken werd luider nu hun achtervolgers achter hen aan renden, en hun afdaling ging gepaard met een enkel schot.

'Daarheen!' siste Flin en gebaarde met zijn hoofd naar een stapel strobalen aan de andere kant van het kot. 'Schiet op!'

'En jij dan?'

'Schiet op!'

Ze baggerde door de blubber, kwam bij de balen, klom eroverheen en hurkte neer op het moment dat de eerste achtervolger het steegje uit schoot. Hij scheen voor te liggen op de andere. Hij draaide zich om en riep iets naar zijn collega's en op dat moment stortte Flin zich op hem, liet een regen vuiststoten op hem los en gooide hem voorover in het varkenshok waar hij landde met een zompig geluid en een scherp gekraak alsof er iets brak.

Flin sprong achter hem aan de modder in. Hij rukte de man het pistool uit zijn hand en voelde snel in zijn zakken. Hij haalde er nog een patroonhouder uit, worstelde zich door de modder naar de balen, dook erachter, trok Freya's hoofd omlaag en uit het zicht net op het moment dat Girgis' mannen het steegje uit stormden. Ze kwamen slippend tot staan en keken om zich heen, zochten hun prooi in het felle schijnwerperlicht. Omdat ze hen niet konden vinden, begonnen de Egyptenaren in het wilde weg te schieten en doorzeefden ze het stuk land met oorverdovende salvo's. Kogels vlogen de twee westerlingen om de oren, zorgden voor fonteintjes van modder en stro, rondrennende varkens die het in doodsangst uitkrijsten. Het ging maar door. Flin hield met één hand Freya tegen zich aan en frunnikte met de andere aan het pistool in afwachting van het moment waarop de kogelregen ophield. Op het moment dat het geval was, duwde hij Freya's hoofd verder omlaag, kwam overeind tot hij geknield zat en loste zelf een salvo. Zijn vinger pompte regelmatig aan de trekker en zijn arm ging heen en weer telkens als er een doelwit opdook. Hij schoot de patroonhouder leeg, schoof een nieuwe in het wapen en vuurde nog een paar keer. Daarna liet hij het wapen, langzaam, zakken. Er kwam geen tegenvuur meer. Hij stak een arm uit en zwaar ademend gaf Freya een kneepje in haar arm.

'Mooi,' zei hij, 'dat hebben we gehad.'

Even bleef ze waar ze was, opgerold in de modder terwijl de echo van het vuurgevecht langzaam wegstierf zodat de enige geluiden die overbleven het jammeren van gewonde varkens was en het dominoachtige geklepper van luiken om hen heen en boven hun hoofd nu de bewoners hun ramen openden om te zien wat er aan de hand was. Freya ging met moeite op haar knieën zitten zodat ze over de strobalen kon kijken. Voor haar, verspreid over het verlichte stuk weg, lagen vier lijken, als doden op een toneel.

'Jezus,' zei ze bevend. 'Jezus christus.'

Er klonken nu stemmen, en kreten, en in de verte het gejank van een sirene. Flin wachtte nog even en speurde de ingang van het steegje af voor het geval er nog meer achtervolgers mochten opduiken. Daarna stak hij het pistool achter in zijn broek, hing zijn shirt eroverheen en trok Freya overeind.

'Hoe deed je dat?' mompelde ze, hees en ongelovig. 'Al die kerels. Hoe deed je dat?'

'Later,' zei hij. 'We moeten maken dat we wegkomen. Kom mee.'

Hij hielp haar het varkenskot door en over een laag muurtje van gasbetonblokken, terwijl de mensen van boven af naar hen schreeuwden en het janken van de sirene dichterbij kwam. Ze liepen door, kwamen langs een vuilnisbelt en doken een donker, nauw straatje in, beiden te geschokt om iets te zeggen. Na vijftig meter kwam er een geluid van rennende voeten om een hoek vóór hen dat hen dwong weg te duiken in een smerige portiek. Ze maakten zich klein in het donker toen een groepje kinderen opgewonden kakelend langsrende omdat ze wilden zien wat er was gebeurd. Ze wachtten tot die weg waren, draafden verder door het aflopende, slingerende, kronkelende straatje dat langzaam breder werd. Ze kwamen langs een helverlichte winkel, langs een fruitkraampje met kerstboomverlichting en daarna langs een café, en er waren steeds meer mensen op de been en er waren steeds meer licht en drukte. Hoe verder ze naar beneden gingen, hoe geanimeerder het straatleven. Ze merkten aan de doordringende blikken die er op hen werden geworpen dat men de schietpartij had gehoord, en dat hun modderige kleren en Flins bloederige shirt verraadden dat ze bij de ongeregeldheden betrokken waren. Ze versnelden hun pas en wilden maar één ding: wegwezen. Men wees hen na, gesprekken laaiden op, tweemaal probeerde iemand hen tegen te houden. Flin duwde hen weg, pakte Freya stevig bij haar arm en loodste haar tussen de mensen door tot de straat ten slotte steil omlaag ging en uitkwam op een vlak, braakliggend terrein. Er stonden auto's geparkeerd, een rij enorme vuilcontainers, er liep een spoorlijn en daarachter – als een bulderende rivier die dit speciale deel van Caïro afsneed van de rest van de stad – lag een driebaansweg waarover het verkeer met grote snelheid in beide richtingen reed. Ze trokken een sprint, gingen in de berm staan en probeerden verwoed een taxi aan te houden.

Aanvankelijk wilde de chauffeur hen niet meenemen. De auto was net schoongemaakt, legde hij uit, de stoelen net opnieuw bekleed en hij wilde niet dat ze alles weer smerig maakten. Pas toen Flin zijn portemonnee pakte en een flinke stapel bankbiljetten neertelde, ging hij overstag en liet hij hen erin. Flin ging voorin zitten, Freya, bleek, afgetrokken, bekaf, achterin.

'Waarheen?' vroeg de chauffeur.

'Maakt niet uit,' zei Flin. 'Weg hier. Rijden. Kom op.'

De chauffeur wierp nogmaals een blik op het bebloede shirt van zijn passagier, haalde zijn schouders op, zette de meter aan en reed weg. Flin keek achterom naar Freya, hun blikken troffen elkaar even en hij keek weer weg. Hij pakte een handvol tissues uit de doos op het dashboard, drukte ze op zijn arm en liet zich dieper in de goedkope plastic bekleding wegzakken. Terwijl hij dat deed, voelde hij dat Freya zich naar voren boog zodat haar gezicht vlak bij zijn oor kwam.

'Ik wil je nog bedanken voor het redden van mijn leven,' zei ze op vlakke, zachte toon.

Hij gromde afwijzend, mompelde dat hij háár hoorde te bedanken.

'En ik wil ook dat je stopt met me te belazeren,' onderbrak Freya hem. Ze stak haar hand over de stoelleuning en rukte het pistool uit Flins broek en drukte de loop tegen zijn nierstreek. 'Ik wil dat je me vertelt wie je bent, wat er gaande is en waar je verdomme mijn zus bij betrokken hebt. En god sta me bij, maar als je niks zegt, heeft de chauffeur heel wat meer van zijn nieuwe bekleding te verwijderen dan alleen varkensstront. Vertel op.'

De tweeling was helemaal niet blij met het telefoontje van Girgis, helemaal niet. De wedstrijd was net in de extra tijd nadat de wondergoal van Mohamed Abu Treika El-Ahly in de achtentachtigste minuut op 2-2 had gebracht en er nog drie doelpunten bij zouden komen, inclusief de winnende kopbal van Osama Hosny. En nu kregen ze opdracht alles in de steek te laten en meteen naar Manshiet Nasser te komen. Als het iemand anders was geweest, hadden ze gezegd dat hij kon oprotten. Maar Girgis was Girgis, en hoewel ze het niet leuk vonden – ze hadden er de pest aan als ze onder een wedstrijd werden gestoord, afschuwelijk de pest – hij was en bleef de baas. Mopperend borgen ze de dvd-speler op en legden een deken over hun moeder heen. Nadat ze hadden gekeken of er genoeg te eten en te drinken was voor als ze morgenochtend wakker werd, en er genoeg geld op de keukenkast lag, vertrokken ze.

'Hufter,' mompelde de een toen ze de trap van de huurkazerne afliepen naar de straat.

'Hufter,' echode de ander.

'Nog een paar maanden...'

'... en dan beginnen we voor onszelf.'

'Geen bazen meer.'

'Alleen wij tweetjes.'

'En mama.'

'Natuurlijk, en mama.'

'Het wordt goed.'

'Heel goed.'

Ze kwamen onder aan de trap en gingen de straat op, gearmd, en praatten over torly en een snackkraam en Mohamed Abu Treika en waar ze op dit tijdstip van de dag aan plastic en een nietpistool konden komen zodat ze konden doen wat Girgis hun had opgedragen te doen als ze die twee westerlingen te pakken hadden gekregen.

'Freya, ik weet niet wat je denkt...'

'Dat zal ik je zeggen,' zei ze en boog zich naar Flins oor toe. Ze sprak zo zacht dat de chauffeur haar niet kon verstaan. 'Ik denk dat ik met een verdomd vreemde egyptoloog te maken heb als hij zo goed met een wapen weet om te gaan als jij daarnet deed. Daarin ben je zeker ook voor Cambridge uitgekomen.'

'Freya, alsjeblieft...' Hij wilde zich naar haar toe draaien, maar ze duwde het wapen harder in zijn ribben.

'Ik ken niet veel egyptologen, maar ik durf er alles om te verwedden dat er niet veel zijn zoals jij, professor Brodie. Ik ben je dankbaar voor alles wat je voor me hebt gedaan, maar ik wil weten wie je bent en wat er aan de hand is.'

Hij draaide zijn hoofd verder om, probeerde haar aan te kijken. Daarna knikte hij, en ging verzitten en keek weer voor zich. Het was of hij opeens moe was.

'Oké, oké, doe het wapen maar weg.'

Ze liet zich terugzakken, legde het pistool op de zitting naast haar, haar hand nog steeds om de kolf.

'Praat.'

Dat deed hij niet, niet meteen. Hij zat naar buiten te staren terwijl de weg onder hen doorschoof. De dreigende duisternis van Manshiet Nasser gleed langzaam achter hen weg, een donkere wig geslagen onder de door schijnwerpers verlichte Muqqatam-kliffen. De chauffeur stak een sigaret op, schoof een cassette in de stereoset in het dashboard en vulde de auto met de uithalen van een vrouwenstem begeleid door uitbarstingen van dissonante violen. Er kwam een motor langszij met achter de bestuurder vastgebonden op het zadel een schaap met een verveelde, berustende uitdrukking op haar snuit. Er verstreek bijna een minuut en Freya wilde Flin er net aan herinneren wat ze wilde, toen hij zich naar het dashboard boog, de mobiele telefoon van de chauffeur pakte en vroeg of hij hem mocht gebruiken. Er werd onderhandeld – zijn vrouw was ziek, legde de chauffeur uit, ze hadden een huurschuld en bellen was duur. Uiteindelijk moest Flin weer een grote stapel bankbiljetten neertellen voor hij het groene licht kreeg. Hij toetste een nummer in, zette zijn duim op de knop 'bellen' maar trok hem weer terug.

'Wie wisten dat je bij mij langs zou komen?' vroeg hij met zijn ogen op de telefoon.

'Wat?'

'Op de American University, vanmiddag. Wie wisten dat je bij mij langs wilde gaan?'

'Jij zou de vragen beantwoorden, weet je nog?'

‘Kom op, Freya.’

Ze haalde haar schouders op. ‘Niemand. Nou ja, Molly Kiernan. Ik heb haar voicemail ingesproken. Je wilt toch niet zeggen dat zij er ook bij betrokken is?’

‘Niet zoals jij denkt,’ zei hij. ‘Molly en ik kennen elkaar al heel lang.’

‘Wat wil je daarmee zeggen?’

Hij reageerde weer niet, bleef alleen maar naar de telefoon staren, drukte op ‘Cancel’, wiste het nummer dat hij had willen bellen. In plaats daarvan toetste hij een sms-je in, met een duim die over de toetsen danste. Freya rekte zich uit om te zien wat hij schreef, maar de display was in het Arabisch en dat kon ze niet lezen. Hij was klaar met toetsen en drukte op ‘Send’, mompelde *‘Shukran awi’* tegen de chauffeur en zette het mobieltje op het dasboard terug.

‘Ik wacht,’ zei ze.

‘Heb geduld, Freya. Er zijn een heleboel... Ik kan het niet... Niet hier. We moeten eerst ergens heen. Ik zal je alles vertellen, dat beloof ik. Maar dit is niet de goede plaats. Alsjeblieft, je moet me vertrouwen.’

Hij keek achterom naar haar, zei toen iets in het Arabisch tegen de chauffeur, gaf hem instructies, liet zich toen in zijn stoel onderuitzakken en staarde naar het plafond.

De rit duurde een halfuur, waarvan ze de helft vastzaten in het verkeer, en ging in noordelijke richting dacht Freya, hoewel ze er niet voor honderd procent zeker van was. Ze kwamen langs begraafplaatsen, en soort militaire basis, en een enorm door schijnwerpers verlicht stadion voordat ze de snelweg uiteindelijk af gingen en een brede avenue met palmbomen volgden. Daarna gingen ze rechtsaf een netwerk van grauwe, stoffige straatjes in tussen allemaal identieke betonnen woonblokken van vier verdiepingen. De lantaarns overgoten alles met een vuilgeel licht alsof de straten en gebouwen aan geelzucht leden. De chauffeur had blijkbaar geen idee waar ze heen gingen en gebruikte Flin als gids. Die zei hem dat hij hier rechtsaf en daar linksaf moest en bij dit kruispunt rechtdoor tot ze ten slotte stopten voor een van de huizenblokken dat zich slechts van de andere eromheen onderscheidde door de afwijkende was die er te drogen hing. Terwijl Flin de chauffeur een forse fooi gaf boven op wat hij al had betaald, schoof Freya het pistool onder de voorstoel omdat ze wist dat ze het nooit zou gebruiken en het geen zin had om het mee te nemen. Ze stapten uit.

‘Zou je me willen vertellen waar we zijn?’ vroeg ze terwijl ze naar de ingang van het flatgebouw liepen. De schetterende muziek werd langzaam zachter toen de taxi achter hen wegreed en er een griezelige stilte overbleef.

'Ain Shams,' antwoordde Flin, 'een buitenwijk in noord-Caïro. Wel passend toch, gegeven de omstandigheden, vind je niet?'

Freya trok haar wenkbrauwen op en vroeg wat hij bedoelde.

'Weet je nog de papyrus die we in het museum zagen? Imti-Khentika schreef hem in de grote zonnetempel van Heliopolis, en de overblijfselen van de grote tempel van Heliopolis...' Hij stampte op de grond. 'Het belangrijkste religieuze centrum van het oude Egypte houdt nu een woonwijk overeind.' Hij schudde meewarig zijn hoofd. 'Dat is vooruitgang.'

Ze kwamen door een stoffige hal – langs de ene muur een rij gasflessen, tegen de andere een stapel kapotte stoelen – en gingen de trap op.

'Woon je hier?'

Flin schudde zijn hoofd.

'Gewoon iets wat ze gebruiken.'

Ze wachtte tot hij iets meer zou vertellen, zoals wie die 'ze' waren, maar hij nam haar alleen mee naar de derde verdieping en een donkere gang door waar hij ongeveer halverwege voor een deur bleef staan. Hij wachtte even, hield zijn hoofd schuin en luisterde – naar geluiden binnen of uit de gang achter hen, dat kon ze niet zeggen. Daarna hief hij zijn hand op, gaf drie venijnige klopjes op de deur. Bijna onmiddellijk, alsof iemand achter de deur had staan wachten, was er een zacht schrapend geluid toen het dekseltje van het kijkgaatje werd weggedraaid, waarna de deur werd geopend. Voor hen stond Molly Kiernan.

'Goddank,' zei ze, greep Flins hand en daarna die van Freya. Ze trok hen naar binnen en schopte de deur achter hen dicht. 'Ik heb me zulke zorgen gemaakt.'

Hoewel het nog geen achtenveertig uur geleden was dat Freya haar voor het laatst had gezien, leek ze op een of andere manier ouder geworden, afgetobd; ze had wallen onder haar ogen door gebrek aan slaap, haar gezicht was getekend en grauw. Ze bekeek hen, bezag hun smerige kleding, Flins bloedende arm en ging hen toen voor naar een woongedeelte waar een zacht licht brandde. Ondertussen praatte Flin haar bij. Niet tot in detail, alleen de grote lijnen, te beginnen met wat Freya hem had verteld over de man in de woestijn, de landkaart, de filmpjes en daarna door naar de gebeurtenissen van die middag en avond. Uit de manier waarop hij het allemaal beschreef, uit de manier waarop hij leek aan te nemen dat Kiernan op de hoogte was van dingen als de Geheime Oase en Rudi

Schmidt en Romani Girgis en de Gilf Kebir, kreeg Freya de verontrustende indruk dat wat zij die middag hadden meegemaakt misschien nieuw voor haar was, maar dat de personages en locaties dat beslist niet waren.

In de woonkamer zette de oudere dame hen op de bank en verdween. Ze kwam even later terug met een kom warm water, een EHBO-trommel en een stalen operatieschaaltje met daarin verschillende spuiten en glazen ampullen.

'Flin heeft me ge-sms't dat jullie niet in topconditie waren,' zei ze tegen Freya terwijl ze voor Flin neerknielde en hem met een knip van haar vingers opdroeg zijn mouw op te rollen. 'In de slaapkamers liggen handdoeken en schone kleren – ik heb je maat moeten raden – maar eerst moeten we jullie oplappen. Oei!'

Ze trok een lelijk gezicht toen ze de wond in Flins arm zag, een gapende jaap van tien centimeter in zijn onderarm.

'Uit dat shirt. Helemaal.'

Hij mompelde iets.

'Allemachtig, alsof Freya en ik nog nooit een mannenborst hebben gezien. Kom op, uit dat ding.'

Hij stond met tegenzin op, deed een paar knopen open, trok de foto's van de oase eruit – ongeschonden, op een paar vegen op de bovenste na – en legde ze op de grond alvorens de andere knoopjes open te maken. Hij liet het hemd van zijn schouders glijden en ging weer zitten. Zijn tors was pezig en gespierd, zijn borsthaar dicht en donker. Kiernan trok gedecideerd en efficiënt een paar operatiehandschoenen aan en begon zijn arm met water en watten af te vegen waarna ze de wond voorzichtig schoonmaakte met desinfecterende wattenstokjes.

'Mijn moeder was verpleegster,' vertelde ze Freya terwijl ze bezig was. 'Ik doe dit soort werk al mijn hele leven. Ben je bij met je prikken tegen tetanus en hepatitis?'

'Ik heb geen idee,' zei Freya. 'Molly, ik wil weten...'

'Zorg nou maar eerst dat je schoon bent, dan kunnen we daarna praten,' onderbrak Kiernan haar, een hoofdverpleegster, geen ruimte voor tegenspraak. 'Ik verzorg Flin en daarna geef ik jullie je injecties. We nemen geen enkel risico wanneer je hebt rondgekropen op een plek als Manshiet Nasser. Je vindt daar alle ziektekiemen die we kennen. En nog een paar meer ook.'

Nadat ze Flins arm had schoongemaakt haalde ze uit de EHBO-trommel iets dat op een grote ballpoint leek, draaide de dop eraf en ging voorzichtig met de punt ervan langs de rand van de wond. Op de gehavende huid verscheen een spoor van een transparante, lijmachtige vloeistof.

'Dermabond,' verklaarde ze terwijl ze de wondranden over de snee heen tegen elkaar kneep. 'Niet ideaal, maar het moet maar zolang we niet echt kunnen hechten.'

Flin wendde zijn hoofd af, keek naar buiten, probeerde niet naar zijn arm en wat ermee werd gedaan te kijken. Er viel een korte stilte, maar toen zei hij: 'Ze kunnen het niet vinden.'

Eerst dacht Freya dat hij het tegen zichzelf had, of tegen hen beiden, maar toen ze keek zag ze dat hij zijn blik op Kiernan gericht hield, dat de opmerking alleen tot haar gericht was.

'Anders hadden ze niet de moeite genomen mij de foto's te laten zien. Ze kunnen het niet vinden.'

Kiernan kneep nog steeds in de wondranden, hield ze bij elkaar tot de lijm was gedroogd.

'En die kaart van Schmidt?' vroeg ze. 'Je zei dat daar kompaspeilingen op stonden.'

'Blijkbaar niet nauwkeurig. Het is in de woestijn al moeilijk navigeren als je goede spullen hebt. Maar zo te zien had Schmidt alleen maar een kompas, en daarvan was de richtdraad gebroken. Hij kan er vijftig kilometer naast hebben gezeten. Of honderd.'

Het was absurd. Freya had het gevoel dat ze niet meer bestond.

'Maar Girgis heeft helikopters,' ging Kiernan verder en controleerde of de wond goed dichtzat voor ze zijn arm verbond. 'Ook al zouden de peilingen er honderden kilometers naast zijn geweest, dan had hij het nog moeten vinden. Het enige wat hij hoeft te doen is in die contreien over de Gilf te vliegen. Een kloof met zoveel bomen kan niet moeilijk te vinden zijn.'

'Ik heb er geen verklaring voor, Molly, zoals ik er ook geen verklaring voor heb dat elke andere lulhannes die er in de loop van de tijd naar heeft gezocht met lege handen is teruggekomen. Het enige wat ik weet, is dat als Girgis de oase had gevonden, hij ons meteen had gedood in plaats van ons onder druk te zetten. Hij zit klem, helemaal klem.'

Freya zat erbij, verbijsterd. Het was of ze in een soort droomtoestand was terechtgekomen waarin ze deel uitmaakte van een scène en er tegelijkertijd van gescheiden was, aanwezig maar om een onverklaarbare reden verhinderd contact te hebben met de mensen om haar heen.

Ik ben er nog, zou ze wel willen schreeuwen. *Ik ben niet onzichtbaar, hoor.*

Ze zei niets, liet het gesprek zich om haar heen ontwikkelen. Toen Kiernan Flin – die zijn shirt weer aantrok, ook al zat het onder het bloed en de modder – had verbonden en ingeënt, gaf ze Freya opdracht haar mouw op te rollen en entte ze haar ook in. Twee snelle prikken in de biceps, een tegen tetanus, de ander tegen hepatitis B, en bijna zonder iets te voelen. Een expert.

Pas toen al het medische gedoe achter de rug was en Kiernan begon te praten over handdoeken en schone kleren, uitlegde hoe ze de thermostaatkraan in de douche moest gebruiken – 'Hij is een beetje eigenwijs. Je moet er wat mee rommelen' – ontplofte Freya eindelijk.

'Wat kan mij die verdomde douche schelen,' schreeuwde ze. Ze stond op en liep achteruit naar de deur. 'Of handdoeken of kleren of wat dan ook. Ik wil weten wat er aan de hand is. Horen jullie me? Ik wil dat jullie me vertellen wie jullie zijn en wat er verdomme gaande is! Of ik loop de deur uit en ga naar het dichtstbijzijnde politiebureau.'

Flin en Kiernan wisselden een blik, waarna Kiernan langzaam en aandachtig alle medische spullen begon te verzamelen. 'Ga alsjeblieft weer zitten, Freya,' zei ze kalm.

'Ik wil niet gaan zitten! Ik wil weten wat er gaande is! Hoe vaak moet ik dat nog vragen? Ze hebben een uur geleden geprobeerd mijn arm af te hakken en jij zegt dat ik moet gaan douchen. Wat zijn jullie voor stelletje?' Ze gilde het nu bijna uit en haar ogen waren groot van woede en frustratie.

Kiernan gaf haar de gelegenheid uit te razen, het er allemaal uit te gooien, en vroeg haar toen weer te gaan zitten. 'Ik begrijp dat het heel moeilijk voor je is,' zei ze rustig, resoluut. 'En, Freya, je moet me geloven als ik zeg dat het me oprecht spijt wat je allemaal hebt moeten meemaken. Als ik ook maar één minuut had geweten dat je in gevaar zou komen, had ik het nooit goed gevonden dat je in je eentje in Dakhla achterbleef.'

Ze liep de kamer door en liet de gebruikte watten, spuiten en gaasjes in de prullenbak in de hoek van de kamer vallen, staarde een tijdje naar de grond en wendde zich weer tot Freya.

'Helaas zijn gebeurtenissen niet altijd te voorzien,' zei ze en liet haar blik op de jonge vrouw rusten. 'Men moet ermee omgaan wanneer en zoals ze zich voordoen. En dat is wat we nu doen. Je hebt alle recht antwoorden te eisen, en die krijg je ook, dat beloof ik je. Maar eerst moest ik van Flin het hele beeld krijgen. Wat je ook denkt, bij ons ben je onder vrienden. Je bent veilig. Dus ga alsjeblieft zitten, Freya, dan kunnen we praten.'

Ze maakte een gebaar naar de bank, een gebaar dat zowel verzoenend als gebiedend was. Freya aarzelde en ging toen zitten, niet op de bank maar in een leunstoel recht tegenover haar, kaarsrecht op de rand van de zitting, alsof ze klaar was om elk moment op te springen. Kiernan keek haar aan met heel ver weg een uitdrukking van ergernis op haar gezicht, als bij een docent die door een leerling opzettelijk niet wordt gehoorzaamd. Daarna pakte ze met een zucht de kom water, het operatieschaaltje en de EHBO-trommel en schoof ze door een doorgeefluik de keuken in, waarna ze naast Flin op de bank ging zitten, haar handen zedig gevouwen op haar schoot, haar rug kaarsrecht. Het scenario, de manier waarop die twee tegenover haar zaten, gaf Freya het gevoel dat ze op sollicitatiegesprek was.

'En?' vroeg ze.

'Zoals je al had vermoed zit er meer achter de recente gebeurtenissen dan we je hebben verteld,' zei Kiernan. Ze keek Freya recht aan en haar grijze ogen knipperden niet, waren harde brokken vuursteen. 'Ik bied je mijn verontschuldigingen aan, en ik neem aan dat ook Flin dat doet, voor het feit dat we je over allerlei zaken in het ongewisse hebben gelaten, Freya. Helaas gaat het hierbij ook om zaken van nationale veiligheid, zeer gewichtige zaken van nationale veiligheid, die ons hebben verhinderd open kaart met je te spelen. Dat ik dat nu wel doe, is omdat het, na alles wat je hebt moeten doorstaan, zowel zinloos als oneerlijk is als ik dat niet zou doen. Ik zal je vertellen wat er gaande is, Freya, en ik zal je uitleggen waarom het gaande is. Maar voor ik dat doe, verlang ik van jou de verzekering dat je de gevoelige aard, de zeer gevoelige aard van wat je gaat horen zult respecteren. Dat niets ervan buiten deze vier muren zal komen. Wil je me die zekerheid geven?'

Freya zei niets.

'Wil je me die zekerheid geven, Freya.'

Ze gaf nog geen antwoord en Kiernans toon werd harder.

'Freya, als jij me niet kunt garanderen dat...'

'Ze vertelt niemand iets, Molly,' zei Flin. 'Niet na wat ze van Girgis heeft gezien. Ze heeft meer redenen om die man te haten dan wij. Ze is oké.'

Kiernan bleef Freya strak aankijken, met samengeknepen ogen. Toen knikte ze en werd haar gezicht iets zachter. Toen ze sprak klonk ze wat vriendelijker.

'Sorry, Freya, maar je moet begrijpen dat de situatie bijzonder delicaat is. Ik kan geen enkel risico nemen, daarvoor staat er te veel op het spel.'

Freya keek van haar naar Flin en weer terug. Het was stil, en toen zei ze: 'Jullie zijn een soort spionnen, hè?'

Kiernan ontvouwde haar handen, streek haar rok glad en legde haar handen weer in haar schoot.

'Ik werk voor de Central Intelligence Agency, terreurbestrijding. Flin is...'

'Een ex-spion,' zei hij. 'Ik heb een korte en duidelijk niet-glorieuze carrière gehad bij MI6 waarna men tot de conclusie kwam dat de wereld een stuk veiliger zou zijn wanneer ik me hield bij aardewerk en hiërogliefen. Hoewel, ze hebben me leren schieten, dus ik geloof dat het niet helemaal verspilde tijd was.' Heel kort trof zijn blik die van Freya, toen draaide hij weg.

'En Alex?' vroeg ze. 'Was zij...'

Kiernan schudde haar hoofd nog voor ze de vraag had gesteld.

'Je zus was woestijnonderzoekster, Freya, geen spion. Ze hielp ons, meer niet. Net als Flin ons heeft geholpen.'

'Waarmee hielp ze je, Molly. Waar heb je mijn zus in godsnaam bij betrokken?'

Kiernan bleef haar recht aankijken en hief een hand om het kruisje aan haar halskettinkje aan te raken. 'Het wordt, vind ik, tijd je te vertellen over iets dat Sandfire heet,' zei ze. 'De reden dat we hier nu zitten, de reden dat ik de afgelopen drieëndertig jaar in Egypte heb doorgebracht en de reden dat een uitzonderlijk onaangename Romani Girgis nergens voor terugdeinst om erachter te komen waar de verdwenen oase Zerzura ligt.'

Dakhla

Hij woonde in een huis, met een keuken en een badkamer en drie stukken grond – twee voor het kweken van groenten en een voor alfalfa – maar zijn echte thuis was de woestijn. En hij keerde altijd terug naar de woestijn wanneer het hem zwaar te moede was. Zoals deze avond.

Hij ging niet ver, niet meer dan een paar kilometer, en zijn Land Cruiser rees en daalde met de duinen als een coracle op open zee. De ene koplamp wierp een bleke straal op het zand. Hoewel alles in het donker in elkaar vervloeide – een wazige collage van zand en steen en maanlicht – leek hij precies te weten waar hij heen ging. Hij zigzagde door dit onduidelijke landschap, bevoer de hellingen en golfdalen, de grindvlakten en de stukken vol rotsblokken alsof het de straten van een stad waren en draaide uiteindelijk een lang dal tussen hoge duinen in en kwam tot stilstand naast een eenzame, onvolgroeide abalstruik.

Hij pakte hout en stro uit de achterbak van de Land Cruiser en maakte vuur. Het aanmaakhout begon te branden op het moment dat hij er een lucifer bij hield, als een rafelige oranje bloem die opengaat en zich ontvouwt bij de eerste warmte van de zon. Hij zette thee in een oude, zwartgeblakerde pot en stak zijn sishapijp aan, sloeg een sjaal om tegen de avondkou en staarde in de vlammen. Zijn lippen trokken zachtjes aan de sisha, de enige geluiden waren het knappen van het hout en ergens ver weg het weemoedige blaffen van de woestijnvos.

Zahir kwam hier vaak met Saïd, zijn broer, of zijn geliefde zoon Mohsen, zijn erfgenaam, het licht van zijn leven. Samen kampeerden ze onder de sterren, zongen ze oude bedoeïenenliederen en vertelde hij keer op keer over hun familiegeschiedenis, hoe ze vele eeuwen geleden uit hun geboortestreek Rashaayda in Saoedi-Arabië naar Egypte waren gekomen. In de tussenliggende jaren was er zoveel veranderd. Er was zoveel verloren gegaan. Tenten waren vervangen door beton en leem, kamelen door terreinwagens, nomadenvrijheid door belastingen en identiteitskaarten en papieren en allerlei bureaucratische beperkingen. Ondanks dat alles waren ze in hun hart bedoeïenen gebleven, woestijnbewoners en woestijnreizigers, en hoefden ze maar een paar uur hierheen te komen om eraan te worden herinnerd, om zich weer verbonden te voelen met hun illustere afkomst.

Deze avond was Zahir, puffend aan zijn pijp, met zijn gedachten bij die afkomst, vooral bij de nagedachtenis aan zijn voorvader Mohammed Wald Joesoef Ibrahim Sabri al-Rashaayda, de grootste aller bedoeïenen, de vader van zijn stam, die met zijn kamelen de Sahara in alle windstreken had doorkruist tot er geen hoekje meer in de woestenij was dat hij niet kende, geen zandkorrel waar hij niet ooit een voet op had gezet.

Er waren zoveel prachtige verhalen over de Oude Mohammed, zoveel vertelsels en legendes die van generatie op generatie waren doorgegeven. Voor Zahir stak één verhaal er bovenuit, omdat het alles samenvatte wat deze bloedverwant en zijn volk als geheel aan nobiliteit bezat. En het verhaal ging als volgt: eens op een reis diep in de Sahara, tweehonderd kilometer of meer van de dichtstbijzijnde oase, was de Oude Mohammed op een man gestuit die over het zand zwalkte. Hij had geen voedsel en water en gieren cirkelden al onhoorbaar boven hem in afwachting van zijn naderende dood.

De vreemdeling bleek een Kufra-bedoeïen van de Banu Salaïm-stam te zijn, een gezworen doodsvijand van de al-Rashaayda. Mohammeds eigen broer was gedood bij een overval door Banu, en hij zou ruimschoots in zijn recht hebben gestaan als hij de man daar ter plekke zijn keel had doorgesneden met het mes dat nu bij Zahir in de huiskamer aan de muur hing. In plaats daarvan gaf hij hem te drinken, ook al was zijn eigen voorraad bijna uitgeput, en tilde hij hem op zijn kameel waarna het hem zeven dagen kostte om de man in veiligheid te brengen, en toen keken ze beiden de dood in de ogen.

'Waarom hebt u dit gedaan?' had de Kufra-bedoeïen gevraagd toen ze eindelijk de bewoonde wereld in het zicht kregen. 'U hebt me gered terwijl er zoveel haat tussen onze stammen is, zoveel onrecht dat nooit meer kan worden goedgemaakt.'

En Mohammed had geantwoord: 'De Rashaayda-bedoeïen kent vele verplichtingen, maar niet één is er zo waardevol als de plicht voor een vreemdeling in nood te zorgen, wie het ook mag zijn.'

Meestal was dit verhaal voor Zahir een bron van vreugde en trots. Hoe vaak had hij het zijn zoontje niet verteld, hem op zijn hart gebonden te leven zoals de Oude Mohammed, waardigheid en nederigheid en compassie te tonen?

Deze avond echter verschafte het hem, na alles wat er de laatste tijd was gebeurd, vreugde noch trots. Integendeel, het gaf een werkelijk ondraaglijk gevoel van leegte en zelfverwijten.

De Rashaayda-bedoeïen kent vele verplichtingen, maar niet een is er zo waardevol als de plicht voor een vreemde in nood te zorgen.

Hij zocht in zijn zak en haalde het metalen kompas tevoorschijn. Hij opende het en staarde naar de initialen – AH – die in het metaal van het deksel waren gegrift. Zijn ogen glansden in het licht van het vuur, de woorden van zijn voorvader galmden door zijn hoofd, berispten en kwelden hem. Wat voor zin had het de woestijn te kennen zoals hij hem kende en oude verhalen en liederen levend te houden wanneer hij niet in staat was te voldoen aan het meest fundamentele voorschrift van zijn volk. Hij had een plicht en hij had gefaald bij het vervullen ervan. Hij ging gebukt onder het gewicht van zijn falen, zodat deze avond zijn verblijf in de wildernis hem niet hielp de band met zijn Rashaayda-erfenis aan te halen, maar alleen diende om hem eraan te herinneren dat hij die onwaardig was.

Want de Rashaayda-bedoeïen kent vele verplichtingen, maar niet een is er zo waardevol als de plicht voor een vreemde in nood te zorgen.

Hij dronk zijn thee op en rookte nog een tijdje door. Maar de rust waar hij naar snakte, kon hij niet vinden, dus schopte hij zand over het vuur, gooide de spullen achter in de Land Cruiser en ging op weg naar huis. De duinen rolden en wentelden zich om hem heen alsof de woestijn het hoofd schudde en liet weten hoe teleurgesteld hij was.

Caïro

'Wat weet je van de Iran-Irakoorlog?'

Molly Kiernans stem klonk vanuit de keuken waar ze koffie maakte. Het was geen vraag die Freya verwachtte.

'Wordt dit een geschiedeniscollege?' vroeg ze. 'Want ik heb er vandaag al een gehad, en ik vond het best spannend, maar ik ben niet in de stemming voor nog zoiets.'

Kiernan keek door het doorgeefluik omdat ze niet goed begreep waar ze het over had.

'Ik heb haar de Zerzura-tour gegeven,' verklaarde Flin. 'In het museum.'

'Aha.' Kiernan knikte, goot kokend water uit een ketel. 'Nee, ik ga geen college geven, Freya, dat laat ik aan de deskundigen over.' Ze neeg haar hoofd in Flins richting en ging door met schenken. 'Alleen wat achtergrondinformatie. Geen Benbens of papyri, dat beloof ik je.'

Er rammelden een paar bekers toen ze het blad oppakte, uit het zicht verdween en weer opdook in de deuropening van de woonkamer. Ze kwam naar hen toe en zette het blad op de grond.

'Sorry hoor, maar het is gewoon oploskoffie,' zei ze en ze gaf Flin en Freya een beker. 'En er is geen suiker en geen melk, maar alles is beter dan niks, vind ik.'

Ze pakte zelf de derde beker en liep naar het raam, trok een randje gordijn naar achteren en keek naar de straat beneden voor ze zich weer naar hen toe draaide. 'En?' vroeg ze, blies in haar beker en nam een slokje, met haar linkerhand op haar heup. 'Weet je iets van die oorlog?'

Freya haalde haar schouders op. 'Niet echt. Alleen wat er op het nieuws was toen we Irak binnenvielen. Hebben we Saddam niet geholpen door hem wapens te leveren?'

Flin kreunde. 'Niet de vrije wereld op haar best: het steunen van een volkerenmoordenaar, een massamoordenaar ten dienste van een verwrongen opvatting van Realpolitik.'

Kiernan liet afkeurende geluiden horen, schudde ongeduldig haar hoofd.

'Laten we hier geen politieke debatten gaan voeren. Freya wil antwoorden en ik vind dat we ons daarop moeten richten.'

Flin reageerde niet, keek alleen maar in zijn koffie,

'De oorlog duurde van '80 tot '88,' ging Kiernan door. 'Daarin stond het Irak van Saddam tegenover het Iran van Khomeini. Twee bijzonder barbaarse regimes, zij het dat dat van Saddam een fractie minder erg was. Om die reden waren we, zoals je al zei, bereid hem te steunen met geld, informatie en wapens...'

'Biologische middelen, met dank aan speciaal gezant Donald Rumsfeld,' kwam Flin ertussen.

Opnieuw een 'tss tss' van Kiernan. 'We hebben Saddam ondersteund om precies dezelfde redenen als waarom Engeland, Frankrijk, Duitsland, Rusland en talloze andere landen hem ondersteunden. Omdat het alternatief, namelijk een overwinning voor Khomeini en zijn revolutionaire gekken gewoon te erg voor woorden was. Zoals Kissinger het toen formuleerde: het was doodzonde dat ze niet allebei konden verliezen, maar als er dan één als overwinnaar uit de bus moest komen, dan was het beter voor ons allemaal als het Saddam was.'

'En wat bleek die man een betrouwbare bondgenoot,' mompelde Flin.

Kiernan wierp hem een boze blik toe.

'Hoe dan ook,' zei ze, 'het enige wat voor het moment van belang is, is dat Irak ongeveer halverwege de jaren '80, na aanvankelijke successen, militair gezien in een hoek werd gedreven. Hoewel het over geavanceerdere wapens en beter getrainde troepen beschikte, liep de oorlog op dat moment vast in een langdurige uitputtingsslag waarbij Iran in het voordeel was. Het had drie maal zoveel grondtroepen en maalde er niet om hoeveel soldaten er werden afgeslacht omdat er altijd genoeg mannen waren om ze aan te vullen.'

Ze trok een zuinig mondje, alsof ze een afkeer had van de mentaliteit die ze beschreef.

'Het feit dat een groot deel van het Irakese leger bestond uit sjiieten maakte Saddams bezorgdheid alleen maar groter,' voegde ze eraan toe. 'Want hij en zijn regime waren soennieten.'

Tegenover haar nam Freya slokjes koffie – slap en smakeloos – en vroeg zich af waar dit allemaal toe moest leiden. Flin lag achterover en keek naar het plafond, zijn ogen volgden een dunne scheur die diagonaal door de kamer liep.

'In 1986 was Saddam knap nerveus,' ging Kiernan verder. Haar linkerhand kwam omhoog en speelde met het kruisje dat om haar nek hing.

'Het was duidelijk dat hij zelfs met westerse steun de oorlog nooit overtuigend kon winnen en zelfs een grote kans had die te verliezen. Hij was net een bokser die de laatste ronden van het gevecht bereikt en weet dat hij op punten achter staat op zijn tegenstander, dat die nog over voldoende reserves beschikt en dat hijzelf, hoe langer de wedstrijd doorgaat, steeds kwetsbaarder wordt. Hij besloot dat hij één beslissende klap moest uitdelen, een afmaker die een eind aan het conflict zou maken en Iran in één keer knock-out zou slaan.'

Ze zweeg, haar ogen gericht op Freya. 'En de voor de hand liggende vorm voor die beslissende klap was een nucleaire aanval op Teheran.'

Freya keek verrast op. 'Maar ik dacht dat...'

'... Saddam geen bom had?' Kiernan maakte haar zin af. 'Had hij ook niet. Maar hij wilde hem dolgraag hebben. En wat Blix en die andere watjes van de VN ook mochten beweren, hij is er veel dichterbij geweest dan ooit publiekelijk is erkend.'

Buiten klonk opeens het hoge krijsen van vechtende katten. Kiernan wierp nogmaals een voorzichtige blik naar buiten, kwam terug en ging naast Flin op de armleuning van de bank zitten.

'Je gelooft het bijna niet, maar het maken van een atoombom is technisch gesproken niet moeilijk,' zei ze en nam een slokje van haar koffie. 'Zeker niet voor iemand met het soort wetenschappelijke bronnen waarover Saddam beschikte. Maar het is wel moeilijk om aan de benodigde splijtstoffen te komen, met name plutonium-239 of uranium-235. Ik ga niet in op de natuurkundige kanten ervan – eerlijk gezegd snap ik die zelfs niet – maar het produceren van voldoende hoeveelheden van onverschillig welke van deze isotopen is een enorm ingewikkeld, kostbaar en tijdrovend proces dat in 1986 evenals nu voor slechts weinig landen haalbaar was. Saddam zou dat nooit op eigen kracht kunnen bereiken, en wat voor steun de westerse landen hem verder ook mochten geven, ze verdomden het om hem welkom te heten in hun nucleaire club. Dus ging hij elders op zoek, stak hij zijn voelhorens uit bij de minder scrupuleuze wapenhandelaars van deze wereld om te zien of zij hem van de benodigde spullen konden voorzien. En eind 1986 kwam een van die wapenhandelaars met een buitenkansje.'

Ze dronk haar kopje leeg. 'Die man was Romani Girgis.'

Freya had op het punt gestaan haar te onderbreken en te eisen dat ze haar vertelden wat dit allemaal te maken had met de moord op haar zus en met alles wat haar de laatste vierentwintig uur was overkomen. Bij het horen van Girgis' naam zag ze ervan af. 'Is Girgis een wapenhandelaar?'

'Onder andere,' zei Flin en leunde naar voren. 'Wapens, drugs, prostitutie, het smokkelen van antiek: er zijn niet veel kwalijke praktijken waar hij geen vinger in heeft. Maar de wapenhandel is zijn hoofdactiviteit.'

'En hij heeft Saddam Hussein een bom geleverd?'

'Om precies te zijn vijftig kilo verrijkt uranium van wapenkwaliteit,' zei Kiernan. 'Genoeg om twee atoombommen van het implosietype te maken met de kracht van de bom op Hiroshima. Saddam had met één klap Teheran en Mashad kunnen platgooien, de oorlog kunnen beëindigen, de Iraanse revolutie kunnen beëindigen en zich tot de dominerende macht in de regio kunnen uitroepen. Kortom, hij had de geschiedenis een andere wending kunnen geven. En het was hem bijna gelukt.'

Ze gaf Freya de gelegenheid het tot zich te laten doordringen en stond toen op. 'Iemand nog koffie?'

Flin gaf haar zijn beker, Freya hield de hare bij zich. Kiernan verdween de keuken weer in. Freya en Flin keken elkaar een paar tellen aan voor ze weer een andere kant op keken.

'Zelfs een kwart eeuw na de gebeurtenis weten we nog niet precies hoe de deal van Girgis tot in detail in elkaar stak,' klonk Kiernans stem. 'Voorzover we kunnen nagaan heeft hij het uranium gekocht bij een tussenpersoon in de Sovjet-Unie, ene Leonid Kanunin, een buitengewoon onaangenaam heerschap die zich in '87 in een hotelkamer in Parijs heeft laten vermoorden, die het op zijn beurt heeft losgekregen van zijn contacten bij het Sovjetleger. Waar het oorspronkelijk vandaan is gekomen hebben we niet kunnen vaststellen, en dat is ook niet relevant. Wat we wel weten is dat Girgis in november 1986 een op de Kaaimaneilanden geregistreerd Antonov-vrachtvliegtuig heeft gecharterd dat werd gevlogen door ene Kurt Reiter, een oudgediende uit de koude oorlog en drugs- en wapensmokkelaar. Dat vliegtuig trof Kanunin op een vliegveld in noord-Albanië waar twee van Girgis' mensen de spullen ophaalden en een aanbetaling van vijftig miljoen dollar deden. Om mensen op een dwaalspoor te brengen, zou de lading dan een omweg maken langs twee zijden van een driehoek, eerst naar Khartoem en pas daarna naar Bagdad. Als de lading daar veilig werd afgeleverd, zou er op Kanunins rekening nog eens vijftig miljoen worden gestort. Girgis zou een aandeel van twintig procent ontvangen, Saddam zou zijn bom krijgen en Iran zou worden vernietigd. Iedereen blij.'

Ze kwam de woonkamer weer in met twee dampende bekers in haar handen. Ze gaf er een aan Flin en ging weer op de armleuning van de bank zitten. Het bleef stil. Freya keek naar de grond, verwerkte wat Kiernan haar allemaal had verteld. Toen keek ze weer op, recht in Kiernans ogen, en stelde de vraag die ze vijf minuten eerder bijna had gesteld.

'Ik begrijp niet wat dat te maken heeft met de dood van mijn zus. Of met de Geheime Oase.'

'Ja, daar komen we nu aan toe. We kregen al snel lucht van de hele operatie, van informanten binnen zowel Girgis' als Kanunins organisatie. Maar het was allemaal globaal. We wisten wat de plannen waren en wie erbij betrokken waren, maar de precieze data, tijden en plaatsen kregen we niet te pakken. Het was letterlijk maar een paar uur voor de ontmoeting in Albanië dat we erachter kwamen hoe het uranium precies werd vervoerd en waarheen het ging.

'Op dat moment was het te laat om de Antonov voor zijn vertrek te onderscheppen. Er was een heel kleine kans dat we hem hadden kunnen vasthouden toen ze in Benghazi landden om te tanken, maar gezien onze toenmalige relatie met Gaddafi zou dat voor een hoop complicaties hebben gezorgd. We hadden aan de andere kant van de Rode Zee, in Saoedi-Arabië, een eenheid van de Special Forces gestationeerd en de Israëli's stonden klaar om ons te helpen. Het zou helemaal volgens het boekje zijn gegaan, als Moeder Natuur in haar wijsheid geen spaak in het wiel had gestoken.'

'Moeder Natuur?' Freya schudde haar hoofd. Ze begreep het niet.

'Het enige wat we niet konden plannen,' zei Kiernan met een zucht. 'De Antonov kwam in een zandstorm terecht toen hij boven de Sahara vloog en beide motoren vielen uit. Een van onze luisterposten ving een mayday op dat ergens in de buurt van de Gilf Kebir werd verzonden en daarna verdween het toestel van de radar en was het zoek.'

Nu begon er bij Freya iets te dagen, kwam er enig begrip.

'Het is zeker neergestort in de oase? Daar gaat het allemaal om. Daarom wilde Girgis die foto's. Het toestel is neergestort in de Geheime Oase.'

Kiernan glimlachte, maar deze keer was er geen humor op haar gezicht te zien. 'Dat ontdekten we niet meteen. Het enige wat we wisten was dat de Antonov in de buurt van de Gilf was neergekomen, en dat is een heel groot gebied, zo'n vijfduizend vierkante kilometer steen en zand. Maar ongeveer zes uur na het eerste mayday vingen we een tweede radiobericht op, deze keer verzonden door de copiloot, ene Rudi Schmidt, vermoedelijk de enige overlevende van de crash. Het bericht werd ernstig gestoord en duurde maar dertig seconden, maar in die korte tijd kon Schmidt een globale beschrijving geven van de plek waar het toestel was neergekomen. Het was een kloof met bomen, zei hij, met overal ruïnes. Oeroude ruïnes, onder andere een enorme tempel met een merkwaardig obeliskachtige afbeelding erop.'

'De Benben,' mompelde Freya. Hoewel het warm was, voelde ze kippenvel op haar armen.

'Zelfs zonder dat beetje informatie kon het nergens anders zijn geweest dan de wehat seshtat,' nam Flin het verhaal over. 'Er zijn geen andere bekende of vermoedelijke oude locaties binnen driehonderd kilometer van de Gilf, en zeker niet een in het soort kloof die hij beschreef. Het was misschien denkbaar dat het een onbekende locatie was, maar door het Benben-motief was er geen enkele twijfel.'

Hij schudde zijn hoofd, boog zich voorover en pakte de foto's op die hij op de grond had laten vallen. 'Een kans van één op een miljoen,' zei hij en bladerde door de afbeeldingen. 'Eén op een miljard. De Antonov had de hele Sahara om in neer te storten en hij komt pats boem midden in de Geheime Oase terecht. Alsof je boven New York een draadje loslaat dat toevallig net door het oog van de naald gaat. Zoiets bedenk je niet, echt niet.'

Op de leuning naast hem keek Kiernan nu ook echt naar de foto's, de eerste keer dat ze ze zag. Haar ogen straalden 'We zoeken nu al bijna drieëndertig jaar naar dat vliegtuig,' zei ze, met haar hoofd schuin om de foto's beter te kunnen zien. 'Sandfire was de operationele naam die we voor de zoektocht gebruikten. Het was natuurlijk uiterst geheim; zelfs binnen de CIA was er maar een kleine groep die er iets van afwist. En we hadden meteen het besluit genomen de Egyptische autoriteiten overal buiten te houden, uit angst dat iemand Girgis zou inseinen dat we hem op het spoor waren. Blijft het feit dat we met de beschikbare technische middelen – satellietbeelden, patrouillevluchten, onbemande vliegtuigjes – in staat hadden moeten zijn het ding binnen enkele dagen op te sporen.'

Ze ging weer rechtop zitten en keek Freya aan. 'Uiteindelijk hebben we elke centimeter van de Gilf en alles in een omtrek van vierhonderd kilometer eromheen afgespeurd, en geen mallemoer gevonden. We hebben vanuit de lucht gezocht, vanuit de ruimte, we hebben op de grond gezocht, we hebben naar ons idee elke steen tussen Abu Ballas en de Grote Zandzee tot aan Djebel Uweinat en Yerguehda omgekeerd, en nadat we dat allemaal hadden gedaan...'

Ze snoof hulpeloos. 'Nada. Niets. Een vliegtuig van vijfentwintig meter lang en een gewicht van twintig ton: spoorloos verdwenen. Je moet me geloven als ik zeg dat ik niets heb met occult gedoe, maar ook ik begon te geloven dat de dingen die in de Imti-Khentika-papyrussen staan over vervloekingen en verbergspreuken misschien toch enige waarheid bevatten. Ik kan met de beste wil van de wereld geen andere verklaring bedenken.'

Buiten begon een autoalarm te schetteren dat bijna onmiddellijk ook weer stopte. Kiernan stond op en loerde opnieuw langs het gordijn voordat ze terugkwam en haar armen over elkaar deed.

'De eerste jaren gingen we het probleem met alle middelen te lijf,' ging ze verder. 'Later namen we wat gas terug. Als wij de oase niet konden vinden, zo redeneerden we, was het hoogst onwaarschijnlijk dat het Girgis of iemand anders wel zou lukken. We hielden natuurlijk wel een oogje in het zeil, vooral na 11 september, want je moest er niet aan denken wat er gebeurde als een organisatie zoals Al-Qaeda er lucht van kreeg dat er ergens in de woestijn vijftig kilo onbewaakte verrijkte uranium lag. We voeren nog steeds geregeld surveillances uit met satellieten en U-2s en we hebben permanent een Special Operations-eenheid klaarstaan in Kharga voor het geval zich iets voordoet. Maar voor het grootste deel hebben we vertrouwd op burgers die om wat voor reden dan ook een bijzondere kennis of belangstelling hebben voor het geografische gebied waar we in geïnteresseerd zijn en die mogelijk bij toeval stuiten op wat wij over het hoofd zien.'

Ze maakte een hoofdbeweging naar de bank. 'Flin heb ik in de jaren '90 leren kennen toen hij bij MI6 werkte. Nadat hij...' Een nauw merkbare aarzeling alsof ze naar de juiste woorden zocht. '... zijn samenwerking met de Britse Veiligheidsdienst had beëindigd en zich weer op de egyptologie had gericht en hierheen was verhuisd, heb ik contact met hem opgenomen en gevraagd of hij wilde helpen. Een voor de hand liggende keus gezien het werk dat hij deed.'

'En Alex?' vroeg Freya.

'Ook jouw zus was een voor de hand liggende keuze. Onze paden hadden elkaar gekruist in Langley toen ze daar als uitzendkracht op de afdeling cartografie werkte. Toen ik hoorde dat ze in Dakhla was neergestreken, heb ik haar opgezocht en de situatie uitgelegd. Met uitzondering van Zahir al-Sabri ken ik niemand die de Gilf zo goed kende als Alex. Ze wilde zich er wel bij laten betrekken en in ruil daarvoor stopten wij wat geld in haar onderzoek. Maar eerlijk gezegd denk ik dat ze het meer deed om de uitdaging dan voor het geld of haar wens de vrije wereld te beschermen. Voorzover ik Alex kende, leek me dat ze het vooral beschouwde als een interessant avontuur.'

Freya schudde bedroefd haar hoofd. Dat was precies de reden waarom Alex zich erbij had laten betrekken, dacht ze: het was iets anders, het was intrigerend. Ze had nooit weerstand kunnen bieden aan geheimzinnige dingen. En dit mysterie was haar dood geworden. Arme Alex. Arme lieve Alex.

'... hielden we alles zo simpel mogelijk,' zei Kiernan. 'Ze brachten bij mij rapport uit en dat was het, ze hadden geen rechtstreekse bemoeienis met de Agency. We waren er zo ongeveer van overtuigd geraakt dat het vliegtuig nooit zou worden gevonden, dat het een van die onverklaarbare, Bermudadriehoekachtige mysteries zou blijven. En dan opeens, na vijfentwintig jaar duikt Rudi Schmidts lichaam uit het niets op en ligt de zaak weer helemaal open.'

Ze zuchtte opnieuw en wreef over haar slaap. Freya vond dat ze er nog afgetobder uitzag dan toen ze hier waren aangekomen.

'Ongelooflijk,' zei Kiernan moe. 'En natuurlijk zeer zorgelijk. Saddam mag dan weg zijn, er zijn nog talloze anderen die zijn deel van de deal maar al te graag willen binnenhalen. En Girgis is niet het type dat erg kieskeurig is waar het zijn zakenpartners betreft.'

Ze draaide zich om en keek opnieuw naar buiten, keerde haar hoofd alle kanten op, kwam weer terug. Stilte.

'En wat nu?' vroeg Freya ten slotte. 'Wat gaan jullie doen?'

Kiernan haalde haar schouders op. 'Er er is in feite niet veel dat we kunnen doen. We laten die door de computer analyseren...' Ze wees naar de foto's in Flins hand. '... en houden de Gilf en Girgis strenger in de gaten. En verder?' Ze hief haar handen in de lucht. 'Observeren, wachten, duimen draaien. Dat is het zo'n beetje.'

'Maar Girgis heeft mijn zus vermoord,' zei Freya. 'Hij heeft Alex vermoord.'

Op Kiernans voorhoofd verscheen een frons, haar ogen schoten naar Flin die bijna onmerkbaar zijn hoofd schudde, als om te zeggen 'Laat maar gaan'.

'Girgis heeft mijn zus vermoord,' herhaalde Freya, en ze begon rood aan te lopen. 'Ik ben niet van plan te gaan niksen. Snappen jullie dat? Ik laat het er niet bij zitten.'

Ze was weer harder gaan praten. Kiernan ging naar haar toe en hurkte voor haar neer, stak een hand uit en gaf haar een kneepje in haar arm.

'Romani Girgis krijgt wat hij verdient,' zei ze zachtjes. 'Wat je verder ook van me vindt, dáár kun je op vertrouwen.'

Er viel een stilte waarin Kiernan Freya recht bleef aankijken. Daarna kwam ze met een knikje weer overeind. 'Maar nu vind ik dat er genoeg is gepraat en dat jij onder de douche moet. Want wat ik hier ruik, is niet echt fris.'

De oudere vrouw lachte en Freya onwillekeurig ook. Ze was opeens doodmoe en stond op. 'Je zei dat er schone kleren waren,' mompelde ze.

'Eerste slaapkamer rechts,' zei Kiernan. 'Op het bed. Daar vind je ook de handdoeken. En let op de thermostaatkraan van de douche. Dat ding heeft een eigen wil.'

Freya knikte, liep de kamer door en de gang op waar ze bleef staan en haar hoofd om de hoek van de deur stak: 'Sorry voor dat gedoe met het pistool,' zei ze tegen Flin. 'Ik had nooit echt geschoten.'

Hij wuifde het weg. 'Weet ik. Je had de veiligheidspal er nog op zitten. Laat je nog wat warm water voor mij over?'

Toen ze weg was liet Kiernan zich in de leunstoel zakken waarin Freya had gezeten. Vanaf de andere kant van de flat kwam het klateren van de douche.

'Het is net Alex, hè?'

Flin was weer met de foto's bezig, nog altijd in zijn smerige shirt en broek. 'Maar ook anders,' zei hij en keek op naar Kierna. 'Ondoorgrondelijker. Ze heeft beslist iets te melden.'

Hij hield een foto boven zijn hoofd, keek er met samengeknepen ogen naar. 'Alex heeft me nooit verteld wat er tussen hen beiden is voorgevallen,' voegde hij eraan toe, bijna als een nadere overweging. 'Dat was het enige waar ze nooit over sprak.'

Hij liet de foto zakken en hield een andere op. Kiernan zat naar hem te kijken; ze trommelde met haar vingers op de armleuning. 'Iets te zien?'

Flin schudde zijn hoofd. 'Hoewel deze best interessant is.' Hij boog zich naar haar toe en gaf haar de foto die hij had zitten bekijken, een beeld van een menselijke figuur met een krokodillenkop. Het stond op een voetstuk waarop, duidelijk zichtbaar, een hiërogliefentekst stond, omkaderd door de kronkels van een slangenlichaam.

'Sobek en Apep?' vroeg Kiernan.

Flin knikte. 'Dezelfde vervloekingsformule als in de Imti-Khentika-papyrus. Mogen kwaadwillenden worden vermalen in de kaken van Sobek en opgeslokt in de buik van de slang Apep. Alleen is hier nog iets meer te zien. Kijk maar.'

Hij boog zich verder naar voren en tikte met een vinger op de onderkant van de foto. 'En mogen hun angsten in de buik van de slang werkelijkheid worden, hun *resut binu* – hun boze dromen – een levende foltering. Niet echt een openbaring, maar vanuit wetenschappelijk standpunt wel intrigerend. Weer een piepklein stukje van het mozaïek.'

'Brengt het ons iets dichter bij de oase?'

Hij gromde. 'Nog geen millimeter.' Hij pakte de foto terug, keek de rest van de stapel nog eens door, liet ze op de bank vallen en stond op.

'Laat ze bewerken als je vindt dat het nodig is, al kan ik je zeggen dat er niets te ontdekken valt,' zei hij. 'Je verdoet je tijd, Molly. Je hebt er niets aan.'

Hij liet zijn hoofd over zijn schouders rollen en liep naar een houten dressoir aan de andere kant van de kamer. Hij opende het en pakte er een driekwart lege fles Bell's whisky en een klein glas uit.

'Medicinaal,' zei hij tegen Kiernan toen hij de afkeuring op haar gezicht zag. Hij vulde het glas, sloeg het in één teug achterover en vulde het opnieuw, zette de fles terug en liep weer naar de bank. Hij bleef er een tijdje alleen maar zitten, liet de whisky door het glas wervelen zodat de vloeistof als een vuilgouden tong de binnenkant van het glas likte. Vanuit de badkamer klonk nog steeds het klateren van water. Flin dronk het glas half leeg en keek Kiernan aan. 'Er is nog iets, Molly.'

Ze trok een wenkbrauw op, hield haar hoofd een beetje schuin.

'Volgens mij hackt iemand je mobiele telefoon.'

Kiernan zei niets, maar het feit dat haar vingers opeens ophielden met trommelen, wekte de indruk dat Flins opmerking haar verraste.

'Toen Freya in Caïro aankwam, liet ze een boodschap op je voicemail achter,' ging hij verder. 'Ze liet je weten dat ze bij mij op de universiteit langs wilde komen. Een halfuur later duikt er een stel zware jongens op die rechtstreeks naar mijn kamer stormen. Het is denkbaar dat er op de campus iemand was om naar haar uit te kijken en Girgis heeft ingeseind, maar daar komt bij dat toen we in het museum waren, ik ook een boodschap voor je heb ingesproken, met als resultaat dat hetzelfde stelletje tuig vanuit het niets opduikt en een goede vriend van me de keel doorsnijdt. Dat is te veel toeval. Girgis moet toegang tot jouw telefoon hebben.'

Flin kende Kiernan nu zo'n vijftien jaar en in al die jaren had hij haar nog nooit zien schrikken. Tot nu.

'Dat kan niet,' zei ze en ze speelde met het kruisje om haar nek. 'Dat kan gewoon niet.'

'Ik zie geen andere mogelijkheid. Tenzij Freya liegt of jij voor Girgis werkt, wat ik allebei betwijfel.'

Kiernan liep naar de tafel waar haar tas lag en haalde haar Nokia eruit.

Ze zwaaide ermee. 'Dit een CIA-toestel, Flin. Dat kun je niet hacken. Er zitten wachtwoorden, pincodes, speciale ID's in. Het ding is aan alle kanten beveiligd. Daar komen zelfs die verdomde Russen niet doorheen.'

Weer iets nieuws: nooit maar dan ook nog nooit had Flin haar een krachtterm horen gebruiken.

'Iemand van de CIA?'

Ze opende haar mond, sloot hem en beet op haar lip. 'Nee,' zei ze uiteindelijk. En weer: 'Nee, dat kan niet. De CIA gaat toch niet inbreken in de privécommunicatie van zijn eigen medewerkers? Technisch zal het vast wel kunnen, maar om het te gebruiken tegen een eigen werknemer... Daar is nota bene toestemming op het hoogste niveau voor nodig. Het is geen... Nee, ik kan het me niet voorstellen. Er moet een andere verklaring voor zijn.'

Flin haalde zijn schouders op en dronk zijn glas leeg. Hij stak een hand in zijn broekzak en haalde er het kaartje uit dat Angleton hem in het Windsor Hotel had gegeven en gaf het aan Kiernan. 'Hoe het ook zij, ik denk dat je deze knaap eens moet natrekken.'

Kiernan pakte het kaartje aan.

'Hij houdt me in de gaten. Duikt op waar hij niet hoort op te duiken. Bij het museum bijvoorbeeld, net toen Girgis' zware jongens ons daar op onze huid zaten. Ik kan niks bewijzen, maar ik durf er wat om te verwedden dat zoals zij erachter zijn gekomen waar we waren, hij het ook te weten is gekomen. Ik weet niet wat hij wel is, maar zeker geen voorlichter.'

Kiernan keek nog steeds op het kaartje, met priemende ogen en trillende handen en een gezicht waar alle kleur uit weg was, alsof deze laatste onthulling haar meer schokte dan alles wat ze daarvoor had gehoord. Het klateren van de douche stopte zodat het stil werd in de flat.

Toen liep Kiernan naar haar tas, liet het kaartje en het mobieltje erin vallen en draaide zich om naar Flin. 'Jullie moeten weg uit Caïro,' zei ze, plotseling op ferme, gezaghebbende toon. 'Weg uit Egypte. Allebei, vannacht nog. Het is te gevaarlijk. Het begint uit de hand te lopen. Is al uit de hand gelopen.'

'Niet om het een of ander, Molly, maar ik ben een burger en je kunt me niet vertellen wat ik moet doen. Ik doe wat ik wil.'

'Wil je dood?'

'Ik wil de oase vinden,' zei hij en keek haar aan, onbuigzaam en zonder met zijn ogen te knipperen. 'En ik ga pas ergens anders heen als me dat is gelukt.'

Even leek het of Kiernan woest op hem zou worden. Maar ze liep naar Flin toe en legde een hand op zijn schouder. 'Gaat het alleen om de oase?'

Hij keek op en daarna weer in zijn glas. 'Hoe bedoel je?'

'Of er meer is dan alleen je interesse in egyptologie en je verlangen om Girgis tegen te houden.'

'Je klinkt gevaarlijk veel als een psychoanalytica, Molly.'

'Ik hoopte dat ik klonk als een vriendin die om je geeft en niet wil dat je iets overkomt.'

Hij zuchtte en legde zijn hand op die van Kiernan. 'Sorry, dat was bot. Het is alleen maar...'

Hij maakte zijn zin niet af. Kiernan draaide haar hand om, pakte de zijne. 'Wat er met dat meisje is gebeurd, Flin, is nou eenmaal gebeurd. Dat is verleden tijd, lang geleden. En wat voor boete jij volgens jezelf moet doen, die heb je al dubbel en dwars gedaan. Het wordt tijd om het los te laten.'

Hij zei niets, bleef naar de grond staren, stomgeslagen.

'Ik weet hoe belangrijk het voor je is,' ging ze verder. 'Maar op dit moment heb ik genoeg op mijn bordje om me niet ook nog eens zorgen te hoeven maken over jou en Freya. Dus doe me een lol, geef een oud wijf haar zin en ga de stad uit. In elk geval tot de lucht is geklaard en ik de rommel van de afgelopen vierentwintig uur heb opgeruimd. En dat is, neem dat maar van mij aan, een hele hoop.'

Flin wreef in zijn ogen en zette het glas aan zijn mond, ook al was het leeg. 'Er is meer dat ik kan doen.'

'O, hou op, Flin!' Kiernan schudde geërgerd haar hoofd. 'Wat zou je nog meer kunnen doen dan wat je de afgelopen tien jaar bij Sandfire al hebt gedaan? Wat? Zeg het.'

'Ik kan nog eens al mijn aantekeningen doornemen. De satellietbeelden. De uitkomsten van de magnetometrie. Misschien heb ik iets over het hoofd gezien.'

Er klonk iets van radeloosheid in zijn stem door, als van een kind dat probeert van zijn ouders gedaan te krijgen dat het langer mag opblijven, naar een verboden tv-programma mag kijken. 'Er moet iets zijn,' hield hij vol. 'Dat moet.'

'Flin, je hebt alles wel duizendmaal bekeken, tienduizend keer, en je hebt nog steeds niets gevonden. Het is een doodlopende straat.'

'Ik kan naar de Gilf gaan. Ik kan... ik kan...'

Hij worstelde. Kiernan stond op. 'De enige plaats waar jij heen gaat is Caïro International Airport en daar neem je het eerste vliegtuig naar...'

'Ik kan Fadawi gaan opzoeken.' Hij schreeuwde het praktisch. 'Ik kan Hassan Fadawi gaan opzoeken,' herhaalde hij en keek omhoog naar Kiernan. 'Hij zegt dat hij iets weet. Over de oase. Dat heb ik gehoord. Het is waarschijnlijk lulkoek, maar ik moet naar hem toe om met hem te praten.'

Kiernan opende haar mond om er iets tegenin te brengen, sloot hem weer. Ze keek de Engelsman met toegeknepen ogen aan, overwoog het een en ander. 'Je zei dat hij niet met jou wilde praten,' zei ze ten slotte. 'Dat hij liever zijn tong afsneed.'

'Nou, ook al zegt hij dat ik moet oprotten, het is de moeite van het proberen waard. Nu er zoveel op het spel staat, moeten we het proberen, dat zie jij ook wel.' Hij zag haar weerstand afnemen en buitte zijn overwicht nu maximaal uit. 'Ik ga bij hem langs. Als hij me wegstuurt, doe ik wat jij wilt: dan neem ik een sabbatical, dan rot ik voor een paar weken op naar Engeland. Molly, laat het me alsjeblieft proberen. In hemelsnaam, ik ben nu al zover gekomen... Laat me nou niet vallen. Niet nu er nog mogelijkheden zijn. Niet nu. Nog niet.'

Ze bleef staan waar ze stond, haar hand kroop omhoog naar het kruisje om haar nek. 'En Freya?'

'In een ideale wereld zou ze het eerste vliegtuig nemen, weg van hier,' antwoordde hij. 'Maar afgaande op wat ik van haar heb gezien, gaat ze niet stilletjes weg.'

Kiernan zuchtte, sloeg haar armen over elkaar. Weer zwijgen. 'Goed,' zei ze met tegenzin. 'Ga maar met Fadawi praten. Wat hij weet, als hij wat weet. Maar als het een doodlopend spoor is...'

'Dan ben ik weg. Op mijn erewoord als spion.'

Hij bracht zijn hand in een pseudosaluut naar zijn hoofd. Ze glimlachte, gaf een kneepje in zijn schouder en liep de kamer door. Ze pakte een draadloze telefoon uit de standaard in een boekenkast naast de deur en verdween naar de keuken. Even later hoorde hij haar stem: kortaf en zakelijk instrueerde ze iemand om voor twee noodpaspoorten te zorgen en te kijken welke vluchten er de komende twaalf uur vanuit Caïro beschikbaar waren.

Flin had gelijk: Freya ging niet stilletjes.

Ze kwam tien minuten later weer tevoorschijn, gedoucht en in de kleren die Kiernan voor haar had gevonden: spijkerbroek, shirt, vest en sneakers. De spullen pasten verbazend goed, maar ze moest de pijpen van de spijkerbroek omslaan en het shirt en het vest waren net iets te krap. De bh had ze maar laten zitten, want die was drie maten te groot.

Toen Kiernan vertelde wat er was beslist, dat ze voor haar eigen veiligheid op de eerste de beste vlucht Egypte uit zou worden gezet, weigerde ze botweg. Ze was het aan haar zus verplicht te blijven, en ze ging nergens heen tot ze Girgis ofwel in een politiecel of een kist had gezien. Ze probeerden haar te overreden, zeiden dat er voor haar niets te doen was wat al niet gedaan werd, maar ze trok zich er niets van aan en stond erop bij Flin te blijven.

'Het staat er als volgt voor,' zei ze. Ze stond midden in de kamer met haar handen op haar heupen. 'Of we werken samen, of ik ga naar de politie. Of jullie proberen me tegen mijn wil hier te houden, wat ik jullie wel eens wil zien proberen.' Ze plantte haar voeten iets uit elkaar en balde haar vuisten alsof ze een bokswedstrijd ging beginnen.

Kiernan schudde ongeduldig haar hoofd, Flin glimlachte.

'Volgens mij voeren we een verloren strijd, Molly. Freya en ik gaan samen bij Fadawi langs en als dat niets oplevert, pakken we samen een vliegtuig.'

Kiernan was nog niet blij – 'Lieve help, we zijn hier niet aan het afdingen in een bazaar' – maar Freya was onvermurwbaar en uiteindelijk was de oudere vrouw gedwongen in te binden.

'Alsof ik met een paar stoute kinderen te maken heb,' mopperde ze. 'Het is me een mooie bedoening wanneer ik moet onderhandelen over de manier waarop ik mijn eigen inlichtingenoperatie run.' Ze klonk bozer dan ze eruitzag, en hoewel haar toon scherp was, was er in haar ogen een geamuseerd lichtje te zien. 'Zorg er alsjeblieft voor dat ik er geen spijt van krijg.'

Flin nam een douche, trok andere kleren aan. Bij hem was de combinatie aanzienlijk minder geslaagd dan bij Freya. 'Ik lijk wel een mietje,' mopperde hij en wees op zijn oversized roze shirt en spijkerbroek met borduurwerk.

Kiernan pakte haar tas, nam hen mee naar beneden, het gebouw uit. Een paar blokken verderop stond een zilverkleurige Cherokee Sport geparkeerd naast een speelterreintje.

'Je mag mijn auto hebben,' zei ze en ze gaf Flin de sleutels, en terwijl ze op een vergunning op de binnenkant van de voorruit tikte: 'Dit is een ambassade-identificatie, dus daarmee kom je zonder al te veel vragen langs de controleposten. Heb je genoeg geld?'

Flin knikte.

'Als het waar is wat je me vertelde, is het waarschijnlijk het beste als je me van nu af aan niet meer op mijn mobiel belt, en ook niet op mijn vaste nummers.'

'Hoe hebben we dan contact?'

Kiernan pakte een bloknootje en een pen uit haar tas, scheurde er een blaadje uit en krabbelde er een nummer op. 'Tot ik alles heb gecontroleerd kun je hier berichten voor me achterlaten. Dat is een beveiligde overheidsdienst waar niemand behalve ik van weet, dus tenzij ze alle lijnen van en naar Egypte afluisteren, moet dit veilig zijn.'

Ze gaf hem het nummer en ze stapten in de jeep. Toen Flin achter het stuur zat, paste hij de stoel aan, startte en draaide het raampje omlaag.

'Hou contact,' zei Kiernan. 'En pas goed op jezelf.'

'Pas jíj maar goed op jezelf,' zei Flin.

Verder was er niets meer te zeggen. Met een knikje zette hij de versnelling in de D van Drive en reden ze weg. Op dat moment riep Kiernan hun nog iets na. 'Dit heeft niets te maken met het meisje, Flin. Je bent haar niets verschuldigd. Denk eraan, het is verleden tijd.'

Hij gaf geen antwoord, toeterde alleen even en reed zonder achterom te kijken de straat uit en de hoek om, nadrukkelijk Freya's vragende blik negerend.

Kiernan wachtte tot de auto uit het zicht was en rommelde toen in haar tas om er het mobieltje uit te halen. 'Shit,' mompelde ze. 'Verdomme... Shit!'

Cy Angleton had een wapen, een Colt Series 70, een prachtig geval met een glimmende vernikkelde loop en een rozenhouten kolf ingelegd met piepkleine ruitvormige stukjes platina en parelmoer. Die was hem jaren geleden cadeau gedaan door een Saoedische zakenman in ruil voor geleverde diensten, en zoals er mensen zijn die hun auto of hun huis een naam geven, zo had Angletons wapen ook een naam. Het werd Missy genoemd, naar het sproetenmeisje dat op school achter hem had gezeten en die als enige een beetje aardig tegen hem was geweest, die hem niet had gepest met zijn dikke lijf en al zijn kwalen.

Hoewel hij regelmatig met Missy oefende – blikjes van hekken schieten, gaten in de schietschijven op de plaatselijke schietbaan – en haar altijd meenam, naar welke uithoek van de wereld hij ook reisde, had hij haar nog nooit in een operationele situatie gebruikt. Het was zelfs nog nooit voorgekomen dat er ook maar een vage aanleiding was haar te gebruiken. Hij gaf er de voorkeur aan haar onder in zijn koffer te bewaren als een baby in zijn wiegje, tevreden in de wetenschap dat ze er was als het nodig mocht zijn.

Vanavond was het anders. Vanavond had hij Missy tevoorschijn gehaald, schoongemaakt en geolied, er een nieuwe patroonhouder in geklikt en haar in de suède holster onder zijn jasje geschoven. Daar rustte ze nu, in de kussens van zijn vetrollen net onder zijn hart, hield ze hem gezelschap terwijl hij daar in zijn huurauto zat en zag hoe Brodie en het meisje in de Cherokee stapten en voor hem de straat uitreden.

Hij was Kiernan eerder die avond gevolgd. Het was een makkelijke achtervolging geweest, ondanks het drukke verkeer, en hij had haar de hele weg kunnen bijhouden, een auto of drie, vier achter haar, en geparkeerd in een zijstraat toen ze in een flatgebouw verdween. Van die flat had hij niet geweten; ze was uitgekookt, glad. Twintig minuten later waren Brodie en het meisje opgedoken, zoals hij al had verwacht. Het drietal was bijna een uur in de flat geweest, voordat ze alledrie weer verschenen en het jonge stel in de auto was gestapt. Wat een dilemma had opgeleverd: moest hij blijven en kijken wat Kiernan ging doen, of de auto volgen? Hij startte de auto en gaf een klopje op Missy, zich ervan bewust dat er snel moest worden beslist.

Ze hadden hem door, daar was Angleton van overtuigd. Waarom zou Brodie zijn eerdere sms aan Kiernan anders in een soort code hebben geschreven? Het was voor het eerst dat hij zoiets had gedaan. Wat ze precies allemaal wisten, kon hij niet zeggen, het was meer een algemeen vermoeden dan specifieke feiten.

Maar het was wel hinderlijk, verdraaid hinderlijk, en bovendien volkomen onverwacht. De zaak kwam in een stroomversnelling en spitste zich toe, zoals altijd bij dit soort werk. Eerst kwam het subtiele besluipen, het spel van kat en muis, daarna de echte jacht en ten slotte de vangst en het afmaken, alhoewel in dit stadium onduidelijk bleef wie er als dode zou eindigen. Dat was de reden waarom hij Missy mee wilde hebben. Hij had het gevoel dat de zaken een vervelende wending zouden krijgen. Dat hadden ze al gedaan.

De Cherokee ging een hoek om en verdween uit het zicht. Angleton wilde dolgraag weten wat er in Kiernan omging. Er ontbraken nog zoveel stukjes. Maar op dit moment zei zijn intuïtie hem dat hij bij Brodie en Hannen moest blijven. Hij wierp een laatste blik op de verlichte straat

– verbeeldde hij het zich of trok Kiernan een lelijk gezicht tegen haar mobieltje? – en reed weg, de Cherokee achterna. Met één hand stuurde hij, met de andere toetste hij een nummer op zijn mobieltje in en hield het bij zijn oor.

In zijn gelambriseerde kantoor legde Girgis de hoorn op de haak, boog zich naar voren en legde zijn handen ineengevouwen op zijn bureaublad. 'Maak het u gemakkelijk, heren. Ik verwacht dat het een lange nacht wordt.'

Voor hem zaten Boutros Salah, Ahmed Usman en Mohammed Kasri in leren fauteuils. Salah koesterde een glas brandy, Usman en Kasri dronken thee.

'Is dat alles?' hijgde Salah met zijn hese, rauwe rookstem.

'Dat is alles,' antwoordde Girgis. 'Ik neem aan dat de helikopters volgetankt zijn? Dat de spullen klaarstaan om te worden ingeladen?'

Salah knikte.

'Dan valt er verder niets te doen.'

'En als ze ons het bos insturen?'

'Dan laten we de tweeling doen waar ze het best in zijn,' zei Girgis met een hoofdknik naar de beveiligingscamera's in een lange rij aan de muur. Ze konden de twee broers in een zaal beneden zien snookeren.

'Het bevalt me niks,' mopperde Salah. 'Het bevalt me niks, Romani. Ze kunnen gewoon de benen nemen.'

'Weet je iets beters?'

Salah gromde wat, nam een slok van zijn brandy en een trek aan de sigaret in zijn andere hand.

'Dan wachten we,' zei Girgis, leunde achterover en vouwde zijn armen over elkaar.

Anderhalf uur eerder, na de ontsnapping van Brodie en de meid uit Manshiet Nasser, had hij zowat een beroerte gekregen: hij had geschreeuwd en gegild en zich gekrabd alsof er duizenden kleine insectjes over zijn huid rondkropen. Nu was hij kalm, beheerst en alert: onherkenbaar. Dat was een aspect van zijn karakter waar de mensen om hem heen de meeste moeite mee hadden: de manier waarop zijn vulkanische woede-uitbarstingen opeens werden gevolgd door een bedaarde houding van waaruit hij even makkelijk terugschakelde naar de vorige situatie. Het maakte hem volstrekt onvoorspelbaar, moeilijk in de omgang. Het zette zijn werknemers voortdurend op het verkeerde been. En dat was precies zoals Girgis het graag had.

Een bediende bracht meer thee en de vier mannen namen nogmaals de logistieke details door, bevestigden dat de diverse elementen van de operatie gereed waren om te worden ingezet wanneer er nieuwe informatie boven water kwam. Daarna verdwenen Kasri en Usman, Kasri naar de bibliotheek om op zijn laptop te werken, Usman om zich te vermaken met een van de meisjes die Girgis altijd beschikbaar hield om zijn gasten en partners te bedienen. Dus bleven Girgis en Salah samen achter in de werkkamer.

'Het bevalt me nog steeds niet,' mopperde Salah. Hij drukte de ene sigaret uit en stak meteen de volgende op met de aansteker die aan een kettinkje om zijn nek hing. 'Er blijft te veel ruimte voor toevalligheden.'

Girgis glimlachte. Ze kenden elkaar al heel lang, Boutros en hij. Kasri was nu twintig jaar bij hem en Usman nog maar zeventien, maar Salah daarentegen al helemaal vanaf het begin. Ze waren in dezelfde huurkazerne in Manshiet Nasser opgegroeid. Daar was Salah, in het begin en nu nog steeds, zijn naaste vertrouweling, de enige persoon ter wereld die hij misschien wel een vriend wilde noemen. Alhoewel, als het moest zou hij hem zonder bedenken de keel doorsnijden. In deze zaken was er geen ruimte voor gevoelens.

'Het is allemaal onder controle, Boutros,' zei hij. 'Wanneer Brodie ergens mee komt, zijn wij de eersten die het weten.'

'Hij heeft verdomme vier van onze mensen uitgeschakeld. Geen mens die dat doet. Niemand! We moeten die smeerlap zijn ogen uitsteken in plaats van hier te zitten duimendraaien.'

Girgis lachte opnieuw, kwam achter zijn bureau vandaan en gaf zijn collega een klap op de schouder.

'Vertrouw mij nou maar, Boutros. We steken hem zijn ogen uit en hakken zijn vingers en zijn ballen eraf. En voor de zekerheid is die meid haar ogen ook kwijt. Maar eerst moeten we de oase hebben. Dat is het enige wat nu telt. Wat dacht je van een spelletje triktrak?'

Salah mopperde nog wat door maar toen brak er een grijns bij hem door. 'Net als vroeger,' zei hij.

'Net als vroeger,' zei Girgis hem na, ging in een van de leren fauteuils zitten en trok een doos met inlegwerk onder de salontafel vandaan die tussen hen in stond.

'Weet je nog het bord waarop we als kinderen speelden?' zei Salah terwijl hij hem hielp bij het neerleggen van de schijven. 'Dat oude ding dat pater Francis ons gaf?'

Girgis glimlachte, legde zijn fiches uit. 'Wat is er toch met pater Francis gebeurd?'

'Jezus, Romani! We hebben hem om zeep moeten brengen. Weet je dat niet meer? Toen hij dat met die drugs had ontdekt, zei hij dat hij ons ging aangeven.'

'Ach ja, natuurlijk. Domme man.'

Alles stond nu klaar. Girgis liet de dobbelsteen in de leren beker vallen en wierp. Dubbel zes. Zijn glimlach werd breder. Het zag ernaar uit dat hij deze avond geluk had.

Het was halfnegen toen Flin en Brodie bij Kiernan wegreden. Overdreven bang dat Girgis hen op een of andere manier op het spoor was gekomen, maakte Flin tien minuten lang allemaal scherpe bochten naar links en rechts, keek hij voortdurend in de achteruitkijkspiegel om zeker te weten ze niet werden gevolgd. Ten slotte kwamen ze na een heleboel omwegen terug op dezelfde autoweg waar die ze eerder die avond in de taxi hadden gereden, tenminste, daar leek het op volgens Freya, maar ze wist het niet zeker. Ze bleven de weg nog even volgen tot de Engelsman tot Freya's afschuw opeens het stuur een ruk naar links gaf.

'Wat doe je!' gilde ze en hield zich vast aan het dashboard toen ze door een opening in de middenberm schoten en de tegengestelde rijbaan opreden zodat de koplampen van het tegemoetkomend verkeer als lichtspoorkogels op hen af kwamen. Er klonk een kakofonie van woedend getoeter toen auto's en pick-ups voor hen moesten uitwijken en Flin de jeep met een verbeten gezicht door de stroom tegemoetkomende voertuigen loodste en tegen de richting in een oprit afreed. Ze schoten dwars een andere drukke weg over – meer aanstormende koplampen en woedend getoeter – over een strook gemaaid gras en een verkeersstroom in die dezelfde kant op ging als zij. Flin nam gas terug, schoof naar de rechterrijbaan en wierp weer een blik in de achteruitkijkspiegel.

'Sorry,' zei hij met een verontschuldigende blik naar Freya. 'Maar ik moest het zeker weten.'

Ze gaf geen antwoord, bang dat ze, als ze haar mond opende, moest overgeven. Aan een steile rotswand van honderd meter hoog hangen zou nooit meer zo gewaagd lijken.

Ze reden terug naar het centrum van Caïro, staken de Nijl over en namen aan de overkant een brede boulevard waar men bumper aan bumper reed. Na een hele tijd langzaam rijden en vastzitten, reden ze langs de piramides de stad uit. Die verdwenen achter hen en sociale woonwijken en flatgebouwen maakten plaats voor lege zandvlakten en struikjes, felle lampen en lichtreclames voor een monochrome, door de maan verlichte woestijn. Om hen heen daalden rust en stilte neer, was alleen het zachte spinnen van de motor te horen en het sissen van de banden op het asfalt. Er kwam een bord langs met de mededeling dat het naar Alexandrië 213 kilometer was. Ze gingen sneller rijden.

'Misschien wil je wat muziek opzetten,' zei Flin en tikt op het rekje met cd's onder de stereo-installatie van de Cherokee. 'We hebben nog een heel stuk te gaan.'

Freya boog zich naar voren en keek wat er in het rek stond, sloeg de verschillende verzamel-cd's met gezangen en preken over – daar waren er heel wat van – en koos ten slotte voor Bob Dylans *Slow Train Coming*. Ze schoof de cd in het apparaat en uit de speakers kwam het langzame ritme van de bas en de gitaar, klonk het openingsnummer.

'Wie is die Hassan Fadawi eigenlijk?' vroeg ze, leunde achterover en legde haar voeten op het dashboard. Voor hen strekte een onregelmatige rij rode achterlichten zich uit tot in de verte, kleine felrode gaatjes in het kwikzilverachtige landschap.

'Zoals ik al zei in het museum: hij is de man die de Imti-Khentika-papyrus heeft gevonden,' antwoordde Flin terwijl hij richting aangaf en een geblutste pick-up inhaalde. 'De grootste archeoloog die dit land heeft voortgebracht. Een levende legende.' Flins handen leken het stuur iets vaster te omklemmen. 'Een voormalige vriend om wat preciezer te zijn,' zei hij na een korte stilte. Hij sprak zachter, gespannener, alsof het een pijnlijk onderwerp was. 'En nu wil hij mijn ballen afsnijden en me vermoorden. Om eerlijk te zijn niet geheel ten onrechte.'

Freya keek hem aan, trok haar wenkbrauwen op, een uitnodiging om verder te vertellen. Dat deed hij niet, niet meteen tenminste, want hij had net weer richting aangegeven en haalde een taxibusje in met een groepje op elkaar gepakte zwartgeklede vrouwen achterin.

Het sombere, nasale stemgeluid van Dylan vulde het interieur van de Cherokee. Enorme billboards schoten voorbij met reclames voor de Bank van Alexandrië, Pharaonic Insurance, Chertex Jeans, Osram Gloeilampen, die korte tijd in het licht van de koplampen opdoemden en weer verdwenen. Ze dacht net dat het gesprek was beëindigd toen Flin zuchtte, een hand uitstak en de muziek zachter zette.

'Tot op heden heb ik in mijn leven nog maar twee echt catastrofale fouten begaan,' zei hij hoofdschuddend. 'Drie als je met de vrouw van de conrector naar bed gaan meetelt.' Hij liet een vreugdeloos gegrom horen. 'En van die fouten was de meest recente dat ik Hassan Fadawi in de cel heb laten gooien.'

Hij ging achteruit zitten en strekte zijn armen, trok even een lelijk gezicht. Of het van afschuw aan die herinneringen was of omdat zijn gewonde onderarm pijn deed, dat kon Freya niet zeggen. Van de andere kant daverde een vrachtwagen langs en de door de hevige luchtverplaatsing schudde de Cherokee even.

Er viel weer een stilte en toen ging Flin verder. 'We hebben elkaar als studenten in Cambridge leren kennen,' zei hij met zijn ogen strak op de weg voor hem gericht en met zachte stem. 'Dat was ironisch genoeg bijna op hetzelfde tijdstip dat Girgis' uraniumzending de Geheime Oase in dook. Hassan was in Cambridge op een uitwisselingsbeurs en we leerden elkaar kennen. Hij nam mij onder zijn hoede, werd een soort mentor voor me. Alles wat ik van archeologie in het veld weet, heb ik van hem. Gezien het leeftijdverschil was het nooit een relatie van gelijken, en als hij wilde kon hij een lastige rotzak zijn, maar dat vergaf je hem omdat hij een briljante wetenschapper was. Zonder zijn hulp had ik nooit mijn doctoraal gehaald. En toen mijn loopbaan bij MI6 onfortuinlijk eindigde, was het Hassan die me het docentschap aan de American University in de schoot wierp en de Hoge Raad voor Oudheden zover kreeg dat ze me toestemming gaven opgravingen te doen bij de Gilf. Hij heeft in feite mijn loopbaan gered.'

'Waarom heb je hem naar de gevangenis laten sturen?'

Flin keek haar even geërgerd aan. 'Dat heb ik beslist niet met opzet gedaan. Het was meer een soort...' Hij wapperde met zijn hand, probeerde het goede woord te vinden, kon het niet vinden en boog zich dus maar naar de knop van de portierramen en liet het zijne een stukje zakken.

'Het is drie jaar geleden gebeurd,' zei hij en zijn haar wapperde in de wind. 'Ik werkte met hem aan een van zijn projecten bij Abydos, een voortgezette opgraving bij de begraafplaats van Khasekhemwy. Ik zal je niet vervelen met de details. Zo'n beetje halverwege het seizoen kreeg Hassan het verzoek te helpen met conserveringswerk in de tempel van Seti 1, het belangrijkste monument in Abydos. De Hoge Raad wilde een rapport over de conditie van de interne heiligdommen in de tempel. Hassan was daar al, en hij had ervaring met die dingen.'

Hij stokte, remde af en toeterde toen er een paar kamelen in het licht van de koplampen opdoken die recht wilden oversteken. Geschrokken zwenkten ze af en galoppeerden terug de woestijn in.

'Om een lang en deprimerend verhaal kort te maken,' hernam Flin toen ze er langs waren, 'Hassan ging aan het werk in de Seti-tempel en ik nam de dagelijkse leiding bij de Khasekhemwy-opgravingen over. Bijna meteen ontdekte ik dat er dingen ontbraken in het vondstenmagazijn, de beveiligde opslaghut waarin we alles bewaren wat we op de site vinden. Ik waarschuwde onze locatie-inspecteur. Die zette er een bewaker neer die vier nachten later iemand pakte die in de hut rondscharrelde en spullen in een zak stopte.

Freya ging verzitten zodat ze hem recht kon aankijken. 'Fadawi?'

Flin knikte. De dashboardverlichting wierp een spookachtig licht op zijn gezicht.

'Hassan beweerde dat hij ze alleen maar meenam om te bestuderen,' zei hij. 'En dat hij ze weer zou terugbrengen. Maar toen ze naar zijn verblijfplaats gingen, vonden ze hele partijen voorwerpen verstopt in zijn koffers, en daarna werd het alleen maar erger. Het bleek dat hij al tientallen jaren stal, van elke locatie waar hij ooit had gewerkt. Honderden dingen, verdomme. Hij had zelfs voorwerpen van Toetanchamon. Die had hij gejat toen hij in het museum in Caïro werkte.'

Hij greep het stuur weer vast toen er een andere vrachtwagen langsdenderde op weg naar Caïro, met groot licht zodat ze even helemaal verblind werden. Rechts van hen dook iets op wat op een legerkamp leek, rij na rij helverlichte hutten omgeven door prikkeldraad en met een rij zandkleurige tanks naast de ingang met de kanonnen dreigend op de weg gericht.

'Legendarische figuur of niet, de Egyptische autoriteiten hebben weinig op met diefstal van oudheden,' ging Flin verder. 'Er kwam een proces, ik moest getuigen en ze besloten hem ten voorbeeld te stellen. Hij kreeg zes jaar en hij mag zich nooit meer bij welke opgraving dan ook laten zien. En dat voor iemand wiens hele leven uit archeologie bestond.' Hij schudde nogmaals zijn hoofd, ging met een hand door zijn haar en wreef zijn nek. 'En alsof het nog niet erg genoeg was, praatte hij zichzelf aan dat ik de hele zaak had bekokstoofd. Dat ik hem had laten oppakken omdat ik zijn opgraving wilde overnemen. Ik heb geprobeerd hem in de gevangenis te bezoeken om het uit te leggen en te vertellen hoe erg ik het vond, maar zodra hij me in het oog kreeg, sloegen de stoppen bij hem door en begon hij te schreeuwen en te krijsen. De bewakers moesten me naar buiten begeleiden. Daarna heb ik niets meer van hem gehoord of gezien. Alleen ontdekte ik dat hij een paar dagen geleden is vrijgekomen. Als een gebroken man, volgens de berichten.'

Hij nam gas terug toen er een helverlichte wegversperring van de politie in het zicht kwam, niets meer dan een paar olievaten dwars over de snelweg met aan elke kant een wachthuis van één verdieping. Een politieman die de versperring bemande, wuifde een auto door. Zij waren de volgende en Flin stopte. Hij draaide het raampje helemaal omlaag, sprak met de agent in het Arabisch en wees op de ambassade-identificatie achter de voorruit. Ze kletsten nog wat en toen wuifde de agent hen ook door. Hij krabbelde hun kenteken op een klembord dat hij in de hand had.

'En jij denkt dat hij ons zal helpen?' pakte Freya het gesprek weer op toen ze verder reden. 'Na alles wat er is gebeurd? Denk je dat echt?'

'Een eerlijk antwoord?'

'Ja.'

'Geen moment. Jezus, ik heb het leven van die man geruïneerd! Waarom zou hij me een plezier willen doen?'

'Waarom gaan we hem dan in godsnaam opzoeken?'

'Omdat Hassan een collega van me heeft verteld dat hij iets over de oase wist, en met vijftig kilo verrijkt uranium voor het oprapen vind ik zelfs de meest onwaarschijnlijke poging nog de moeite van het proberen waard.'

Hij keek haar aan, daarna weer voor zich, toeterde en haalde de auto in die voor hen bij de controlepost was geweest. Freya haalde haar voeten van het dashboard en zette de muziek harder zodat de gruizige stem van Dylan opnieuw de jeep vulde. Hij zong iets over geweld en Egypte, wat in de huidige omstandigheden zeer toepasselijk leek. Ze keek op het dashboardklokje – vijf over halftien – en legde haar hoofd tegen het portierraam, keek naar de nacht, naar de maanverlichte woestijn die langsgleed, duister en non-descript. Ver weg flakkerde ter hoogte van de horizon een oranje vlammetje als een gloeiworm die zich aan de onderkant van de hemel opkrulde. Een soort olie- of gasboortoren vermoedde ze.

'Wat was de eerste fout?'

'Wat?'

'Je zei dat je in je leven twee catastrofale fouten had gemaakt. Wat was de eerste?'

Hij gaf geen antwoord, drukte alleen het gaspedaal verder in en dreef de snelheidsmeter van de Cherokee tot boven de honderdveertig kilometer per uur. 'Nog maar een kwartiertje,' zei hij.

Het nieuws over Angleton, dat inhield dat na drieëndertig jaar de verdedigingsmuur rond Sandfire een bres leek te vertonen, was voor Molly Kiernan een donderslag bij heldere hemel geweest, niet in het minst omdat zij en haar collega's altijd zo voorzichtig te werk waren gegaan en elke voorzorgsmaatregel hadden genomen om de operatie waterdicht te houden.

Maar toen ze over de eerste schrik heen was, wat ze heel snel deed, had ze zich weer aan de klus gewijd en de draad opgepakt: de taaie, doelgerichte, onverstoorbare Molly Marmer zoals Charlie haar voor de grap had genoemd. 'Hard als steen en net zo mooi!'

Ze had de benodigde telefoontjes naar de States gepleegd – haar mobiele telefoon was maar een van de communicatiemogelijkheden die ze had – en iedereen gewaarschuwd die gewaarschuwd diende te worden, had verteld wat er aan de hand was en Angletons naam doorgegeven voor nader onderzoek. En ook al waren haar gedachten en gebeden bij Flin en Freya, Angleton hield haar toch het meest bezig toen ze achter in een taxi zat op weg naar haar bungalow in de Maadi-wijk in Caïro. Wie was hij? Waarom was hij ermee bezig? Wat wilde hij? Ze hield het kaartje dat ze van Flin had gekregen omhoog en zei de naam bij zichzelf. Daarna dook ze in haar tas en haalde er de zakbijbel uit die ze altijd bij zich had, een cadeau voor haar eenendertigste verjaardag van haar geliefde man, en bladerde erin tot ze bij Psalm 64 was.

'Behoed mijn leven voor de verschrikkingen van de vijand,' las ze hardop terwijl de straatlantaarns die ze passeerden donkere en lichte strepen op het papier wierpen. 'Verberg mij voor de raadslag van de boosdoeners, voor het woelen van de bedrijvers van ongerechtigheid, die hun tong wetten als een zwaard.'

Ze las het nog eens, bladerde verder, naar het begin van het Boek Nahum: 'Een naijverig God en een wreker is de Here. Een wreker is de Here voor zijn tegenstanders, en toornen blijft hij tegen zijn vijanden.'

Ze knikte, sloeg de bijbel dicht en drukte hem glimlachend tegen haar borst. 'Verdomd als het niet waar is,' fluisterde ze.

De weg naar Alexandrië

Het landschap aan beide zijden van Autoweg 11, de hoofdweg tussen Caïro en Alexandrië, bestaat bijna geheel uit woestijn, een laaggelegen vlakte van zand en grind waar de weg doorheen snijdt als een stiknaad in een enorme lap jute. Maar af en toe duiken er opeens heel ongerijmd stukken weelderig groen op zoals een golfbaan, een groep dadelpalmen, een prachtig aangelegde tuin, die over een korte afstand de leegte opzij schuiven om even plotseling te verdwijnen alsof ze door de onbedwingbare vloedgolf van de woestijn zijn weggevaagd.

Ze bereikten zo'n uitbarsting van groen, in dit geval een grote bananenplantage. Flin remde af en sloeg rechtsaf een zandweg in die dwars op de snelweg stond. Muren van slappe groene bladeren sloten hen als gordijnen in en tussen de bladeren hingen kroonluchters van rijpend fruit.

'Hassans familie had de grootste exporthandel in bananen in Egypte,' legde hij uit terwijl ze voorthobbelden en het duister voor het felle licht van de koplampen van de Jeep terugweek. 'Ze hebben het bedrijf tientallen jaren geleden voor een enorm bedrag verkocht. Daardoor kon hij zijn eigen opgravingen financieren. En wat hij verder ook kwijt is, honger zal hij nooit hebben.'

Ze hotsten verder en achter hen verdween het weggetje in een mist van stof, terwijl motten en andere nachtinsecten tegen de voorruit sloegen en vegen op de ruit maakten. Na een kilometer of zo maakten de bananenpalmen plaats voor mangobomen waar een abrupt einde aan kwam bij een laag lattenhek. Daarachter strekte zich, badend in een mysterieus maanlicht, een onwaarschijnlijk strak gazon uit naar een groot wit huis met louvreluiken en een windhaan op het dak. Flin volgde het weggetje dat om het gazon heen liep en stopte op een parkeerplaats voor het huis. Hij zette de motor uit. In een van de kamers op de benedenverdieping brandde licht, tussen de latten van de luiken sijpelden smalle stroken licht.

Een tijdje zat hij daar alleen maar; hij trommelde met zijn vingers op het stuur alsof hij geen zin had de veiligheid van de Cherokee te verlaten. De enige geluiden waren het gesjirp van de cicaden en het geping van afkoelend metaal. Toen opende hij het portier, zwaaide zijn benen naar buiten en zette zijn voeten op het knerpende grind.

'Waarschijnlijk kun jij beter in de auto blijven,' zei hij en keek achterom naar Freya. 'Ik ga met hem praten en als het wat wordt, kom ik je halen.'

'En als het niks wordt?' vroeg ze en ze keek naar hem op.
'Dan gaan we naar het vliegveld.'
Hij liet zijn vuist op het dak van de Jeep stuiteren, vermande zich, draaide zich om en liep in de richting van de voordeur. Ongeveer halverwege werd hij opeens omhuld door verblindend, ijskoud licht toen er een bewakingslamp aanklikte. Bijna op hetzelfde moment verscheurde een oorverdovende knal van een geweerschot de nacht en spoot de grond voor Flins voeten op in een wolk van stof en kiezels. Hij verstijfde, deed een voorzichtige stap achteruit. Een tweede schot rukte de grond achter hem open. Hij verstijfde opnieuw. Er klonk de klik van een geweer dat wordt opengeklapt en daarna een stem: vol, beschaafd en enigszins bevend.
'O god, wat een zoete gerechtigheid. O god, wat een verrukking.'
Uit het duister naast het huis kwam een figuur, slechts gekleed in een zakkige pyjamabroek, die patronen in de dubbele loop van een antiek ogend jachtgeweer schoof. Hij kwam naar voren, naar de rand van de lichtcirkel die de bewakingslamp wierp, klapte het geweer dicht en legde aan. Hij mikte recht op Flins hoofd.
'Op je knieën, Brodie! Op je knieën, vuile achterbakse rat!'
'Hassan, alsjeblieft...'
'Kop dicht en op je knieën!'
Flin wierp een blik naar de Jeep, hief even een hand ten teken dat Freya moest blijven waar ze was en geen onverwachte bewegingen moest maken. Daarna liet hij zich langzaam op de grond zakken met zijn handen langs zijn lichaam. De man grinnikte, een woest, losgeslagen geluid diep uit zijn keel, als een hijgende hond, en deed nog een stap naar voren in het kille licht van de schijnwerper.
'Drie jaar wacht ik hierop en eindelijk, eindelijk... Kruipen zul je, vals stuk vreten!'
Te oordelen naar zijn hoge voorhoofd, glanzende blauwe ogen en de lange, smalle neus moest hij ooit een gedistingeerde verschijning zijn geweest. Nu leek hij nog het meest op een half vergane vogelverschrikker met zijn woeste, ongekamde grijze haar, verwilderde en getekende kop die half verborgen ging onder een vijfdaagse stoppelbaard.
'Brodie,' zei hij, en opnieuw: 'Brodie' en nog een derde keer. Zijn stem ging bij elke herhaling verder omhoog tot hij zich bij de laatste had opgedraaid tot een hoge kreet, als de schreeuw van een gefolterd dier.
'In godsnaam, Hassan,' siste Flin. Het zweet parelde op zijn voorhoofd en hij kon zijn ogen niet van het geweer afhouden, van de manier waarop het in Fadawi's handen trilde. 'Doe dat stomme... Shit!'

Hij dook ineen en klapte zijn armen voor zijn gezicht toen het geweer weer tweemaal snel achter elkaar knalde. Een wolk van lood daverde over zijn hoofd en verdween in de duisternis van de mangoboomgaard. Secondenlang bewoog hij niet. Fadawi klapte het geweer open en verving de gebruikte patronen. Toen liet Flin zijn armen langzaam, aarzelend zakken en kwam weer overeind op zijn knieën.

'Toe Hassan, alsjeblieft,' zei hij en probeerde uit alle macht kalm en zakelijk te klinken en de dubbele loop die weer recht op hem gericht was te negeren. 'Laat dat geweer nou zakken, voor je iets doet waar je spijt van krijgt. Waar we allebei spijt van krijgen.'

Fadawi's ademhaling was onregelmatig, gejaagd en hijgerig, zijn ogen waren wild en groot.

'Toe, alsjeblieft,' herhaalde Flin.

Geen reactie.

'Hassan?'

Niets.

'Wat wil je verdomme dat ik zeg?'

Fadawi keek hem alleen maar aan, met opgetrokken lip.

'Dat het me spijt? Dat ik wou dat ik het anders had aangepakt? Godallemachtig, er gaat geen dag voorbij zonder dat ik dat denk. Denk je dat ik het fijn vind wat er is gebeurd? Dat ik een soort perverse kick krijg van het leven verzieken van iemand die zoveel voor me heeft gedaan?'

Fadawi gaf nog steeds geen antwoord. Flin rolde geërgerd met zijn ogen en keek omhoog naar de heldere zilveren maancirkel alsof die hem een aanwijzing kon geven voor wat hij nu nog kon doen.

'Luister, ik kan de klok niet terugzetten,' probeerde hij opnieuw. 'Ik kan het verleden niet veranderen, ik weet wat je hebt doorgemaakt...'

'Weet!?'

Fadawi kwam nog een paar stappen naar voren zodat hij nu recht boven de Engelsman stond en de loop slechts een paar centimeter van Flins slaap verwijderd was. In de Jeep zocht Freya's hand naar de portierkruk met de bedoeling uit te stappen, te proberen te helpen. Flin zag wat ze deed en schudde bijna onmerkbaar met zijn hoofd. Fadawi's vinger trok strakker rond de trekker.

'Weet jij hoe het is om een cel te delen met moordenaars en verkrachters?' siste hij. 'Om elke avond te gaan slapen zonder de zekerheid dat je 's morgens nog leeft?'

Nu was het Flins beurt om te zwijgen.

'Om twaalf uur per dag postzakken te moeten naaien? Om drie jaar aan de schijt te zijn omdat je geen schoon water te drinken krijgt? Om zo hard te worden geslagen dat je een week lang bloed piest?'

In feite kende Flin dit laatste wel, maar hij dat hield hij voor zich. Hij keek naar de grond terwijl Fadawi doorraasde en de dubbele loop van het geweer langs zijn oor streek als een neus die aan hem snuffelde.

'Je hebt geen flauw idee wat de hel is, Brodie, omdat je er nog nooit bent geweest. Ik wel...' De Egyptenaar stampte op de grond, groef zijn naakte voetzool in het grind alsof hij iets wilde vertrappen. '... en jij bent degene die me erheen heeft gestuurd. Jij hebt mijn carrière verwoest, mijn reputatie, mijn leven... Jij... hebt... verdomme... mijn... hele... leven... verwóést!'

Hij spelde alle woorden van de laatste zin uit, smeet ze als projectielen naar Flin toe, zijn stem ging, in tegenstelling tot eerst, omlaag, begon als een schreeuw en werd steeds heser tot het laatste 'verwoest' zich uitrekte tot een lang, beestachtig gegrom. Flin hield zijn blik op de grond gericht, gaf Fadawi de kans alles eruit te gooien, en keek toen, langzaam, op.

'Jij hebt je leven verwoest, Hassan,' zei hij rustig.

'Wat? Wat zei je?'

Het linkeroog van de Egyptenaar vertoonde een tic.

'Jij hebt je leven verwoest,' herhaalde Flin, tilde een arm op en duwde de dubbele geweerloop van zijn hoofd weg. 'Ik zal er mijn hele leven spijt van hebben dat ik niet met jou heb gepraat voor ik naar de politie ging, en ik vind het zo afschuwelijk dat je dit allemaal hebt moeten doormaken, maar uiteindelijk ben jij degene die die spullen heeft gestolen.'

Fadawi's gezicht plooide zich tot een grauw, de gelaatstrekken leken zich te verdringen rond de mond toen hij het geweer naar Flins hoofd terugzwaaide en midden tussen zijn ogen richtte. Er viel een stilte, zelfs het knarsen van de cicaden leek stil te vallen. En opnieuw hief Flin zijn hand op en duwde de geweerloop opzij.

'Jij schiet mij niet dood, Hassan, hoe graag je dat ook zou willen, hoezeer je mij ook de schuld geeft van wat er is gebeurd. Je wilt me misschien doodsbang maken, en dat lukt je heel goed, maar je haalt die trekker niet over. Dus waarom doe je het geweer niet weg zodat we op zijn minst kunnen proberen met elkaar te praten.'

Fadawi bleef hem woedend aankijken, met een trekkend oog. Zijn gezicht was verwrongen, alsof het probeerde een passende uitdrukking te vinden, tot het zich uiteindelijk onverwacht tot een glimlach schikte. 'Ik weet waar je over wilt praten.'

Opeens was zijn toon licht, bijna vrolijk, het volstrekte tegendeel van wat die even daarvoor was. Het was of er een compleet andere persoon aan het woord was. 'Je hebt Peach zeker gesproken?'

Flin probeerde niets te laten merken, maar hij kon niet verbergen dat Fadawi's woorden een gevoelige plek hadden geraakt. De glimlach van de Egyptenaar werd breder. 'Hij heeft je over de oase verteld, hè? Dat ik iets heb ontdekt. En nu wil jij weten wat het is. Móét jij weten wat het is. Daarom ben je hier gekomen.' Hij grijnsde nu, voelde het effect dat zijn woorden hadden, genoot ervan, voerde de druk nog wat op. 'Ik wist dat je een keer zou komen, maar zo snel? Nee. Je moet ten einde raad zijn. Echt ten einde raad.'

Flin beet op zijn lip, het grind drukte in zijn knieën. 'Het is niet wat je denkt, Hassan. Het is niet alleen maar voor mij.'

'O hemel, nee! Het is voor het welzijn van de hele mensheid! Het is om de wereld te redden. Je was altijd al een altruïst.' Hij grinnikte en gebaarde dat Flin moest opstaan.

'Het was prachtig,' kraaide hij. 'Iets heel bijzonders. Iets dat ons meer over de wehat seshtat zegt dan al die andere verspreide stukjes materiaal bij elkaar. De grootste vondst van mijn carrière. En weet je wat het allemaal nog bevredigender maakt?'

Hij straalde. 'Het feit dat jij nooit te weten zal komen wat het is. Niet uit deze mond. De belangrijkste ontdekking sinds Imti-Khentika en het zit allemaal hier in.' Hij tilde het geweer op en tikte ermee tegen zijn slaap. 'En dat is de plek waar het blijft.'

Flin stond nu rechtop, zijn vuisten machteloos langs zijn lijf. Hij wist niet wat hij moest zeggen, hoe hij de situatie een draai kon geven. 'Je bluft,' mompelde hij.

'Denk je? Maakt niet uit, je komt het nooit te weten. Vanavond niet, morgen niet, nooit.' Opnieuw tikte hij met de dubbele loop tegen zijn hoofd. 'Allemaal veilig en wel hier opgeborgen. Ik heb een paar zware jaren achter de rug en ik ben ook de jongste niet meer, dus ik hoop dat je het niet erg vindt dat ik, hoezeer het me ook verheugt je te zien, een eind aan deze reünie maak. Goedenavond, beste vriend. En rij voorzichtig.'

Hij legde het geweer in de knik van zijn arm, gaf Flin een klopje op zijn schouder, draaide zich met een laatste grijns om en liep naar de voordeur van zijn huis.

'Help ons alstublieft.'

De stem was die van Freya. Tot dat moment had ze zich in de Jeep stilgehouden en het aan de mannen overgelaten om de scène samen uit te spelen. Nu kon ze zich niet meer inhouden, opende het portier en stapte uit.

'Alstublieft,' zei ze nogmaals en kwam naast Flin staan. 'We hebben uw hulp nodig.'

Fadawi bleef staan en draaide zich om, zijn hoofd schuin. Hoewel hij maar een paar meter van de Cherokee had gestaan, was zijn aandacht zo geheel en alleen op Flin gericht geweest dat hij haar helemaal niet had opgemerkt. 'Goeie genade,' zei hij en maakte tuttende geluidjes en schudde zijn hoofd terwijl hij haar van top tot teen bekeek. 'Ik wist dat je weinig zelfrespect hebt, Flinders, maar dat je een jongedame in je troebele zaakjes betrekt... En dan nog wel zo'n aantrekkelijke jongedame.'

Opeens was zijn optreden een en al charme en goede manieren, een omschakeling die, gezien het feit dat hij daar stond met alleen een pyjamabroek aan, niet zozeer innemend als wel heel eng was.

'Zou je ons niet even aan elkaar voorstellen?' zei hij tegen Flin.

'Hou daarmee op, Hassan,' snauwde de Engelsman, duidelijk niet geamuseerd door de wending die de gebeurtenissen namen.

'Freya, ik heet Freya Hannen.'

Daarop glimlachte Fadawi, maar tegelijkertijd verscheen er een lichte frons op zijn voorhoofd. 'Toch niet...'

'Haar zus,' zei Flin en keek Fadawi strak en onbewogen aan. 'Je zult wel niet hebben gehoord dat Alex dood is.'

Hoewel de glimlach op Fadawi's gezicht bleef, werd de frons dieper, alsof verschillende delen van zijn gezicht diverse, elkaar tegensprekende emoties weergaven. 'Het spijt me zeer dat te moeten horen,' mompelde hij waarbij zijn blik tussen Freya en Flin heen en weer ging. 'Heel erg. Uw zus was een fascinerende vrouw.'

Hij stak een hand op, maaide naar een mug die om zijn hoofd zoemde. Iets in zijn ogen, in het even verstrakken van zijn glimlach wekte de indruk dat hij niet goed raad wist met zijn figuur, als bij een acteur in een monoloog die opeens zijn tekst kwijt is. Het was vluchtig, en bijna onmiddellijk werd zijn grijns weer breder en verdween de frons. 'Jazeker, absoluut een fascinerende vrouw. En nog mooi ook. Alhoewel ik moet zeggen dat haar zus nog mooier is. Freya, zei je?'

'Hou op,' herhaalde Flin en zijn stem was nu een dreigend gegrom.

Fadawi negeerde hem, richtte zijn aandacht alleen nog op Freya. 'Het spijt me dat we elkaar in zulke onaangename omstandigheden moeten leren kennen,' zei hij. Hij maaide weer naar de mug, liet zijn hand zakken en haalde daarna zijn vingers door zijn haar. 'Als ik van je komst had geweten, zou ik veel meer aandacht aan mijn uiterlijk hebben besteed. Zoals je ziet ben ik niet op mijn elegantst gekleed. Mag ik?'

Hij stapte naar voren, pakte Freya's hand en kuste haar vingertoppen. 'Goddelijk,' mompelde hij. 'Uitermate goddelijk.'

'Zo is het genoeg, Hassan!'

Flin duwde Hassans hand weg en pakte Freya bij haar arm. 'Kom mee, we hebben alles geprobeerd.' Hij probeerde haar naar de Cherokee te loodsen, maar ze schudde zijn hand van haar arm en bleef staan.

'Alstublieft,' smeekte ze. 'Help ons alstublieft. Ik kan me niet voorstellen wat u de afgelopen drie jaar hebt doorgemaakt, en ik weet dat we het recht niet hebben om het te vragen, maar toch vraag ik het. Help ons. Vertel ons over de oase. Alstublieft.'

Fadawi leek maar met een half oor te luisteren, want zijn blik was strak gericht op haar borsten, op de manier waarop ze tegen de net iets te strakke stof van haar blouse en vest drukten zodat de vorm van haar tepels duidelijk te zien was. 'Schitterend,' zei hij en zijn ogen gingen naar haar kruis en vandaar naar haar blonde haar. 'Ik kan me werkelijk niet herinneren wanneer ik me voor het laatst in gezelschap van zo'n aantrekkelijke jongedame heb bevonden. Weet je, dat heb ik het meest gemist in Tura, het genoegen van vrouwelijk gezelschap: hun kameraadschap, hun lach, hun schoonheid. Ik ben zo dol op mooie vrouwen. In de gevangenis kwam ik daar het dichtste bij via een ansichtkaart die iemand me stuurde met een afbeelding van de naakte danseres in de tombe van Nakht. Maar ik kan je wel vertellen dat ze het bij lange na niet haalde bij de werkelijkheid.'

Hij wierp een zijdelingse blik op Flin, en er lag iets sluws in zijn blik, als van een jager die een dier in de val lokt, opgewonden door het naderende lijden van zijn prooi. 'Ja, ja, het is lang geleden dat ik een echte vrouw naakt heb gezien,' ging hij verder, likte zijn bovenlip af, sperde zijn neusgaten wat open. 'Heupen, borsten, geslachts...'

'Hou op!' schreeuwde Flin. 'Hoor je me? Hou ermee op! Nu! Ik weet niet wat voor spelletje je speelt, maar we staan hier niet om te luisteren...'

'Je valt voor haar, hè?' zei de Egyptenaar poeslief.

'Wat?'

'Dat je voor haar valt,' zei Fadawi grijnzend, en hij keek nog sluwer. 'Je valt echt op haar.'

'Je weet niet wat je zegt.'

'Je hebt gevoelens voor haar, je voelt je tot haar aangetrokken, je...'

'Ga je mee?' Flin greep Freya's arm, ruwer dan de eerste keer, en duwde haar achterwaarts naar de Jeep. Fadawi riep hun na.

'Ik vertel jullie wat jullie willen weten. Over de oase. Ik zal jullie alles vertellen wat ik weet.'

Flin bleef staan en draaide zich om, zijn hand nog op Freya's arm.

'Waar het is, wat het is, alles wat je wilt,' zei de Egyptenaar. 'Maar eerst...' Hij zweeg, grijnsde kwaadaardig, en klapte de val dicht. '... wil ik haar naakt zien.'

Flins ogen werden groot van woede en walging. Zijn mond ging open, klaar om een stortvloed van krachttermen los te laten. Maar voor hij iets kon zeggen wrong Freya zich los uit zijn greep.

'Ik doe het.'

Flin staarde haar ontzet aan. 'Ben je besodemieterd?'

'Hier of in huis?' Ze negeerde Flin en richtte zich tot Fadawi.

'Freya, geen haar op mijn hoofd die toestaat dat je...'

'Hier of binnen?' vroeg ze nogmaals.

Flin greep haar opnieuw bij haar arm. 'Je gaat niet...'

'Heb niet het lef mij te vertellen wat ik wel of niet kan doen,' snauwde ze, rukte zich los en keerde zich woedend tegen Flin. 'Begrijp dat nou. Het heeft niets met jou te maken.'

'Het heeft alles met mij te maken! Als ik je niks had verteld, had je nooit van die verdomde oase afgeweten. Ik wil niet dat je jezelf prostitueert voor een geriatrische smeerlap vanwege iets wat Molly en ik...'

'Het heeft niets te maken met jou, of met Molly, of met de oase. Helemaal niets,' schreeuwde ze en ze kreeg een kleur van kwaadheid. 'Ik doe het voor Alex. Voor mijn zus. Voor mijn dode, vermoorde zus. Ik doe het voor haar omdat zij het wilde weten.'

'Denk je nou werkelijk...'

'Wat ik denk gaat je geen donder aan. Het is iets tussen Alex en mij en daarmee uit!'

'In godsnaam, Freya, dat is het laatste wat Alex zou hebben...'

'Met jou ben ik uitgepraat,' riep ze en draaide zich weer naar Fadawi, veegde losse haren uit haar gezicht. 'Dus waar doen we het nou?'

De Egyptenaar had tijdens de ruzie gezwegen en grijnzend genoten van Flins benarde situatie. 'O, binnen, lijkt me,' zei hij gnuivend. 'Ja, binnen is beslist het beste. Ver van spiedende ogen. Zullen we dan maar?' Hij gebaarde naar de voordeur.

'Ik sta dit niet toe!' schreeuwde Flin.

Freya negeerde hem, gaf Fadawi een knikje en liep over het grind naar hem toe.

'Ik sta dit niet toe!' herhaalde Flin en priemde met een vinger in haar richting. 'Hoor je me! Laat dat vliegtuig de pest krijgen en de oase ook! Jij gaat dit niet doen!'

Ze antwoordde niet, liep gewoon door naar het huis. Fadawi opende de deur voor haar en liet haar binnen.

'Het kan wel even duren,' wendde hij zich met een triomfantelijke grijns tot Flin. 'Loop rustig rond, probeer eens een banaan. Ik moet je wel vragen onze privacy te respecteren en niet naar binnen te gluren.'

Hij grinnikte triomfantelijk, proefde met genoegen de woede van de jonge man, knipoogde en wuifde even, draaide zich om, ging naar binnen en sloeg de deur achter zich dicht.

Mensen doden was lang niet meer zo leuk als het was geweest. Tot die conclusie kwam de tweeling terwijl ze ballen stootten op Girgis' wedstrijdsnookertafel en wachtten op nieuws over wanneer en waar ze weer aan de slag moesten. Zelfs folteren leverde niet meer de bevrediging op die het werk hun vroeger had verschaft. Het was net als bij voetballers die alle bekers hebben gewonnen die er te winnen zijn, alle hoogtepunten hebben meebeleefd; de begeerte was er niet meer. Het was allemaal, daar waren ze het over eens, een beetje saai geworden.

Ooit was het anders geweest, waren ze echt trots op hun werk geweest. Vaklui, zo zagen ze zichzelf, bekwame vaklui. En zoals een schrijnwerker vreugde ervaart bij een volmaakt gedraaide stoelpoot, of een glasblazer bij een prachtig afgewerkte vaas, legden ze hun ziel en zaligheid in wat ze deden, kregen ze er een echte kick van. Zoals ze die drugsdealer, die junkie, zijn eigen oog hadden laten opeten, of die journalist van de *Al-Ahram*, die ze aan de ijsberen in de dierentuin van Gizeh hadden gevoerd, of die keer dat ze op één dag in Alexandrië vier mensen hadden omgelegd en toch op tijd thuis waren geweest om voor omm te koken; dat waren dingen die hun een heel bevredigend gevoel hadden gegeven.

Maar de betovering was al een tijdje afwezig, en bij deze opdracht was voor hen de maat vol. Oké, die achtervolging door Caïro was leuk, en ze hadden genoten van het 'besnijden' van die ouwe kerel in Dakhla, maar over de woestijn vliegen om een hoop ouwe ruïnes te zoeken en je te laten afblaffen door die keutel van een Girgis, wat was daar nou aan? Ze gooiden zich te grabbel, dat was buiten kijf. Ze gooiden zichzelf en hun talenten te grabbel.

Dat was de reden waarom ze, nadat ze de laatste zwarte bal hadden gepot en de ballen in het raam legden voor een volgend potje, besloten dat dit de laatste klus voor Girgis zou zijn. Het was tijd dat ze zich losmaakten en hun eigen snackkraam openden. Ze hadden gedacht om het nog even te laten rusten, in elk geval tot de start van het nieuwe voetbalseizoen, maar goed beschouwd was nú net zo goed als elk ander moment. Alleen nog deze laatste klus en dan was het afgelopen. Op hun dertigste stopten ze met werken.

'Moeten we hem doden?' vroeg de tweeling met de geplette bokserseus. Hij liet de rode ballen in hun houten driehoek rammelen, legde ze met zorg net onder de roze stip. 'Girgis? Gewoon om het netjes af te werken?'

'Dat is een idee,' zei zijn broer.

'We willen geen last van hem hebben.'

'Nee, dat zeker niet.'

'Als we deze klus hebben afgemaakt...

'... zou het onprofessioneel zijn...'

'... om hem dan niet om te leggen.'

'Klinkt heel redelijk.'

Ze gaven elkaar een high five, krijtten hun keus en bogen zich diep over de tafel. De broer met het rafeloor ramde de witte bal tegen de rode zodat ze alle kanten uit schoten. Zijn tweelingbroer klopte met zijn beringde vingers op de band om aan te geven dat hij het een goede stoot vond.

Denk gewoon dat het hetzelfde is als klimmen, zei Freya bij zichzelf terwijl Fadawi zijn geweer naast de deur neerzette en haar voorging door de gang. Het uitvoeren van een hele moeilijke manoeuvre. Meer is het niet, gewoon één moeilijke manoeuvre. Concentreer je erop, doe wat je moet doen, en maak dan dat je als de donder wegkomt. En als hij het in zijn hoofd haalt je met een vinger aan te raken...

Aan het einde van de gang opende Fadawi een deur en liet haar binnen in een grote, helder verlichte woonkamer annex werkkamer. Aan de ene kant stonden banken en leunstoelen, aan de andere een bureau en boekenkasten. Op het bureau stond een draagbare cassetterecorder. Fadawi liep erheen, drukte op een knop en nam Freya daarna mee naar de andere kant van de kamer. Een zoetgevooisde vrouwenstem zweefde om hen heen, rees en daalde, een merkwaardig hypnotiserend geluid.

'Fairuz,' verklaarde de Egyptenaar, draaide aan een dimmer in de muur en dempte de verlichting. 'Een van de grootste van alle Arabische zangeressen. Prachtig geïntoneerd, vind je niet?'

Freya haalde haar schouders op, duwde haar handen in de zakken van haar jeans, ging van het ene been op het andere staan.

'Mag ik je iets te drinken aanbieden?'

Ze bedankte, bedacht zich meteen weer en zei ja, ze wilde wel iets. Fadawi opende een drankkast – antiek zo te zien, schitterend gefineerd met banen licht en donker hout – en haalde er een fles met een helgroene vloeistof uit en schonk twee glaasjes vol. 'Pisang Ambon,' zei hij en gaf haar een van de glaasjes. 'Gemaakt van de Indonesische groene banaan. Je zult het erg lekker vinden, denk ik, ondanks de ietwat onflatteuze naam.'

'Hebt u geen bier?'

Hij schudde verontschuldigend het hoofd, pakte het andere glas en ging op een van de banken zitten, waarbij hij wegzonk in de bleke, crèmekleurige kussens. Zijn schriele borstkas had bijna dezelfde kleur als dat materiaal, zodat het niet meteen duidelijk was waar de kussens ophielden en zijn huid begon.

'Zo, dat is nog eens knus,' zei hij, van zijn drankje nippend en haar ondertussen verlekkerd bekijkend. 'Neem er rustig de tijd voor.'

Freya nam een slokje van haar eigen drankje, trok een vies gezicht om de weeë, zoete smaak. Ze voelde zich opeens heel erg kwetsbaar en heel onzeker. En ze was nog niet eens begonnen met strippen. Misschien had ze naar Flin moeten luisteren.

'Hoe wilt u dat we dit doen?' vroeg ze en probeerde relaxter te klinken dan ze was.

Fadawi legde zijn arm over de leuning van de sofa. 'Helemaal zoals je zelf wilt. Zolang het maar allemaal uitgaat.' Hij wees op haar kleren. 'Ik laat de technische details graag aan jou over.'

'Ik ga niet dansen,' zei ze.

'Dat had ik me ook geen moment voorgesteld.'

'En ik doe ook geen andere dingen. Ik strip en daar blijft het bij.'

Fadawi trok een verontwaardigd gezicht. 'Lieve dame, ik mag dan een voyeur zijn, ik ben geen verkrachter. Ik wil je lichaam bewonderen, niet bepotelen.'

Ze knikte en nam nog maar eens een slokje van haar drankje, vond het vies smaken maar moest iets te doen hebben, een handeling om te kalmeren. 'En u vertelt ons wat u weet over de oase. Als ik klaar ben.'

'Ik houd mij aan mijn woord,' zei de Egyptenaar. 'Daar hebben drie jaar cel niets aan veranderd. Als jij je aan de afspraak houdt, doe ik dat ook. Jullie krijgen alles te weten. Op voorwaarde dat ik alles te zien krijg.'

Hij lachte weer en nestelde zich nog dieper in de kussens zonder zijn ogen een tel van haar af te houden. Freya keek omhoog naar het plafond, daarna naar de deur, omlaag naar het vloerkleed, overal heen behalve naar hem. Ze vermande zich, rekte tijd. Toen schudde ze even met haar hoofd, mompelde 'Allez', dronk haar glas leeg en zette het op een wandtafeltje. 'Goed,' zei ze, 'dan moet het maar.'

Ze begon met haar sneakers, maakte de veters los en trok ze uit – eerst de linkervoet, dan de rechter – gevolgd door haar sokken. Daarvan ontdeed ze zich in dezelfde volgorde, stopte ze in haar schoenen en zette die – geheel onnodig – keurig naast elkaar, met de punten in Fadawi's richting. Daarna kwam het vest, dat ze opvouwde en op de sneakers legde, en al die tijd ontweek ze angstvallig Fadawi's blik, probeerde ze aan alles te denken behalve hieraan – vervolgens haar jeans zodat haar lange, bruine benen na elkaar tevoorschijn kwamen. Ook al was de situatie erg ongemakkelijk, haar bewegingen waren soepel en gracieus. Uit de cassetterecorder op het bureau klonk nog steeds de vrouwenstem.

Dat was het gemakkelijke deel. Nu had ze alleen nog haar slip en shirt aan, de laatste twee kledingstukken, en dan kwam de intieme ontbloting. Ze haalde diep adem, probeerde nog meer afstand te nemen, zich helemaal uit deze kamer weg te halen en in een heel ander scenario te verplaatsen. Om een onduidelijke reden was het eerste dat bij haar opkwam de middag dat ze met een stel vrienden bij Bodega Bay ten noorden van San Francisco aan het bodyboarden was toen er een mensenhaai langsgleed en zijn rugvin als een mespunt door het water sneed. Ze hield zich vast aan deze toevallige herinnering, trok zich erin terug en begon de knoopjes van haar shirt open te doen, terwijl ze zich ondertussen weer voor de geest haalde hoe zij en haar vrienden bescherming bij elkaar hadden gezocht en als een groep de honderd meter naar het strand terug hadden gepeddeld. En al die tijd zwom de haai dreigend om hen heen. Ze ging helemaal op in het tafereel, het had iets meditatiefs. Ze liet het shirt van haar schouders glijden en onthulde haar gladde, gebruinde rug, boog ietsje voorover en haakte haar duimen achter het elastiek van haar witte slipje, klaar om hem omlaag te trekken. Pas toen ze daarmee begon, toen ze helemaal in gedachten verzonken de stof over de stevige ronding van haar billen en over het begin van haar dijen trok, werd ze zich bewust van een stem achter haar. Even was ze in verwarring, wist ze niet of hij echt was of verbeelding, maar toen vervaagde de haai en was ze terug in de kamer.

'Genoeg,' zei de stem. 'Stop, hou alsjeblieft op.'

Ze trok haar slip weer aan, hield een arm voor haar naakte borsten en draaide zich half om naar de bank, keek over haar schouder wat hij van haar wilde, wat ze misschien fout deed. Fadawi zat voorovergebogen, een hand in de lucht met de handpalm naar haar toe, de andere tegen zijn voorhoofd en over zijn ogen. Zijn glimlach was verdwenen, had plaatsgemaakt voor een soort verwilderde grimas, alsof hij zojuist uit een boze droom was ontwaakt.

'Ik weet niet hoe ik op het idee kwam,' mompelde hij. Alle treiterige joligheid van even ervoor was verdwenen uit zijn stem die nu zwak en beverig was. 'Onvergeeflijk van me, onvergeeflijk. Om u… Trek het alstublieft weer aan. Kleed u weer aan.'

Hij kwam overeind, hield zijn ogen afgewend en liep de kamer door naar het bureau waar hij de cassetterecorder uitzette en met zijn rug naar haar toe bleef staan.

'Ik weet echt niet hoe ik op het idee kwam,' bleef hij herhalen. 'Onvergeeflijk van me. Onvergeeflijk.'

Freya aarzelde, begon zich weer aan te kleden, schoot snel in haar shirt, stapte in haar jeans. Hoewel ze opgelucht was dat ze zich niet bloot hoefde te geven, voelde ze zich ook als een leeggelopen ballon, alsof een deel van haar eigenlijk wel had willen doorgaan met het strippen. Maar ook bezorgd, want als Fadawi hierin van gedachten was veranderd, deed hij misschien hetzelfde met de oase, met vertellen wat hij had ontdekt.

'Ik weet niet hoe ik op het idee kwam,' scheen het enige te zijn wat hij kon zeggen. 'Onvergeeflijk van me. Onvergeeflijk.'

Freya trok haar sokken aan en pakte haar vest. Ze gooide het om haar schouders en stak één arm in een mouw, maar bedacht zich en trok het uit. Ze liep naar Fadawi en legde het om zijn schouders omdat ze opeens met hem te doen had, ondanks wat er zojuist was gebeurd. Hij mompelde een dankjewel en trok het kledingstuk om zich heen. Daar stond het tweetal dan in een ongemakkelijk zwijgen, Fadawi starend naar zijn bureau, Freya starend naar Fadawi.

'U moet wel heel veel voor hem voelen,' zei hij ten slotte. Hij sprak zo zacht dat hij nauwelijks te verstaan was. 'Flinders. Dat u bereid bent zoiets voor hem te doen. Hij moet heel veel voor u betekenen.'

'Zoals ik buiten al zei: het heeft niets met Flin te maken. Ik deed het voor mijn zus. Zij betekende heel veel voor me.'

Fadawi wierp haar een berouwvolle, beschaamde blik toe voordat hij om het bureau heen naar de boekenkast erachter schuifelde. Hij ging met een vinger langs de ruggen op een plank heen en weer tot hij het gezochte boek vond, het eruit trok en aan haar gaf. Freya herkende de omslag meteen: een figuur in blauwe gewaden gehuld loopt over een duintop en een enorme robijnrode zon lijkt op zijn of haar hoofd te balanceren: *Little Tin Hinan*, Alex' verslag van het jaar dat ze bij de Toearegs in noord-Niger had gewoond. Ze draaide het boek om en staarde naar Alex' foto op de achterkant. Ze leek er zo jong, zo fris.

'Flinders heeft ons aan elkaar voorgesteld,' legde Fadawi uit terwijl hij achter zijn bureau ging zitten en het vest nog steviger om zich heen trok. 'Vijf, zes jaar geleden. We bleven contact houden en ze heeft me een exemplaar van haar boek gestuurd. Een buitengewone vrouw, buitengewoon. Ik vind het heel erg te moeten horen dat ze nu dood is.'

Hij keek op en weer naar beneden, opende een la en rommelde erin. En na een korte stilte: 'Ik vind het ook heel erg dat ik u... Onvergeeflijk van me u dat aan te doen. Onvergeeflijk.'

Freya wuifde het weg ten teken dat er niets onherstelbaars was gebeurd en dat hij zich niet hoefde te verontschuldigen.

'Ik wist dat ik Flinders er kwaad mee zou krijgen,' ging hij al rommelend verder. 'Ik wou hem treiteren. Hij is daarin een echte gentleman. Ik wilde... na alles wat er is gebeurd, het proces, de celstraf... ik wilde het hem betaald zetten. Maar om u daarbij te gebruiken...' Hij schudde zijn hoofd, tilde een hand op en wreef ermee in zijn ogen.

Freya wilde hem aan de praat krijgen over de oase, maar hij leek opeens zo oud en hulpeloos, zo in de war, dat het niet gepast leek, in elk geval niet op dit moment. In plaats daarvan liep ze de kamer door, pakte zijn glas, ging naar de drankkast en vulde het opnieuw, bracht het naar hem toe en zette het voor hem neer. Hij glimlachte flauwtjes en nam een slokje.

'U bent te vriendelijk voor me,' zei hij. 'Echt, te vriendelijk.'

Hij nam nog een slokje. Na de eerste la te hebben dichtgeschoven trok hij die eronder open, boog zich zo ver opzij dat alleen de zijkant van zijn hoofd boven het bureaublad te zien was. 'Hij had natuurlijk gelijk,' klonk zijn stem onder begeleiding van ritselend papier. 'Flinders. Dat het mijn eigen schuld is, dat ik mijn eigen leven heb verwoest. Ik denk dat ik daarom zo kwaad op hem was, want dat was makkelijker dan erkennen bij wie de schuld werkelijk ligt. Veel minder pijnlijk.'

Hij zuchtte en ging rechtop zitten, duwde de la dicht. Hij had een plastic cassettedoosje in zijn hand. 'Ik hou gewoon van voorwerpen, altijd al gedaan. Ik hou ervan ze om me heen te hebben, te bezitten, fragmenten van het verleden, kleine venstertjes naar een verloren wereld – een verslaving die even ondermijnend is als drank of drugs. Ik denk dat ik daarom zo kwaad op hem was. Ik had er geen afweer tegen. Ik werd er zo gelukkig van, zo ontzettend gelukkig.'

Hij zuchtte weer, een vermoeid, verslagen geluid. Hij opende het doosje en controleerde de cassette die erin zat, boog zich over het bureau en gaf het haar. 'Jullie zullen het moeten terugspoelen, maar dit is wat jullie willen. Het staat er allemaal op: Abydos, de oase, wat ik heb gevonden. Flinders begrijpt het wel. Kunnen jullie in de auto cassettes afspelen?'

'Nee, alleen cd's.'

'O, dan kun je beter dit ook meenemen.' Hij klikte de draagbare recorder die op het bureau stond open, haalde de Fairuz-tape eruit, sloot het vakje en schoof het apparaat naar haar toe, wuifde haar bezwaren weg. 'Neem het alsjeblieft aan. En ik hoef het niet terug. Dit is wel het minste wat ik kan doen na...' Hij sloeg zijn ogen neer. 'En het boek van je zus mag je ook hebben.'

Ze bedankte hem maar zei dat ze al een aantal exemplaren had en het niet nodig had. Hij knikte, pakte het boek, stond op en zette het terug op de plank.

'En ik denk dat het tijd wordt dat u vertrekt. Het is een nogal vermoeiende avond en Flin maakt zich misschien zorgen en is bezig een reddingsactie voor te bereiden. Hij kon nooit weerstand bieden aan een dame in nood. Op en top de Engelsman.'

Nadat hij zich ervan had vergewist dat ze de cassettespeler en het bandje had, ging hij haar voor de gang door naar de voordeur. Hij liet het vest van zijn schouders glijden en gaf het aan haar.

'Hou het maar,' zei ze en wist dat Molly Kiernan dat wel zou begrijpen. 'Geef het maar terug bij een volgende ontmoeting.'

'Ik heb het gevoel dat dat wel eens lang zou kunnen duren, als het al gebeurt. U kunt het maar beter meenemen.'

Even stonden ze daar te staan, toen boog Freya zich naar hem toe en gaf hem een kus op zijn wang. 'Dank u wel,' zei ze.

Hij gaf een klopje op haar arm. 'Integendeel, ik moet jou bedanken. Je hebt een oude bajesklant heel gelukkig gemaakt.'

Hun blikken troffen elkaar kort, toen pakte hij de deurkruk. Voor hij die kon openen pakte ze zijn hand. 'Hij heeft een heel hoge pet van u op. Flin. Ook na alles. Hij kijkt nog steeds tegen u op. Hij wilde dat u dat wist.'

Fadawi keek naar de deur. 'In feite ben ik degene die tegen hem opkijkt,' zei hij. 'De grootste archeoloog die ik ken. Een genie, absoluut. De beste praktijkman in deze bedrijfstak.' Hij zweeg even en voegde er toen aan toe: 'Pas goed op hem. Dat heeft hij nodig. En zeg tegen hem dat hij zich niet schuldig moet voelen. Het is helemaal mijn eigen schuld.'

Hij trok zijn hand uit de hare, opende de deur en liet haar door. Freya stapte langs hem heen naar buiten, het grind van de oprit op. 'Dank u,' herhaalde ze. 'Heel erg bedankt.'

Hij lachte opnieuw, gaf haar nog een klopje op haar arm en duwde daarna de deur dicht. Hij pakte het geweer dat er nog naast stond en kromde een vinger om de trekker. 'Nu moeten we even goed nadenken over hoe we dit gaan doen,' verzuchtte hij.

Op het moment dat Freya het huis uit kwam, liep Flin op een drafje op haar af. Hij was bij haar op het moment dat de deur dichtsloeg.

'Vertel, wat heeft hij met je gedaan, die vuile...'

'Hij heeft niets gedaan,' zei ze terwijl ze naar de auto beende met Flin achteruitlopend naast zich. Hij priemde kwaad met een vinger naar de deur. 'Ik vermoord hem! Ik vermoord hem!'

'Jij vermoordt helemaal niemand. Hij was de gentleman ten top.'

'Heeft hij je gedwongen om...'

'Nee, ik heb niet hoeven strippen. Hij veranderde van gedachten.'

'Wat hebben jullie dan al die tijd gedaan?'

'Gepraat,' zei ze en bij de Cherokee gekomen opende ze haar portier en stapte in. 'Misschien interesseert het je te weten dat hij jou de grootste archeoloog vindt die hij ooit heeft ontmoet. Hij noemde je een genie, absoluut een genie.'

Daar had Flin niet van terug en op zijn gezicht maakte woede plaats voor verbazing. Hij bleef even naar het huis staan kijken, overwoog kennelijk even om terug te gaan en zelf met Fadawi te gaan praten om een soort verzoening te bewerkstelligen. Maar hij bedacht zich, opende het bestuurdersportier en stapte in. 'Ik hoef er zeker niet op te hopen dat hij heeft verteld wat hij weet?'

Met een lach hield ze de cassette op. 'Het staat allemaal hier op. Hij zei dat jij het wel zou begrijpen.'

Hij pakte de cassette aan en draaide hem om en om. 'Ik neem aan dat we hem daarop moeten afspelen?' Hij wees naar het apparaat op Freya's schoot.

Ze knikte. 'Dat heeft hij ons gegeven. We mochten het houden, zei hij.'

Flin dacht erover na, liet zijn blik van de tape naar het huis gaan en weer terug, gaf haar de cassette terug en startte de motor.

'We beluisteren hem onder het rijden,' zei hij, zette de versnelling in de achteruit, keerde de auto, keek nog een keer achterom en reed weg. De banden knarsten op het grind en de cassetterecorder ratelde en snorde toen Freya het bandje terugspoelde. Volgens het dashboardklokje was het nu tien over halfelf.

'Flinders?' zei ze.

'Hm?'

'Is Flin een afkorting van Flinders?' Ze klonk alsof ze ieder moment kon gaan giechelen.

Hij keek haar aan en haalde verlegen zijn schouders op. 'Naar Flinders Petrie, de grote egyptoloog. Mijn ouders dachten om een of andere reden dat ik mijn leven dan met een voorsprong begon.'

'Mooie naam,' gniffelde ze. 'Chic.'

'Het kan nog veel erger. Als ik een meisje was geweest, hadden ze me Nefertiti genoemd.'

Ze reden het witte paaltjeshek door en hobbelden het weggetje af naar de snelweg, toen er vanuit het huis achter hen één enkel geweerschot klonk, te gedempt om door hen, boven het sissen van het bandje en het brommen van de motor uit, te worden gehoord.

Caïro

Cy Angleton zat op het balkon van zijn afluisterpost in het Semiramis Intercontinental. Hij at een Mars en staarde afwezig naar nachtelijk Caïro, een twinkelend mozaïek van lichtjes dat zich tot in de verre verte uitstrekte. Mevrouw Malouff was allang naar huis, en normaliter bleef de post onbemand tot ze 's morgens terugkwam. Maar vanavond wilde hij hier zijn voor het geval Brodie belde, als hij probeerde in contact te komen met Kiernan.

Hij had bewondering voor de man, voor de manier waarop hij hem had afgeschud door op de snelweg tegen het verkeer in te rijden en via een oprit de snelweg te verlaten. Knap gereden, slim. Angleton was altijd prat gegaan op zijn achtervolgingstechniek – hij was Kiernan gevolgd zonder dat ze iets had gemerkt, en zij was sluwer dan sluw – maar in dit geval moest hij zijn nederlaag erkennen. Als hij had geprobeerd Brodies manoeuvre na te volgen, was dat hetzelfde geweest als met grote neonletters tegen de nachthemel uit te bazuinen 'U wordt achtervolgd!'.

En dus was hij teruggereden, eerst naar de flat in Ain Shams in de hoop Kiernan te treffen, en daarna was hij, toen hij ontdekte dat ze al weg was, hiernaartoe gekomen. Het was waarschijnlijk tijdverspilling, maar hij moest zijn gedachten op een rij zetten, zijn volgende zet bedenken.

Dit soort klussen had altijd een cruciaal moment, een Rubiconmoment waar je voor de beslissing stond om óf pas op de plaats te maken óf de zaak naar een ander plan te brengen. Dat moment was nu aangebroken. Hij wist dat hij het plaatje nog niet volledig had – het was niet naar zijn zin dat er nog zoveel onzekerheden waren – maar hij moest Brodie opsporen en het moest snel gebeuren voordat de gebeurtenissen onbeheersbaar werden. Tot dusver had hij het kringetje klein kunnen houden: alleen hij, Miss Malouff en natuurlijk zijn opdrachtgevers. Nu hij zo op zijn balkon zat te kijken naar de spookachtig verlichte zigzagvorm van de piramides, die nog net zichtbaar waren helemaal aan de rand van de stad, besloot hij dat het tijd werd de kring uit te breiden, zijn dekmantel te laten vallen, de handschoen op te nemen, of wat voor eufemisme je ervoor wilde gebruiken. Van Langley had hij al groen licht gekregen, hij had ze daar de noodzakelijke deuren laten openen. Nu Brodie ofwel geen contact met Kiernan zocht of het wel deed maar via een kanaal dat hij nog niet had ontdekt, accepteerde hij dat hij geen andere keuze had dan actie te ondernemen. Hij moest hen opsporen, Brodie en die meid, vóór een ander dat deed.

Hij keek nog een tijdje naar de stad, propte zijn Mars in zijn mond en hees zich vervolgens overeind. Hij liep naar binnen, pakte zijn mobieltje van het bed en koos een nummer. Na vijf maal overgaan werd er opgenomen. 'Generaal-majoor Taneer? Met Cyrus Angleton, Amerikaanse ambassade. Ik denk dat een van mijn collega's in de States u al heeft... Mooi, mooi, dank u, heel vriendelijk van u. Dan zal ik u vertellen wat ik nodig heb.' Hij nam het allemaal langzaam en omzichtig met de man door, spelde het uit om zeker te weten dat de Egyptenaar het niet alleen goed begreep maar ook besefte hoe dringend de situatie was: navragen bij alle controleposten in een straal van honderd kilometer rond Caïro om te zien of er ergens een witte Grand Cherokee Jeep met een ambassadekenteken nummer 21963 was geregistreerd. Inboektijden en rijrichting zouden zeer worden gewaardeerd.

Toen hij zeker wist dat de man aan de andere kant het allemaal goed had begrepen en hem zou bellen zodra hij iets wist, hing Angleton op en slenterde weer naar buiten. Hij haalde nog een Mars uit zijn zak, scheurde de wikkel eraf, verfrommelde die tot een bal en gooide hem over de balustrade. Hij nam een hap en begon zachtjes te zingen, op de melodie van 'Michael Finnigan'.

Where are you Professor Flin-i-flin?
Disappeard into air so thin-i-thin,
But it's me who'll win-i-win,
Reel you in again, Professor Flin-i-flin.

Tussen Alexandrië en Caïro

Zaterdag 21 januari. Begonnen met werk in de Horus-kapel. Het plan in elk heiligdom drie à vier dagen te werken met aan het eind een week om mijn rapport te schrijven. De muren gemeten en gefotografeerd, aantekeningen gemaakt over het conserveren van reliëfs, plafond, valse deur etc. Er kwam een dom Amerikaans wijf binnen die gebeden begon te zingen. Klonk als een zielige kameel.

Flin knipte met zijn vingers, gebaarde dat Feya de band moest stilzetten. Ondertussen hotste en schudde de Cherokee met een grote stofwolk achter zich aan over het weggetje terug naar de snelweg Caïro-Alexandrië.

'Waar gaat het over?' vroeg ze.

Hij fronste zijn wenkbrauwen. 'Nou, ik moet nog wat meer horen, maar wat we daarnet hoorden, waren duidelijk Hassans werkaantekeningen van het laatste seizoen in Abydos, toen hij werd gepakt wegens diefstal van...' Hij maakte zijn zin niet af, omzeilde een diep gat in de weg. Bananenbladeren flapten als reuzenhanden tegen de Jeep. 'Hassan hield altijd twee verslagen bij van wat hij deed,' hernam hij. 'Een gedetailleerd graafjournaal, maar ook een informeler ingesproken commentaar: gedachten, indrukken, algemeenheden, roddels. Om een of andere reden in het Engels, ook al was Arabisch zijn moedertaal.' Hij week opnieuw uit, deze keer om een hond te ontwijken die midden op het weggetje slenterde.

'Waar heeft hij het over?' vroeg Freya.

'Ik heb je op de heenweg al verteld dat Hassan halverwege dat laatste seizoen gevraagd werd te helpen bij conserveringswerkzaamheden in de tempel van Seti. De Raad van Toezicht moest een rapport hebben over de toestand van de zeven heiligdommen binnen het complex en daar is de Horus-kapel er een van. Het gevolg was dat ik het toezicht had op de Khasekhemwy-opgraving. Hassan was vier weken weg voor de noodzakelijke inspecties en de verslaglegging ervan.'

Hij krabde op zijn hoofd. 'Maar wat dat in godsnaam te maken heeft met de Oase zou ik niet weten. De Seti-tempel is duizend jaar jonger dan de laatste vastgelegde vermelding van de wehat seshtat en er is in de reliëfs en inscripties helemaal niets dat er in de verste verte verband mee houdt.'

'Waarom heeft hij ons dan dit bandje gegeven?' vroeg ze. Ze waren aan het eind van het weggetje en sloegen linksaf de weg op, terug naar Caïro.

'Ik denk dat we gewoon moeten blijven luisteren.' Hij boog zich naar de speler en drukte op de afspeeltoets. Opnieuw klonk Fadawi's stem – krachtig, vol, beschaafd – uit de recorder.

Zondag 22 januari. Kon niet slapen, dus vroeg naar de tempel, even na vijf uur. Niemand had de moeite genomen de nachtwakers te zeggen dat ik er werkte, en een van hen schoot me bijna dood. Hij dacht dat ik een islamist was die een bom kwam plaatsen. Het bloedbad bij Hatshepsoet was negen jaar geleden, maar nog steeds reageert men heel nerveus bij de gedachte aan terroristen. Tekende het reliëf van de Koning die Horus Kleedt en maakte nog meer foto's van het gewelf dat helemaal niet in zo'n goede conditie verkeert. 's Middags thee met Abu Gamaa die werkt aan het metselwerk van de eerste hof: tachtig jaar oud en nog steeds een van de beste steenrestaurateurs in Egypte. Hij vertelde een uiterst grove mop over Howard Carter en de penis van Toetanchamon die ik hier denkelijk niet kan herhalen!

En zo ging het door. Sommige dagen kregen een paar terloopse opmerkingen, in heel grote lijnen wat Fadawi had gedaan. Andere dagen leverden langere bijdragen, beschrijvingen van het werk vergezeld van lange monologen over van alles en nog wat, van de begrafenisarchitectuur van het Nieuwe Rijk tot de vraag of Franse vrouwelijke archeologen mooier waren dan Poolse (Fadawi vond van wel).

Na twintig minuten, toen ze de controlepost die ze eerder die avond waren gepasseerd opnieuw hadden bereikt en achter zich gelaten – de politieman die de post bemande noteerde opnieuw hun kenteken – zei Flin tegen Freya dat ze snel moest doorspoelen en af en toe een stukje moest afluisteren in de hoop sneller uit te komen bij het deel dat voor hen echt relevant was. Ze vonden nog steeds niet wat ze wilden. Fadawi's stem babbelde maar door, in korte salvo's nu, voerde hen mee van januari naar februari, werkte de heiligdommen af, elk kennelijk gewijd aan een andere godheid: Horus, Isis, Osiris, Amun-Ra, Re-Horakhty. Ze kwamen aan het eind van de band, draaiden de cassette om en ze keken beiden steeds moedelozer omdat ze zelfs niet de vaagste vermelding van de Geheime Oase konden vinden.

'Ik begin hier een heel vervelend gevoel bij te krijgen,' mompelde Flin terwijl de Egyptenaar op de achtergrond doorneuzelde over iets van schimmelschade aan het gewelf van het Re-Horakhty-heiligdom. 'Dat hij onze tijd verspilt, dat hij ons het bos instuurt, gewoon voor de lol.'

'Dat is niks voor hem,' zei Freya, terugdenkend aan de manier waarop Fadawi tegenover haar was geweest. 'Hij was oprecht. Er is hier iets dat...'

Ze maakte de zin niet af, want Flin knipte met zijn vingers en priemde een vinger naar de speler, gebaarde dat ze moest terugspoelen. Ze zette het bandje stil, spoelde een stukje terug, drukte weer op 'Play'.

... met cartouches en offerformules. Toen ik me ernaartoe boog, voelde ik iets heel vreemds, een iel zuchtje wind op...

Flin knipte opnieuw met zijn vingers, maakte een draaiende beweging met zijn hand om aan te geven dat ze verder moest terugspoelen. Ze deed wat hij vroeg en het spoeltje ratelde en het bandje siste. Flin liet het vijf seconden lopen voor hij gebaarde dat ze het weer kon afspelen.

... ontdekte iets heel intrigerends. Ik stond op de steiger voor in het Re-Horakhty-heiligdom en schraapte schimmel van het plafond, de plaats waar het gewelf en de noordelijk muur samenkomen. Er zit daar een blok steen helemaal rechts boven in de muur, niet groter dan dertig bij dertig centimeter, versierd met cartouches en offerformules. Toen ik me ernaartoe boog, voelde ik iets heel vreemds, een iel zuchtje wind op mijn gezicht. Eerst dacht ik dat het van de ingang van het heiligdom kwam, maar toen ik beter keek – en vanaf de grond is het echt niet te zien – zag ik dat er een heel dun spleetje, niet meer dan een millimeter, langs de bovenrand van het blok liep, en net zulke spleten, maar dan nog dunner, langs de zijkanten en de onderkant. Overal elders in de kapel passen de blokken zo zuiver op elkaar dat je er geen speld tussen krijgt, maar net op deze plek lijkt er wat

speling te zijn. Dat niet alleen, maar het feit dat je er lucht doorheen voelt komen, wekt de indruk dat er een soort holte achter is. Het is te laat om er vandaag nog iets aan te doen, maar ik heb met Abu Gamaa gesproken en we komen morgen terug voor een nadere inspectie, om te zien of we beweging in het blok kunnen krijgen. Misschien is het niets, maar toch…

Freya drukte op de pauzetoets. 'Denk je dat dit het is? Dat hij ons dit wilde vertellen?'

Flin gaf geen antwoord maar boog zich naar het apparaat en startte het bandje weer.

Zondag 12 februari. Ik kon er niets aan doen, ik moest 's morgens vroeg weer naar het blok komen kijken, ook al betekende het te worden beschoten door schietgrage bewakers. Hoe meer ik erover nadenk – en ik heb sinds gisteravond weinig anders gedaan – hoe meer ik denk dat ik misschien op iets heel belangrijks ben gestoten. De muren tussen de kapellen zijn minstens drie meter dik, en men heeft altijd aangenomen dat ze volledig massief zijn. Wanneer blijkt dat ze in feite hol zijn, dat er holle ruimten tussen de kapellen zitten, zou dat niet alleen onze ideeën over de tempel zelf veranderen, maar ook over de manier waarop hij is gebouwd. Eigenlijk moet ik toestemming hebben van de Raad van Toezicht, maar dat betekent een vertraging van minstens een week en ik wil echt te weten komen wat er achter zit. Abu komt over een paar minuten en dan kunnen we het blok verplaatsen, een idee krijgen van wat zich erachter bevindt en de noodzakelijke autoriteiten waarschuwen. Ik ben er helemaal opgewonden van.

De Cherokee reed nu achter een tankwagen die nog geen zestig per uur reed. Hoewel de andere rijbaan vrij was, bleef Flin erachter hangen, te zeer geboeid door het verslag om in te halen.

… vier uur 's middags en Abu Gamaa is net aangekomen, de hele dag opgehouden door familieaangelegenheden, iets met zijn broers, wat ik meer dan frustrerend vond. Ik weet dat dat soort zaken niet kan worden ontlopen, maar waarom net vandaag?! Maar goed, hij is er nu, met zijn kleinzoon Latif, en we staan met ons drieën op de steiger. Ze hebben breekijzers meegenomen, en een stuk schuimrubber om de steen op te leggen als ze hem eruit krijgen en ze zijn net aan de slag gegaan met de breekijzers… Khalee barak, Abu! *… de steiger begint te wiebelen, dus ik kan de recorder maar beter neerleggen en…*

Er klonk een dof gerommel, waarschijnlijk toen Fadawi de recorder neerlegde. Het bandje ging verder met gebrom en vage opmerkingen, het kraken van de steiger, het rinkelen en schrapen van ijzer op steen. Af en toe hoorde je Fadawi in het Arabisch aanwijzingen geven – *Khalee barak, Abu! Harees, harees. Batee awee!* – en hij klonk steeds meer buiten adem en gespannen, en het gesteun op de achtergrond klonk zwoegender tot er ten slotte, na een minuut of tien, opeens heftig door elkaar heen werd gepraat en het scherpe raspende geluid van steen die over steen schuift te horen was en er iets zwaars op iets zachts plofte. Stilte. Toen Fadawi's stem weer, ingehouden, ongelovig: *Goeie god! Godallemachtig, het ligt vol...'*

Voor hen remde de tankwagen plotseling af. Flin zag het op het laatste moment en zwenkte naar links om een botsing te voorkomen. Een taxibusje dat bezig was hen in te halen toeterde furieus toen de chauffeur gedwongen was op zijn rem te gaan staan. Tegen de tijd dat Flin om de tankwagen heen was gereden en het busje voorbij had gewuifd, sprak Fadawi alweer rechtstreeks in de recorder, en hij klonk nu geagiteerd, opgewonden:

... grote holle ruimte vol brokken steen, allemaal op elkaar gegooid... reliëfs, hiërogliefen, stukken van beelden – ik beschrijf wat ik zie liggen, het is gewoon een enorme hoop... Goeie god, is dat een... cartouche, ja, het is een cartouche, wacht even, Nefer... is dat het teken van ka? Nefer-Ka-Re Pepi, mijn god, mijn god, Neferkare Pepi – Pepi II. Ik geloof mijn eigen ogen niet: restanten van een Oud Rijk... ik moet erin. Ik moet...

Ruis en een klik toen Fadawi de recorder uitzette. Flin leunde naar voren, hij straalde. Toen de opname verderging, klonk Fadawi rustiger en werd zijn stem vergezeld door voetstappen op grind.

Het is middernacht. We hebben het blok teruggeplaatst en ik loop nu terug naar de hut. Ik kan nog niet geloven wat we hebben gevonden. Ik heb al heel lang aanvaard dat er nooit meer iets zou komen dat Imti-Khentika kon evenaren, dat dat het hoogtepunt van mijn carrière was, en nu is er, zomaar uit het niets... zoiets moois... wie had dat gedacht, wie had dat kunnen vermoeden...

Zijn stem stierf weg, overmand door emoties. Een tijdje was er alleen het knarsen van zijn voetstappen te horen waarna hij zich weer in de hand had en het commentaar verderging.

Zoals ik al vermoedde is er een grote holle ruimte achter de muur van het heiligdom, ongeveer drie meter breed en even lang als de kapel zelf. Wat ik niet had voorzien – ook niet had kunnen voorzien – was dat de ruimte vol lag met de restanten van een veel ouder bouwwerk, in dit geval van een tempel uit de tijd van het bewind van Pepi II. Het was iets wat de oude Egyptenaren natuurlijk voortdurend deden: de overblijfselen van een monument gebruiken om een nieuw te bouwen – ik moet meteen denken aan de Akhnaton talatat in Karnak – maar ik kan niets bedenken dat in de verste verte zo belangrijk is als dit. Ik heb alleen maar even rondgekeken, maar zelfs dat... de kleuren zijn gewoon buitengewoon mooi, de inscripties volstrekt uniek en ze komen in sommige gevallen met teksten waar ik zelfs nog nooit van heb gehoord, met minstens één en misschien wel meerdere die verband houden met de Benben en de Geheime Oase. Wacht maar tot ik het Flinders kan vertellen!

Toen die naam viel, keek Freya even naar de Engelsman. Hij keek recht voor zich, met een vaag lachje, zijn ogen misschien wat vochtiger. Hij voelde dat ze naar hem keek en wees naar de recorder, waarmee hij wilde zeggen dat ze zich daarop moest concentreren, niet op hem.

... natuurlijk te vroeg om te zeggen, maar ik vermoed dat niet alleen deze muur op die manier is opgevuld, maar alle muren van de heiligdommen, en mogelijk meer delen van de tempel. Wie weet zitten we op de grootste collectie bouwkundige restanten van heel Egypte... ik kan er niet over uit, ik kan er niet over uit. Ik ga morgenochtend vroeg terug en begin dan met een nauwkeuriger studie van de inscripties – ik heb ondertussen Abu en Latif laten zweren dat ze het geheim zullen houden – maar voorlopig ga ik eerst even in het opgravingsmagazijn kijken wat ze vandaag hebben gedaan, en dan ga ik naar bed voor een welverdiende nachtrust. Op mijn leeftijd kan zoiets opwindends niet echt gezond zijn. Ongelooflijk, echt ongelooflijk.

De opname werd weer uitgeklikt. Freya wachtte of Fadawi's stem terug zou komen om te beschrijven wat hij de volgende dag had ontdekt. Maar er kwam niets, alleen het zachte ruisen van de doordraaiende tape. Ze drukte op de snelspoeltoets, zocht naar nog een opname, maar het ruisen ging maar door tot het bandje met een harde tik aan het einde was.

'Verdorie,' mompelde ze. 'Hij is vast op een andere cassette verdergegaan. We zullen naar...'

'Er is geen tweede cassette,' zei Flin.

'Maar hij zei dat hij...'

'Dit is de enige. Meer is er niet.'

Ze keek hem aan. 'Hoe weet je dat?'

Hij was opeens bleek weggetrokken. 'Omdat Hassan op de avond van 12 februari werd betrapt op diefstal uit de artefactenopslag. Hij kreeg de kans niet meer om naar de tempel terug te gaan.' Hij zuchtte en schudde zijn hoofd. Freya zag dat er nu echt tranen in zijn ogen stonden.

'Godallemachtig, geen wonder dat hij verbitterd is,' mompelde hij. 'Alsof het nog niet erg genoeg is dat je voor drie jaar de bak indraait en nooit meer mag doen wat je het liefste doet, gebeurt het ook nog vlak voor je de grootste ontdekking van je hele carrière gaat doen.' Hij huiverde en reed in stilte verder.

Aan beide zijden van de weg verschenen nu huizen, eerst nog sporadisch, eenzame accenten op een verder lege zandvlakte, daarna steeds meer, losstaande woningen bij elkaar in buurtjes, en wijken die aaneengroeiden tot een compacte massa gebouwen toen de buitenwijken van de stad hen tegemoet snelden voor een ontmoeting. Ze naderden een helverlicht Mobil-station. Flin minderde vaart, draaide het terrein op en zette de motor uit. Hij bleef even zitten terwijl de pompbediende de tank volgooide. Toen stapte hij uit alsof hij tot een besluit was gekomen en liep naar de telefooncel naast het tankstation. Freya zag dat hij de hoorn oppakte en een nummer koos. Een halve minuut later was hij terug. Drie minuten daarna reden ze weer door.

'Ik wil je wel naar het vliegveld te brengen,' zei hij, 'maar ik denk dat het verspilde moeite is.'

Ze gaf geen antwoord.

'Je laatste kans om eruit te stappen.'

Freya zat daar en zei niets. De piramiden doemden voor hen op, een richtingbord gaf aan dat Caïro rechtdoor was en dat je rechtsaf naar Fayyum, Al-Minya en Asyut ging.

'Goed,' zei hij, 'dan gaan we samen.'

'Naar Abydos?'

Hij minderde vaart, gaf richting aan en sloeg rechtsaf. 'Naar Abydos.'

Molly Kiernan zat op de schommel in de tuin bij haar bungalow en zwaaide zachtjes naar voren en naar achteren. Ze had haar handen om een beker koffie en een deken om haar schouders, want het was laat op de avond en de temperatuur was behoorlijk gezakt. Ze had net het bericht van Flin gekregen. Het klonk als een goed spoor, maar ze moest een paar uur wachten voor ze precies wist hoe goed. In elk geval was het een spoor, wat meer was dan ze de afgelopen twintig jaar hadden gehad.

Ze wist dat ze optimistischer zou moeten zijn, en dat zou ze ook geweest zijn als er niet de kwestie Angleton was geweest die serieuzer was dan ze had gevreesd. Veel serieuzer. Haar mensen hadden zijn naam door het systeem gehaald, hadden wat gespit en zo was gebleken dat hij een reputatie had, berucht was. 'Een nachtmerrie,' zo had Bill Schultz hem beschreven. 'Onze allergrootste nachtmerrie. Die vent is een menselijke kleefmijn.'

Ze gaf de schommel een zetje. Op haar knieën hield ze een laptop in evenwicht en op het scherm stond de foto van Angleton die ze haar vanuit de States hadden gestuurd. Dik, kalend, zijn rode appelwangen glimmend door een laagje zweet. Hij moest natuurlijk een keer worden aangepakt, ze konden hem niet maar zijn gang laten gaan. De vraag was wanneer? En hoe? Ze was er nu drieëntwintig jaar bij betrokken en vanavond voelde ze voor het eerst een echte kille angst. Voor Sandfire, en voor zichzelf. Volgens alle berichten was Angleton niet iemand die met zich liet sollen.

Ze legde haar hoofd in haar nek en keek naar de sterren. Ze ademde de geur van jasmijn en bougainville in, luisterde naar het kraken van de schommel en de zacht ritselende bladeren van de vlambloemboom die in de wind bewoog, en meer dan ooit wenste ze dat Charlie er nog was. Dat ze zich lekker kon oprollen en zich in de knik van zijn arm nestelen zoals ze deed op de veranda van hun huis in de States, zodat al haar zorgen van haar werden weggeduwd en weggehouden door zijn warmte en kracht en vaste geloof.

Maar Charlie was er niet en het had geen zin te wensen dat hij er wel was. Zonder hem had ze het zo ver geschopt en ze verdomde het om nu in te storten. Ze keek nog een tijdje omhoog, gaf de schommel de tijd om stil te hangen, dronk haar koffie op, klapte de laptop dicht, pakte haar pistool, een Beretta, van de zitting naast haar en ging naar binnen waar ze de deur achter zich dichtrok en op slot deed.

'Kom op, Flin,' mompelde ze. 'Kom met iets bruikbaars. Kom alsjeblieft met iets bruikbaars.'

Om een of andere reden dacht Freya dat Abydos net ten zuiden van Caïro lag. 'Ten zuiden' klopte, maar 'net' was vijfhonderd kilometer, net niet halverwege de hele lengte van het land, een afstand die zelfs 's nachts met bijna geen verkeer, volgens Flin toch zeker vijf uur zou kosten, waarschijnlijk meer.

'Dan houden we niet veel tijd over,' zei hij. 'Voorzover ik me herinner gaat de tempel om zeven uur open voor het publiek, dus moeten we er uiterlijk kwart voor zeven weg zijn, anders worden we gezien. En neem maar van mij aan dat je dan niet blij bent. Egyptenaren moeten niets hebben van mensen die in hun monumenten inbreken en ze slopen.'

Hij keek op het dashboardklokje. 23:17. 'Verdomme, dat wordt heel krap.'

'Dan kun je maar beter gas geven.'

Dat deed hij en de snelheidsmeter kwam boven de honderd per uur. Ze zigzagden tussen de enkele vrachtwagens en tankauto's die op dit tijdstip het enige verkeer vormden door. Na een kilometer of twintig schoof Flin opeens van de weg af en kwam slippend tot stilstand voor een rijtje gammele winkeltjes. Die waren zelfs nu nog open. Voor een ervan was, verlicht met een enkel peertje, een uitstalling van bouwmaterialen en landbouwgereedschap: bezems, sikkels, mokers, en *tourias*. Flin rende naar binnen en kwam een minuut later naar buiten met twee zo te zien zware breekijzers, twee zaklampen en een enorme betonschaar.

'We moeten bidden dat er daar een steiger of een ladder is,' zei hij, dumpte de spullen achter in de Jeep en slingerde zich weer achter het stuur.

'En zo niet?'

'Dan hebben we een probleem. Tenzij je dankzij je klimvaardigheid in de lucht kan blijven hangen.' Hij startte de motor, slipte de weg weer op en jakkerde de nacht in.

Ze zeiden niet veel onderweg. Flin beluisterde het Fadawi-bandje nog een paar keer, borg de noodzakelijke informatie op in zijn geheugen en af en toe hadden ze iets wat op een conversatie moest lijken. Freya vertelde hem iets over het klimmen, Flin beschreef zijn werk in de Gilf Kebir en een paar van de expedities die hij samen met Alex had ondernomen. Ze gingen geen van beiden dieper op de onderwerpen in, daar waren ze niet echt voor in de stemming, en tegen de tijd dat ze bij Beni Suef waren, zo'n honderdtwintig kilometer ten zuiden van Caïro, zwegen ze allebei en waren het brommen van de motor van de Cherokee en het dreunen en bonken van de banden op het rafelige asfalt de enige geluiden.

Freya sliep onrustig, doezelde weg om wakker te schrikken wanneer ze over een diepe groef bonkten of afremden omdat ze een controlepost naderden. Ze kreeg weinig mee van het landschap waar ze doorheen reden, behalve dat er veel zand met wat struiken was dat af en toe werd onderbroken door velden met suikerriet, palmbomen en armoedige dorpjes met lemen huisjes. Rond kwart over een stopten ze net buiten een helverlicht stadje om te tanken en water in te slaan. Al-Minya meldde Flin, bijna halverwege. Kort daarop botsten ze bijna frontaal op een tegemoetkomende touringcar toen Flin zich enorm verkeek op het inhalen van een tankwagen. Afgezien daarvan was het een eentonige rit, waarbij de snelheidsmeter steeds rond de honderdtien schommelde, de wereld in een veeg langs hen heen schoot en de kilometers onder hen weggleden op hun snelle, onstuitbare tocht naar het zuiden.

'Freya.'

'Hmm.'

'Freya.'

Knipperend opende ze haar ogen, gedesoriënteerd, niet goed wetend waar ze was of wat er gebeurde.

'Kom mee, we zijn er.'

Flin stapte al uit. Even bleef ze zitten waar ze was, geeuwend. De enige geluiden kwamen van blaffende honden een eind verderop en het zachte metalige geping van de afkoelende motor van de Jeep. Ze keek op het dashboardklokje – 04:02, ze hadden het snel gedaan – gooide het portier open en stapte ook uit.

Ze waren in een groot dorp onder aan een heuvel, een verlichte weg liep van waar ze stonden steil omhoog naar een gsm-mast boven aan de helling. Rechts van haar, driehonderd meter verderop, liep parallel eraan een andere weg omhoog met erlangs, net als bij deze, een vaalbruine muur van winkeltjes en betonnen huurflatjes. Tussen die twee wegen liep een enorme open rechthoek omhoog. Bovenaan, ingeklemd tussen de armen van het dorp als tussen een reusachtig pincet, bevond zich de spectaculaire, verlichte voorgevel van wat, zo nam ze aan, de tempel van Seti I moest zijn: lang, met een plat dak, imposant, met twaalf monumentale zuilen ervoor, als de spijlen van een reusachtige kooi.

'Het Huis van Miljoenen Jaren van Koning Men-Maat-Ra, Vreugdevol in het Hart van Abydos,' zei Flin die naast haar opdook. 'Indrukwekkend, hè?'

'Zeg dat wel.'

'Ik zou je graag de volledige rondleiding geven, maar gezien de beperkte tijd...' Hij pakte haar bij haar arm en nam haar mee terug naar de Cherokee, opende het achterportier en pakte de gereedschappen van de achterbank. Hij gaf haar de zaklampen en een breekijzer, nam zelf het andere en de betonschaar en sloot de auto af. Ze wilde naar de tempel toelopen, maar hij haalde haar met een knip van zijn vingers terug en nam haar mee naar links, door een zijstraatje, langs een ezel die van een hoop voer stond te kauwen, dieper het dorp in.

'Dit hele gebied barst van de bewakers,' legde hij op gedempte toon uit en stuurde haar met een armgebaar naar rechts een ander straatje in. 'We moeten zoveel mogelijk uit het zicht blijven.'

Ze zigzagden tussen de huisjes door, alles in doodse stilte, op een paar blaffende honden in de verte na, en één keer het geluid van iemand die snurkte. Gestaag klimmend kwamen ze na een tijd op vlakker terrein. Ze sloegen een nauw steegje in en kwamen weer uit op de weg waar hun auto geparkeerd stond. Ze waren nu bijna boven op de heuvel; links van hen rees de zendmast op en onder aan de helling was rechts nog net de Cherokee te zien. Voor hen lag een braak stuk land bezaaid met afval en aan het eind ervan stond een rommelig hek van prikkeldraad. Daarachter lagen kapotte zuilen en stonden resten van een lemen muur waarvan het hoogste stuk maar tot borsthoogte reikte. En daar weer achter stond een deugdelijker muur, opgetrokken uit een allegaartje van brokken steen: de zijkant van het tempelcomplex. Schijnwerpers dompelden alles in een gloed van oranje licht. In het niemandsland tussen de muren patrouilleerden bewakers in zwarte uniformen.

'Hassan zei op het bandje dat die lui de neiging hebben eerst te schieten en dan pas vragen te stellen,' fluisterde Flin en trok haar weg uit het licht. 'We moeten uitkijken dat zij Girgis' werk niet voor hem doen.'

Hij speurde rond, bestudeerde het terrein voor hen, keek hoe de bewakers hun ronde liepen, berekende de tijden. 'Er is een gaatje wanneer die kerel daar rechtsomkeert maakt,' zei hij na een tijdje en wees op een van de bewakers. 'We kunnen onder het hek door zodat we tussen de oude voorraadkamers terechtkomen. En wanneer hij weer de andere kant op gaat, duiken we door dat poortje daar in de hoek en vandaar naar de zuilengalerij. Ja?'

'En als ze ons zien?'

Hij gaf geen antwoord, hield alleen zijn hoofd schuin en trok zijn wenkbrauwen op alsof hij wilde zeggen: 'Laten we hopen dat ze dat niet doen.' Er verstreek een halve minuut, toen porde hij Freya aan met zijn elleboog en schoof naar voren. Ze volgde hem en samen staken ze zo snel mogelijk het stuk braak terrein over, doken door een gat in het hek en baanden zich een weg naar het labyrint van lemen muren en verscholen zich achter een rij lemen muren. Ze voelden zich daar verschrikkelijk zichtbaar met de schijnwerpers die het hele terrein met licht overgoten en de ramen van de omringende huizen die hen recht leken aan te staren. Ze hielden hun adem in, verwachtten half en half geschreeuw en rennende voeten te zullen horen. Maar ze werden niet opgemerkt en na weer een halve minuut richtte Flin zijn hoofd op, keek snel om zich heen en gebaarde dat Freya mee moest. Ze bleven laag bij de grond, schoten snel door de ruïnes en door een klein poortje in de muur om het eigenlijke tempelterrein. Met vier stappen waren ze op een bordes dat langs de fel verlichte voorgevel liep.

'Stil,' fluisterde hij en trok haar achter de eerste monumentale zuil van de façade; hij legde een vinger op zijn mond.

'Wat denk je dat ik van plan ben?' mompelde ze. 'In zingen uitbarsten?'

Ze bleven weer staan, drukten zich tegen de stenen, luisterden naar tekenen dat ze waren ontdekt. Om bij de gapende zwarte rechthoek die de ingang vormde te komen, schoten ze over het terras van de ene naar de andere zuil, waarbij hun schaduw – reusachtig, monstrueus en misvormd – over de verlichte wand links van hen meeging en verdween wanneer ze achter een zuil wegdoken. Er was één angstig moment toen ze de zuil bij de ingang bereikten en Freya struikelde zodat haar breekijzer op de grond kletterde. Het geluid weergalmde door het hele complex en leek de nacht te vullen. Ze krompen ineen op een donkere plek, doodstil, luisterden naar de voetstappen die door de voorhof dichterbij kwamen, helemaal tot aan de rand van het bordes.

'Meen?' klonk een stem, slechts een paar meter van hen vandaan, en tegelijkertijd een ritselend geluid alsof er een geweer van een schouder werd genomen. 'Wie daar?'

Ze bleven roerloos staan, durfden geen van beiden adem te halen, wisten dat wanneer de bewaker het terras op kwam, hij hen beslist zou vinden. Tot hun opluchting bleef hij beneden, liep wat heen en weer tot hij ten slotte, overtuigd dat er niets was, wegliep en het geluid van zijn laarzen langzaam wegstierf. Flin wachtte tot hij verdwenen was en keek toen voorzichtig om de zuil heen. De kust was veilig. Hij gaf Freya zijn breekijzer en liep met de betonschaar naar het ijzeren hek waarmee de ingang van de tempel was afgesloten en knipte het hangslot door, waarbij de bek door het metaal sneed alsof het boter was. Voorzichtig opende hij het hek, stapte naar binnen en na nog een blik over de voorhof te hebben geworpen, gebaarde hij dat Freya binnen moest komen. Hij duwde het hek achter haar dicht en trok haar naar links. Weg uit de lichtplas die de schijnwerpers van buiten naar binnen wierpen.

Ze bleven even staan om op adem te komen, hun ogen aan het duister te laten wennen en te luisteren. Toen zette Flin de betonschaar tegen de muur, nam een van de breekijzers en de lampen van Freya over, klikte de lamp aan en ging Freya voor.

Ze stonden in een grotachtige zaal met een stenen vloer. Zuilenrijen liepen links en rechts van hen weg, elke zuil acht meter hoog en dik als een boomstam, en elk beschikbaar oppervlak – muren, zuilen, plafond – was overdekt met een wirwar van hiërogliefen. Freya knipte haar eigen lamp aan, scheen ermee in het rond en keek haar ogen uit. Een paar jaar ervoor was ze op een nacht gaan duiken bij een koraalrif voor de kust van Thailand, en dit hier had hetzelfde mysterieuze onderwatergevoel. Het licht van haar lamp doorsneed de duisternis, pikte er merkwaardige vormen en beelden uit: figuren met een mensenlichaam en een dierenkop – roofvogels en leeuwen en jakhalzen – een geknielde man met smekend geheven handen, drie borstbeelden naast elkaar in een nis in de wand, met lege, nietszeggende ogen starend naar het duister. Er waren ook kleuren, rode en groene en blauwe, die zich even flauw aftekenden voor ze weer monochroom wegzakten omdat ze haar lamp op iets anders richtte, alsof het de lichtbundel zelf was die verschillende tinten schiep.

Ze bereikten de andere kant van de hal – het enige geluid bestond uit hun zachte voetstappen – liepen een tweede reusachtige ruimte binnen, ook deze vol met versierde zuilen. Zelfs voor Freya's ongeoefend oog was duidelijk dat deze reliëfs van een veel grotere kwaliteit waren dan die in de vorige ruimte: de hiërogliefen waren in haut-reliëf en gedetailleerder en subtieler uitgevoerd. Door een daklicht hoog boven hun hoofd viel een ladder van manestralen naar binnen. Verder was alles helemaal zwart, een echte Egyptische duisternis die Freya bijna kon proeven.

Ze gingen deze ruimte door en daarna een helling op naar een laag plateau aan het eind ervan. Flin liet het licht van zijn lamp rondgaan over de achterwand zodat een rij van zeven rechthoekige doorgangen zichtbaar werd, diepere leegten in de grotere leegte om hen heen. Hij liep naar de derde van links met Freya achter zich aan. Ze gingen onder een zwaar beschadigde latei door en kwamen in een langwerpige ruimte. Het gewelf was bedekt met een zwarte schimmellaag, de reliëfmuren waren hier en daar, waar het steenwerk was vergaan en gerepareerd, opgelapt met op eczeem lijkende vegen cement.

'De kapel van Re-Horakhty,' zei Flin. Hij sprak nog steeds zacht, hoewel ze al diep in de tempel waren en de kans dat iemand buiten hen zou horen minimaal was.

Hij liet de lichtbundel rondspelen, draaide zich naar rechts en bescheen de rechterbovenhoek van de kamer, het punt waar de wand samenkwam met de kromming van het gewelf. Daar bevond zich, precies zoals Fadawi had beschreven, een kleiner vierkant blok steen van hooguit veertig bij veertig centimeter waarop nog net de resten van hiërogliefen onder een laag schimmel te zien waren.

'Nu moeten we er alleen nog bij zien te komen,' zei hij.

Ze liepen terug naar de zaal met de zuilen en gingen daar ieder een kant op. Ze hakten op het duister in met hun zaklamp, zochten naar iets, wat dan ook, dat ze konden gebruiken om bij de steen te komen. Geen van beiden wilde de angst verwoorden dat ze helemaal hierheen waren gekomen om dan niet bij het blok te kunnen. Nog geen minuut later hoorde Freya zacht fluiten en toen ze terugliep, vond ze Flin in de doorgang naar de kapel naast die waar hun belangstelling naar uitging. Er lag een opgeluchte lach op zijn gezicht. In die kapel stond tegen de valse deur in de achterwand, omringd door zakken cement, een verrijdbare aluminium stelling.

'Heel toepasselijk dat we die hier vinden,' zei Flin terwijl hij naar de stelling liep en hem heen en weer schudde. 'Dit is het heiligdom van Ptah, de god van onder andere metselaars en steenhouwers. Laten we hopen dat het een goed voorteken is.'

De stelling was te hoog om door de deur te krijgen zodat ze gedwongen waren het bovenstuk eraf te halen en het ding in tweeën naar de kapel van Re-Horakhty te brengen, waar ze hem weer in elkaar moesten zetten. Zo verloren ze kostbare minuten. Toen hij weer in elkaar zat, zette Flin de rem op de wielen en klommen ze met de breekijzers en de zaklampen omhoog, Freya snel, Flin beduidend minder zelfverzekerd. 'Jezus, wat wiebelt dat,' mopperde hij terwijl hij zich op het bovenste plankier hees. 'Alsof het ding van pudding is.'

'Stel je niet aan,' schamperde ze. 'Het is net drie meter.'

Hij keek haar aan met een blik van 'Dat is drie meter te veel', schuifelde naar voren en richtte zijn lamp op de hoek van de muur.

Vanaf de grond leek het of het blok even strak zat opgesloten als de andere blokken waaruit de wand was opgebouwd. Maar nu ze er vlakbij waren en ze er met hun lampen pal bovenop schenen, zagen ze precies wat Fadawi had gezien: een smalle kier langs de bovenkant van het blok en nog smallere aan de zijkanten en de onderkant, allemaal niet breder dan een potloodstreep. Flin boog zich naar voren en hield zijn wang er vlak voor.

'Hassan had gelijk,' zei hij even later, stralend van opwinding. 'Er is daar duidelijk sprake van een luchtstroom. Kom op.' Hij keek op zijn horloge – 04:24 – en legde zijn lamp zo op het plankier dat de lichtbundel rechtstreeks op het blok scheen, spuwde in zijn handen en greep zijn breekijzer. 'Oké, aan de slag.'

Dakhla-oase

Zahir al-Sabri stond gebogen over het bed van zijn zoontje en keek met een glimlach neer op het slapende figuurtje met zijn ene hand onder zijn hoofd en de andere buiten het bed, open, alsof hij iets wilde pakken. Hij dacht terug aan de dag dat Mohsen was geboren – hoe zou hij die kunnen vergeten? – en hoe hij het als een wonder had ervaren, hoe de euforie hem de adem had ontnomen. Als bedoeïen werd hij geacht zijn gevoelens niet te tonen, dus had hij zich tevredengesteld met een kus op het rimpelige bundeltje en een omhelzing voor zijn vrouw, waarna hij de woestijn in was gereden en daar gek van vreugde als een dwaas had staan dansen met alleen de duinen en de hemel als toeschouwers.

Hij had meer kinderen gewild, nog wel tien, want wat geeft er meer bevrediging dan nieuwe schakels in de keten van het leven te smeden, die door te trekken naar de toekomst? Het mocht niet zo zijn. Het was een zware bevalling geweest, met complicaties, bloedingen. De details had hij niet begrepen, alleen dat meer van hetzelfde het leven van zijn vrouw in gevaar zou brengen, en dat kon hij niet laten gebeuren. Allah geeft, Allah neemt. Zo was dat nu eenmaal. Hij had Mohsen, en dat was genoeg.

Hij bleef nog even staan kijken, zag hoe het maanlicht een zilveren halo rond het hoofdje maakte. Hij boog zich voorover, drukte een kus op zijn wang, mompelde *'Ana bahebak, ya noor' – ik hou van je, licht van mijn ogen* – en liet zich naast zijn vrouw weer in bed glijden waar hij naar het plafond ging liggen kijken. Hij bleef een tijdlang zo liggen, kauwde op zijn lip, en kon net zo min in slaap komen als vier uur geleden. Hij rolde zich op zijn zij, stak een hand onder het bed en legde die op de loop van het geweer dat hij daar altijd had liggen, ging met een vinger over het koude staal. Hij was er klaar voor. Wat er ook gebeurde, wat er ook van hem werd gevraagd, hij was er klaar voor. Op dat punt zou hij tenminste leven in overeenstemming met de nagedachtenis aan zijn voorouders. *'Ana bahebak, ya Mohsen,'* fluisterde hij. *'Ana bahebak, ya noor eanay'a.'*

Abydos

'Denk je echt dat Fadawi het er met niemand over heeft gehad?' vroeg Freya toen ze hun breekijzers in de spleten rond het blok wrongen, Flin bovenin, Freya aan een zijkant. 'Of die andere Egyptenaar, die Abu huppeldepup.'

Flin schudde zijn hoofd, probeerde beweging in het blok te krijgen. 'Als ze dat hadden gedaan, had ik het gehoord. Zoals Fadawi op het bandje zei: als hierachter een ontmantelde tempel van Pepi II ligt, zou dat een van de grootste vondsten van de afgelopen vijftig jaar zijn. Dat zou bekend zijn geworden. Kom op, rotzak.'

Hij oefende meer kracht uit op het breekijzer en Freya deed hetzelfde bij het hare. Ze zeiden niets meer nu ze al hun energie richtten op hun bezigheid en zich ervan bewust waren dat de klok tikte en ze maar één wens hadden: het blok in beweging krijgen. Hun gezichten glommen van het zweet en de enige geluiden waren het ingespannen steunen en het geklonk van metaal op steen. Na een paar minuten pakte Flin de zaak anders aan: hij rukte zijn breekijzer uit de bovenste kier en wrong het in de zijspleet tegenover die van Freya. Beiden wrikten met hun breekijzers. Maar het blok gaf nog altijd niet mee en Freya begon zich af te vragen of ze het ooit los zouden krijgen. Tot er eindelijk een fractie van beweging was, een minieme, bijna onmerkbare huivering. Ze gingen er iets anders voor staan, wrikten hun ijzers nog een paar millimeter verder en zwoegden door. Nu werd de beweging duidelijker. Flin trok zijn ijzer los en wrikte het onder het blok, ging erop hangen. Het blok kwam ietsje omhoog.

'We zijn er bijna,' pufte hij, zijn ogen groot van de inspanning en de opwinding van wat er misschien achter het blok lag.

Ze gingen door met hun werk aan de randen. Soms pakten ze het blok aan via de zijkanten, dan weer van boven en van onder, tot het ten slotte langzaam uit de muur naar voren kroop. Eerst millimeter voor millimeter, alsof het zich niet wilde laten zien. Daarna, toen ze er meer houvast op kregen, sneller, zodat het geluid van hun breekijzers nu gepaard ging met het knarsen en schrapen van steen over steen. Toen ze het er een centimeter of vijftien uit hadden, legden ze de breekijzers weg en pakten ze het blok met hun handen aan, trokken ze het voorzichtig naar zich toe, pasten ze, hoe verder het naar buiten kwam, hun greep aan. Uiteindelijk konden ze het, met een laatste inspanning, uit de muur trekken en het volle gewicht op hun armen en schouders nemen. Het blok was zwaar, ongelooflijk zwaar, veel zwaarder dan ze hadden gedacht, en heel moeilijk te hanteren op de wiebelende steiger met maar weinig bewegingsruimte. Ze schuifelde een paar kleine stapjes opzij, weg van de muur, en lieten het voorzichtig zakken. Zweet prikte in hun ogen, hun gesteun van inspanning werd steeds heftiger. Ze hadden het blok tot halverwege laten zakken toen ze beiden merkten dat het uit hun handen begon te glippen.

'Ik hou het niet,' siste Freya. 'Het is…' Ze struikelde naar rechts, probeerde het blok vast te houden, besefte dat het zinloos was, liet het los en sprong weg om te voorkomen dat haar voeten zouden worden verpletterd. Flin schoot naar voren, verloor een fractie na Freya ook zijn greep op het blok, en door zijn voorwaartse beweging belandde het op de uiterste rand van het plankier en viel eroverheen de vrije ruimte in. De kapel – de hele tempel – leek te weergalmen van de doffe, hamerachtige dreun toen het blok drie meter lager neerkwam, waarbij er door de kracht van de inslag een groot stuk van een hoek afbrak.

'O god,' kreunde Flin, greep een lamp en scheen ermee naar beneden. Dichte stofwolken golfden door de lichtbundel. ' Tweeënhalf duizend jaar heeft het daar gezeten en…'

'Dat blok kan me wat,' mompelde Freya. 'Stel dat iemand het heeft gehoord?'

Ze bewogen niet, luisterden terwijl de echo van de neerstortende steen nog altijd in de gewelven van de kapel leek te hangen. Flin zag eruit alsof hij zojuist per ongeluk een vriend had overreden. Maar er klonken geen kreten of voetstappen, er waren geen aanwijzingen dat het ongeluk de aandacht van de tempelbewakers had getrokken. Met een laatste, gekwelde blik op het beschadigde blok schudde Flin zijn hoofd waarna hij zijn aandacht op het zojuist ontstane gat in de muur richtte. Hij liep erheen en scheen met zijn lamp in de ruimte erachter.

'Wat zie je?' vroeg Freya terwijl ze haar eigen lamp pakte en achter hem ging staan.

Hij gaf geen antwoord, tenminste niet meteen, liet alleen de lichtbundel heen en weer gaan, bekeek de inhoud van het gat en blokkeerde met zijn hoofd en schouders het zicht voor Freya.

'Wat zie je?' vroeg ze nog een keer en ze probeerde om hem heen te kijken.

Hij zei nog niets en even ging er een schok van angst door haar heen dat er misschien niets was, dat Fadawi hen toch nog te pakken had. Toen draaide Flin zijn hoofd naar haar toe en de verschrikte uitdrukking op zijn gezicht van zojuist was er nu een van verbazing en ontzag.

'Schitterende dingen,' zei hij en stak een duim op. 'Ik zie schitterende dingen.' Met een brede grijns schoof hij opzij zodat ze naast hem kon komen en met haar eigen lamp naar binnen kon schijnen. Ze ontdekte dat ze in een smalle, schachtachtige holte keek, krap twee meter breed en een meter of twaalf lang, een geheime doorgang ingeklemd tussen de muren van de kapellen. Het plafond, bestaande uit grote steenplaten, leek ongeveer op dezelfde hoogte te liggen als dat van de kapel, en de vloer zou, zo nam ze aan, eveneens een vervolg van de vloer van de kapel zijn. Maar dat was onmogelijk met zekerheid vast te stellen, want de ruimte was over de hele lengte tot ongeveer een meter onder de opening gevuld met een onoverzichtelijke stapel steenblokken, waarvan het kleinste minstens tweemaal zo groot was als dat wat ze zojuist hadden weggehaald. Sommige blokken waren vierkant, andere rechthoekig, sommige kaal, andere versierd met afbeeldingen en hiërogliefen in haut-reliëf. Net als op de zuilen in de eerste hal droegen de reliëfs nog de sporen van hun oorspronkelijke kleuren: groen en rood en geel en blauw. Er waren ook delen van zuilen, brokken van beelden – een stuk van een granieten torso, het voorstuk van een sfinx. Alles leek volkomen willekeurig in de holle ruimte te zijn neergegooid, alles door en over elkaar heen. De onontkoombare indruk was die van een enorme blokkendoos.

'Ongelooflijk, hè?' zei Flin en liet zijn hoofd zo ver opzij zakken dat zijn wang bijna die van Freya raakte. Hij scheen naar binnen in de schacht, liet het licht rondgaan tot het bleef rusten op de voorkant van één blok waar het twee langgerekte ovalen bescheen, naast elkaar, elk met binnen die omlijning een rij hiërogliefen.

'Nefer-Ka-Re Pepi,' las hij en de lichtbundel schokte even alsof hij zo overdonderd werd door wat hij zag, dat hij zijn hand niet kon stilhouden. 'De troonnaam van farao Pepi II. Zoals Hassan al zei: er moet op deze plaats een tempel van het Oude Rijk hebben gestaan, die is ontmanteld en gerecycled als opvulling van de muren toen Seti duizend jaar later deze tempel liet bouwen.'

Hij schudde zijn hoofd. 'Jezus, Freya, ik besef nog niet... ik bedoel, dit is een periode in de geschiedenis waar we bijna geen stoffelijke resten van hebben. Iets als dit kan de hele geschiedschrijving... Verbijsterend, absoluut verbijsterend!'

Ze staarden nog een tijdje de holle ruimte in, tot Flin zich bewust werd dat ze niet veel tijd hadden, zijn hoofd en schouders door de opening in de muur wrong en zich naar binnen trok. Zijn benen en voeten verdwenen toen hij zich kronkelend op een wirwar van stenen liet zakken. Freya kwam achter hem aan, aanzienlijk leniger. Flin hielp haar aan de andere kant naar binnen en zette haar voorzichtig op de ongelijke ondergrond. 'Wees voorzichtig als je je ergens aan wilt vasthouden,' waarschuwde hij. 'Het krioelt hier waarschijnlijk van de schorpioenen.'

Ze kromp onwillekeurig ineen en trok haar hand schielijk terug van een gebeeldhouwde kop.

Nu ze in de ruimte waren, leek hij nog krapper dan toen ze er van buiten af in keken. Het dak was te laag om helemaal rechtop te staan, de muren kwamen van alle kanten op hen af, ook al was er een zuchtje tocht te voelen, een bijna onmerkbaar luchtstroompje; waar het vandaan kwam, kon Freya niet zeggen. Na een blik op zijn horloge – 04:51 – begon Flin rond te klauteren om de inscripties te bekijken en te zoeken naar iets dat meer kon vertellen over de plaats van de oase. Freya bleef waar ze was, stuurde haar lichtbundel in zijn richting om hem bij te lichten, maar verder liet ze hem zijn gang gaan, want ze las net zomin hiërogliefen als Japans, dus kon ze verder weinig bijdragen.

Er gingen twintig minuten voorbij zonder dat een van hen iets zei, en het enige geluid was het geschraap van Flins voeten op de stenen en af en toe zijn gemompelde 'Schitterend. Mijn god, gewoon schitterend!' Toen klikte hij opeens met zijn vingers en gebaarde dat ze moest komen. 'Moet je kijken.'

Ze strompelde naar hem toe, stootte haar hoofd tegen de zoldering en hurkte naast hem neer. Flin trok zijn lamp wat terug en liet de lichtbundel over een groenig-zwart stuk steen spelen. Het duurde even voor ze besefte dat ze in feite naar een kleine obelisk keek die plat en voor een deel onder een stapel brokken steen lag.

'Het lijkt een soort lofzang of gebed tot de Benben te zijn,' zei hij en wees op de hiërogliefen die in de steen waren gebeiteld.

'Dat is toch de Indiana Jones-steen?' zei ze. 'Dat ding met bovennatuurlijke krachten?'

Hij knikte, grinnikte om haar beschrijving. Hij legde een stoffige vinger op de rechterbovenkant van de inscriptie en begon te lezen. Zijn stem leek, net als toen hij de Imti-Khenti-kapapyrus had opgelezen, dieper en dragender te worden, als een echo van vroeger tijden.

'Iner-wer iner-en Ra iner-n sedjet iner sweser-en kheru-en sekhmet,' las hij. 'O grote steen, o steen van vuur, o steen die ons machtig heeft gemaakt, o stem van Sekhmet die wij in de strijd voor ons uit dragen en die ons ontelbare overwinningen brengt...'

'Iets over de oase?'

'Nee. Maar deze gaat ook over de Benben...' Flin scheen opzij op een stuk kalksteen dat helemaal was bedekt met hiërogliefen die goed uitkwamen door de stralende tinten rood, blauw, geel en groen.

'En deze.'

Nu zwaaide de lichtbundel naar wat zo te zien een brok van een stukgeslagen zuil was.

'Dit suggereert dat het materiaal aan het eind van deze ruimte allemaal uit hetzelfde gedeelte van de Pepi-tempel afkomstig is. Een soort schrijn gewijd aan de Benben als ik het zo bekijk. En zoals ik in het museum al zei: waar de Benben is vermeld, vind je meestal ook de oase genoemd. We moeten in dit gedeelte zoeken. Hier ergens moet het zijn.'

Hij liet een tevreden gebrom horen en hervatte zijn zoektocht, bekeek elk stuk steen, negeerde zijn eigen advies over schorpioenen en dook met zijn lamp diep in de spleten tussen de stenen in een poging stukken tekst te lezen die gedeeltelijk begraven waren of onder een moeilijke hoek lagen.

'Stel nou dat de tekst die we zoeken helemaal onderop ligt,' zie Freya. 'Die rommel gaat nog een meter of twee door. Dat kunnen we nooit allemaal opzijschuiven.'

Flin gaf geen antwoord, en ze kon niet zeggen of het was omdat hij te veel opging in waar hij mee bezig was, of omdat hij gewoon geen zin had om na te denken over dat scenario. Er ging nog een kwartier voorbij. Freya was op een stenen kop gaan zitten en voelde zich duidelijk nutteloos, terwijl de Engelsman zich door de onoverzichtelijke hoop rommel werkte. Tot hij opeens een kreet slaakte en haar naar zich toe liet komen.

Hij was nu ongeveer op tweederde van de ruimte en richtte zijn lamp recht op een klein blok steen dat in de warboel zat vastgeklemd tussen andere blokken. De voorkant wees omlaag, zodat hij er alleen bij kon door er op zijn rug onder te gaan liggen. Zijn grijns liep van oor tot oor.

'Wat is het?' vroeg ze en ze wrong zich in een bocht over hem heen om iets te zien.

'Het is een stuk tekst dat behandelt hoe je de oase in feite moet binnenkomen,' zei hij ademloos terwijl zijn vingers over de steen heen en weer streken alsof hij de huid van een geliefde streelde. 'Bijna zeker afkomstig uit het allerheiligste van de Pepi-tempel, waar alleen de farao en de hogepriester het konden zien. Ik kan je niet vertellen hoe belangrijk...' Hij kon zijn ogen niet van de inscriptie afhouden. Met zijn ene hand liet hij de lichtbundel over de hiërogliefen heen en weer gaan, terwijl hij met de andere de tekst volgde. Toen begon hij langzaam te vertalen:

'*Sebawy* – twee poorten – zullen u naar de *inet djeseret* brengen, de heilige vallei. *Kheri en-inet* – aan het lage eind van de vallei – is de *re-en wesir*, de Mond van Osiris. *Hery en met* – aan het hoge einde van de vallei – de *maqet en Nut*, de ladder van Nut, die zich bevindt onder *mu nu pet*, het water in de lucht. En alleen die poorten zullen u er brengen, alleen de twee, aan de onderkant en aan de bovenkant, geen andere zullen worden gevonden, want het is de wil van Ra...' Hij stopte omdat de inscriptie daar ophield.

'De Mond van Osiris was ons al bekend,' zei hij en klonk nu wat kalmer en beheerster. 'Maar waar het precies op slaat...' Hij schudde zijn hoofd. 'Osiris was de god van de onderwereld, dus is het misschien figuurlijk bedoeld. We weten het gewoon niet. Maar die ladder van Nut is helemaal nieuw voor me. Die wordt in geen enkele andere tekst genoemd, tenminste niet een die ik heb gezien, en ik weet bijna zeker dat ik ze allemaal heb gezien. Absoluut verdomd buitengewoon.'

'Wat betekent het?' vroeg ze opgewonden, ook al zei de tekst haar niets.

'Nou, Nut is de godin van de hemel,' verklaarde Flin en wurmde zich onder het blok vandaan. Zijn haar en gezicht zaten onder het stof. 'En zinnen als *mu nu pet*, water in de hemel, refereren meestal aan hoge kliffen, omdat bij plotselinge overstromingen het water van de kliffen stroomt alsof het aan de hemel hangt. Dat stukje over de ladder... Ook daarvan kun je niet zeggen of het letterlijk bedoeld is of als metafoor, maar de implicatie is dat de oude Egyptenaren de oase binnengingen via de bovenkant van de Gilf Kebir en de zijkant.'

Hij kwam overeind tot hij op zijn hurken naast Freya zat en hij klopte het stof uit zijn haar.

'Hebben we er iets aan?' vroeg ze.

'Wanneer er zo weinig informatie is als het geval is bij de oase, is elk aanwijzing, hoe klein ook, belangrijk. Maar nee, dit brengt ons niet bij de precieze locatie. Wat ik vermoed, wat ik hoop, is dat, als er een tekst is die vertelt hoe je in de oase moet komen, er in de buurt ook eentje is die vertelt hoe je hem moet vinden. We worden warm, ik voel het. We zijn warm.'

Hij stak een hand uit, gaf haar een kneepje in haar arm en ging verder met zijn zoektocht over de brokken steen. Tot die tijd was hij vol energie geweest, maar nu vond Freya hem echt manisch: als ze niet te zwaar waren, sjorde hij blokken en fragmenten opzij om bij de dingen te kunnen die eronder lagen, en verder keek hij voortdurend op zijn horloge, mompelde hij in zichzelf, scheen hij haar aanwezigheid te zijn vergeten. Zijn vasthoudendheid baarde snel resultaten. Kort na elkaar vond hij nog drie verwijzingen naar de Benben, een tekst die de tempel beschreef die kennelijk midden in de oase stond en een andere inscriptie die weer vertelde van de straffen die degene wachtte die de oase betrad met slechte bedoelingen: *Mogen kwaadwillenden worden vermorzeld tussen de kaken van Sobek en opgeslokt in de buik van de slang Apep. En mogen in de buik hun angsten werkelijkheid worden, hun boze dromen een hevige kwelling.*

Er was echter niets dat een aanwijzing bevatte over waar de oase kon zijn, zelfs niet de vaagste hint. Er verstreek nog een martelend halfuur en Flin werd steeds kwader; hij vloekte en beukte met zijn vuist op de blokken alsof hij ze wilde dwingen hem hun geheimen prijs te geven. Omdat ze niet langer tegen de spanning kon, en tegen de drukkende, van stof vergeven atmosfeer, liet Freya hem alleen; ze klauterde de ruimte uit en klom langs de steiger naar beneden. Ze bleef even staan om zich helemaal uit te rekken, luisterde naar het doffe gebonk waarmee de stenen in het gat boven haar werden verplaatst, slenterde door de tempel terug naar de ingang en ademde onderweg de schone, koele lucht diep in.

Het was al na zessen en het complex leek een geheel ander plek te zijn. Stralen van de vroege morgenzon schenen naar binnen door de openingen hoog in de muren en baadden de zalen met hun zuilen in een zacht, dromerig licht, dreven de schaduwen verder terug in hoeken en nissen. Freya liep behoedzaam naar de ingang en keek naar buiten. Behalve een paar bewakers in hun zwarte uniformen die een sigaret deelden, waren de buitenhoven leeg. Verder naar beneden zag ze touringcars aankomen, liepen mensen druk door elkaar, probeerden verkopers van ansichtkaarten en prullaria hun handel te slijten. Even schrok ze en dacht ze dat Flin de zaak niet goed had getimed en dat de tempel al bijna openging. Maar er kwam nog niemand dichterbij en even later ontspande ze. Ze bleef nog een tijdje staan kijken, draaide zich toen om en liep dezelfde weg terug.

Vogels fladderden boven haar hoofd, zigzagden tussen de zuilen door alsof ze door een bos scheerden. Terug in de kapel riep ze Flin en vroeg op gedempte toon hoe het ging. Zijn enige antwoord was een moedeloos gegrom. Ze klom naar boven en wrong zich weer de schacht in. Flin zat helemaal aan het andere eind over zijn lamp gebogen waarvan de verzwakte straal naar het plafond van de ruimte wees en zijn gezicht een bleke, doodse tint gaf. Zijn gezicht en houding spraken boekdelen.

'Ik ben er met een stofkam doorheen gegaan,' zei hij zachtjes, en hij klonk alsof hij ieder moment in snikken kon uitbarsten. 'Er is hier niks, Freya. En als het er is, ligt het begraven onder een ton stenen en kunnen we er niet bij.'

Ze kroop naar hem toen en hurkte naast hem. Het puin lag hier nog hoger dan bij het gat zodat er maar een meter hoogte over was en ze in elkaar moesten duiken.

'We kunnen vannacht terugkomen,' zei ze. 'Dan proberen we het nog eens.'

Hij schudde zijn hoofd. 'Zodra ze het gat in de muur zien, is er hier meer bewaking dan bij Fort Knox. Dan krijgen we echt geen kans om in de buurt te komen. Dit was onze enige kans. Een tweede krijgen we niet.'

Hij keek op zijn horloge. 06:39. Nog twintig minuten voor de tempel openging voor het publiek.

'We kunnen proberen het blok weer op zijn plaats te krijgen,' stelde ze voor.

Hij nam niet eens de moeite te antwoorden, want beiden wisten dat het zinloos was. Daarna zei hij zuchtend en met nog een blik op zijn horloge dat het tijd werd aan vertrekken te denken. 'We kunnen ons verbergen in een van de zuilenzalen en ons tussen de toeristen mengen als ze daar binnenkomen. Het zijn er altijd meteen al een paar honderd. Moet niet zo moeilijk zijn.' Niets wees erop dat hij zijn eigen voorstel ging uitvoeren: hij bleef zitten met zijn hoofd in zijn nek en zijn elleboog op wat eruitzag als een miniatuurgrafsteen: een rechthoekig plaatje kalkzandsteen met een ronde bovenkant en helemaal bedekt met hiërogliefen. Meer om iets te zeggen dan omdat het haar interesseerde, vroeg Freya wat voor steen het was.

'Hm?'

Ze wees.

'O, een *wd*. Een stèle. Een soort votieftablet dat de oude Egyptenaren in graven en tombes plaatsten. Er stonden gebeden op, gebeurtenissen, offers, dat soort dingen.' Hij draaide de steen en tilde hem een stukje op

– hij was maar veertig centimeter – en keerde hem zo dat hij op zijn knieën kwam te rusten en wees er met zijn lamp naar.

'Ik werd er helemaal opgewonden van. Het gaat over de *iret net Khepri* – het oog van Khepri. Een van die formuleringen die altijd verband met de oase lijken te houden, net als de Mond van Osiris.' Hij veegde met een hand over de steen en las: '*Wepet iret Khepri wepet wehat khetem iret nen ma-tu wehat en is er-djer bik biki* – wanneer het oog van Khepri is geopend, zal de oase geopend worden. Wanneer zijn oog gesloten is, zal de oase niet worden gezien, zelfs niet door de scherpste valk.'

Hij glimlachte, sloeg een arm om de stèle, leek er troost uit te putten, legde uit dat Khepri de god met de scarabeekop was, een van de manifestaties van de god Ra, dat de naam kwam van het woord *kheper* dat 'hij die ontstaat' betekent. Freya luisterde niet meer omdat haar aandacht werd getrokken door het bovenstuk van de stèle, het gedeelte dat werd begrensd door de ronding. Er waren daar dingen in afgebeeld die los stonden van de rijen hiërogliefen eronder. Links was iets dat eruitzag als een rode muur of klif, rechts was dezelfde klif maar nu liep er middendoor een dunne groene spleet. Tussen de twee afbeeldingen was een golvende streep geel waaruit een sikkelvormige, zwarte kromming oprees, met een merkwaardig gekartelde en gekerfde rand, waarvan het bovenste stuk zich opende tot een groot, gedetailleerd weergegeven oog, zoals een bloem aan het eind van een steel. Eerst had ze het alleen maar een interessant ontwerp gevonden. Maar hoe meer ze keek, hoe meer het haar deed denken aan...

'Ik heb dat eerder gezien.'

Hij had het nog steeds over de parafernalia van de god Khepri, leek haar niet te horen.

'Ik heb dat eerder gezien,' herhaalde ze, luider nu.

'Wat?'

'Dat,' zei ze en wees.

Hij knikte, niet erg verbaasd. 'Dat kan heel goed. Het *wadjet*-oog komt veel voor en...'

'Nee, niet het oog. Dat daar.' Ze legde een vinger op de kromme zwarte lijn.

'Hoe bedoel je, dat je het hebt gezien?'

'Ik heb het gezien, of iets dat er op leek. Op een foto.'

'Heb je een foto van deze afbeelding gezien?'

'Nee, het was een rotsformatie. Ergens in de woestijn. Het was precies hetzelfde, met die rafelrand.'

Zijn ogen vernauwden zich. 'Waar? Waar heb je die foto gezien?'

'Bij Zahir al-Sabri thuis. De eerste dag in Egypte. Alex stond erop, en daarom...'

'Zei hij waar het was?' onderbrak hij haar.

Ze schudde haar hoofd. 'Het leek wel of hij niet wilde dat ik ernaar keek, want hij werkte me de kamer uit.'

Flin keek weer naar de stèle, trommelde met zijn vingers op de zijkanten en mompelde in zichzelf: 'Wanneer het oog van khepri is geopend, zal de oase geopend worden? Wanneer zijn oog gesloten is, zal de oase niet worden gezien, zelfs niet door de scherpste valk.'

Minuten verstreken, maar Freya, die zich er scherp van bewust was dat hun tijdvenster zich snel sloot, wilde zijn gedachtegang niet onderbreken. Flin zat volledig in gedachten tot hij ten slotte met slechts een hint van een glimlach de stèle van zijn knieën tilde en in de hoek van de schacht teruglegde. 'Het zit vast in de familie.'

'Pardon?'

'Het zit vast in de Hannen-familie. Een talent om de slag te winnen. Alex was er goed in en jij schijnt de traditie in stand te houden.' Hij kwam overeind en klauterde snel door de schacht terug.

'Ik begrijp het niet,' zei Freya die achter hem aan kwam. 'Is het belangrijk, dat stuk steen?'

'Misschien wel, misschien niet,' antwoordde hij. Hij was bij het gat en wurmde zich erdoorheen, terug naar de kapel. 'Onder ons gezegd en gezwegen: ik heb het afschuwelijke idee dat ik de afgelopen tien jaar heb lopen aanklooien met dit spul, en dat het erop neerkomt dat jij de cruciale doorbraak hebt bereikt. Wat ik je, eerlijk gezegd, nooit zal vergeven.' Hij had de steiger bereikt en draaide zich om. Zijn glimlach was uitgegroeid tot een grijns.

'Ik zou je daar verdorie moeten laten zitten: zonder mijn toestemming dingen ontdekken! Maar om wille van goede Anglo-Amerikaanse betrekkingen...'

Hij knipoogde en stak een hand uit om haar door het gat te helpen. Ze wilde hem pakken, maar Flin trok zijn hand opeens terug en draaide zich om. Eerst begreep ze niet wat er mis was. Toen hoorde ze wat hij moest hebben gehoord: stemmen. Nog vaag en veraf, maar duidelijk afkomstig van ergens in de tempel.

'Shit,' siste hij, draaide zich naar haar toe, nu zonder lach. 'Kom, we moeten zien dat we hier wegkomen.'

Hij stak zijn armen door het gat en trok haar naar buiten, hielp haar op haar voeten, greep een breekijzer en klauterde omlaag waarbij de steiger alarmerend kraakte. Freya kwam achter hem aan en samen draafden ze naar de dichtstbijzijnde zuilenhal. De stemmen waren nu duidelijk waarneembaar en kwamen van de buitenste hal voor in de tempel, zo te horen van twee of drie mensen.

'Toeristen?' fluisterde ze.

Flin luisterde even, schudde zijn hoofd. 'Bewakers. Ze moeten het doorgeknipte slot hebben gevonden. Snel.'

Hij nam haar mee de hal door, voorbij de laatste kapel en een smalle gang in. Na tien meter was er rechts een opening in de muur, afgesloten door een hek. Erachter liep een trap steil omhoog naar een ander hek en daglicht. 'De achterkant van de tempel,' verklaarde hij en hij zette zijn breekijzer in het slot van het eerste hek.

Hij zette kracht. En nog eens, de spieren in zijn nek puilden uit en versprongen, zijn gezicht werd paars van de inspanning. Hij trok het breekijzer eruit en probeerde het onder een andere hoek, gebruikte zijn hele gewicht, zette zich met zijn voet af tegen de muur voor meer hefboomwerking. Wat hij ook probeerde, hij kon het slot niet forceren. Met een wanhopige grom gaf hij het op en nam Freya mee weer de gang door en naar de zuilenhal. Die was nog leeg. De bewakers waren nog niet door de buitenste hal, maar te oordelen aan het aantal stemmen en voetstappen waren het er nu meer dan eerst.

'Ehna aarfeen ennoko gowwa!' riep iemand. *'Okhrogo we erfao'o edeko!'*

'Kunnen we er ergens anders uit?' fluisterde Freya benauwd.

Flin schudde zijn hoofd.

'Kunnen we ons ergens verbergen?'

'Het zijn er te veel.'

'Wat doen ze met ons als ze ons pakken?'

'Als we geluk hebben, stoppen ze ons vijf jaar in de gevangenis en deporteren ze ons daarna.'

Ze vroeg maar niet wat er gebeurde als ze geen geluk hadden.

'Ento met-hasreen!' klonk de stem weer. *'Mafeesh mahrab!'*

Flin bleef om zich heen kijken, probeerde iets te bedenken, wat dan ook. Nu de voetstappen en de stemmen bijna bij de doorgang tussen de twee hallen waren, pakte hij haar arm en trok haar weer mee naar achter in de ruimte, langs de kapel waarin ze bezig waren geweest en de tweede daarna in. In tegenstelling tot de andere kapellen had deze achterin een doorgang waar doorheen ze in een volgende hal kwamen, een veel kleinere dan de twee hoofdhallen. Door het midden liep een dubbele zuilenrij en door een paar open daklichten stroomde licht naar binnen.

'Waar gaat dit heen?' vroeg Freya.

'Nergens heen.'

'Waarom zijn we dan hier?'

'Omdat we nergens anders heen kunnen!' Hij klonk wanhopig, hulpeloos. 'We kunnen er niet uit aan de voorkant, de achterdeur zit op slot...' Hij wierp in wanhoop zijn armen in de lucht. 'We zitten in de val. Ik probeer alleen nog wat tijd te rekken, ik hoop tegen beter weten in dat ze hier niet zullen komen.'

Buiten de hal klonken de kreten en de voetstappen steeds luider; de bewakers werkten de hele tempel af en kwamen dichterbij, sloten het net.

'Sallemo nafsoko!'

'Er moet nog een uitweg zijn,' zei ze. 'Dat moet.'

'Ja hoor, er is een magische deur en als je met je toverstokje zwaait en abracadabra zegt...'

Meer geschreeuw, deze keer geaccentueerd door een reeks schelle fluitjes. Freya liet haar blik koortsachtig door de hal gaan op zoek naar iets, wat dan ook, dat hen kon helpen. Tien gedrongen zuilen – twee rijen van vijf – aan beide zijden kleinere kamers, met reliëfs overdekte muren waarvan de rechter met een touw was afgezet om te voorkomen dat toeristen ze aanraakten. Niets dat enige hoop op ontsnappen bood.

'Wanneer ze binnenkomen moet je gewoon blijven staan en mij het woord laten doen,' zei Flin. 'En zorg dat ze je handen kunnen zien.'

Ze lette niet op hem, liet haar blik snel rondgaan; de kreten en fluitjes kregen nu gezelschap van het blaffen van honden.

De twee daglichten – vierkante openingen in het plafond van betonplaten – waren ver buiten bereik, ook al was het plafond veel lager dan in de twee grote hallen, niet meer dan vijf meter boven de grond. Maar zonder ladder of steiger konden ze net zo goed op vijftig meter hoogte zitten. Ze schreef ze af, keek weer naar de muren, de zijkamers, de zuilen, de vloer van steenplaten, en opnieuw naar de zuilen. De zuilen. Gedrongen, boomstamachtig, opgebouwd uit trommelvorige op elkaar gezette elementen, met tussen elke schijf een duidelijke spleet. Ze ging een paar stappen naar voren en keek weer omhoog naar de daglichten. Die waren allebei ruim anderhalve meter verwijderd van de bovenkant van de dichtstbijzijnde zuil, te ver om zonder een houvast bij te kunnen. Maar er wás een houvast: bij het verste daklicht kwam het roestige uiteinde van een stuk betonijzer als een kronkelige boomwortel naar binnen toe. En de zuil die er het dichtste bij stond, had om het bovenste element een metalen spanband als een kousenband rond een dijbeen. Langs de zuil omhoog, de spleten gebruiken als houvast voor handen en voeten, een vinger achter de band, wegleunen en naar het betonijzer springen. Het was een krankzinnige manoeuvre, onmogelijk, ze zou er niet aan denken zoiets bij de training te doen, zelfs niet aangelijnd en met een vangnet om de val te breken. Gekkenwerk. Gekkenwerk. Maar...

'Ik kan ons hier uithalen,' fluisterde ze.

Flins hoofd zwiepte haar kant op. 'Waar heb je het over?'

Ze verspilde geen tijd met een uitleg, gebaarde dat hij naar het touw, dat voor de reliëfwand was gespannen, moest komen, zei dat hij het moest oprollen, rende naar de zuil en begon te klimmen. De spleten tussen de trommelvorige elementen waren smal maar boden net genoeg ruimte voor tenen en vingers om houvast te krijgen, en hoewel het met krijt en echte klimschoentjes beter zou zijn gegaan, bereikte ze zonder al te veel moeite de bovenkant van de zuil. Ze klemde haar vingertoppen achter de metalen band, zocht met haar tenen steun op het reliëf waarmee de zuil was bedekt en hield haar blik strak op het betonijzer gericht. Van hieruit leek het een heel stuk verder dan het van beneden af had gedaan.

Flin stond aan de voet van de zuil, het opgerolde touw aan zijn schouder. De richting waarin Freya keek, zei hem genoeg om te weten wat ze van plan was. 'Ben je gek, Freya,' siste hij. 'Niet doen, je breekt je nek.'

Ze lette niet op hem, schoof stukje bij beetje langs de zuil tot ze zo dicht mogelijk bij het daklicht was, zocht zorgvuldig naar het meeste houvast voor haar tenen en vingers om zich goed te kunnen afzetten voor de sprong.

'Freya!'

Het geschreeuw en geblaf kwamen onstuitbaar dichterbij. Elke seconde telde nu. Ze wierp een laatste blik op het daklicht, zette zich schrap en sprong, gebruikte al haar kracht om van de zuil door de lucht naar het betonijzer te komen.

Haar angst was dat ze geen grip op het stuk ijzer zou krijgen, of dat haar voorwaartse snelheid haar greep zou openbreken zodat ze op de grond zou smakken. Maar als een volleerd trapezeartiest maakte ze volmaakt contact, greep ze de staaf met twee handen vast en zwaaide ze even wild heen en weer tot ze stil hing boven de vloer van de hal. Flin keek omhoog, op zijn gezicht een mengsel van bewondering en afschuw. Ze gunde zich even de tijd, hield haar hoofd achterover, keek naar de opening boven zich en verzamelde haar krachten. Toen haalde ze diep adem en begon zich hand over hand langs het ijzer omhoog te trekken. Voor iemand zonder klimervaring zou zo'n actie vrijwel onmogelijk zijn geweest omdat het uitzonderlijk sterk ontwikkelde spieren in de schouders en de bovenarmen vergt. Maar jaren van zich optrekken bij de overhangen van enkele van de moeilijkste rotswanden ter wereld, om maar te zwijgen van de honderd optrekoefeningen die ze elke ochtend deed om in conditie te blijven, hadden haar lichaam meer dan voldoende gestaald voor dit soort inspanningen en dit ging haar redelijk gemakkelijk af. Biceps en deltaspieren zwollen en bolden, haar benen trappelden alsof ze probeerde naar boven te zwemmen, en zo bereikte ze de onderkant van het daklicht. Ze bracht haar linkerbeen omhoog en sloeg het om de staaf, stak een hand door de opening en klampte zich aan de rand vast. Ze trok zich nog een stukje op, kreeg haar andere hand ernaast en hees zich op zodat ze met haar hoofd, haar bovenlichaam en ten slotte haar hele lichaam buiten op het dak van de tempel was.

Beneden in de hal zag Flin haar door het gat verdwijnen. Ze stak er een arm door en knipte met haar vingers. Hij gooide het touw naar haar op en keek angstig achterom. Het blaffen klonk nu in het heiligdom dat naar deze ruimte voerde.

'Ehna dakhleen lolo!' schreeuwde iemand. *'Ma tehawloosh teaamelo haga wa ella hanedrabkom bennar!* We komen naar binnen. Probeer niets uit te halen want we schieten!'

'Schiet op, in godsnaam.'

Een uiteinde van het touw kwam kronkelend omlaag. Zonder zich er zelfs maar van te vergewissen of Freya zich goed kon schrapzetten, greep hij het met beide handen en zwaaide hij zich omhoog. De bewakers waren nu nog maar een paar tellen van hen verwijderd en het blaffen en grommen van de honden leek de hele tempel te vullen. Hij bereikte het daklicht, hees en wrong en schopte zich erdoor, rolde bij het gat vandaan zodat Freya nog net genoeg tijd had om het touw met een ruk omhoog en uit het zicht te halen voordat een paar Duitse herders de hal instoven, op de voet gevolgd door vijf, zes bewakers.

Er klonken meer kreten, meer geblaf, rennende voeten, maar ze bleven niet luisteren. Nog naar adem happend, de mouw van zijn overhemd rood van het bloed uit de wond aan zijn arm die weer was opengegaan, nam Flin haar over het dak mee naar de achterkant. Omdat de tempel met zijn rug in de heuvel was gebouwd, was het dak hier maar een paar meter boven de grond. Ze sprongen eraf, kwamen neer in los zand en liepen naar de gsm-mast die Freya bij aankomst al had gezien, namen het pad dat naast de tempel naar beneden liep. Vijf minuten later waren ze terug bij de Jeep. Een halve minuut daarna jakkerden ze weg uit Abydos terwijl rijen politieauto's met loeiende sirenes uit de tegengestelde richting langsreden.

'Ik heb me nooit gerealiseerd dat egyptologie zo spannend kon zijn,' zei Freya, het eerste wat een van hen na de ontsnapping zei.

'Ik heb nooit geweten dat bergsport zo handig kon zijn,' was Flins wederwoord. Ze keken elkaar aan en begonnen te grinniken.

'We hebben een lange rit voor de boeg. Weet je zeker dat je nog meedoet?'

'Ik zou het voor geen goud willen missen.'

Hij keek haar aan, knikte en gaf plank gas. 'Dakhla, we komen eraan.'

Caïro

Mohammed Shubra werkte nu al bijna twintig jaar als receptionist in het gebouw van de USAID, en al die jaren had hij mevrouw Kiernan nog niet zo vrolijk gezien. Ze lachte natuurlijk altijd wel naar hem en ze was altijd beleefd tegen hem, maar vandaag keek ze, toen ze door de ingang liep en binnenkwam, gewoon euforisch.

'Er is iets fijns gebeurd,' zei hij toen ze naar hem toe liep en haar toegangskaart liet zien. 'Ik zie het aan uw gezicht.'

Ze lachte en zwaaide met een vinger. 'Jou ontgaat ook niets, hè, Mohammed?'

'Nou, mevrouw Kiernan, ik zou wel blind moeten zijn om het te missen. U hebt goed nieuws van uw familie, denk ik.'

Ze schudde haar hoofd. 'Werk, Mohammed. Het gaat altijd om werk.'

Hij zou het daarbij gelaten hebben – het was niet aan hem haar over haar zaken uit te horen – maar tot zijn verrassing, en plezier, keek ze even om zich heen en boog zich toen over de balie naar hem toe.

'Ik heb nieuws over een van mijn projecten,' zei ze. 'Ik had niet gedacht dat het wat zou worden, maar het ziet ernaar uit dat het doorgaat.'

Zo had ze nog nooit met hem gepraat, hem in vertrouwen genomen, en hij ervoer een gevoel van opwinding, alsof hem een geheim werd toevertrouwd. 'Bent u al lang met dit project bezig?' vroeg hij en probeerde zo nonchalant mogelijk te klinken, alsof het een normaal gespreksonderwerp was.

'Ja,' antwoordde ze en legde even haar hand op het kruisje aan haar halsketting. 'Al heel lang. Al van voor dat jij hier kwam werken. Heel erg lang.'

'Is het een groot project? Belangrijk?'

Hoewel ze bleef lachen, leek er opeens iets hards in haar blik te komen, alsof ze naar haar zin genoeg had onthuld en nu een eind aan het gesprek wilde maken. 'Al onze projecten zijn belangrijk, Mohammed. Ze hebben stuk voor stuk de wereld een beetje verbeterd. Ik heb een drukke dag voor de boeg, dus als je het niet erg vindt...' Ze hief ten afscheid een hand op en liep naar de liften, maar terwijl ze in haar tas rommelde kwam ze weer terug. 'Nog één ding. Heb je deze man hier wel eens gezien?' Ze legde een foto voor hem neer van een dikke, kalende man met rossige wangen en dikke lippen.

'Ja, die is hier gistermorgen geweest,' antwoordde de Egyptenaar. Hij had het gevoel dat hij zojuist net iets te ver was gegaan en was blij dat hij de kans kreeg het goed te maken. 'De directeur heeft hem rondgeleid.'

Kiernan knikte en stopte de foto weer in haar tas. 'Mohammed, zou je me een plezier willen doe? Wil je me bellen wanneer je hem weer ziet en me laten weten dat hij hier in het gebouw is?'

'Natuurlijk, mevrouw Kiernan. Zodra ik hem zie, bent u de eerste die het weet.'

Ze bedankte hem, liep de hal door, stapte de lift in en was weg.

'Een ontzettend aardige dame,' zei Mohammed Shubra later die ochtend tegen zijn vrouw toen hij haar belde. 'Maar ook bikkelhard. Ik zou haar niet graag tegen me in het harnas jagen.'

Dakhla

Uit het struikgewas dook een figuur op, die even bleef staan als om te luisteren, daarna snel naar de schuur liep, een onopvallend geval van gasbeton met een dak van gevlochten palmbladeren en een zware stalen deur die was afgesloten met een ketting en een hangslot. Het was een man, dat was te zien aan zijn manier van bewegen. Verder was hij onmogelijk te identificeren omdat zijn lichaam was gehuld in een ruimvallend zwart gewaad en zijn hoofd en gezicht schuilgingen achter een sjaal van dezelfde kleur, zodat alleen zijn ogen zichtbaar waren.

Hij zocht iets in zijn zak, haalde er een klein metalen voorwerp uit met iets eraan dat op een magneet leek, draaide het rond in zijn handen en stopte het weer in zijn gewaad terug. Hij klom op de oude, houten kar die naast de schuur stond, en kroop door een raampje hoog in de muur, een eenvoudige vierkante opening zonder kozijn of glas. Er klonk een doffe plof toen hij binnen op de vloer terechtkwam, gevolgd door geluiden van iemand die ergens mee bezig is en een zacht 'klonk' als van een magneet die zich ergens aan vasthecht. Binnen een minuut stond hij buiten en baande hij zich weer een weg door het struikgewas achter de schuur. Drie minuten later klonk het geluid van een motorfiets die startte en wegreed zodat het geluid zwakker en zwakker werd en alleen nog het gekwetter van vogels en het zachte pruttelen van een irrigatiepomp te horen was.

Caïro

Een chaotische organisatie, dat was de beste beschrijving die Angleton er voor had. Of een georganiseerde chaos. Hoe je het ook noemde, het Egyptische verkeervolgsysteem was op het oog een hopeloze puinhoop: verveelde, dienstplichtige politieagenten die nauwelijks konden schrijven die bij wegversperringen mijlenver van de bewoonde wereld stonden en de kentekens en gegevens van de bestuurders van langskomende voertuigen neerkrabbelden. En toch bleek het goed beschouwd in feite opmerkelijk efficiënt.

Even na middernacht hadden de mensen van generaal-majoor Taneer hem gebeld met de eerste resultaten: de auto van Brodie en Hannen was om 21:35 een controlepost op snelweg 11 gepasseerd, in noordelijke richting naar Alexandrië, waarna ze om 22:53 dezelfde post in omgekeerde naar Caïros waren gepasseerd. Angleton had geen idee van wat ze in die tussentijd hadden gedaan, maar wat het ook was geweest, het was slechts het voorspel voor hun grote reis geweest. In de loop van de nacht was de informatie gestaag binnengedruppeld en alles had gewezen op een rit naar het zuiden. Eerst via snelweg 22 naar de Fayyum en vervolgens via snelweg 2 het Nijldal in. Om 00:16 waren ze langs Beni Suef gekomen, om 00:43 langs Maghag en om 01:16 langs Al-Minya. Op dat punt had hij de Egyptenaren gevraagd hun aandacht te richten op deze weg en alle afslagen. Asyut om 02:17, Sohag om 03:21 en uiteindelijk om 03:56 een controlepost net buiten Abydos.

Daarna was er ruim drie uur langs niets gemeld. Rond halfzes had hij een telefooncheck gevraagd van alle officiële hotels en pensions in de buurt van Abydos om te zien of ze ergens voor de nacht hadden gestopt.

Nul komma nul. Hij was begonnen te vloeken en te piekeren, wat niets voor hem was: hij was ervan overtuigd dat ze hem het nakijken hadden gegeven. Er was ook geen mobiel telefoonverkeer geweest, geen enkel contact dat zijn afluisterpost had kunnen oppikken en hij had zich er al bijna bij neergelegd dat hij ze kwijt was, tot hij om 07:07 plotseling het bericht kreeg dat de Cherokee met zijn twee inzittenden opnieuw de controlepost bij Abydos gepasseerd was. Dat niet alleen, want hun vertrek viel samen met een soort beveiligingsincident in de tempel: een inbraak, vandalisme en een achtervolging. Hij had graag meer willen weten, maar de details waren nog erg vaag en hij moest zich tevredenstellen met het feit dat Brodie en Hannen weer in beeld waren. Opgelucht beukte hij met een vuist in de lucht en zwierde die arme mevrouw Malouff aan het begin van haar dienst in een omhelzing van de grond en gaf haar een kus op haar wang.

'Het spel gaat door,' riep hij met die meisjesachtige, hoge stem van hem. 'Het spel gaat door, stelletje etterbakken!'

Toen hij weer wat was gekalmeerd en mevrouw Malouff haar jurk had gladgestreken en haar kapsel had gefatsoeneerd – 'Wilt u dat alstublieft nooit meer doen,' had ze hem op strenge toon gezegd. 'Ik ben een fatsoenlijke getrouwde vrouw.' – was Angleton weggegaan en had hij een taxi naar de ambassade genomen. Van daaruit had hij zijn wake voortgezet en een compleet ontbijt van kok Barney uit de keuken naar boven laten brengen. Van te weinig slaap kreeg hij altijd honger.

Om 07:36 kreeg hij bericht dat de Cherokee weer langs de controlepost bij Sohag was gekomen, nu in noordelijke richting, en tachtig minuten later langs die bij Asyut. Brodie en Hannen waren kennelijk op weg terug naar Caïro.

Toen kwam de verrassing. Op basis van hun tijden tijdens de heenrit en het feit dat er nu meer verkeer was, had Angleton uitgerekend dat ze rond 10:30 bij Al-Minya zouden zijn. Maar het werd 10:30 en later, maar niets. Daarna 11 uur, 11:30. Hij was alweer aan het piekeren geslagen toen hij even na 11:45 een telefoontje kreeg om te melden dat de Cherokee, in plaats van naar het noorden te rijden, was geklokt bij drie verschillende controleposten op de woestijnroute ten zuidwesten van Asyut, de laatste een kilometer of twintig buiten Kharga. Tegen die tijd was er ook meer informatie doorgekomen over de gebeurtenissen in Abydos. Iemand – het was te toevallig om niet aan te nemen dat het Brodie en Hannen waren – had ingebroken in de tempel, een gat in een muur geslagen en een soort geheime kamer ontdekt. Verder bleven, net als eerst, de details aan de vage kant, maar wat die twee ook hadden gevonden of gezien, het leek hen nu naar de Westelijke Woestijn te voeren. Interessant. Heel interessant.

Hij stond op en ging naar de landkaart aan de muur, bestudeerde hem een tijd en liep naar het raam. Een deel van hem was geneigd nog wat langer af te wachten, het tweetal op afstand te blijven volgen, van controlepost naar controlepost. Het punt was dat hij daardoor altijd een stap achter de feiten aanliep, en nu het drama een kritieke wending naderde – en zijn intuïtie zei hem dat het snel ging – was één pas achter de feiten aanlopen hetzelfde als niet meer meespelen. Het had geen zin de Egyptenaren te vragen het tweetal te volgen: als híj Brodie niet kon bijhouden, konden zij het zeker niet. Hij speelde met het idee te vragen het stel bij de volgende controlepost vast te houden tot hij er zelf was, maar dat verwierp hij al snel: een fitte, zeer gemotiveerde voormalig geheim agent tegen een groepje domme dienstplichtigen uit de provincie: geen partij.

Hij staarde nog een tijdje uit het raam, zag mensen op het ambassadeterrein beneden hem heen en weer lopen. Met een mep tegen het glas kwam hij tot een beslissing en liep terug naar de landkaart. Tijd om in actie komen: zich erin mengen, ontdekken wat Brodie en Hannen wisten en hen dan uitschakelen. De vraag was hoe? En dwingender: waar? Hij ging met zijn vinger over de woestijn van Asyut naar Kharga en Dakhla en vandaar naar links en omlaag naar de Gilf Kebir. Daar zouden ze uiteindelijk naartoe gaan. Dat kon niet anders, in dit verhaal leken alle wegen daarheen te leiden. Maar vóór de Gilf... hij ging met zijn vinger terug over de woestijnweg, schoof hem heen en weer tussen Dakhla en Kharga, heen en weer alsof hij iene miene mutte speelde; hij liet hem rusten op Dakhla. Het was een gok, natuurlijk, maar dat gold voor alles in dit spel. Tot nu toe had hij niet veel fouten gemaakt en zijn intuïtie zei hem dat hij dat nu ook niet deed. De volgende plaats op hun route was Dakhla, dat wist hij zeker, en daar zou hij hun de pas afsnijden. Hij tikte met een mollige knokkel op de kaart alsof hij op een deur klopte, liep naar de telefoon, griste de hoorn van de haak en koos een nummer. Hij moest even wachten tot er aan de andere kant een stem klonk.

'Ik heb een vliegtuig nodig dat me naar Dakhla brengt,' zei hij zonder enige inleiding. 'Zo snel mogelijk. En daar moet een auto voor me klaarstaan. Ik ga nu naar het vliegveld.' Hij hing op en pakte de schouderholster die hij over zijn stoelleuning had gehangen, trok Missy eruit, greep de kolf stevig vast en keek langs de loop, mikte op de kaart aan de andere kant van de kamer.

'Cyrus komt eraan!'

Dakhla

Het was net na twaalven toen ze de tussen de enorme stalen palmen door reden die de oostgrens van de Dakhla-oase markeren. Ze hadden een rit van vijf uur zonder onderbreking achter de rug, met meestentijds Flin achter het stuur, hoewel Freya het lange middelste stuk tussen Asyut en Kharga voor haar rekening had genomen zodat hij wat slaap kon inhalen. Het was een saaie rit, op de paar momenten na dat haar hart dankzij Flins rijstijl in haar keel zat. Eerst waren ze via dezelfde weg door het Nijldal met zijn weelderig groene velden en verspreid liggende dorpjes met lemen huisjes teruggereden. Toen waren ze afgeslagen de woestijn in, met zand, rotsen, grind en verder heel weinig, met als enige tekenen van menselijke invloed de op regelmatige afstanden geplaatste kilometerborden en af en toe een controlepost. En natuurlijk de weg zelf: een naad van zinderend zwart asfalt die zich in het zand voor hen uitstrekte als een enorme kloof die het landschap in tweeën spleet.

Een kwartier nadat ze de oase waren binnengereden bereikten ze Mut, waar Freya vertelde hoe ze verder moesten, want Flin was nog nooit bij Zahir thuis geweest. Ze kwamen langs het ziekenhuis en het politiebureau – het was nog maar achtenveertig uur geleden dat ze daar was geweest, maar het leek wel een mensenleven geleden – en reden aan de andere kant de stad weer uit, jakkerden langs maïsakkers en rijstvelden naar de witte muur van het woestijnklif. Toen ze in Zahirs dorpje kwamen, reden ze naar zijn straat en stopten voor zijn huis. Flin zette de motor uit en wilde zijn portier openen toen Freya een hand op zijn arm legde en hem tegenhield.

'Je kent Zahir, nietwaar?'

Hij keek haar over zijn schouder aan. 'Nou ja, ik heb hem een paar keer ontmoet. We zijn niet echt vrienden als je dat bedoelt. Wanneer ik de woestijn in ga, heb ik altijd een andere gids. Hoezo?'

'Ik kan het niet echt uitleggen.' Ze keek naar de toegang tot zijn huis. 'Er was iets… Hij was niet erg vriendelijk tegen me, de laatste keer.'

Flin moest lachen. 'Dat zou ik niet te persoonlijk nemen. Dat is zoals bedoeïenen reageren. Ze hebben de neiging hun gevoelens te verbergen. Ik heb er een gekend die…'

'Het was meer dan dat,' viel ze hem in de rede.

Hij liet de portierhendel los en draaide zich om zodat hij haar recht aankeek. Haar ogen waren rood van de slaap, haar blonde haar was in de war en zat nog onder het stof van de holle ruimte in de tempel.

'Hoe bedoel je?' vroeg hij.

'Zoals ik al zei kan ik het niet echt verklaren. Er was iets met hem, met zijn manier van doen... Ik vertrouw hem niet, Flin.'

'Alex wel,' zei hij. 'Voor de volle honderd procent.'

Ze haalde haar schouders op. 'Ik vind alleen maar dat we... voorzichtig moeten zijn, hem niet te veel moeten vertellen.'

'Alex had een scherp oog voor...'

'Ik vind gewoon dat we voorzichtig moeten zijn,' herhaalde ze. 'Ik mag hem niet. Hij is leep.'

Hij hield haar blik vast, knikte toen en stapte uit. Freya deed hetzelfde en samen liepen ze door de lemen poort de voorhof van het huis op. Ze liepen om Zahirs Land Cruiser met de ingeslagen koplamp heen naar de voordeur. Die stond wijd open.

Freya had de vage hoop gehad dat Zahir niet thuis zou zijn, dat zijn vrouw hen naar de foto van de rotsformatie zou laten kijken en dat ze zouden vinden wat ze zochten zonder rechtstreeks contact met de man zelf te hoeven hebben. Maar het bleek dat Flin niet eens de tijd had aan te kloppen omdat Zahir in de gang voor hen opdook. Toen hij hen zag, brak er een brede grijns op zijn gezicht door waarna bijna meteen weer de norse neutraliteit verscheen die zijn standaardgelaatsuitdrukking leek te zijn.

'Miss Freya,' zei hij terwijl hij op hen af snelde. 'Ik bezorgd. U verdwenen.'

Ze mompelde een verontschuldiging, zei dat ze voor dringende zaken in Caïro had moeten zijn. Het klonk niet erg overtuigend en hij geloofde haar duidelijk niet, maar liet het voor wat het was. Hij liet hen binnen en riep iets door de gang naar achteren waar Freya alleen de woorden *Amrekanaya* en *shiy* van begreep.

'Ana asif, sais Zahir,' zei Flin. 'Het spijt me, Zahir, maar we hebben geen tijd voor thee. We komen je iets vragen.'

Zahirs aandacht verplaatste zich naar de Engelsman, voor het eerst dat hij diens aanwezigheid erkende. Hoewel er van zijn gezicht niets te lezen viel, was er iets in zijn ogen en zijn lichaamstaal dat zoal geen vijandigheid dan toch wel een zeker ongemak suggereerde.

'Vragen?' Het klonk wantrouwig. 'Vragen wat?'

'Over een foto,' zei Freya. 'Die in de kamer achter in je huis. De foto van de rots.'

Zahir schudde zijn hoofd alsof hij niet begreep waar ze het over had.

'Weet je het niet meer? Toen ik hier eerder was en naar de wc wilde, en de verkeerde kamer inging. Er was daar een foto, van mijn zus naast een rots.' Ze gaf met één hand de vorm aan, hoe de rots vanuit de woestijn omhoog krulde als een reusachtig kromzwaard dat door het zand prikte. 'Hij hing boven je bureau. Je zei dat die kamer privé was.'

'We moeten u er wat vragen over stellen,' zei Flin. 'Waar staat die rots? In de buurt van de Gilf, hè?' Zahirs ogen schoten tussen Freya en Flin heen en weer. Hij leek geen antwoord te willen geven. Het bleef stil. Toen maakte de Egyptenaar een afwijzend gebaar. 'Eerst we drinken thee. Dan praten.'

Hij draaide zich om en ging naar de woonruimte met de tv, de bank met kussens en het mes aan de muur. Flin en Freya bleven in de deuropening staan.

'Alstublieft, Zahir. We moeten die foto zien,' zei Flin. 'We hebben niet veel tijd.'

Zahir draaide zich naar hen toe. 'Waarom u moeten zien deze foto?' vroeg hij, met een nauw merkbaar vleugje agressie in zijn stem. 'Is gewoon stuk steen.'

Flin en Freya keken elkaar aan. 'Het heeft met mijn werk te maken,' zei Flin. 'Ik ken de Gilf behoorlijk goed, maar ik heb die rotsformatie nog nooit gezien en ik denk dat hij van belang zou kunnen zijn... misschien van belang kan zijn voor ons begrip van paleolithische nederzettingspatronen in het mesoholoceen.'

Als hij had gehoopt de Egyptenaar in te pakken met vaktechnische termen, had hij het mis. Zahir bleef waar hij was, onbewogen. Er volgde weer een ongemakkelijke stilte, toen verloor Freya haar geduld. 'Alsjeblieft, Zahir, ik wil die foto zien,' zei ze venijniger dan ze misschien bedoelde, maar ze was bekaf en de tijd drong. 'Mijn zus staat erop en ik wil er meer van weten.'

Zahir fronste zijn wenkbrauwen. '*Sais* Brodie zeggen hij willen weten over foto voor werk. U zeggen u willen weten omdat dokter Alex op foto. Ik niet begrijpen.'

Freya's mond verstrakte even en het leek erop dat ze haar geduld verloor, maar ze haalde diep adem, deed een stap in Zahirs richting en opende haar handen in een smekend gebaar. 'Alstublieft,' zei ze opnieuw, 'vertel ons over de foto, als het niet voor mij is, dan voor Alex.

Zij zou hebben gewild dat u ons hielp, dat weet ik zeker. Alstublieft.'

Ze stonden tegenover elkaar, en het enige geluid was het gedempte gakken van ganzen buiten. Freya keek Zahir aan en Zahir ontweek haar blik. Uit zijn hele houding sprak twijfel, tweestrijd. Seconden verstreken, daarna trok hij met een onwillig schouderophalen zijn arm terug en liep langs hen heen de gang in. 'U willen zien foto, ik laten zien foto,' zei hij en de toon waarop impliceerde dat hij er verre van gelukkig mee was. 'Komen.'

Hij ging hun voor de gang door en de binnenplaats op. Freya zag een glimp van zijn vrouw en zoontje in de deuropening van de keuken aan de andere kant van de binnenplaats voor de vrouw terugstapte en in het donker oploste. Zahir stak over naar de eerste deur aan zijn rechterhand, wierp hem open en gebaarde dat ze hem naar binnen moesten volgen.

'Hier foto,' zei hij nors, liep naar het bureau, wees op de foto en spreidde zijn armen alsof hij wilde zeggen dat hij niets te verbergen had. Ze kwamen naast hem staan en lieten het beeld van de gekromde zwarte spitse rotspunt met zijn gekartelde zijkanten en het kleine figuurtje in de schaduw aan de voet ervan op zich inwerken. Vooral Flin leek in de ban van het beeld, hij boog zich over het bureau zodat hij er met zijn neus op stond en schudde zachtjes zijn hoofd alsof hij, zoal niet het antwoord op een lang herkauwd raadsel kreeg, nieuwe hoop had het te kunnen vinden.

'Hebt u hem genomen?' vroeg hij.

Zahir gromde bevestigend.

'Waar?'

'In woestijn natuurlijk.'

Flin negeerde het sarcasme. 'Bij de Gilf Kebir?'

Weer een bevestigende grom.

'De Gilf is erg groot. Kunt u wat nauwkeuriger zijn?'

Geen antwoord.

'Het noordelijke deel of het zuidelijke?' hield Flin aan.

'Fi'l ganoob,' gaf de Egyptenaar toe, die het duidelijk niet prettig vond op deze manier te worden uitgehoord. 'In zuiden. Ik niet herinner precies plaats. Is erg lang geleden.'

Flin bestudeerde de foto nog een tijdje en wendde zich toen tot Zahir. *'Sahebee,* ik ben in uw huis en dus zal ik u respect betonen. Maar u moet mij ook respecteren. Deze foto kan niet ouder zijn dan hoogstens vijf maanden. Kijk maar...'

Hij tikte er met een vinger op, wees op een dun zilverkleurig streepje dat naast Freya's zus tegen de rots leunde. 'Dit is Alex' wandelstok. Die is ze pas gaan gebruiken toen ze ziek werd, en dat was afgelopen november.'

Zahir keek naar de grond, schuifelde schutterig.

'Ik weet niet wat u probeert te verbergen,' ging Flin verder en probeerde zijn toon vlak te houden. Maar hij was duidelijk niet in de stemming voor spelletjes. 'Of waarom u ons niets over die foto wil vertellen. Maar ik vraag u in uw functie van gastheer en ook als bedoeïen om me niet langer te belazeren en me naar waarheid te antwoorden.'

Zahir richtte zich op, briesend. 'U spreken niet zo tegen mij,' gromde hij. 'Niet in mijn huis, nergens. U begrijpen? U mij niet beledigen, of lopen slecht voor u af.'

'Is dat een dreigement, Zahir?'

'Ik niet dreigen, ik zeggen. U niet spreken zo.'

Hun stemmen klonken steeds harder en Freya kwam tussenbeide voor de situatie uit de hand liep. 'Zahir, we zijn hier niet gekomen om u te beledigen,' zei ze op verzoenende en tegelijkertijd ferme toon. 'We willen alleen heel graag weten waar de foto is genomen. Mijn zus had een hoge dunk van u en zoals ik al zei, doe het omwille van haar. Vertel ons alstublieft waar die rots is en dan vertrekken we.'

Nu hield Zahir haar blik wel vast. Zijn woede leek even snel te zijn verdwenen als hij was opgekomen, en vervangen door... Freya kon er niet echt de vinger op leggen waardoor hij was vervangen: het leek haar een mengsel van berusting en ongerustheid, alsof hij had geaccepteerd dat hij hun moest vertellen wat ze wilden weten, maar op een of andere manier bang was voor de gevolgen.

'Alstublieft, Zahir,' herhaalde ze.

Hij zweeg even en zei toen: 'U willen gaan naar die plaats?'

Flin en Freya keken elkaar aan en knikten toen.

'Ik u brengen,' zei hij. 'We gaan samen.'

'We hoeven alleen maar te weten waar het is,' zei Flin.

'Gilf Kebir lange weg. Gevaarlijk, heel gevaarlijk. Is niet goed u gaan zonder gids. Ik meegaan.'

'We hoeven alleen...'

'Lang weg, lang weg. U gaan alleen is drie dagen daar. Ik ga mee, minder dan dag. Ik weten Gilf, ik weten woestijn. Ik u brengen.'

De discussie ging nog een tijdje door, pingpongde heen en weer – Zahir die erop stond hen te vergezellen, Flin en Freya die volhielden dat ze alleen maar wilden weten waar de rots was – tot de Egyptenaar uiteindelijk zijn nederlaag erkende. Hij plofte neer op de stoel naast het bureau, sloeg zijn armen om zich heen en bleef mistroostig naar de grond staren.

‘U weten Wadi al-Bakht?’ mompelde hij.

Flin antwoordde bevestigend.

‘Rots dertig kilometer zuid van al-Bakht, op driekwart naar al-Bakht en Eight Bell. Groot klif daar, heel hoog. Rots vierhonderd, vijfhonderd meter weg in woestijn. U gaan zuid van al-Bakht en kunnen niet missen.’ Hij keek op alsof hij wilde zeggen: ‘Jullie weten niet wat jullie je op je hals halen’, keek weer omlaag en wreef over zijn slapen. Omdat er geen reden meer was om nog verder te praten, bedankten ze hem, zeiden gedag en liepen naar de deur.

Toen ze daar waren, riep hij hun iets achterna. ‘Ik proberen helpen u. Gilf heel ver, driehonderdvijftig kilometer, alleen woestijn, heel gevaarlijk. Ik proberen u helpen, maar u niet begrijpen.’

Hij stond weer, stak één hand naar hen uit en zijn blik had bijna iets smekends. Even stonden ze daar in een pijnlijke stilte. Toen bedankten Flin en Freya hem nogmaals, stapten naar buiten en sloten de deur achter zich.

Toen ze weg waren, bleef Zahir een hele tijd naar de foto staan kijken. Vervolgens ging hij het huis door naar de slaapkamer, reikte onder het bed en pakte er het geweer onder vandaan. Hij ging op bed zitten en legde het geweer op zijn knieën. Terwijl hij met zijn ene hand over de loop streek, groef hij met de andere in de zak van zijn djellaba en haalde er zijn mobieltje uit. Hij koos een nummer en hield het apparaatje tegen zijn oor. ‘Ze is hier geweest,’ zei hij toen er werd opgenomen. ‘Met Brodie. Ze weten van de rots. Ze gaan erheen.’ Aan de andere kant klonk een stem. ‘We hebben geen keus,’ zei Zahir met een blik op het wapen. ‘Het is onze plicht. Doe je mee?’ Weer een blikkerig antwoord. *‘Tamam.* Dan haal ik je over een halfuur op.’

Hij hing op en kwam overeind, met het geweer in zijn handen. ‘Yasmin!’ riep hij. ‘Mohsen! Ik moet weg. Kom afscheid nemen.’

De Lear Jet zette Angleton even voor één uur ’s middags af op Dakhla Airport en vijf minuten later zat hij in de huurauto, een limoengroene Honda Civic die zijn beste tijd ruimschoots achter de rug had. Tijdens de vlucht had hij over van alles nagedacht, kaarten geraadpleegd, wist hij precies waar het huis van Alex Hannen stond – de plaats vanwaar ze zouden vertrekken, dat kon niet anders – en had hij de plaatselijke politie geïnstrueerd meteen aan hem door te geven wanneer ze waren gesignaleerd. Er was geen reden nog te treuzelen. Hij bette het zweet van zijn voorhoofd en uit zijn nek – god lieve hemel wat was het hier heet! – startte de motor, schakelde en scheurde met op het hete asfalt gierende banden de parkeerplaats over. De bewakers die de toegang tot het vliegveld beveiligden, sprongen uit de weg toen hij langs vloog, de weg naar Mut op.

Dakhla

Het was merkwaardig, maar vanaf het moment dat ze had gehoord over de Geheime Oase – was dat echt nog maar vierentwintig uur geleden? – had Freya het gevoel gehad dat ze op weg was naar de brandend hete woestenij van de Westelijke Woestijn om hem te zoeken. Hoewel dat gevoel met het verstrijken van de uren sterker was geworden en de oase de gebeurtenissen steeds meer was gaan domineren, was hij al die tijd slechts een abstract begrip geweest. Pas nu, nu ze over het karrenspoor naar de minioase en Alex' huis jakkerden, drong de werkelijkheid van hun aanstaande tocht in volle omvang tot haar door.

'Moeten we geen voorraden inslaan?' vroeg ze. Ze klampte zich aan het dashboard vast terwijl ze bonkend en slippend over het karrenspoor stuiterden. 'Brandstof en zo? Driehonderdvijftig kilometer is een heel eind.'

'Alles onder controle,' was het enige wat Flin wilde zeggen. 'Vertrouw mij maar.'

Ze kwamen bij de oase en het dichte, warrige struikgewas was veel minder dreigend dan toen ze hier twee nachten geleden was. Het weggetje slingerde zich tussen de bomen door. Toen ze ten slotte bij Alex' huis waren, kwamen ze slippend in een grote stofwolk tot stilstand. Freya vroeg zich af of er binnen bloed te zien zou zijn. Of het lichaam van de oude boer nog op de grond zou liggen. Maar het huis was leeg – koel en keurig opgeruimd, precies zoals ze het de eerste keer had aangetroffen.

'Ik wil dat je warme kleren bij elkaar zoekt,' zei Flin en wees naar Alex' slaapkamer. 'Truien, jassen, alles wat erop lijkt: in de woestijn is het 's nachts knap koud. We hebben ook water nodig. In de keuken moet een stel jerrycans staan. Vul ze gewoon met kraanwater, dat is prima te drinken. Als je iets eetbaars kunt vinden en koffie, is het mooi, maar maak het niet te gek. Hopelijk zijn we niet langer dan vierentwintig uur van huis.'

'Maar Zahir zei dat het drie dagen kost om er te komen.' Ze had het tegen zichzelf want Flin was al in Alex' werkkamer verdwenen. Ze drentelde wat heen en weer en vroeg zich, rijkelijk laat, af of de Engelsman wel geschikt was voor een dergelijke expeditie en of ze misschien toch beter Zahirs aanbod hadden kunnen aannemen. Ze verwierp die gedachte – liever iemand die ongeschikt was dan iemand die ze niet vertrouwde – en ging Alex' slaapkamer binnen. Onder het bed vond ze een grote nylon sporttas. Ze doorzocht de laden en kasten en haalde er een paar truien, een sweater en een dikke wollen sjaal uit. Ze drukte ze stuk voor stuk tegen haar wang – voelde bij elk ervan de aanwezigheid van haar zus – en stopte ze in de tas. Van achter de deur pakte ze Alex' oude suède reisjack, deed dat er bij, zwaaide de tas over haar schouder en was al op weg door de woonkamer toen ze zich plotseling omdraaide en de kamer weer inging. Bij het bed gekomen pakte ze de foto van het nachtkastje, haalde het fotootje van Alex en haarzelf uit de hoek van de lijst en stopte het in de zak van haar spijkerbroek. 'Je dacht toch niet dat ik je hier zou achterlaten, hè?' fluisterde ze en klopte glimlachend op de zak.

In de keuken stond een stel plastic jerrycans van vijf liter op een plank. Volgens Flins instructies vulde ze die onder de kraan waarna ze ging foerageren: een pot oploskoffie, een paar repen chocola, een groot blik witte bonen, een blikopener. Nadat ze het allemaal in de tas had gedaan, sleepte ze de hele handel naar buiten en hees het allemaal achter in de Cherokee.

Ondertussen was Flin al die tijd onzichtbaar in de werkkamer van Alex bezig geweest; het geluid van laden die werden geopend en het geritsel van papier was de enige aanduiding dat hij nog in huis was. Op het moment dat Freya de achterdeur van de Cherokee sloot, kwam hij de kamer uit met een dikke zwarte attachékoffer in de ene hand en een stel landkaarten in de andere.

'Weet je al waar we heen gaan?' vroeg ze toen hij naar haar toe kwam, in de Jeep stapte en haar gebaarde hetzelfde te doen.

'Jazeker,' antwoordde hij. 'Heb je alles?'

Ze wees met haar duim naar de tas en de jerrycans achterin. Hij knikte en startte de motor. 'Gilf Kebir, *here we come!*'

Hij keerde de Cherokee en reed een paar honderd meter terug over het weggetje waarlangs ze waren gekomen. Op de plek waar het een haakse bocht om een grote dorsplaats heen maakte, sloeg hij rechtsaf, een nog smaller weggetje in dat haar nog niet eerder was opgevallen. Het was nauwelijks meer dan een veredeld voetpad en de Jeep wrong zich met veel moeite tussen de dichte groene wanden door die het pad aan beide zijden inklemden. Hoge grashalmen veegden met een scherp raspend geluid langs de onderkant van het voertuig. Ze hotsten nog een minuut door, reden amper twintig per uur, kwamen langs een schaapskooi en een betonnen waterreservoir waar water in werd gepompt, en even later viel de vegetatie plotseling weg. Ze waren nu echt aan de rand van de oase, naast de schuur met de muren van gasbeton waar Freya twee dagen eerder 's avonds haar toevlucht had gezocht. Voor hen strekte zich het vlakke stuk zand uit waar ze tijdens haar ontsnapping overheen was gesprint; haar voetstappen waren in het stevige oppervlak nog vaag te zien.

Ze nam aan dat dit het punt was vanwaar Flin eenvoudigweg de woestijn in zou rijden, op naar de Gilf Kebir. Maar nee, hij stopte naast de schuur en stapte uit. Hij pakte het koffertje, de kaarten, het boek en de grote tas en vroeg haar de jerrycans met water mee te nemen. Bij de stalen deur van de schuur gekomen, viste hij een sleutel uit zijn zak en opende het hangslot. Hij zwaaide de deur open en verween naar binnen.

'We gaan zeker met een andere auto,' dacht ze, tilde de jerrycans van de achterbank en ging hem achterna. Binnen rook het sterk naar benzine en het was er heel licht, voor een deel door wat er door de raampjes boven in de muur naar binnenkwam, maar vooral door het gapende gat in het dak waar de rotorwind van de helikopter twee dagen eerder een stuk van het palmbladerdak had weggeblazen. Langs de wand links van haar stond een rij plastic jerrycans van twintig liter, gevuld met een doorzichtige vloeistof die, gezien de lucht, wel benzine zou zijn. Ernaast stond een oranje koelboxje, lag er een stapel dikke wollen dekens en een blad met moersleutels, schroevendraaiers en ander gereedschap. Maar wat echt haar aandacht trok – dat kon niet anders – was een heel groot object midden in de schuur dat bijna de hele ruimte, ook in de hoogte, in beslag nam. Wat het precies was, kon ze niet zien omdat het was gehuld in een zware katoenen hoes, maar het leek zeker niet op wat voor auto dan ook. Het kon elk soort voertuig zijn.

'Wat is dat in godsnaam?' vroeg ze.

'Miss Piggy,' antwoordde Flin cryptisch. Hij wrong zich langs het geheimzinnige voorwerp en liep naar het andere eind van de schuur. Daar geen muur van gasbeton, maar een zware stalen garagedeur. Hij pakte de ketting die aan het rolwiel bovenin hing en begon te trekken. De deur rolde zich ratelend en rammelend op tot het gat helemaal open was en ze zag dat de betonvloer van de schuur naadloos overging in het glimmende gele tapijt van de woestijn. Opnieuw vroeg Freya wat ze gingen doen, maar Flin gebaarde haar alleen maar dichterbij, pakte een hoek van de hoes en gaf aan dat zij de andere moest pakken. Samen trokken ze hem langzaam omhoog en over het voorwerp heen tot ze aan de andere kant van de schuur uitkwamen en het geval geheel onthuld was.

'Mag ik je voorstellen: Miss Piggy,' zei hij, 'ook bekend als de Pegasus Quantum 912 Flex-Wing microlight. Woestijnreizen, businessclass.'

'Grapje zeker,' mompelde Freya. Ze wist niet wat ze zag. 'Vergeet het maar.'

Voor haar stond wat leek op een kruising van een hangglider, een skelter en een bobslee. Het had een conische gondel in stralend metallic roze met twee zitplaatsen – vandaar vermoedelijk de naam – met drie wielen, achterop een propeller en een staartvin met daarop een groot driehoekig zeil dat als een reusachtige witte vogel boven de gondel leek te zweven.

'Vergeet het maar,' herhaalde ze terwijl ze om het geval heen liep en het grondig in zich opnam. 'Kun jij echt met zo'n ding vliegen?'

'Nou, Alex was de toppiloot,' antwoordde Flin. 'Maar inderdaad, ik weet ook ongeveer hoe het moet. In elk geval genoeg om de lucht in te komen. Of ik ons weer aan de grond krijg?' Hij gaf haar een knipoog en begon instructies te geven, liet Freya zien hoe ze twee jerrycans van twintig liter in de houders aan de zijkant kon vastzetten, en vulde zelf de hoofdtank onder de voorste zitplaats met de inhoud van de andere jerrycans.

'Hebben we hier genoeg aan?' vroeg ze tijdens het werk. Ze geloofde nog steeds niet echt dat ze dit gingen doen.

'Krapjes,' zei hij. 'In deze tank gaat 49 liter, ze verbruikt ongeveer elf liter per vlieguur en het is ruim vier uur vliegen naar de Gilf, dus het gaat maar net, vooral omdat we maximaal geladen zijn. Maar we kunnen bij Abu Ballas wat bijtanken, en dan redden we het zonder al te veel problemen.'

'Een benzinepomp midden in de woestijn?' vroeg ze ongelovig.

Hij lachte, een beetje vals, alsof hij genoot van haar verbijstering. 'Het zal u allemaal worden onthuld wanneer we daar zijn,' zei hij, weer met een knipoog.

Toen de microlight was volgetankt, stouwden ze de spullen in de gondel – kaarten, boek, water, tas, dekens, Flins zwarte koffertje – wat met enige moeite net lukte. Daarna duwden ze het toestelletje naar buiten. De rubberbandjes maakten een zacht knerpend geluid toen ze over de harde woestijnbodem reden. Op elke zitting lag een helm met een ingebouwde koptelefoon en microfoon. Flin gooide Freya een helm toe, hielp haar achterin instappen en plugde de stekker van de intercom in het wandcontact naast haar knie.

'Het is wel knus,' zei hij, wrong zich in de voorste stoel en zette zijn helm op. Freya's benen lagen naast hem zodat het was of ze op zijn rug zat. 'Helaas is er tijdens de vlucht geen bediening. Maar als je dat voor lief neemt, is het helemaal niet zo'n slechte manier van reizen.'

'Ik ben allang blij als je ons niet de dood injaagt,' zei ze, zowel nerveus als merkwaardig opgeladen.

Flin keek op zijn horloge – 13:39. Hij zette diverse schakelaars om, draaide een sleutel in het dashboard om en duwde op de startknop. De motor kuchte een paar keer en kwam toen brullend tot leven. De propeller achter Freya's hoofd snorde en door de luchtstroom rimpelde en flapte haar shirt. Haar helm hield het ergste lawaai tegen.

'Weet je echt waar we heen moeten?' riep ze. Flin maakte een hakkend gebaar met zijn rechterhand. 'Naar het zuidwesten tot we bij de Gilf zijn. Vandaar langs de oostflank naar het zuiden tot we de rots vinden. Moet niet al te moeilijk zijn.'

'En je weet echt hoe je met dit ding moet vliegen?'

'Dat merken we vanzelf,' antwoordde hij en hij duwde een hendel op de zitting naast zijn heup naar voren. Het toerental schoot omhoog en ze begonnen te rijden, gleden soepeltjes over het zand in de richting van de grote graspol waarachter zij zich twee dagen eerder had verborgen. Na honderd meter keerde Flin het toestel sturend met zijn voeten en reed terug naar de schuur. 'We moeten de olietemperatuur op vijftig graden krijgen,' legde hij uit en wees op een van de metertjes op het dashboard. 'Anders kapt de motor ermee.'

Ze herhaalden deze actie een paar keer, reden heen en weer over het zand tot de meter de gewenste temperatuur aangaf. Flin draaide een laatste keer voor de schuur en stopte. Hij voerde een aantal laatste controles uit en draaide zijn hoofd toen naar haar toe. 'Klaar?' Ze stak een duim op. Hij knikte, keek weer voor zich, pakte de stuurstang die aan het zeil boven hem hing en gaf langzaam meer gas. 'Piggy Airways heet u welkom aan boord van deze ongeregelde vlucht naar de Gilf Kebir,' deed hij een officiële piloot na. 'Wij zullen klimmen naar een kruishoogte van...'

Verder kwam hij niet. Net toen ze vaart begonnen te meerderen was er rechts van hen een flitsende beweging. Als een kurk uit een champagnefles plopte een limoengroene Honda Civic – onder de modder en vol deuken – uit de struiken, slingerde heftig, werd gecorrigeerd en kwam recht op hen af terwijl de bestuurder heftig toeterde. Hij was niet goed te zien, maar zelfs op deze afstand was het duidelijk dat het een buitengewoon forse kerel was wiens lichaam het hele voorste deel van de auto leek te vullen. Flins schouders spanden zich, zijn handen omklemden de stuurstang en zijn stem kraakte in de koptelefoon: 'Angleton!'

Cyrus Angleton sprak niet veel Arabisch – talen waren nooit zijn sterkste punt geweest – en dus had hij geluk dat de jongedame in de Kodak-winkel in Qalamoun redelijk goed Engels sprak. Hij had dubbel geluk, want niet alleen konden ze communiceren, ze had ook nog bruikbare informatie. Een kwartier geleden, toen ze de winkel na de lunch weer opende, was er een witte Jeep langs gescheurd en die was afgeslagen naar de kleine oase. Er hadden twee mensen in gezeten, vertelde ze, een man en een vrouw. En ze wist heel zeker dat de vrouw de Amerikaanse was die twee dagen eerder 's avonds bij haar in de zaak was geweest. Hij had gevraagd of ze nog een keer langs waren gekomen, de andere kant op. De jongedame had geantwoord dat dat niet het geval was, voorzover zij wist. Waren er nog andere wegen de oase in of uit? 'Nee,' had ze gezegd, 'er is alleen maar deze ene weg.'

'Heerlijk!' had hij gegiecheld. Daarna had hij zich weer in het huurautootje gewrongen, was hij hotsend en botsend over het hobbelige karrenspoor door het stuk woestijn gejakkerd met een stofwolk achter zich aan alsof de auto in brand stond. Hij kwam in de oase, racete erdoorheen, stopte voor Alex' Hannens huis. Geen spoor van de Cherokee. Hij stapte uit, liep om het huis heen. Niets.

'Brodie!' riep hij, liet een hand onder zijn jasje glijden en omvatte Missy's kolf. 'Waar zit je?' Geen antwoord. 'Godver!' Hij liep naar de voorkant van het huis, maakte de deur open en ging naar binnen. In de slaapkamer, de keuken en de werkkamer stonden laden open: iemand had koffers gepakt. En snel, zo te zien. 'Dat kan niet!' zei hij hardop. 'Niet in hun eentje. Dat kan niet.'

Hij ging weer naar buiten en keek op zijn horloge. Ze hadden een voorsprong van een kwartier en daarvan hadden ze er zeker tien nodig gehad om hier te komen. Als ze inderdaad de woestijn introkken, moest hij hen nog kunnen zien. Maar dan moest hij een hoge uitkijkpost hebben vanwaar hij de omgeving kon overzien. Hij keek om zich heen en zag een wrakke houten ladder tegen de zijkant van het huis staan. Hij liep erheen en begon aan de klim. De eerste sport knapte onder zijn gewicht, maar de tweede hield het, zij het met een gepijnigd gekraak, en ging hij verder omhoog. Het zweet stroomde over zijn gezicht en zijn adem kwam raspend en met korte stoten. Hij deed niet aan sport of fitness, nooit gedaan ook, en wat voor een normaal persoon een eenvoudig klimmetje zou zijn geweest, was voor hem een enorme inspanning die gepaard ging met veelvuldig stoppen om zijn longen tot bedaren te brengen en zijn spieren te laten bijkomen van de prestatie zo'n gewicht omhoog te brengen. 'Jezus christus,' hijgde hij voortdurend. 'Jezus christus godallemachtig!'

Hij redde het uiteindelijk, klauterde het dak op en strompelde naar de rand. Hij schermde zijn ogen af tegen de felle middagzon en keek uit over de woestijn, speurde het zand af, zocht naar de Cherokee. Niets. 'Verdomme,' mompelde hij. 'Waar zitten jullie?'

Heel even liet hij zijn blik over de wirwar van heuvels en heuveltjes gaan. Toen draaide hij zich plotseling om, alsof er een pijltje in zijn nek was geschoten. 'Wat krijgen we nou?'

Ergens achter hem verscheurde het geluid van een motor de lome middagstilte. Zo snel als zijn benen hem konden dragen, draafde hij naar de andere kant van het dak waar hij zijn blik over de oase heen en weer liet schieten in een poging de bron van het geluid te lokaliseren. Al snel richtte hij hem op de schuur helemaal aan de zuidoostkant van het in cultuur gebrachte deel van de oase en een fractie later op een groot driehoekig zeil dat zich daar over het vlakke zand bewoog. 'Vuile rotzak!' brulde hij. 'Stomme idioot van een Engelsman!'

Hij rukte Missy onder zijn jasje vandaan, klikte de veiligheidspal om en kromde een vinger om de trekker, mikte in de richting van de microlight. Maar hij bedacht zich en stopte het pistool terug in de schouderholster. Niet alleen was het op deze afstand te riskant, als ze in de gaten kregen dat er iemand op hen schoot, zouden ze meteen het luchtruim kiezen en dan was zijn kans verkeken. Hij moest erheen, dichterbij zien te komen.

De microlight was gekeerd en gleed terug naar de schuur. Ze brachten de motor op temperatuur, dat was het. En dat gaf hem een paar minuten. Hij stormde over het dak en klauterde puffend en hijgend de ladder af. Toen hij op de grond was aangekomen, draafde hij naar zijn auto en dook erin. Als er een pad van het huis naar de schuur was, had hij het van bovenaf niet gezien, en hij ging ook geen kostbare seconden verdoen met het te zoeken. Hij startte, gooide hem in zijn een en terwijl de wielen op het losse zand doorsloegen, scheurde hij met brullende motor langs het huis en recht op de landerijen erachter af, ploegde zich erdoorheen naar de woestijn. Op het moment dat hij het zand raakte, gaf hij het stuur een ruk naar links, beschreef hij met uitbrekende achterkant een grote bocht en van daaraf jakkerde hij langs de rand van de oase. Na vijfhonderd meter dwong een diepe greppel dwars op zijn rijrichting hem terug naar het in cultuur gebrachte gedeelte. Hij hobbelde een andere akker over, knalde door het struikgewas en kwam op een soort geitenpad terecht dat hem langs een olijvengaard stuurde tot hij weer dicht struikgewas in dook. Door zijn snelheid wist hij erdoorheen te breken en kwam hij aan de andere kant weer op woestijnbodem terecht. Links van hem stond de schuur met ervoor het witte zeil van de microlight. Hij kreeg de Honda weer onder controle en terwijl hij met één hand stuurde, haalde hij met de andere Missy uit haar holster en duwde hij op de claxon. 'Niks ervan, vuile smeerlap!' schreeuwde hij. 'Oom Cyrus heeft een woordje met je te wisselen!'

In de cockpit van de microlight duwde Flin de gashendel helemaal naar voren, greep de stuurstang met beide handen beet en liet zijn ogen heen en weer gaan tussen de auto en de snelheidsmeter op het dashboard. De Honda mikte op een punt vóór hen, duidelijk met de bedoeling hun de pas af te snijden, dus draaide hij de neus iets naar links zodat hij wat ruimte won. De microlight trok snel op, maar de auto was sneller. Veel sneller. Hij dichtte het gat tussen hen, sloot hen in.

'We redden het niet!' riep Freya en onwillekeurig stak ze haar hand uit en greep Flins schouder. Hij zei niets, klemde zijn kaken op elkaar en concentreerde zich op het stuk zand voor hem. In zijn perifere blikveld kwam de auto steeds dichterbij, hij sloot hen gestaag in en het leek onvermijdelijk dat de twee voertuigen op elkaar zouden botsen. 'Hij knalt er bovenop!' schreeuwde ze.

Hij zei nog altijd niets, deed nog een paar adembenemende seconden niets en duwde toen op her allerlaatste moment de stuurstang naar voren zodat de microlight sierlijk de lucht inging en over de Honda, die pal voor hen langs schoot, heen. De wielen van de microlight scheerden rakelings over het dak.

'Lik mijn reet, papzak!' joelde Flin die de stuurstang nog verder naar voren en naar links duwde zodat Miss Piggy verder klom en een bocht maakte. Onder hen kwam de auto slippend tot stilstand en stapte de chauffeur zwaaiend met een pistool uit. Wat hij riep, ging verloren in het motorlawaai en hoewel hij een paar schoten loste, leek hij dat meer uit frustratie te doen dan met de bedoeling hen te raken. De kogels vlogen er ver naast en zijn ronde gestalte zakte gestaag verder weg toen zij hoger en hoger klommen en over de woestijn wegvlogen.

'Wie was dat?' vroeg Freya en verdraaide bijna haar nek bij het achterom- en omlaag kijken.

'Ene Cyrus Angleton,' antwoordde Flin. 'Werkt op de Amerikaanse ambassade. Het lijkt erop dat hij ons is gevolgd en informatie doorspeelt aan Girgis.'

'Denk je dat hij ons achterna komt?'

'In een Honda Civic? Dat wil ik hem wel eens zien doen.' Hij maakte een bocht naar links, stak een arm buitenboord en gaf Angleton de vinger.

'Tot ziens bij de Gilf!' riep hij voordat hij het toestel weer rechttrok en een zuidwestelijke koers over de woestijn nam. De auto, de schuur, de oase, Dakhla, alles werd langzaam kleiner achter hen tot het helemaal verdwenen was en er slechts de eindeloos golvende zandvlakten van de Sahara over waren.

Op de grond keek Angleton de steeds kleiner wordende microlight na tot hij niets meer dan een piepklein ondefinieerbaar stipje was. Hoofdschuddend stopte hij Missy terug in haar holster en stapte weer in. Even bleef hij zitten, keek met niets ziende ogen naar de woestijn en beukte met zijn vuist op de zachte rand van het dashboard. 'Idioot,' zei hij alleen maar, 'stomme Engelse idioot.' Toen startte hij de motor en zette koers naar Dakhla Airport. Tijd om op te houden met aanklooien. Tijd om Molly Kiernan aan te pakken.

Caïro

Romani Girgis legde de draadloze telefoon neer, sloeg zijn armen over elkaar en keek de tuin achter zijn landhuis in. 'Het is zover. Ze zijn de lucht in.'

Boutros Salah, die naast hem zat, hoestte blaffend en nam een trek aan zijn sigaret. 'Weet je zeker dat je dit wilt, Romani? Waarom laat je...'

'Ik heb niet drieëntwintig jaar gewacht om nu achteraan te komen. Ik wil erbij zijn, het met eigen ogen zien.'

Salah knikte, nam nog een trek. 'Ik zal het Usman en Kasri zeggen.'

'En de tweeling?'

Salah gromde. 'Zijn nog steeds aan het snookeren. Ik stuur ze wel naar beneden. Nog nieuws over...'

'Dat wordt op dit moment geregeld,' onderbrak Girgis hem. 'Dat is niet langer een probleem.'

Salah knikte en verdween naar binnen. Girgis bleef nog even zitten, bedacht hoe ver hij het had geschopt, hoe hoog hij was geklommen na die helse jaren in die beerput van Manshiet Nasser. Daarna liep hij, met de glimlach van een man wiens droom eindelijk op het punt staat te worden gerealiseerd, de terrastrap af naar de helikopter die op het grasveld op hem stond te wachten.

Boven de Westelijke Woestijn

Haar zus, daar was ze van overtuigd, was vermoord. Zelf was ze achtervolgd, beschoten, op een haar na verminkt. Maar ondanks dat alles was de vliegtocht over de Sahara een van de mooiste ervaringen in Freya's leven. De alles omhullende leegte van de woestijn leek een tijd al haar andere zorgen en angsten te laten verbleken zodat ze nu merkwaardig kalm en op haar gemak was.

Ze vlogen laag, op niet meer dan enkele honderden meters boven het zand; de lucht was daar iets koeler dan op de grond, maar nog wel warm: hij sloeg op haar gezicht en bovenlichaam alsof er een reusachtige föhn op haar stond. Overal om hen heen was de woestijn, zover het oog reikte, een uitgestrekte, meedogenloze woestenij van steen en zand, onaards in haar kaalheid. Het was of ze naar een geheel andere wereld waren overgeplaatst, of anders naar een geheel andere tijd in onze eigen wereld: een onvoorstelbaar verre tijd waarin alle leven op de planeet was weggekwijnd en slechts het kale skelet van de aarde was overgebleven. Het had iets afschuwelijks, iets overweldigends, kilometer na kilometer lege, verschroeiende verlatenheid. Maar het was ook van een zekere schoonheid. Adembenemend zelfs, want de hoog oprijzende zandduinen en de geheimzinnige rotsformaties bezaten een grandeur waarnaast zelfs de allergrootste scheppingen van de mens kleurloos en platvloers leken. En terwijl het landschap geheel ontdaan leek van leven, kreeg Freya, hoe verder ze vlogen, steeds meer het idee dat het verhaal niet klopte. Dat de woestijn op zijn eigen manier heel erg leefde: een gigantisch bewust wezen waarvan de veranderende kleuren – het ene moment zacht geel, het volgende felrood, hier verblindend wit, daar somber zwart – merkwaardig sterk verschillende stemmingen en denkpatronen suggereerden. De afwisseling in vormen en structuren – duinen die inzakten tot grindvlakten en zoutpannen die omhoogschoten tot hoge rotsformaties – wekten op dezelfde wijze de verontrustende indruk dat het landschap bewoog, zich samentrok en uitrekte, spieroefeningen deed.

Verbazing, ontzag, angst, euforie… Freya ervoer het allemaal. Boven alles ervoer ze het meest intense gevoel van verbondenheid met en verlangen naar haar zus. Dit was Alex' wereld, de omgeving die ze tot de hare had gemaakt, en hoe verder ze er zich in waagden, hoe dichter zij bij haar zus kwam. De zus van wie ze zich had vervreemd. Ze stak een hand in haar broekzak en haalde er het fotootje uit dat ze van Alex' nachtkastje had meegenomen, en ook de laatste brief die haar zus haar had gestuurd en die ze, toen ze de avond ervoor andere kleren had aangetrokken, eveneens in haar zak had gestopt. Ze drukte ze stevig tegen haar buik, glimlachend. De woeste, dreigende collage van de Sahara ontrolde zich langzaam onder haar.

Na een uur of twee vliegen, met een zon die nu begon aan zijn gestage afdaling naar de westelijke horizon, landde Flin op een grindvlakte naast een kegelvormig heuveltje. Toen ze ernaartoe taxieden, zag Freya dat het lagere deel van de heuvel bedekt was met stapels kapot aardewerk.

'Abu Ballas,' verklaarde Flin. Hij zette de motor uit en zijn helm af en klom de gondel uit. 'Om voor de hand liggende redenen ook wel bekend als Pottery Hill.' Freya zette haar eigen helm af en de temperatuur leek enorm te stijgen toen de propeller achter haar tot stilstand kwam. Flin bood haar een hand bij het uitstappen.

'Niemand weet precies waar ze vandaan komen,' zei hij met een knik naar de bergen kapotte kruiken. 'Algemeen neemt men aan dat ze deel uitmaakten van een wateropslag van groepen plunderende Tebu uit zuid-Libië. Aan de andere kant bevinden zich interessante prehistorische rotsinscripties, maar die zullen we maar voor een andere keer bewaren.'

Freya rekte zich uit en liet haar blik over de resten van de amfora's, de heuvel en de weggolvende duinen erachter gaan, alles kaal en onbeweeglijk en gortdroog. 'Ik dacht dat je zei dat we hier gingen tanken.'

'Dat gaan we ook.'

'Waar is dan…'

'De benzinepomp?' Hij lachte en gebaarde dat ze naar een hoop scherven moest komen die een beetje van de heuvel af lag. Hier lagen de scherven ook niet zomaar door elkaar, maar leken ze te zijn opgestapeld, met een omgekeerd leeg blikje er bovenop. 'Het benzinestation van Abu Ballas,' zei hij. Hij liet zich op zijn knieën vallen, pakte een schelpvormige scherf uit de stapel en begon het zand aan één kant van de cairn weg te graven tot hij op iets metaligs stootte.

'Een truc die Alex en ik hebben geleerd van de woestijnonderzoekers uit het begin van de vorige eeuw,' verklaarde hij terwijl hij het voorwerp schoonveegde zodat de bovenkant van een grote metalen jerrycan zichtbaar werd. 'Je legt langs je route brandstofvoorraden aan voor het geval je zonder zou komen te zitten. Er liggen hier drie jerrycans van twintig liter. We tanken bij uit een ervan en laten de andere twee hier voor het geval we op de terugweg te weinig hebben, hoewel we met de reservetanks die we bij ons hebben niet echt in de problemen zouden moeten komen.'

Hij trok de jerrycan uit het zand en zeulde hem naar Miss Piggy. Hij schroefde de dop eraf en goot hem leeg in de tank van de microlight zodat er een doordringende benzinelucht kwam te hangen. Toen hij daarmee klaar was, gaf hij Freya de lege jerrycan en vroeg haar het ding weer te begraven. 'Ik vul hem weer op mijn volgende tocht hierheen.' Zelf vouwde hij de kaarten open die hij bij Alex vandaan had meegenomen. Hij legde ze uit op de grond met stenen als presse-papiers, en boog zich eroverheen. 'Abu Ballas,' zei hij toen ze bij hem terug was, en wees op de grootste van twee kaarten naar een zwart driehoekje op het verder lege, gele vlak. 'En hier gaan we heen.'

Hij ging met zijn vinger schuin over de kaart naar een gebied waar het geel overging in lichtbruin onder de woorden 'Gilf Kebir Plateau' en gaf haar de gelegenheid zich te oriënteren voordat hij de tweede kaart over de eerste schoof. Deze gaf de Gilf weer op een schaal van 1: 400.000: het leken twee grote eilanden, het ene ten noordwesten van het andere en met elkaar verbonden door een smalle landengte en omgeven door verspreid liggende kleine eilandjes. De kustlijnen, als je ze zo kon noemen, waren rafelig en verbrokkeld, met diep indringende, kronkelende wadi's, en afgezet met kleine groepjes woorden, de vaak exotische namen van de verschillende eigenaardigheden en formaties: Two Breasts, Three Castles, Peter & Paul, Clayton's Craters, al-Aqaba Gap, Djebel Uweinat.

'Wadi al-Bakht,' zei Flin en wees op een van de wadi's die als een ladder langs de oostkant van het zuidelijkste van de twee eilanden omlaag liepen. 'Als Zahir gelijk heeft, is die rots niet zo moeilijk te vinden: twintig kilometer ten zuiden van Al-Bakht, halverwege naar de Eight Bells.' Hij wees op wat eruitzag als een keten van acht piepkleine eilandjes die zich langs de rechterhoek van de Gilf uitstrekte.

'En als hij het mis heeft?' Freya keek hem aan.

Flin vouwde de kaarten op en kwam overeind. 'Dat zien we dan wel weer. Voorlopig moeten we er zien te komen.' Hij keek op zijn horloge – 15:50. 'En we moeten opschieten. Ik heb geen zin om in het donker te landen. Moet je nog naar het toilet?'

Ze wierp hem een bestraffende blik toe en schudde haar hoofd.

'Dan gaan we weer.'

Ze vlogen nog een minuut of tachtig met een snel zakkende zon, zodat het beduidend koeler werd en Freya blij was dat ze voor ze verder vlogen meer kleren hadden aangetrokken. De woestijn leek zo mogelijk nog spectaculairder dan tijdens het eerste deel van de vlucht: het zachter wordende licht spreidde zijn hele kleurengamma uit – geel en oranje en wel tien verschillende tinten rood – en de langer wordende schaduwen gaven het landschap een steeds scherper en dramatischer reliëf. Ze vlogen over hoog oprijzende zandduinen, over enorme meren van witte kiezel zo plat als een pannenkoek, over vreemde oerbossen van verbrokkelde rotsen, en waagden zich dieper en dieper in het geheimzinnige hart van de wildernis. En terwijl de zon rechts van hen precies op de horizon balanceerde, kwam er eindelijk recht voor hen een vage streep rood in zicht die als stoom van het oppervlak van de woestijn voor hen oprees.

Flin wees ernaar. 'De Gilf Kebir,' klonk zijn stem over de intercom. '*Djer* voor de oude Egyptenaren: de grens, het einde van de wereld.' Hij corrigeerde zijn koers enigszins, ging hoger vliegen en iets meer naar het zuiden. Het waas kwam langzaam dichterbij, leek zich uit te breiden en te verdichten, de kleuren leken in het namiddaglicht te wisselen en te veranderen, rood werd bruin en bruin werd een zacht oranjeachtig oker. En ten slotte pakte het zich, als een djinn uit de fles, samen tot een helder beeld: een reusachtig plateau dat driehonderd meter hoog uit de woestijn oprees en zich uitstrekte zover het oog reikte, naar het noorden, westen en zuiden. Op sommige plaatsen was de wand steil, een ondoordringbare muur van stoffige gele rots. Het zand golfde lieflijk omhoog tegen de voet als golven tegen een groot passagiersschip. Op andere plaatsen was de flank woester, met diepe kloven en inhammen, waren de kliffen verbrokkeld tot terrassen en puinhellingen die weer overgingen in rommelige eilandenrijken van tafelbergen en grindbergen, zodat het was of het plateau meer in een reeks enorme, onregelmatige stappen omlaag struikelde naar de woestijn. Freya zag in de verte iets van vegetatie – spikkels en vegen groen tegen de gele achtergrond – en toen ze dichterbij kwamen ook een enkele vogel. Niet dat het krioelde van het leven, maar na de leegte waar ze overheen waren gevlogen, leek het beslist overvloedig.

Flin had de kaart van de Gilf op zijn schoot liggen, zo gevouwen dat alleen het zuidoostelijk deel te zien was. Hij bracht het toestel tot dicht bij de wand en vloog vervolgens in zuidelijk richting, een koers evenwijdig aan het massief en iets erboven. Hij stuurde met zijn rechterhand en met zijn linker volgde hij op de kaart waar ze waren. Tien minuten gingen zo voorbij. De zon zakte verder, alleen het bovenste randje was nog te zien en de westelijke hemel stond in brand met schitterende zwierige groene en paarse vegen. Flin wees naar beneden naar een punt verderop waar de wand van de Gilf zich opeens opende tot een wijd, met zand dichtgeslibd dal.

'Wadi al-Bakht,' kraakte zijn stem. Hij zwenkte naar rechts en er overheen. Het dal liep kronkelend weg naar het oosten en uit het zicht, sneed door het plateau alsof iemand met een beitel een slordige kerf in de kale rots had zitten hakken. 'Nu is het niet ver meer, nog maar twintig kilometer, nog geen kwartier. Hou je ogen open.'

Hij zwenkte weer weg van de Gilf en naar beneden zodat ze nu lager vlogen dan de Gilf hoog was. Ze gingen verder in zuidelijke richting. De kliffen rezen rechts van hen op en daarbij vergeleken was de microlight als een libel die langs een wolkenkrabber zoemt. Voor hen was de woestijn glad en leeg, een zacht golvende deining van zand, verstoken van kenmerkende elementen. Ze hadden de rotsformatie probleemloos moeten kunnen zien, zelfs nu de zon helemaal onder was en het schemerlicht zwakker en zwakker werd. Maar er verstreken twintig minuten, vijfentwintig minuten en toen er ver voor hen in het zuidoosten een rij kegelvormige heuvels in het zicht kwam, schudde Flin zijn hoofd en begon te keren. 'Dat is Eight Bells, we zijn te ver. We moeten hem gemist hebben.'

'Dat kan niet,' zei Freya en knoopte Alex' suède jack tot bovenaan dicht tegen de toenemende kou. 'De woestijn is helemaal leeg. We zouden het gezien moeten hebben.'

Flin haalde alleen zijn schouders op en zette weer koers naar het noorden. Ze speurden de woestijn onder hen af, zochten koortsachtig naar iets wat maar op een halvemaanvormige rots leek, terwijl het nu snel donker werd en het Tafel-gebergte links van hen vervaagde tot een grijze, anonieme nevel.

Er verstreken nog tien minuten en het zag ernaar uit dat ze hun zoektocht voor die dag moesten afbreken en de microlight aan de grond moesten zetten voor het helemaal donker was, toen Flin opeens een opgewonden kreet slaakte. 'Daar!' riep hij en hij wuifde naar iets links onder hen.

Freya begreep niet hoe ze het de eerste keer hadden kunnen missen. Ze herkende de kliffen op die plek omdat die, zelfs nu ze in het duister gehuld waren, beduidend hoger en steiler waren dan overal elders in dat deel van de Gilf. Toen ze er de eerste keer langs waren gekomen, was er niets geweest wat op de rotsformatie had gewezen. En toch stond hij daar onder hen, duidelijk afgetekend tegen het lichte oppervlak van de woestijn: een grote kromme zwarte spits die uit het verder lege zand in een boog tot een hoogte van tien meter oprees en het omringde gebied domineerde. Wat voor titanische natuurkrachten hem hadden gevormd en opgetild zodat hij daar in zijn eentje, bizar als een reusachtige rib in de wildernis oprees, was haar een volslagen raadsel. Niet dat het haar iets kon schelen. Ze hadden hem gevonden, dat was het enige wat telde. Ze gaf Flin een klap op zijn schouder om te laten merken dat ze hem had gezien en keek naar beneden toen hij hen in een grote boog om de rots heen boven de grond bracht en de woestijn afzocht naar een goede landingsplaats. Het was onmogelijk om de toestand van het oppervlak nauwkeurig te beoordelen omdat de wereld was vervloeid tot een eentonige, monochrome vaagheid. De bodem leek volmaakt vlak en stevig, en na een paar keer te hebben rondgecirkeld om te zien of er echt geen obstakels waren, minderde Flin toeren en daalde tot een paar meter boven de grond. Hij duwde de stuurstang zachtjes naar voren en zette de microlight bijna zonder bons aan de grond waar ze nog vijftig meter doorgleden en bijna onder de spits tot stilstand kwamen.

'Welkom in niemandsland,' zei hij, hij zette de motor stil en schakelde alles uit. 'Wij hopen dat u een goede vlucht hebt gehad.'

Ze bleven even zitten terwijl de propeller achter hen langzaam snorrend tot stilstand kwam en stilte de leegte, die achterbleef nu de motor niet meer liep, vulde. Zo'n diepe, zware, allesverterende stilte had Freya nog nooit ervaren. Toen trokken ze de stekker van de intercom los, zetten hun helm af, hesen zich uit de gondel en liepen naar de rots. Die rees in zijn volle, gekromde en langzaam toelopende lengte boven hen uit, van een zwarte steensoort – obsidiaan? basalt? – die, nu ze er zo dichtbij stonden, nog geheimzinniger en onaardser leek dan eerst.

'Ik kan niet geloven dat ik dit ding niet eerder heb gezien,' mompelde

Flin met een blik op de top tien meter boven hem, zich als een reusachtige slagtand aftekenend tegen de avondhemel. 'Ik ben hier toch al tientallen keren overheen gevlogen en bijna even vaak langsgereden. Ik kan het toch onmogelijk hebben gemist. Dat kan niet.'

Ze liepen om de rots heen, lieten hun handen over het oppervlag glijden dat nog warm was van de zon, en merkwaardig glad, bijna als glas. Toen ze bij de microlight terug waren, bleven ze naar boven kijken, naar de Gilf aan hun linkerhand en een oranje maan die rechts van hen langzaam opkwam.

'En wat doen we nu?' vroeg Freya.

'Wachten.'

'Waarop?'

'Zonsopgang. Er gebeurt hier iets als de zon opgaat.'

Ze keek hem aan, zijn karakteristieke, knappe kop met de donkere stoppelbaard nog net zichtbaar.

'Wat gebeurt er dan?'

In plaats van te antwoorden dook hij in de gondel van de microlight, haalde er een Maglite-zaklamp uit en het boek dat hij uit Alex' werkkamer had meegenomen. Hij had ergens halverwege een bladzijde gemarkeerd en daar opende hij het boek, gaf het aan Freya en deed de lamp aan. 'Khepri,' zei hij en bescheen de bladzijde. 'God van de zonsopgang. Valt je iets op?'

Voor zich zag ze het beeld van een zittende figuur, en profil, met een ankh-teken in de ene en een staf in de andere hand. Het lichaam was dat van een mens, maar op de schouders stond geen hoofd met een gezicht, maar een grote, zwarte scarabee wiens ovale lichaam overging in... 'De poten,' zei ze en ze legde een vinger op de gekromde poten die aan beide zijden van de kop omhooggingen. 'Die lijken sprekend op...'

'Precies,' zei Flin en hij liet de lichtbundel over de gebogen rots boven hun hoofd spelen. 'God mag weten hoe het komt, maar dat ding is zo verweerd dat het bijna helemaal op de voorpoot van een mestkever lijkt. Ongelooflijk. Kijk maar, zelfs de haken waarmee de kever graaft en de dingen grijpt, zitten eraan.' Hij liet het licht over de bovenste deel van de spits spelen waar het oppervlak gekarteld en ingekeept was, alsof het een zaag was. Het leek griezelig veel op de weerhaken aan de poten van de scarabee op de afbeelding.

'Iedereen in het oude Egypte die deze rots zag, zou meteen dat verband hebben gelegd,' ging hij verder. 'We wisten al dat Khepri en de oase nauw met elkaar verbonden waren. Weet je nog die tekst op de stèle? *Wanneer het oog van khepri geopend is, zal de oase geopend worden. Wanneer zijn oog gesloten is, zal de oase niet worden gezien, zelfs niet door de felste valk.* Maar er ontbrak altijd iets aan, een cruciaal element in de vergelijking. Jij hebt het gevonden toen je het beeld van de rots op de stèle herkende. Het lijkt erop dat als de oude Egyptenaren het over het Oog van Khepri hadden, ze dat niet alleen figuurlijk bedoelden, maar dat ze aan iets specifieks refereerden: dit.'

Hij liet de lichtbundel opnieuw langs de kromming van zwart gesteente op en neer gaan. 'Ik heb geen idee hoe het allemaal in elkaar grijpt, alleen dat er een wisselwerking is tussen de rots, de zonsopgang en de oase. Op een of andere manier staan ze met elkaar in verband, en die combinatie zal duidelijk maken waar de oase is. Dat hoop ik tenminste. Het zou verdomd zuur zijn als ik er na al die tijd achter kom dat ik het mis heb.'

Hij liet het licht nog één keer over de rots glijden en deed de lamp uit. 'Kom, we gaan ons kamp opzetten.'

Caïro

Er waren problemen met het voltanken van de Lear Jet, wat tot gevolg had dat het donker was toen Angleton in Caïro terugkwam. Hij speelde even met het idee bij de ambassade binnen te wippen om te douchen en wat tc ctcn – zijn laatste echte maaltijd had hij de vorige middag genuttigd – maar hij zat niet ruim in zijn tijd en dus nam hij een taxi naar Molly Kiernans bungalow in een van de zuidelijke buitenwijken. Er was daar geen teken van leven, dus stapte hij weer in de taxi en liet zich naar het kantoor van USAID rijden. De beveiligingsbeambte bij de receptie – Mohammed Shubra volgens het naamplaatje op zijn overhemd – deelde hem mee dat ja, Miss Kiernan was er nog. Ze deed overwerk op haar kamer op de derde verdieping.

'Hebbes,' siste Angleton, liet een hand in zijn jasje glijden en stak de hal over naar de liften, te zeer in gedachten om te merken dat de beveiligingsman achter hem de telefoon opnam, een nummer koos en iets in de hoorn fluisterde.

De derde verdieping was donker en verlaten en het enige teken van leven was een streepje licht onder een deur aan het eind van de gang. Kiernans deur. Angleton haalde Missy uit haar holster, controleerde of de veiligheidpal eraf was en liep naar het licht. Zweet parelde op zijn voorhoofd hoewel de airco van het gebouw nog werkte. Hij kwam bij de deur, controleerde nogmaals de veiligheidspal en hief een hand op om te kloppen. Maar hij liet hem weer zakken, greep de deurkruk en gooide de deur open, hield Missy voor zich en stapte de kamer in. Molly Kiernan zat achter haar bureau tegenover de deur. Ze wilde opstaan. 'Wat moet dat...'

'Bek dicht en hou je handen zo dat ik ze kan zien,' snauwde Angleton en hij richtte het wapen op haar borst. 'Het is hoog tijd dat wij eens met elkaar babbelen.'

Militair vliegveld Massawi, Kharga Oase

Romani Girgis stond te kijken hoe een gestage stroom aluminium transportkisten uit de hangar naar de rij gereedstaande Chinook CH-47's werd gereden. Een man in een witte overall vinkte ze allemaal af op een klembord alvorens te wijzen in welke helikopter ze moesten worden geladen. Dit alles baadde in het kille licht van een tiental booglampen die overal op het asfalt stonden. Zoals te verwachten verliep alles als een militaire operatie: een rij mensen bracht de kisten van de hangar naar de helikopters terwijl anderen over schragentafels gebogen stonden en een indrukwekkende selectie wapens afvinkte: Browning M1911-handvuurwapens, XM8-aanvalsgeweren, Heckler & Koch MP5-pistoolmitrailleurs, lichte machinegeweren type M249 en zelfs een paar M224-mortieren. En dat waren dan alleen nog maar de dingen die hij herkende. Girgis had zich meer dan eens afgevraagd of het echt allemaal nodig was, of ze niet overdreven: zoveel vuurkracht, zoveel technische snufjes. Maar na al die jaren en met zo veel op het spel accepteerde hij dat hij beter het zekere voor het onzekere kon nemen. Bovendien had hij er geen zeggenschap meer over. Ze konden wat hem betreft een heel leger meenemen, zolang hij zijn geld maar kreeg. En dat zou snel het geval zijn. Vijftig miljoen, rechtstreeks op zijn Zwitserse bankrekening. Het werd tijd, verdomme.

Hij trok een zakdoekje uit het pakje in zijn zak en keek om zich heen, zocht zijn eigen mensen. Ahmed Usman stond in de hangar te praten met een van de mannen in witte overalls. Mohammed Kasri liep heen en weer naast de Chinooks en praatte geanimeerd in zijn mobieltje. Hij gaf de details van hun vluchtplan door aan generaal-majoor Zawi zodat ze van defensie hun gang konden gaan. En de tweeling? Die was kennelijk naar de wc. Ongelooflijk, zelfs pissen deden ze samen.

'Hoe lang nog voor we gaan vliegen?' vroeg hij, maakte een bal van het doekje en gooide het weg.

Naast hem zoog Boutros Salah een laatste trek uit zijn sigaret: hij rookte helemaal tot aan het filter. 'Nog veertig minuten,' hijgde hij. 'Hooguit een uur. We hebben er al mensen op de grond, dus er ontgaat ons niets. En Caïro?'

‘Geregeld,’ antwoordde Girgis en stak zijn mobieltje op. ‘De Lear is onderweg. Hij is een kwartier geleden opgestegen.’

‘Dan lijkt het erop dat we klaar zijn.’

‘Inderdaad.’

Salah schoot zijn sigaret weg en stak een nieuwe op. ‘En jij denkt echt dat het gaat zoals ze zeggen? Dat het allemaal waar is?’

Girgis haalde zijn schouders op en streek met een hand over zijn haar. ‘Usman denkt het echt. Brodie trouwens ook, volgens de verhalen. We wachten af en zien wel.’

‘Ongelooflijk. Werkelijk niet te geloven.’

‘Vijftig miljoen dollar, Boutros, dát is niet te geloven. De rest is gewoon…’ Girgis haalde opnieuw zijn schouders op en maakte een wegwerpgebaar. Samen keken ze hoe er meer en meer aluminium kisten vanuit de hangar naar de wachtende helikopters werden gereden.

Op een afstand leek het een wit kevertje dat door het landschap kroop, tegen duinen op klom, over grindvlakten scharrelde, met één lichtgevend oog dat de tinkleurige wildernis afspeurde. Pas toen het dichterbij kwam, vervloeide het tot zijn werkelijke vorm: een geblutste witte Toyota Land Cruiser die door de woestijn zigzagde. Het dak was afgeladen met jerrycans van twintig liter en een felle lichtbundel schoot naar voren uit de ene goede koplamp, sneed kortstondige patronen in de grond bij de manoeuvres die de jeep uitvoerde. Het terrein mocht dan ruw en geaccidenteerd zijn en zich opvouwen tot torenhoge zandwallen en puntige rotsformaties, de bestuurder scheen het te kunnen lezen, precies te weten hoe hij de complexe kronkels en wendingen moest nemen. Zelfs op de stukken die een echte doolhof waren, zakte zijn snelheid nauwelijks onder de vijftig per uur, en op de vlakke stukken zand en grind die als een soort grote meren voor afwisseling in het landschap zorgden, haalde hij het dubbele. Hoeveel mensen er in zaten, was niet te zien omdat het in de auto pikdonker was. Alhoewel, op een gegeven moment werd gestopt en stapte er iemand aan de passagierskant uit die zijn djellaba optilde en een plas deed, wat betekende dat ze minstens met hun tweeën waren. Behalve dat en het feit dat de bestuurder duidelijk haast had, hing er een waas van geheimzinnigheid rond de auto: een eenzame witte vlek die zich een weg door de gortdroge woestenij zocht. Het grommen van de motor weerklonk over het zand, de neus zwierde van links naar rechts alsof hij een geur-spoor volgde dat de auto onweerstaanbaar naar het zuidwesten leek te trekken.

Bij de Gilf Kebir

Ze vonden een rommelige hoop brandhout onder een richel aan de voet van de rotsformatie, een traditionele bedoeïenengewoonte, vertelde Flin, om dergelijke voorraden bij opvallende herkenningspunten in de woestijn aan te leggen. Ze leenden er wat van en maakten er een klein vuurtje mee. Ze trokken nog meer kleren aan tegen de kou en spreidden dekens uit op de grond. Flin opende de koelbox, haalde er diverse geblakerde potten en pannen uit, zette koffie en verwarmde de witte bonen die Freya in de keuken van haar zus had gevonden.

'Doet me denken aan toen Alex en ik kinderen waren,' zei ze, terwijl ze dichter naar het vuur schoof, haar armen om haar knieën legde en opkeek naar de oranje wafelmaan boven de duinen in het oosten. 'Papa ging altijd met ons kamperen. Dan stookten we een vuurtje, aten bonen en deden of we indianen of pioniers waren. We sliepen vaker buiten dan binnen.'

Flin dronk van zijn koffie en boog zich naar voren om in de pan met bonen te roeren. 'Ik ben jaloers op je. Mijn vaders idee van leuk was mijn broer en mij naar het Ashmolean Museum te sturen om daar oude potten te tekenen.'

'Heb je een broer?' Om een of andere reden verbaasde deze onthulling Freya.

'Ik hád een broer. Howie is overleden toen ik tien was.'

'O, wat erg. Ik wist niet...'

Hij schudde zijn hoofd en bleef roeren. 'Hij was genoemd naar Howard Carter, de kerel die Toetanchamon heeft ontdekt. Hij had niet alleen zijn naam met hem gemeen, hij is aan dezelfde vorm van kanker overleden, zij het dat Carter in elk geval nog in de zestig is geworden. Howie was nog maar zeven. Ik mis hem soms. Vaak, eigenlijk.' Hij roerde nog een keer in de pan en haalde hem van het vuur. 'Volgens mij is het klaar.'

Hij schepte de bonen op een paar plastic borden, gaf Freya er een en nam zelf het andere. Ze aten in stilte, staarden in het vuur, en af en toe ontmoetten hun blikken elkaar.. Toen ze waren uitgegeten, maakte Flin de borden schoon: hij veegde ze af met zand en spoelde het zand weg met een handjevol water, waarna ze het zich makkelijk maakten met koffie en de chocoladerepen die Freya had meegenomen. Flin zat tegen de rots geleund, Freya lag aan de andere kant van het vuur.

Toen ze nog rondvlogen waren de eerste sterren al aan de hemel verschenen en nu stond de hemel ervan in brand, enorme spinsels van licht, grootse, schitterende banen. Freya ging op haar rug liggen en keek omhoog, voelde iets van wat ze had gevoeld toen ze over de woestijn vlogen: rust, sereniteit, blijdschap, zelfs nu de stilte en roerloosheid haar als een donsdek omhulden. Ik ben blij dat ik hier ben, dacht ze bij zichzelf. Ondanks alles. Ik ben blij dat ik op deze plek ben waar mijn zus zoveel van hield. Alleen ik, het zand en de sterren. En Flin ook. Ik ben blij dat ik hier met Flin ben.

'Wie is het meisje?' vroeg ze.

'Pardon?'

Ze keek hem aan en toen weer omhoog. Er schoot even een vallende ster langs de hemelzoom, even snel weg als verschenen. 'Toen we in Caïro bij Molly weggingen, had ze het over een meisje. "Dit heeft niets met het meisje te maken." Ik vroeg me gewoon af wie ze bedoelde.'

Hij nam een slok koffie, porde met de neus van zijn schoen in het vuur. 'Er is lang geleden iets gebeurd,' zei hij zacht. 'Toen ik bij MI6 werkte.' Zijn toon wekte de indruk dat hij er verder niet over wilde praten en Freya liet het rusten. Ze ging zitten, trok een deken om haar schouders. De rotsspits torende boven hen uit, dreigend en tegelijkertijd merkwaardig geruststellend, alsof ze in de arm van een reus gewiegd werden. Er viel een stilte, slechts verbroken door het sissen en knappen van het brandende hout. Toen boog Flin zich naar voren, pakte de koffiepot en vulde zijn mok nog een keer. 'Het klinkt hopeloos naïef, maar ik ben ooit bij de Dienst gegaan omdat ik iets goeds wilde doen. Ik wilde helpen de wereld... misschien niet te verbeteren, maar wel wat veiliger te maken.' Hij sprak heel zacht, nauwelijks hoorbaar, alsof hij het meer tegen zichzelf dan tegen haar had, zijn ogen vast op het vuur gericht.

'Maar onder druk zou ik waarschijnlijk moeten toegeven dat ik het voor een deel ook heb gedaan om mijn vader te pesten. Hij moest niets hebben van zaken als MI6. Hij vond eigenlijk alles wat niet academisch was maar niks.' Hij lachte spottend, tekende met een vinger figuren in het zand. Wat dit met haar vraag te maken had, begreep Freya niet, maar ze onderbrak hem niet omdat ze voelde dat het voor hem belangrijk was.

'Ik ben kort na mijn doctoraal bij de Dienst gekomen. In 1994. Een paar jaar bureauwerk in Londen, daarna naar het buitenland. Eerst naar

Caïro en daar heb ik Molly leren kennen. En toen naar Bagdad. Proberen informatie over Saddam en zijn wapenprogramma te krijgen. Niet echt een eenvoudige klus: je hebt er geen idee hoe bang en paranoïde iedereen door Saddam was geworden. Maar na een jaar boekte ik resultaat bij een vent van het MIMI: het Ministerie van Industrie en Militaire Industrialisatie. Hij benaderde me, zei dat hij bereid was informatie door te geven, op topniveau, precies wat we nodig hadden.' Hij keek op naar Freya en weer naar beneden. Ergens ver weg huilde een jakhals.

'Je kunt je voorstellen dat hij erg schichtig was. Hij stond erop dat we zijn dochter als boodschapper zouden gebruiken omdat dat de minste verdenking zou wekken. Ik was er van het begin af aan tegen: het meisje was pas dertien, verdomme. Maar hij wilde alleen op deze manier zaken doen en het was een te mooie kans om te laten schieten, dus ging ik uiteindelijk akkoord. Hij kopieerde papieren van het ministerie, zij nam ze op weg naar school mee en stopte ze me onopvallend toe als ze door het Zawra-park in het centrum van Bagdad liep. Heel eenvoudig, dat ging in een paar tellen.'

Er huilden nu twee jakhalzen, ze riepen naar elkaar ergens in de duinen in het oosten. Freya hoorde ze nauwelijks, zo ging ze op in Flins verhaal.

'Een tijdlang ging het prima en kregen we goed materiaal in handen. Maar toen, na vijf maanden, miste ik een rendez-vous. Die dingen gebeuren gewoon, maar deze keer was het omdat ik de avond ervoor aan de zwier was geweest en me had verslapen. Ik was in die tijd behoorlijk aan de drank, al een tijdje, vooral aan de whisky, hoewel... als ik eenmaal op stoom was... Jezus, ik zou een petroleum hebben gedronken als iemand het in een glas had gedaan met een paar ijsblokjes erbij.'

Hij schudde zijn hoofd, wreef over zijn slapen. Het hoge, weeklagende gejank van de jakhalzen, meer melancholiek dan dreigend, gaf het verhaal dat hij vertelde een soundtrack die er vreemd genoeg goed bij paste.

'We hanteerden bij dat overgeven een strikte regel,' ging hij verder. 'Wanneer een van de twee niet in het park was, bleef de ander niet wachten. De lui van de Mukharabat, Saddams geheime politie, waren overal, lagen altijd op de loer, en het was van het grootste belang niets te doen dat er niet normaal uitzag. Ik weet niet waarom Amira – dat was het meisje – die regel overtrad, waarom ze besloot te wachten. Maar dat was wel wat ze deed. Ze trok de aandacht, werd opgepakt en meegenomen, net als haar vader en de rest van het gezin.' Hij slaakte een diepe zucht en schudde zijn hoofd, schroefde zijn mok in het zand naast zich. De jakhalzen waren opeens stil. Alles zweeg.

'God mag weten waar ze hen allemaal aan hebben onderworpen, maar ze hebben mijn naam nooit genoemd. Ik kon veilig en wel wegkomen, maar zij zijn allemaal in Abu Ghraib verdwenen en nooit meer in leven gezien. Amira's lichaam is blijkbaar een maand later boven water gekomen: op een vuilnisbelt buiten de stad, door velen verkracht, tanden uitgetrokken, vingernagels... Dat kun je je toch niet voorstellen.' Hij legde zijn hoofd in zijn nek en bekeek de rots. Zijn stem was monotoon, vlak, emotieloos, alsof hij probeerde wat hij beschreef op een armlengte afstand te houden, alsof hij het vermeed de volle omvang van de wandaad tot zich te laten doordringen. Het was duidelijk dat het niet werkte, want zijn schouders zakten in. Freya zag dat zijn handen beefden.

'Er kwam natuurlijk een intern onderzoek. Ik heb ontslag genomen, ben teruggekeerd naar de egyptologie, kwam hierheen, begon serieus te drinken. En daar zou ik mee zijn doorgegaan als ik Alex niet had leren kennen. Zij heeft me voor de afgrond behoed, me weer droog gekregen. In feite heeft ze mijn leven gered. Niet dat het de moeite van het redden waard was. Dertien jaar, verdomme. Dat kun je je niet voorstellen.'

Hij trok zijn knieën op en zette zijn ellebogen erop, drukte zijn voorhoofd in zijn handen. De maan was nu helemaal op en baadde de woestijn in een zacht kwikzilverachtig licht. Freya wist niet goed waarom ze het deed, maar ze stond op, liep om het vuur heen, ging naast hem zitten en legde een hand op zijn schouder. Stilte.

'Molly heeft natuurlijk gelijk,' zei hij na een hele tijd. 'Dit heeft er allemaal mee te maken: Sandfire, Girgis, de oase... Daar ging het al die tijd om. Proberen iets goed te maken, mezelf verlossen van het feit dat ik een meisje van dertien naar de martelkamers van Saddam heb gestuurd. Ik breng haar en haar familie er niet mee terug, ik kan haar lijden niet ongedaan maken. Maar ik kan op zijn minst proberen... snap je... proberen om...' Zijn stem sloeg over en hij zweeg. Er viel een stilte en Flin ademde zwaar. Daarna tilde hij zijn hoofd op en keek hij haar aan. 'Ik zeg je één ding, Freya: wat ik verder ook vind van de invasie in Irak – en dat is niet veel goeds – ik kan Bush niet verketteren omdat hij Saddam ten val heeft gebracht, hoe hij het verder ook heeft verknald. Die vent was een monster, een enorm monster.'

Hij legde zijn benen plat, trok zijn mok uit het zand en dronk hem leeg. Freya wilde iets zeggen, proberen hem te troosten, maar alles wat ze bedacht leek zo ontzettend oppervlakkig en onnozel, zo volkomen niet passend bij het verhaal dat hij net had verteld. Ze kon maar één ding bedenken waarmee ze liet zien dat ze zijn gevoelens begreep, dat ze wist wat het was om elk moment van de dag – en heel vaak ook nog tijdens je slaap – te worden gekweld door gevoelens van schuld en spijt.

'Heeft Alex je wel eens verteld wat er tussen ons is gebeurd?' Ze trok haar hand weg van zijn schouder en sloeg haar armen om zich heen. 'Waarom we al die jaren niet hebben gepraat?'

Hij hief zijn hoofd op. 'Nee. Daar heeft ze geen woord over gezegd.'

Freya knikte. Nu was het haar blik die strak op de gloeiende sintels was gericht, op het brandende hout dat ademde en twinkelde alsof het leefde. Er viel weer een stilte – ze had er nog nooit met iemand over gepraat, daarvoor was het gewoon te pijnlijk – maar toen haalde ze diep adem en vertelde.

Dat hun ouders bij een auto-ongeluk waren omgekomen en dat Alex met haar verloofde Greg daarna in het ouderlijk huis was getrokken zodat ze voor haar jongere zusje kon zorgen. Dat Greg altijd al heel attent voor haar was geweest, grapjes maakte en flirtte, en dat het flirten was toegenomen toen hij met haar onder één dak woonde. Dat het aanvankelijk allemaal van Greg was uitgegaan, maar dat zij na een tijdje, omdat ze zich gevleid voelde, zelf ook actie was gaan ondernemen. Dat wat begon als kussen en strelen – fout, natuurlijk, maar nog te redden – al snel was afgegleden naar een verachtelijk niveau: dat Greg en zij het bed indoken zodra Alex naar haar werk ging, en er pas uitkwamen vlak voor ze weer thuiskwam. Het was zelfs doorgegaan toen Alex en Greg bezig waren met trouwplannen, tot haar zus op een dag – dat zat erin – eerder thuis was gekomen en hen – een verpletterende ervaring – had betrapt. Greg verdween met zijn hoofd onder de lakens, wat het verraad op een of andere manier nog grotesker en vernederender had gemaakt, hoewel ze dat deel van de beschrijving nu wegliet omdat de herinnering eraan, zelfs na al die jaren, te pijnlijk was om te delen.

'Ze was niet boos,' zei ze en veegde met een arm over haar ogen, 'toen ze de slaapkamer inkwam. Geschokt, maar niet boos. Het was beter geweest als ze wel boos was geweest, als ze had geschreeuwd en gegild, als ze naar me had uitgehaald, maar ze zag er alleen maar ontzettend verdrietig uit, ontzettend eenzaam...' Haar stem brak en ze veegde met haar hand langs haar ogen. Flin, naast haar, pakte in een reflex haar hand, een gebaar van troost. Zo zaten ze daar in stilte, gehypnotiseerd door de flakkerende vuurtongetjes. De jakhalzen begonnen weer, nu achter hen, in het noorden. Hun gejank zweefde door de nacht als een bedroefde aria.

'Had dat gedoe bij Hassan daarmee te maken?' vroeg hij na enige tijd. 'Het feit dat je ermee instemde voor hem te strippen, was dat een manier om...'

'Iets recht te zetten?' Freya haalde haar schouders op. 'Ik denk dat we allebei dingen hebben die we recht willen zetten.'

Hij pakte haar hand steviger vast. 'Alex hield van je, Freya. Ze had het heel vaak over je, over je bergbeklimmen... Ze was heel trots op je. En wat er ook is gebeurd, dat ligt in het verleden. Ze zou willen dat je dat beseft, dat je weet hoeveel je voor haar betekende.'

Ze beet op haar lip, legde een hand op haar broekzak, voelde daar de brief die Alex haar had gestuurd. 'Dat weet ik wel,' fluisterde ze. 'Wat pijn doet is dat ik niet de kans heb gehad hetzelfde tegen haar te zeggen.' Ze zuchtte en keek hem aan. Deze keer ontmoetten hun blikken elkaar en hielden elkaar vast. Even zaten ze zo, met Flins hand nog steeds om de hare. Toen kwamen hun gezichten langzaam naar elkaar toe, hun lippen maakten vluchtig contact, lieten elkaar weer los. Freya stak een hand uit en raakte zijn gezicht aan. Flins hand kwam omhoog en streek door haar haar voor ze zich als op bevel terugtrokken en opstonden, wetend dat dit de tijd noch de plaats was. Niet nu, na alles wat er was besproken.

'We moeten proberen wat te slapen,' zei hij. 'Het is morgen vroeg dag.'

Samen stookten ze het vuur weer op, schudden de dekens uit en gingen weer liggen, ieder aan een kant van het nu oplaaiende vuur. Hun blikken ontmoetten elkaar even. Toen rolden ze zich, na een knikje, op en verdwenen elk in hun eigen gedachten. In de verte jankten de jakhalzen.

Vierhonderd meter verderop stelde iemand zijn nachtkijker in. Hij bleef nog even kijken voordat hij zich achter de duinrand liet zakken, een zender aanzette en rapport uitbracht. Dat ging heel snel: ze zijn gaan slapen, geen beweging, verder niets te melden. Binnen een minuut was hij terug op zijn post: met de kijker voor zijn ogen, het M25-sluipschuttergeweer op het zand naast zich, met oog noch oor voor iets anders dan de twee bewegingloze vormen onder de hoge steenboog. Het vuur tussen hen in brandde langzaam uit tot het bijna niets meer was, een piepklein oranje veegje op de uitgestrekte, maanverlichte woestijn.

Het was drie dagen geleden dat Freya een goede nachtrust had gehad, en nu sliep ze diep en zonder te dromen, vrij van gedachten en zorgen, een zwarte leegte waarin ze dankbaar was weggezonken, alsof haar geest in zwaar, zwart fluweel was gebakerd. Pas toen de dageraad de oostelijke hemel begon te kleuren, toen er een streep roze grijs vanaf de horizon omhoog dreef, kwam ze langzaam weer boven. Niet omdat ze genoeg had geslapen – ze had er nog wel een paar uur bij willen hebben – maar omdat er een merkwaardig brommend geluid tot haar doordrong zodat ze zelfs in haar nevelige slaaptoestand voelde dat het niet klopte met hun afgelegen en verder stille woestijnomgeving.

Half wakker bleef ze even liggen luisteren en probeerde te ontdekken wat het was. Het geluid werd zachter, zwol weer aan, alsof de bron ervan heen en weer bewoog, soms dichterbij, dan weer verder weg. Ze rolde zich op haar zij en keek naar Flin om te zien of hij het ook hoorde. Hij was er niet, zijn dekens lagen keurig opgevouwen op de plek waar hij had gelegen. Ze rolde zich op haar andere zij, zocht de microlight en die was ook weg. Opeens was ze klaarwakker, sprong overeind en draaide zich om haar as, speurde de hemel af.

In de paar minuten sinds haar ontwaken was het al merkbaar lichter geworden en ze zag de microlight meteen. Hij vloog als een enorme vogel met witte vleugels over de Gilf. Hoe Flin had kunnen opstijgen zonder haar wakker te maken, was haar een raadsel – ze moest echt helemaal buiten westen zijn geweest – en heel even ging er een schok door haar heen: hij liet haar daar achter. Maar die gedachte verdween nog voor hij echt had kunnen wortel schieten, want Flin vloog duidelijk een rondje en niet weg van haar. Zwenkend en zwierend vloog hij over het vlakke tafelland van de Gilf naar het zuiden en dan weer naar het noorden in een wijde cirkel waarvan de hoofdas op een lijn leek te liggen die vanaf haar plek bij de rotsformatie naar het westen liep. Ze zag hoe Miss Piggy tot helemaal naar de rand van haar blikveld vloog en tot een tegen de grijze lucht nauwelijks zichtbaar stipje slonk om daarna langzaam weer groter te worden en scherp in beeld te komen. Zo ging het tien minuten door, waarna het toestelletje wegdraaide van het plateau, tot minder dan vijftien meter daalde en recht over haar heen vloog. Terwijl hij dat deed, lichtte Flin de vleugel een beetje en riep wat terwijl hij naar iets op de grond wees. Freya stak haar armen in de lucht ten teken dat ze het niet begreep zodat hij gedwongen was een rondje te vliegen en nog een keer over te komen. Hij kwam nog lager, wees naar het vuur en articuleerde het woord 'koffie'. Ze lachte en stak een duim op. Flin stak een hand op met vijf gespreide vingers ten teken dat hij nog vijf minuten weg bleef, maakte hoogte en zette weer koers naar de Gilf. Het gorgelende gebrom van de motor van de microlight werd langzaam zachter en hij hernam zijn speurtocht boven het massief.

Ze verzamelde brandhout en aanmaakhout, maakte vuur en zette water op. Flin vloog nog een paar rondjes boven het plateau, zeilde ten slotte opzij weg en daalde, landde en taxiede tot hij bij de rots tot stilstand kwam, net op het moment dat het water kookte en Freya het in de mokken schonk.

'Nog iets gezien?' vroeg ze toen hij uit de gondel klauterde. Hij schudde zijn hoofd. 'Ik ben twintig kilometer in beide richtingen gevlogen, maar er is niks, alleen maar zand en stenen en een paar plukken kameeldoorn. Wat er hier verder bij zonsopgang ook mag gebeuren, de oase gaan we zeker niet vinden.' Hij ging met een hand door zijn haar, knikte een 'dank je', pakte de mok aan en slurpte. 'Ik snap het gewoon niet. Je kunt de tekst maar op één manier interpreteren. *Wanneer het oog van khepri geopend is, dan zal de oase opengaan.* De oase is hier vlakbij, en bij zonsopgang moet de rots op een of andere manier de weg wijzen. Dat moet het betekenen, een andere lezing is er niet. Tenzij...'

Hij deed een stap naar achteren en keek omhoog langs de gekromd oprijzende rots boven hem. 'Staat er misschien iets op de steen zelf?' mompelde hij, meer tegen zichzelf dan tegen Freya. 'Een inscriptie, een richtingwijzer? Probeert het ding ons dat te vertellen?'

Hij liet zijn blik met toegeknepen ogen over het glasachtige oppervlak van de rots gaan. Hij liep er langzaam omheen, zocht naar merktekens of hiërogliefen, enig teken van menselijk ingrijpen. Er was niets, het oppervlak was glad en zwart en kaal van de basis tot de top, en wat er was afgebrokkeld of gekrast was duidelijk werk van de natuur en niet van de mens. Er was maar één ding dat hem nu aan het denken zette, iets wat ze de avond ervoor met hun door zaklampen belichte onderzoek hadden gemist: een vuistgrote lens van opaak geel kristal, die dwars door de spits heen stak, op ongeveer driekwart van de hoogte. Een soort miniatuurpatrijspoort. Het was een vreemd geval, een geologische anomalie die in die zwarte rots helemaal misplaatst leek. Flin staarde er bijna een minuut naar voor hij aarzelend tot de conclusie kwam dat ook dat gewoon een natuurlijk deel van de formatie was. Hij schudde zijn hoofd, draaide zich om en ging nog een koffie halen.

'Ik mag de pest krijgen als ik het weet,' zei hij. 'De oase moet daar zijn, en dat daar...' Hij prikte met een boze duim over zijn schouder. '... hoort ons erheen te wijzen. Ik snap het niet.'

'Misschien is de rots een opzettelijk dwaalspoor,' opperde Freya. Ze boog zich over het vuur en vulde haar eigen mok bij. 'Misschien heeft hij helemaal niets met de oase te maken.'

Flin haalde zijn schouders op en keek op zijn horloge. 'Over een paar minuten gaat de zon op en dan zien we wel wat er gebeurt, maar op grond van de huidige bevindingen heb ik het nare vermoeden dat je gelijk hebt en dat ik het mis heb. Niet voor het eerst trouwens, dat kan ik je wel vertellen.'

Hij nam een slok koffie en keek naar het oosten. De woestijn was daar eerst een paar honderd meter vlak om daarna over te gaan in een wilde partij duinen met zandhellingen die hoger en steiler werden hoe verder ze weg marcheerden. Freya kwam naast hem staan en samen keken ze hoe het ochtendgloren sterker werd en zich uitbreidde zodat de hemel nu vol groene en roze vegen was en het landschap geleidelijk oplichtte van monochroom grijs naar zachtgeel en oranje. Er gingen een paar minuten voorbij en de hemelbrand verdiepte zich tot steeds diepere tinten rood. Toen liet, langzaam als een bel gloeiende lava, de bovenrand van de zon zich boven de duintoppen zien, een heel dun boogje magenta dat zich boven de horizon uitwerkte. De woestijn eromheen leek krom te trekken en te flakkeren alsof ze smolt bij zo'n enorme hitte. Hoger en hoger kwam hij, de lucht werd met de seconde warmer terwijl het boogje opzwol tot een koepel en de koepel tot een cirkel. Hun ogen schoten heen en weer van de zon naar de rotspiek en terug terwijl ze wachtten tot er iets, wat dan ook, ging gebeuren, tot zich een teken openbaarde. De rots stond daar gewoon, zwart en gebogen en onbeweeglijk, onveranderd, bikkelhard, niets loslatend, en de zon vervolgde zijn onstuitbare opkomst tot hij zich helemaal van de horizon had losgemaakt en de dageraad overging in de vroege morgen. Flin en Freya tuurden nog een tijdje, keken elkaar toen aan en schudden hun hoofd. De zo gehoopte openbaring was geen werkelijkheid geworden. Hun tocht was een verspilling van tijd en middelen.

'We hebben in elk geval mooie landschappen gezien,' zei Freya mistroostig.

Ze schopten zand over het vuur en begonnen de kampeerspullen bij elkaar te zoeken zodat ze klaar waren voor de terugtocht.

'We hebben nog heel wat brandstof over,' zei Flin terwijl hij deksel van de koelbox dicht klikte en in de gondel stouwde. 'Dus we kunnen best nog even rondvliegen en zien of we iets hebben gemist. Ik stel voor om...'

Hij kwam niet verder, want Freya slaakte opeens een kreet en greep zijn pols. 'Kijk, daar!' Met haar andere arm wees ze naar het westen, haar vinger gericht op de wand van de Gilf. Hij tuurde in die richting, speurde van links naar rechts tot hij zag waar ze naar wees. Op de hoge klifwand, op een meter of tien boven de woestijnbodem, was een heel klein schijfje licht verschenen, duidelijk te onderscheiden van de oranjegele steen eromheen.

'Jezus, wat is dat?' Hij deed een stap naar voren, en Freya kwam mee, haar hand nog om zijn pols geklemd. Zo stonden ze naar dat glinsterende vlekje te kijken en probeerden te bedenken wat het was, wat het veroorzaakte.

'Is het iets in het klif?' vroeg ze. 'Iets dat het licht weerkaatst?'

Flin tuurde met zijn hand boven zijn ogen voor zich uit, een diepe concentratiefrons op zijn voorhoofd, tot hij opeens zijn arm lostrok, achteruit over het zand liep en zijn blik van de klifwand omhoogstuurde langs de gekromde rotspiek. Na een korte stilte: 'Mijn god, wat is dat ongelooflijk mooi!'

Freya liep ook achteruit, kwam naast hem staan en keek met open mond naar wat hij had gezien: een klein plasje gesmolten goud op ongeveer driekwart van de rotspiek waar de zonnestralen door de lens van woestijnkristal schenen, die in brand zetten en een transparante lichtbundel als een laserstraal naar de wand van het massief ten westen ervan stuurden.

'Zie het Oog van Khepri,' fluisterde Flin vol ontzag. Ze keken met open mond toe. Het kristal leek door het omringende gesteente heen te branden als een vlam door een vel zwart papier, de gloed werd gestaag feller tot hij langzaam, onmerkbaar begon te verbleken, zodat de lichtstraal zwakker werd en het kristal verflauwde tot een doffe amberkleur.

'Shit!' siste Flin. Hij draaide razendsnel om en zette het op een lopen, rende over het zand naar de hoge flank van de Gilf, de ogen strak gericht op het kleine, nauwelijks nog zichtbare lichtplekje, een schimmig vlekje op de rots. 'Het werkt natuurlijk alleen maar als het licht er onder een bepaalde hoek doorvalt,' riep Flin achterom naar Freya die vlak achter hem aan kwam. 'Blijf kijken! We moeten vasthouden waar het licht valt. Dat is de betekenis van de inscriptie. De opgaande zon wijst naar iets op de bergwand. Dat mogen we niet kwijtraken!'

Het was vierhonderd meter naar de rotswand en toen ze halverwege waren was de lichtstraal helemaal weg, was het lichtplekje aan het verdwijnen zodat er slechts een nietszeggende wand van stoffige gele steen overbleef. 'Daar!' riep hij en hij vertraagde zijn pas tot hij gewoon liep, hief een arm en wees. 'Daar was het. Net boven die richel.'

Freya keek naar dezelfde plek, haar ogen lieten de rotswand niet los. Ze liepen door tot ze onder aan de Gilf stonden. Het klif klom steil omhoog. 'Er is daar iets,' zei Flin. 'Een soort hol. Zie je het?'

Ze zag het: een smalle, rechthoekige opening, niet meer dan een centimeter of vijftig hoog en ongeveer half zo breed, nauwelijks te zien tenzij je er recht naar keek, en zelfs dan moest je nog heel goed kijken. Hij was zonder twijfel door mensenhanden gemaakt, want de randen waren keurig recht gehakt en afgewerkt, veel te symmetrisch om door de natuur te zijn gedaan. En het was of er een bepaald materiaal in was gestopt wat ervoor zorgde dat het in het omringende gesteente opging. Ze begon te vragen wat het volgens hem was, maar Flin was al aan het klimmen. Hij wrong zijn vingers in een smalle spleet, hees zich op met één teen in een ondiepe holte en de andere moeizaam trappend op zoek naar houvast op de kale rots. Hij verloor zijn greep en viel vloekend achterover. Hij probeerde het opnieuw, met hetzelfde resultaat, en nog een keer. Hij schoof een paar meter naar links en probeerde een andere route. Deze keer kwam hij twee keer zo hoog voor hij alle houvast verloor, viel en met een doffe dreun op het zand terechtkwam. Hij kwam moeizaam overeind, spuwde zand en stond op het punt nogmaals een poging te wagen, toen Freya naar voren stapte en hem zachtjes opzij duwde. 'Mag ik?'

Ze nam de wand snel in zich op, zette een route uit, bond haar haar op, zette haar vingers in dezelfde spleet die Flin eerst had gebruikt, zette zich af in het zelfde holletje en was op weg. Een minuut later was ze bij de opening en balanceerde ze op de richel een meter eronder.

'Ik denk dat ik me maar bij de egyptologie hou,' gromde Flin met een blik omhoog. 'Wat zie je?

'Precies hetzelfde als beneden,' riep ze. 'Het is een gat met een hoop linnen erin gepropt. Beslist door mensenhanden gemaakt.'

'Nog iets van inscripties?

Ze hurkte – de richel was meer dan breed genoeg – en bekeek het gesteente rond opening. Die was helemaal kaal, verstoken van alles wat ook maar in de verte op tekst, hiërogliefen of iets anders leek. 'Niks,' riep ze naar beneden. 'Ik ga dat spul eruit halen, kijken wat erin zit.' Hij stak goedkeurend een duim op. 'Kijk uit voor slangen. Die komen hier veel voor en we hebben geen tegengif bij ons.'

'O, lekker,' mopperde ze zachtjes. Ze plukte voorzichtig aan de stof, haalde het stukje bij beetje uit de holte. Het was ruw geweven en mat geelokerkleurig geverfd – dezelfde kleur als het gesteente eromheen – buitengewoon compact aangedrukt als om te voorkomen dat er iets in het gat zou doordringen. Ze nam aan dat het heel oud was, maar het was opvallend goed bewaard en hoe meer ze wegtrok, hoe meer ze ervan overtuigd raakte dat het in feite van onze tijd was en niets met het oude Egypte te doen had. Ze bracht haar twijfel over aan Flin, maar hij wuifde die weg. 'Textiel blijft altijd heel goed in de woestijn,' riep hij. 'Dat komt door de droge lucht. Ik heb mummiewindsels van vijfduizend jaar oud gezien die eruitzagen alsof ze net van het weefgetouw kwamen. Heb je het er al uit?'

'Bijna.' Ze ging door met trekken, en er kwam steeds meer stof tevoorschijn. Het waren, zo bleek, verscheidene losse stukken, niet één grote lap. Uiteindelijk kwam een laatste zware prop met een droog, zuigend geluid uit de opening en was de holte leeg. Ze porde met de neus van haar sneaker in de stapel stof, nog steeds bang dat er slangen in de plooien zouden zitten, hurkte toen voor het gat en zette een hand aan beide kanten tegen de wand. Ze ging iets verzitten zodat ze het invallende licht niet blokkeerde en tuurde naar binnen.

'Heb je iets?' klonk Flins stem vanaf de woestijn beneden, opgewonden, verwachtingsvol. Het bleef stil zolang haar ogen moesten wennen aan het feite dat het in de holte veel donkerder was. Maar toen: 'Ja.'

Weer stilte. 'In godsnaam, wat dan?'

'Iets als een...' Ze zweeg weer, zocht naar het goed woord. '... een hendel.'

'Hoe bedoel je, een hendel?'

'Een hendel, net zoiets als de remhendel op een kabelbaancabine.'

'Zo'n ding heb ik nog nooit gezien, verdomme!' Hij maaide gefrustreerd met zijn armen. 'Beschrijf het dan.'

Wat ze zag was een houten hendel, helemaal rechts achter in de holte die ongeveer een meter diep in het klif was uitgehakt. Er was een leren band om het handvat gewonden en hij zat in een diepe horizontale gleuf in de bodem van de holte, die het vermoedelijk mogelijk moest maken dat de hendel naar voren kon worden getrokken. Naar wat er dan gebeurde, kon ze alleen maar gissen. Het was een onwerkelijk, merkwaardig verontrustend gezicht, als het vinden van een lichtschakelaar op Mars, en een deel van haar voelde zich onwillekeurig bang worden.

'Nou?' riep Flin. Ze beschreef wat ze zag. Hij fronste, beet op zijn lip, dacht na. Toen riep hij naar boven: 'Trek er eens aan.'

'Wil je dat echt?' Er klonk onbehagen in haar stem door. 'Ik weet niet of we dat...'

'Jezus, waar zijn we hier nou anders voor? Kom op, trekken.'

Ze bewoog zich niet, voelde... ze kon niet uitleggen wat ze voelde. Een vaag voorgevoel van gevaar, een innerlijke waarschuwing dat als ze deed wat Flin zei, ze een keten van gebeurtenissen in gang zou zetten die ze niet konden beheersen, dat ze een grens zouden overschrijden die niet overschreden hoorde te worden. Maar aan de andere kant, waarvoor waren ze dan hierheen gekomen, zoals Flin zei? Nog belangrijker: wat zou Alex hebben gedaan? Daar bestond geen twijfel over: haar zus zou zonder een moment te aarzelen de hendel hebben overgehaald, waarschijnlijk nog voor haar dat was gevraagd. Ze aarzelde nog even. Daarna klopte ze een paar maal met haar knokkels op de rots – een ritueel gebaar waarmee ze zich vermande en voorbereidde op een bijzonder lastige klimmanoeuvre – en stak haar arm diep in het gat.

Het was koel daarbinnen en ze kon maar net bij de hendel, alleen als ze zich helemaal uitrekte. Ze moest haar schouder naar binnen wringen om haar vingers er goed omheen te krijgen. Ze drukte haar handpalm stevig tegen de leren band, kromde haar duim eromheen voor een zekere greep. Ze ging iets verzitten, voelde of ze niet kon wegglijden en begon te trekken.

De hendel was star en ze moest al haar kracht gebruiken om er beweging in te krijgen. De spieren van nek en schouders rolden en rimpelden. Ze kon het ding een paar centimeter bewegen, stopte even om adem te halen en haar greep aan te passen, en zette zich weer schrap. De hendel gaf nu meer mee, gleed langzaam door de gleuf, hetgeen gepaard ging met een vreemd krakend en knarsend geluid alsof er touwen strak kwamen te staan en raderen draaiden. Het geluid leek ergens van diep beneden haar te komen, alsof het door de rots zelf werd voortgebracht. Ze trok de hendel naar zich toe zo ver als maar ging, helemaal tot voor in de holte. Ze gaf er nog een laatst ruk aan om zeker te weten dat hij niet verderging, boog zich naar achteren, keek omlaag naar Flin en hief een arm om te vragen of er nog iets gebeurde. Hij was een stukje naar achteren gelopen en liet zijn ogen over de rotswand heen en weer gaan. 'Niks,' riep hij. 'Kan hij echt niet verder meer?' Ze riep een ontkenning. 'Nou, ik weet het niet, hoor. Er gaan geen magische deuren open, dat kan ik je wel zeggen.'

Ze bleven kijken, Flin beneden, Freya boven. Het merkwaardige gekraak ging nog door, zij het nu zachter, verder werd weg. Verder bleef alles precies zoals het was voordat ze aan de hendel trok, behalve dat de zon nu warmer en stralender scheen en de hemel nog ietsje fletser blauw was. Ze wachtten nog een paar minuten, het kraken was geleidelijk overgegaan in stilte. Omdat ze niet inzag wat voor zin het had op de richel te blijven, begon Freya naar beneden te klimmen, via dezelfde steunpunten die ze op de heenweg had gebruikt. Terwijl ze daarmee bezig was, werd ze een nieuw geluid gewaar, nauwelijks hoorbaar: een soort zacht, fluisterend sissen. Ze bleef staan waar ze stond, haar tenen in een smalle spleet, en keek om zich heen, probeerde erachter te komen wat het veroorzaakte. Flin hoorde het ook en kwam dichter naar het klif toe, zijn hoofd schuin, oren gespitst. Het sissen leek niet zachter of harder te worden, was alleen een soort achtergrondgeluid.

'Wat is dat?' vroeg ze.

'Ik weet het niet,' zei hij. 'Het klinkt als...'

'Toch alsjeblieft niet als slangen.'

'Nee, nee, meer als...' Hij zweeg, liep tot aan de voet van het klif. 'Jezus, moet je kijken.'

Freya verzette haar voeten, greep zich aan een uitsteeksel vast en leunde van de wand, keek omlaag. Eerst zag ze niets, maar toen ze heel goed keek, zag ze wat hij had gezien. Aan de voet van de wand, waar deze ongeveer een rechte hoek met de woestijnbodem vormde, leek het zand langzaam naar beneden te glijden, sijpelde het over een breedte van twintig meter weg als zand in een zandloper. Flin zat er op zijn hurken naast en drukte zijn vlakke hand op de grond en keek hoe het zand rond zijn vingers verdween.

'Wat is dat in godsnaam?' vroeg ze. 'Drijfzand?'

'Ik heb zoiets nog nooit gezien,' antwoordde hij. De korrels liepen nu sneller weg, alsof iets beneden ze opzoog, het stroompje werd een stroom, een duidelijke streep die zich onder aan het klif opende.

'Waar gaat het heen?' vroeg ze.

'Ik heb geen flauw idee,' zei hij en hij staarde als gehypnotiseerd naar de streep die langer en breder werd.

'Misschien moet je wat naar achteren gaan.'

Hij knikte en kwam overeind, deed een paar stappen achteruit. Het zand bleef wegzakken en wegzinken, er werd meer en meer van de rotswand zichtbaar, als de wortel van een enorme tand.

'Het lijkt of het onder de wand...' Hij maakte de zin niet af. Met een zacht gezoef zakte een heel stuk woestijnbodem vlak voor zijn voeten weg. Het sissende geluid werd nu sterker, het zand stortte zich als een lawine omlaag, hoewel niet duidelijk was waar het heen ging. Flin struikelde naar achteren, verloor zijn evenwicht, viel, sprong op en trok zich halsoverkop verder terug nu steeds meer woestijngrond voor hem verdween, wegkolkte als water in een gootsteengat en een steeds breder en dieper wordend gat zich vanaf het klif op hem af haastte.

'Rennen!' schreeuwde ze.

Dat hoefde ze hem niet te vertellen, want hij draaide al om zijn as en trok een sprint over het zand. Het gat zat hem op de hielen, joeg hem weg van de Gilf als een soort gigantische, gapende muil. Het strekte zich vanaf het klif over een meter of vijftig uit voor het geleidelijk aan vertraagde en, als was het tevreden dat het hem zo ver had weggejaagd, tot stilstand kwam. Er gaapte nu een enorme krater aan de voet van het massief.

Naar adem happend bleef Flin staan. Hij draaide zich om en stond klaar om weer de benen te nemen mocht de krater besluiten zijn uitval te vervolgen. Maar afgezien van wat kleine verschuivinkjes en stroompjes wanneer het zand zich zette, leek de opening zich te hebben gestabiliseerd, en na nog even te hebben gewacht, klom Freya naar de zijkant en liet zich aan de rand van de krater op het zand vallen. Behoedzaam liep ze langs de rand naar Flin, waarna ze getweeën naar de kuil keken.

'Godallemachtig,' mompelde hij. Aan hun voeten begon een steile, halfcirkelvormige helling, die omlaag liep naar het klif. Op het laagste punt was, zwart en onheilspellend, als een gapende bek, een doorgang in de kale rots, aan beide zijden geflankeerd door monumentaal gebeeldhouwde figuren: de armen over elkaar, met een grote, kegelvormige kroon op het hoofd en een baard die van hun kin als een smaller wordende stalactiet omlaag liep. Vanaf hun middel stonden de beelden nog in het zand, evenals de doorgang, waar het zand als door een trechter wegliep, omlaag de duisternis in, een bleke glijbaan naar de keel van de onderwereld.

'De Mond van Osiris,' fluisterde Flin met een vreemd strak, emotieloos gezicht, alsof hij zo van zijn stuk was gebracht door wat hij zag dat hij even niet in staat was zijn gelaatsspieren te gebruiken. 'Een heel leven van egyptologie en ik heb nog nooit... Ik kan het niet geloven. Het is gewoon... gewoon...'

Hij wist niets te zeggen. Een tijdlang stonden ze alleen maar stom en met grote ogen naar beneden te staren, met de hitte van de zon die op hun rug drukte en een eenzame roofvogel die hoog boven hen rondcirkelde, zijn vleugels een silhouet tegen de bleke ochtendhemel. Toen vermande Flin zich en zei tegen Freya dat ze moest wachten. Hij draafde naar de microlight en kwam terug met een Maglite-lamp en het zwarte koffertje dat hij uit Alex' huis had meegenomen. Hij liet zich op een knie zakken, hield het koffertje in evenwicht op zijn andere knie en klikte de deksel open. Er zat iets in dat leek op een oranje thermosfles waar aan de bovenkant een antenne uitstak.

'Een locatiebaken,' legde hij uit en trok het apparaat uit de beschermende piepschuimkoker. 'Dit ding stuurt een signaal rechtstreeks naar Molly's mensen in de VS zodat die hun mensen hier in Egypte kunnen waarschuwen. Binnen drie uur hebben we hier hulptroepen.' Hij zette een schakelaar aan de zijkant om, schroefde het baken in het zand en stond op.

'Gaan we naar beneden?' vroeg Freya.

'Nee, ik dacht erover boven te blijven en zandkastelen te bouwen.' Het was licht sarcastisch en Freya moest lachen, omdat ze begreep dat het een domme vraag was, dat er geen denken aan was dat Flin hier boven bleef zitten duimendraaien. 'Denk je dat het veilig is?

Hij haalde zijn schouders op. 'Ongeveer even veilig als Manshiet Nasser of Abydos.'

'Nou, daar zijn we goed weggekomen.'

Nu was het zijn beurt om te lachen. 'God, je lijkt je zus wel.'

Daar gaf ze geen antwoord op, maakte alleen haar opgebonden haar los, schudde het uit en strekte een arm uit naar de opening beneden. 'Egyptologen eerst.'

Zijn glimlach verbreedde zich en hij begon aan de weg naar beneden. Hij nam de helling zijwaarts om zijn evenwicht te kunnen bewaren; zijn benen zakten tot over zijn knieën weg. Freya kwam achter hem aan. Ongeveer halverwege bleef hij staan en keek naar haar op. Zijn lach was verdwenen, zijn gezicht stond nu ernstig, zakelijk. 'Je vindt het misschien gek, maar er zijn hier dingen, elementen waar we niets...' Hij onderbrak zichzelf, zocht naar de goede woorden. 'Gewoon, kijk goed uit als we binnen zijn. Probeer alles te laten zoals het is. Goed?' Hij bleef haar aankijken om zeker te weten dat ze het tot zich had laten doordringen, en ging toen met een knikje verder naar beneden

De helikopters vlogen in formatie over de woestijn, zes stuks die als reusachtige libellen over de duinen scheurden: vijf zandkleurige Chinooks en wat achterblijvend een zwarte Augusta.

Ze vlogen snel, in zuidwestelijke richting met de opgaande zon in de rug, in een lijn die hen iets ten noorden van een alleenstaande, hoog oprijzende rotsmassa voerde, wat betekende dat ze de witte Land Cruiser misten, die in het donker onder een overhang aan de voet van de rots wegschool. Pas toen ze ver voorbij waren en het verraderlijke gejank van de rotors in de verte was verdwenen, stak het voertuig zijn neus weer in het zonlicht. De wielen sloegen door en slipten, alsof ze bang waren om te worden achtergelaten.

'Jezus,' mompelde Flin. Ze waren bij de doorgang gekomen, stonden er nu aan een kant bij en tuurden omlaag in een donkere, steil aflopende schacht. Van waar zij stonden liep het zand nog een meter of tien door waar het geleidelijk slonk zodat er een reeks in de rots uitgehouwen treden zichtbaar werd die in het duister verdwenen als in een diepe plas met zwart water.

Hij deed de Maglite aan en scheen ermee rond, bestudeerde de mooi uitgehakte muren en de zoldering, waar de steen nog altijd de veelzeggende ribbels van de oude beitelsporen droeg. Omdat hij niet kon zien waar de schacht eindigde, ging Flin op zijn rug liggen en liet zich naar beneden glijden tot hij bij de treden was, waar hij weer ging staan.

'Kun je wat zien?' vroeg Freya en schoof achter hem aan.

'Alleen maar treden, antwoordde hij en richtte de lichtbundel op de duisternis verder naar beneden. 'Een afschuwelijke hoop treden. Dit moet helemaal tot onder de Gilf lopen. Maar waar het dan precies uitkomt?' Hij schoof iets opzij zodat Freya naast hem kon staan; de schacht was daar net breed genoeg voor. De ruimte had iets benauwends, iets dreigends: de duisternis, de stilte, de manier waarop het gesteente van alle kanten op hen leek te drukken. Ze bleven een tijdje staan, zelfs Flin scheen te aarzelen of hij verder zou gaan. 'Misschien moet je boven wachten,' zei hij. 'Dan ga ik wel kijken waar dit uitkomt. Als er dan iets gebeurt, kunnen we...'

Ze schudde haar hoofd en zei dat ze of allebei gingen of helemaal niet. Hij knikte – 'Net je zus.' – en begon na een laatste zwaai met de lichtbundel aan de afdaling, met Freya naast zich. Om de paar stappen bleven ze staan om de schacht nogmaals te bekijken, om te zien waar hij naartoe ging. De treden gingen maar door, dieper en dieper de rots in, de lucht werd steeds koeler, de ingang achter hen werd kleiner en kleiner tot hij niet meer dan een speldenknop was, een piepklein gaatje in de duisternis die hen geheel omgaf. Ze telden vijftig treden, honderd, tweehonderd, en Freya vroeg zich af er ooit een eind aan zou komen of dat de trap ad infinitum doorliep tot het binnenste van de aarde, toen Flins lichtbundel bij het passeren van de driehonderdste trede op een plat stuk steen stootte. Na nog vijftien meter werd de schacht vlak.

Op de bodem was weer een doorgang, geflankeerd door net zulke beelden als boven. Toen ze er doorheen waren, bleken ze zich in een lange tunnel te bevinden met gebogen wanden en een gebogen zoldering, die het geheel een merkwaardig rond, buisachtig idee gaven, alsof ze in een reusachtige darm stonden. In tegenstelling tot de schacht waarvan de wanden en zoldering kaal waren, was het gesteente hier gepleisterd en gewit, en beschilderd met een merkwaardige, kronkelende versiering waarin Freya na een tijdje de kronkelingen van een veelheid aan met elkaar vervlochten slangen herkende.

'Mogen kwaadwillenden worden opgeslokt in de buik van de slang Apep,' mompelde Flin, en het licht van zijn lamp viel op een kop met wijd opengesperde kaken en een dreigend naar binnen en buiten flitsende tong.

'Ik krijg hier geen goed gevoel bij,' zei Freya.

'Dan ben je niet de enige,' zei Flin. 'Blijf dicht bij me en probeer niks aan te raken.'

Ze liepen verder en hun schoenen maakten een droog, ketsend geluid op de stenen vloer. De slangen hielden hen bij, kronkelden over de wanden en de zoldering. Door het zwaaien van de lichtbundel ontstond een griezelig effect waardoor het was of de gekromde lijven rolden en gleden alsof de slangen werkelijk bewogen. Dat effect werd versterkt door de duisternis, evenals de vorm van de tunnel en de slaapverwekkende, claustrofobische atmosfeer, en meer dan eens bleven ze met een schok staan, draaiden zich schielijk om in de overtuiging dat de afbeeldingen werkelijk bewogen, met opengesperde bek achter hen aan glibberden. Maar het waren slechts afbeeldingen, en toen ze zich ervan hadden overtuigd dat ze het zich verbeeldden, dat het een soort ondergrondse fata morgana was, draaiden ze zich om en vervolgden hun weg. De tunnel liep ongeveer vijfhonderd meter lang vlak, voerde hen in een kaarsrechte lijn door de rots om daarna geleidelijk op te lopen, eerst rustig, maar later steiler, doorstotend naar de oppervlakte. Ze legden nog een paar honderd meter af – de tunnel en de trap bij elkaar hadden hen nu minstens een kilometer ver in de onderbuik van de Gilf gebracht – toen Flin plotseling bleef staan. Hij pakte Freya's arm en deed de lamp uit. 'Valt je niks op?' Zijn stem echode door de tunnel.

Eerst niet: de duisternis verstikte haar. Maar toen haar ogen aan de leegte gewend raakten, werd ze zich bewust van iets dat hoger en verderop was. Een zwak streepje licht, nauwelijks zichtbaar, slechts een miniem verticaal scheurtje in de hen omringende duisternis. 'Wat is het? Een deur?'

'Nou, het is of een verdomd klein deurtje, of het is nog een heel eind weg. Kom mee.'

Hij deed de lamp weer aan en ze hervatten hun wandeling, sneller nu, beiden met als grote wens uit deze benauwende duisternis weg te zijn. De gang voerde hen opwaarts, de muren en de zoldering begonnen onmerkbaar te wijken, zodat waar ze eerst net genoeg ruimte hadden om naast elkaar te lopen, er nu ruimte overbleef. Ze zetten er de pas in, begonnen te draven en hadden haast, snakten naar zonlicht en frisse lucht, het kon niet meer schelen waar de tunnel hen bracht of wat het eind ervan was, ze wilden er alleen maar uit. Hoewel de tunnel steeds ruimer werd en ze steeds sneller liepen, was het of het lichtstreepje niet groter werd of dichterbij kwam. Het zweefde alleen maar aan het eind van de tunnel, een zwak schuin streepje grijs dat hen wenkte terwijl het hen tegelijkertijd op afstand leek te houden.

'Verdomme,' gromde Flin en zette er echt de sokken in. Er ontstond een gat tussen hem en Freya, en hij liep nu hard, scheen met de lamp op de grond voor zich om te voorkomen dat hij ergens over struikelde. Maar het licht bleef veraf, kwellend, uitdagend, en gefrustreerd zette hij opeens een sprint in, deed een uitval naar het grijze streepje alsof hij het bij verrassing wilde nemen voordat het zich weer kon terugtrekken. Even weergalmde de tunnel van zijn voetstappen, toen klonk er opeens een krakende klap en een doffe dreun, alsof iets zachts op iets hards terechtkwam. De lamp rolde met een metalig geluid weg over de grond en de lichtbundel wierp trillerige lichtvlekken over steen. Freya hield haar vaart in en tuurde in de duisternis.

'Flin?'

Gekreun.

'Gaat het?'

Weer gekreun gevolgd door een versuft 'shit'.

Ze kwam bij de Maglite, pakte hem op en scheen voor zich uit. Flin lag op zijn rug met zijn ogen op de zoldering gericht, hij knipperde verdwaasd met zijn ogen en trok een verbijsterd gezicht, als een bokser die is neergegaan door een bijzonder gemene rechtse hoek. Vlak voor hem bevond zich de reden van de abrupte beëindiging van zijn sprint: de tunnel werd geblokkeerd door twee zeer solide uitziende deuren. Ertussen zat een haardun streepje zonlicht, de bron van het spookachtige spleetje dat ze een eind terug in de tunnel hadden gezien.

'Gaat het?' vroeg ze en haastte zich naar hem toe en hielp hem overeind.

'Niet echt,' mompelde hij, greep haar schouder voor steun, tolde tegen haar aan. 'Ben ik in volle vaart tegenaan geknald. Jezus, ik heb het gevoel dat ik een klap heb gehad met een...' Hij kon niet bedenken waarmee hij was geslagen, dus stond hij met voorzichtige vingers zijn voorhoofd af te tasten en probeerde hij zijn hoofd weer helder te krijgen. Zo bleef hij een tijdje staan, waarna hij, nog steeds een beetje verdwaasd, de lamp van haar overnam en ermee over de deuren scheen. Die hingen aan bronzen scharnieren die in de muren waren gedreven, waren twee maal zo groot als hijzelf en volmaakt gemaakt en geplaatst – de ronde bovenkant sloot perfect aan op de zoldering – zodat er op het piepkleine streepje grijs tussen de deuren niets was te zien van wat erachter lag.

'Hoor je dat?' vroeg hij.

Ze hoorde het inderdaad: zacht vogelgekwetter en nog zachter het lieflijke gespetter van stromend water. Flin drukte zijn gezicht tegen de spleet, probeerde erdoor te kijken, maar de spleet was veel te smal. Hij deed een stap achteruit en richtte het licht op de grendel die over het midden van de deuren liep en ze gesloten hield. Er was een stuk grof, dun touw omheen gewonden en vastgezet met een zegel van klei waarin een afbeelding was gedrukt die haar drie dagen geleden nog niets zou hebben gezegd, maar die haar nu maar al te bekend was. De vorm van een obelisk met daarin het kronkelende sedjet-teken.

'Nog intact,' zei Flin en hij klopte op het zegel. 'Wat hier ook achter mag liggen, langs deze route is er al vierduizend jaar lang niemand meer binnengekomen.'

'Denk je dat het de oase is?'

'Ik zou niet weten hoe dat zou kunnen als je bedenkt dat ik een uur geleden precies over dit gebied ben gevlogen en dat er geen donder te zien was. Aan de andere kant, als er één ding is dat ik over de wehat seshtat heb geleerd, is het dat schijn bedriegt. Ik denk dat er maar één manier is om erachter te komen.' Hij stak een hand in zijn achterzak, haalde er een klein zakmesje uit en zette het op het touw. Hij aarzelde even, scheen er moeite mee te hebben de oude verzegeling te beschadigen, maar zette toen het mes erin, sneed het touw door en trok het weg.

'Klaar?' vroeg hij, trok de grendel voorzichtig weg en legde een hand tegen de rechterdeur.

'Zo klaar als maar kan,' zei ze en zette haar gewicht tegen de linkerdeur.

'In dat geval... Sesam, open u!' Ze duwden. De deuren zwaaiden met een zacht gefluister naar buiten, stralend daglicht stormde hen tegemoet. Het vogelgezang en het geklater van water klonken opeens veel luider.

Op het moment dat de helikopters de grond raakten, gingen de deuren open en braakten ze figuren uit in antistralingspakken. Ze begaven zich moeizaam naar de doorgang in de rotswand, lieten er allerlei elektronische apparatuur op los en waren een behoorlijk aantal minuten bezig voor ze degenen die in de Chinooks zaten te wachten meldden dat het veilig was. Er werden andere mannen uitgespuugd. Een aantal – zwaarbewapende mannen met zonnebrillen en kogelvrije vesten – vormde een veiligheidskordon langs de rand van de zandkrater. Anderen laadden de aluminiumkisten uit en droegen ze naar de opening en de schacht erachter in. Pas toen de laatste kist was verdwenen liepen Girgis en zijn collega's naar de doorgang. Daar bleven ze even staan en Girgis draaide zich om voor een blik op de figuur die boven aan de kraterrand als een silhouet stond afgetekend. Vervolgens knikte hij, zwaaide en draaide zich om. Nu begon het gezelschap aan de afdaling in de duisternis daar beneden, met de tweeling als hekkensluiters. Met hun handen diep in hun zakken leken ze hoogst ongeïnteresseerd in de hele toestand.

Toen Freya en haar zus nog kinderen waren, stelden ze zich voor dat er achter de maan een geheime wereld was, een ongerept, magisch oord vol bloemen en watervallen en vogelgezang. Alex had er in haar laatste brief aan Freya een toespeling op gemaakt, zij het in een andere context, en dat was haar eerste gedachte nu ze stond te kijken naar wat ze slechts kon omschrijven als het paradijs.

Ze stonden aan het begin van een lange, diepe kloof die aan beide zijden werd ingeklemd door steil oprijzende rotswanden waarlangs slanke watervallen als bungelende zilverdraden omlaag kwamen. Aan dit smalle uiteinde was de kloof hooguit twintig meter breed, maar hoe verder hij de Gilf in liep – een gigantische bijlkloof in de barre rots – hoe breder hij al snel werd. De bodem liep langzaam op en de steile wanden weken van elkaar als een open schaar. Freya schatte dat hij aan het andere einde vierhonderd, vijfhonderd meter breed moest zijn, hoewel het moeilijk met zekerheid te zeggen was omdat het zo ver weg was. Boven hun hoofd zwenkten en doken allerlei vogels, een kabbelend patroon van stroompjes en kanaaltjes doorsneed de bodem van de canyon, bevochtigde het zand en zorgde voor een rijke vegetatie: bomen en struiken en kleurige bloemtapijten. Zelfs de rotswanden waren gekoloniseerd: op richels en in spleten groeiden grote kluiten planten als explosies van groen haar.

'Dit kan niet,' zei Flin en schudde verbaasd zijn hoofd. 'Ik ben er overheen gevlogen en er was niets te zien. Alleen rotsen en woestijn.'

Ze liepen de deuropening door en gaven elkaar instinctief een hand terwijl ze naar het dichte vlechtwerk van bladeren en takken voor hen keken. Het duurde even voor hun ogen gewend waren aan de warrige wisselwerking van licht en donker, maar toen begonnen ze in het groen vormen te onderscheiden: de krommingen en hoeken van bewerkte stenen, stukken van muren, zuilen, sfinxen en enorme figuren met een mensenlichaam en de kop van een dier. Hier gluurde van onder een laag mos een paar lege stenen ogen naar hen, daar stootte een monumentale vuist door een groep palmbomen. Links van hen verdween het restant van een straatweg de struiken in, rechts priemde een rij obelisken door het bladerdak als de punten van een rij werpspiesen.

'Hoe hebben ze dit allemaal kunnen maken?' fluisterde Freya. 'Hier, in deze uithoek. Dat moet ze eeuwen hebben gekost.'

'Wel meer dan dat,' zei Flin en liep verder naar een zanderige open plek recht tegenover de tunnelingang. 'Het slaat werkelijk alles wat ik... Ik bedoel, ik heb toch een hoop teksten gelezen, ik heb de foto's van Schmidt gezien, maar als je het echt...'

Hij scheen de zin niet te kunnen afmaken, zijn stem ging over in een dromerig, met ontzag vervuld zwijgen. Er gingen vijf minuten voorbij waarin het tweetal daar alleen maar stond en keek. De zon stond nu hoog aan de hemel, wat vreemd was omdat het volgens Flins horloge pas negen over acht was. Hij keek omhoog, schermde zijn ogen af en schudde zijn hoofd, alsof hij wilde zeggen dat hier niets hem nog kon verbazen. Na nog een paar minuten liet hij Freya's hand los en tilde een arm op.

'Dat moet de tempel zijn,' zei hij en wees naar een punt in de verte, helemaal aan de andere kant van het dal waar zo te zien een natuurlijk rotsplateau boven de boomtoppen uitstak. Er stonden allerlei stenen vormen dicht op elkaar, waaronder een bouwsel dat volgens Freya wel eens de poort op de foto van Rudi Schmidt zou kunnen zijn.

'Gaan we daarheen?' vroeg ze.

Hoewel zijn gezicht zei dat hij dat dolgraag wilde, schudde Flin zijn hoofd. 'We moeten eerst de Antonov vinden en kijken wat erin zit. Daarna kunnen we op onderzoek uit.'

Freya keek hem aan. 'Moeten we niet zoiets als een geigerteller of zo hebben? Voor het geval een van de uraniumverpakkingen bij de crash is beschadigd?'

Flin glimlachte. 'Waar we ons verder ook zorgen om kunnen maken, niet om stralingsziekte. Uranium-235 is niet giftiger dan een granieten aanrechtblad. Als ik een bad in dat spul zou nemen, hield ik er niets aan over. Maar als je toevallig hier in de buurt een geigertellerwinkel weet, wil ik er best een halen, alleen maar om je gerust te stellen. Kom mee.'

Met een luchtige knipoog ging hij haar voor de open plek over en een bospad dat was omzoomd door voornamelijk acacia's en tamarisken, maar ook palmen, vijgenbomen, wilgen en een eenzame, torenhoge plataan. Het was er warm, maar niet onaangenaam, en de lucht was zwaar van de geur van tijm en jasmijn, en het krioelde er van de vogels, vlinders en de grootste, mooiste libellen die Freya ooit had gezien. Zonnestralen schenen door de takken als lappen goudbrokaat, glinsterende stroompjes kronkelden tussen de boomwortels door, liepen op sommige plaatsen droog, voegden zich elders bij andere in heldere vennetjes omzoomd door groepen oranje narcissen en bestrooid met blauwe en witte waterleliekommetjes.

'Het lijkt niet echt,' verwonderde ze zich over de paradijselijke schoonheid. 'Het is net iets uit een sprookje.'

Flin draaide zich om en om, op zijn gezicht een mengsel van vervoering en ongeloof. 'Ik weet wat je bedoelt,' zei hij zacht. 'In het Louvre is een fragment van een inscriptie waarin over de oase wordt gesproken als *wehat resut*, de oase van dromen. Nu we hier zijn, begrijp ik waarom.'

Ze liepen verder. De kloof liep omhoog en werd steeds breder, overal doemden muren en beelden en met hiërogliefen overdekte blokken steen op. Sommige waren in perfecte staat, andere waren gescheurd en verzakt en omgegooid door de langzame bulldozerwerking van boomwortels en plotselinge overstromingen. Hoe meer ze zagen hoe duidelijker het Flin en Freya werd dat, wat vanaf de tunneluitgang een willekeurige warboel van steenhouwerswerk leek, in feite niet zo willekeurig was. Verre van dat: het moest ooit een architectonisch geordend geheel van straten en wegen en gebouwen en hoven zijn geweest waarvan het grondpatroon nog net herkenbaar was, ook al was het overwoekerd.

'Dit moet verbazingwekkend zijn geweest,' zei Flin en zijn stem beefde van opwinding. 'Ik heb altijd gedacht dat de teksten waarin Zerzura als een stad werd beschreven sterk overdreven waren, maar het is duidelijk wel zo geweest.'

Ze kwamen bij een weide vol klaprozen en korenbloemen, waar ibissen en witte reigers krabbend en pikkend rondschreden. Het rotsplateau dat ze vanaf het laagste deel van de oase hadden gezien, was nu veel dichterbij maar nog altijd een heel eind weg. Het stak boven de bomen uit als een reusachtig toneel en de monumentale poort met de zuilen, die Schmidt had gefotografeerd, was goed te zien. Ze bleven staan en keken ernaar, liepen door en volgden een weg geplaveid met door onkruid overgroeid marmer. De weg liep midden over de wei, met aan beide zijden een rij sfinxen en obelisken. Een soort processieweg, dacht Flin.

Ze hadden ongeveer de helft van het weiland afgelegd toen Freya opeens bleef staan en Flins arm pakte. 'Daar,' zei ze en wees naar een dicht palmbos dat pal tegen de zijwand van de kloof stond. Boven hun gebogen kruinen was nog net, als een rafelige rugvin, een richtingsroer van een vliegtuig te zien, en eronder was tussen de stammen door af en toe een stuk van de romp te zien.

'Bingo,' zei Flin.

Haaks op de weg liep een andere geplaveide weg, smaller en bijna helemaal overwoekerd, die rechtstreeks naar het palmbos leek te leiden, dus sloegen ze af en passeerden een rij reusachtige granieten scarabeeën voor ze bij de palmbomen kwamen. Ze zochten zich er een weg naar een kleine, zongevlekte open plek. De Antonov lag voor hen: wit en vol deuken en griezelig stil, versierd met een wirwar van klimop en bougainville.

Gezien het feit dat het toestel was neergestort en daarna nog eens bijna honderd meter was gevallen voor het op de bodem van de kloof terecht was neergekomen – de sporen van de molenwiekende valpartij waren nog duidelijk zichtbaar op de rotswand – was het er verbazingwekkend goed van afgekomen. De rechtervleugel was helemaal afgescheurd en nergens te bekennen, van de linkervleugel was de helft ook weg en de propellers van de overgebleven motor waren verwrongen en gebogen. Een gekarteld gat halverwege de onderkant van de romp zag eruit alsof een groot roofdier een hap uit de Antonov had genomen. Maar hij lag plat op zijn buik, en al was de romp dan zwaar gehavend, hij lag niet in stukken, de staartvin kwam uitdagend boven de boomtoppen uit, en de neus lag tegen de kop van een monumentale granieten sfinx.

Ze namen het tafereel goed in zich op, liepen vervolgens naar het achterstuk waar ze bleven staan voor drie rechthoekige hopen aarde die naast elkaar in de schaduw van de staart waren opgeworpen. Bij elk ervan was aan het hoofdeinde provisorisch een ruw kruis in de grond geslagen.

'Die moet Schmidt hebben begraven,' zei Flin hoofdschuddend. 'Ik kan niet echt medelijden met ze hebben als je bedenkt dat ze vijftig kilo uranium naar Saddam probeerden te smokkelen, maar aan de andere kant... Jezus, het moet afgrijselijk zijn geweest.'

Freya stond naast hem en probeerde zich voor te stellen wat het voor Schmidt moest zijn geweest: alleen, bang, waarschijnlijk gewond, drie ondiepe graven delven, de lichamen uit het vliegtuig slepen... 'Hoe lang denk je dat hij hier is gebleven?' vroeg ze.

'Zo te zien wel een tijdje.' Hij maakte een hoofdgebaar naar de resten van een kampvuur en de lege blikjes die eromheen op de grond lagen. 'Ik schat dat hij minstens een week heeft gewacht op een reddingsploeg, vermoedelijk langer. Maar toen er niemand kwam, heeft hij besloten naar de bewoonde wereld terug te lopen, alhoewel ik bij god niet snap hoe hij eruit is gekomen. In elk geval niet langs de weg die wij nu hebben genomen.'

Ze bleven nog even naar de graven staan kijken en liepen toen langs de romp naar de voorste deur. Flin stak zijn hoofd naar binnen voor hij erin klom en Freya naar binnen hielp. Het was er donker en haar ogen hadden even tijd nodig om zich aan te passen. Toen het zover was, stokte haar adem. 'O god, o jezus!'

Tien stoelen van hen vandaan zat een man. Of liever: de uitgedroogde resten van een man. Hij zat kaarsrecht en was in het droge woestijnklimaat perfect gemummificeerd, met lege oogkassen, een harde, leerachtige huid zo zwart als drop, een mond vol spinnenwebben en wijd opengesperd alsof hij wanhopig probeerde adem te halen. Waarom hij hier was achtergebleven en niet begraven bij de anderen begrepen ze niet meteen. Pas toen ze dichterbij kwamen, werd de reden duidelijk: bij de crash waren alle stoelen aan de rechterkant van de cabine naar voren geschoven en als een harmonica op geklapt, waarbij de benen van de man net boven de knieën klem waren komen te zitten zodat hij niet weg kon. Hij moest ondraaglijke pijn hebben gehad: zijn knieschijven waren verbrijzeld alsof ze in een bankschroef zaten, alhoewel dat niet de doodsoorzaak was. Dat was de grote metalen koffer die plat op zijn schoot lag en die bij de beweging van de stoelen naar achteren was geschoven, tegen zijn buik, en die zijn ingewanden had verpletterd en zijn middenrif had samengedrukt tot er nog maar tien centimeter ruimte over was gebleven.

'Denk je dat het snel is gegaan?' vroeg Freya en keek de andere kant op.

'Dat hoop ik wel voor hem,' zei Flin. Hij liet zich op zijn hurken zakken en bekeek de koffer aandachtig. Die zat nog altijd dicht en leek niet te zijn beschadigd noch was eraan geknoeid. En snelle inventarisatie leverde nog drie identieke koffers tussen de stoelen aan de andere kant van het middenpad op. Ook die waren nog dicht en in goede conditie.

'Ze zijn er allemaal nog,' zei hij. 'En ongeschonden. Kom, we gaan naar buiten. Over een paar uur zijn Molly's mensen hier en dan kunnen die het verder afhandelen. Wij hebben ons werk gedaan.'

Hij legde een hand op Freya's schouder en ze draaide zich om, klaar om naar de deur terug te gaan. Tijdens de draai gleed haar blik over het uitgedroogde gezicht van het lijk. Het was maar even, maar lang genoeg om in een van de oogkassen een beweging te zien, iets dat daar binnen bewoog, zich omdraaide. Eerst dacht ze dat ze het zich verbeeldde, toen, met een van walging dichtgeknepen keel, dat het een worm of een made moest zijn. Pas toen ze zich dwong beter te kijken zag ze tot haar afgrijzen dat het een hoornaar was: geel en zo dik als haar vinger. Hij kroop uit de kop en over het neustussenschot. Er kwam er een achteraan, en nog een, en toen nog twee. Opeens klonk er in de schedel van de dode een donker gezoem.

Al het andere had ze kunnen verdragen, maar voor wespen en hoornaars had ze een oerangst, al van kindsbeen af, die waren het enige waar ze niet tegen kon. Ze gaf een schreeuw, begon met wapperende armen achteruit te lopen. Die beweging maakte de insecten aan het schrikken. De hoornaars die al uit de schedel waren gekropen, gingen dreigend de lucht in en het nest achter ze spuwde er onder kwaad gezoem steeds meer uit. Eentje bleef er in haar haar hangen, een andere vloog tegen haar wang zodat ze nog hysterischer werd wat vervolgens de zwerm nog woedender maakte.

'Stil blijven staan!' beval Flin. 'Blijf staan waar je staat!'

Ze luisterde niet naar hem. Ze draaide zich razendsnel om en nam met maaiende armen een spurt naar de uitgang. Maar halverwege bleef ze met een voet achter een klimoprank hangen en viel op de grond. Door haar wilde bewegingen werden de hoornaars helemaal wild.

'In godsnaam, beweeg je niet,' siste Flin. Hij sloop door het middenpad en liet zich boven op haar vallen, beschermde haar met zijn armen en zijn lichaam. 'Hoe meer je beweegt, hoe heftiger ze reageren.'

'Ik wil eruit!' jammerde ze en kronkelde en bokte om onder hem vandaan te komen. 'Je snapt het niet, ik kan niet... aauuuw!' Een hevige pijnsteek achter in haar nek. 'Jaag ze weg! Jaag ze alsjeblieft weg!'

Hij zei niets, pakte alleen haar polsen beet en klemde zijn benen om de hare alsof ze aan het worstelen waren. Hij drukte zijn wang op haar achterhoofd en duwde haar met zijn volle gewicht tegen de grond, pinde haar vast. Ze voelde een hoornaar in haar linker broekspijp omhoog kruipen, een andere op haar gesloten ooglid, en nog twee over haar lippen: haar ergste nachtmerrie werd werkelijkheid, nee, erger nog. Maar er volgden geen steken meer, en hoewel het onverdraaglijk was ze op haar huid te voelen, lukte het haar dankzij een enorme mentale inspanning en de hulp van Flins lichaamsgewicht boven op haar, om niet te bewegen. Eerst ging het nog door, vielen hoornaars hen van alle kanten aan – hoe konden ze met zoveel bij elkaar in één enkele schedel zitten? – voordat de zwerm zich, even onverwachts als hij zich had gemanifesteerd, begon op te lossen. Het zoemen stierf weg en plotseling waren de insecten op haar gezicht en been vertrokken. Ze bleef liggen, verstard, ogen en mond stijf dicht, doodsbang dat de insecten zich bij de minste beweging weer op haar zouden storten. Flin moest hetzelfde hebben gedacht, want pas na wat haar een eindeloze tijd leek, voelde ze dat hij zijn hoofd optilde en om zich heen keek. Zo bleef het nog even, toen werd zijn gewicht van haar weggehaald.

'Het is voorbij,' zei hij, bukte zich en hielp haar overeind. 'Ze zijn weg. Naar buiten gevlogen.'

Ze drukte zich bevend tegen hem aan, de steek in haar nek brandde gemeen.

'Het is voorbij,' herhaalde hij en sloeg zijn armen om haar heen. Zijn stem was kalm en geruststellend. 'Je bent veilig. Het gevaar is voorbij. Niks aan de hand.'

Even, heel even, leek het dat hij gelijk had. Toen klonk er buiten een zacht, kwaadaardig lachje. 'Helaas, professor Brodie, is dat niet helemaal het geval. Helemaal niet, in feite. Vanuit uw standpunt gezien, tenminste. Vanuit het mijne gezien echter...'

De twee figuren bewogen zich snel door het struikgewas, bleven zoveel mogelijk aan de zijkant van de kloof. Zo om de vijftig meter stopten ze en hurkten ze achter een boom, struik, muur of beeld, wat zich er maar toe leende, waar ze dan even bleven om te luisteren en op adem te komen, waarna ze zich weer verder haastten. Hun bruine gewaden gingen naadloos op in de omgeving zodat zelfs de vogels bijna niet merkten dat ze langskwamen. De enige dissonant was af en toe de flits van een witte Nike als ze hun djellaba's optilden om over een rots klimmen of over een stroompje te springen. Ze spraken niet, communiceerden met handgebaren en sjilpende fluitjes, en leken precies te weten waar ze heen gingen, trokken de oase door tot ze halfweg waren waarna ze afsloegen naar het midden. Nu bewogen ze zich nog voorzichtiger, schoten van de ene dekking naar de volgende, waren even zichtbaar voor ze weer opgingen in de omgeving. Ze kwamen bij een enorme *doum*-palm en een van hen klom er handig in en verborg zich tussen de grote bladeren bovenin. De andere liep nog iets verder en dook weg achter een reusachtige granieten arm. Ze staken even hun hoofd uit de dekking, knikten naar elkaar en hieven hun geweer. Toen er beneden hen een rij mannen verscheen die tussen de bomen door hun kant op kwamen, doken ze weg en was het of ze er nooit waren geweest.

Even bleven Flin en Freya in elkaars omarming staan, te verrast om zich te bewegen. Toen lieten ze zich als één persoon achter de stoelen vallen en keken door het dichtstbijzijnde raampje naar buiten. Het was niet al te dichtgegroeid en ze hadden een goed beeld van Romani Girgis die op de open plek stond, smetteloos gekleed en grijnzend. Hij werd geflankeerd door de rossige tweeling in hun Armani-pakken en roodwitte El-Ahly-voetbalshirts, en twee andere mannen, de ene lang en met een baard, de andere dik en lomp, met een sigaret tussen zijn tanden en een borstelige snor met nicotinevlekken. Op de achtergrond leken nog meer mensen bezig te zijn, maar ze konden niet goed zien hoeveel het er waren en wat ze deden.

'Hoe hebben ze het kunnen vinden, verdomme?' fluisterde Freya.

'Joost mag het weten,' mompelde Flin. 'Misschien hadden ze al mensen die de rots in de gaten hielden, misschien hebben ze mensen gestuurd op het moment dat Angleton ons zag wegvliegen. Ik mag doodvallen als ik het weet.'

'Wat doen we nou?'

'Willen jullie alsjeblieft naar buiten komen,' klonk het uit Girgis' mond, hoewel hij hen niet had kunnen horen. 'En hou dan alsjeblieft je handen zo dat wij ze kunnen zien.'

'Shit,' gromde Flin. Hij keek koortsachtig om zich heen, zijn ogen schoten heen en weer door de cabine en bleven toen rusten op de gemummificeerde figuur. Die was nog geheel gekleed en het keurig gestreken overhemd en geperste jasje staken scherp af tegen het geslonken, zwarte lichaam eronder. Onder het jasje piepte de kolf van een pistool uit. Flin kroop erheen, trok het wapen uit de schouderholster, haalde de patroonhouder eruit, controleerde het mechaniek dat opmerkelijk genoeg nog goed leek te functioneren.

'Willen jullie nou alsjeblieft naar buiten komen,' klonk Girgis weer. 'Jullie kunnen niets doen, dus waarom nog spelletjes gespeeld?'

'Kunnen we het volhouden tot Molly's mensen hier zijn?' fluisterde ze.

'Twee uur lang, met één glock en vijftien patronen?' Flin snoof laatdunkend. 'Vergeet het maar. We spelen niet mee in een Hollywoodfilm.'

'Wat moeten we dan?'

Hij schudde machteloos zijn hoofd, zijn ogen speurden het interieur van de Antonov af, en bleven rusten op de drie metalen koffers tussen de stoelen achter hen. Hij aarzelde even, legde het pistool op de grond, boog zich naar de koffers toe, greep het handvat van de dichtstbijzijnde en sjorde hem naar zich toe, worstelend met het gewicht.

'Wat ga je doen?'

Hij negeerde haar vraag, frunnikte aan de twee sloten, probeerde ze te openen maar slaagde er niet in.

'Wat ga je doen?' vroeg ze nogmaals.

Flin gaf nog steeds geen antwoord. Hij pakte de glock, leunde naar achteren, hield een beschermende arm voor Freya en vuurde met twee schoten de sloten kapot. Hij legde het wapen weg en rukte de koffer open. Erin zaten, strak verpakt in een bed van schuimrubber, twee dingen die op zilveren cocktailshakers leken. Hij wurmde er een uit, hield hem in twee handen omdat hij zwaar was en stond op.

'Professor Brodie?' Girgis' stem bereikte hen van buiten en klonk eerder geïntrigeerd dan gealarmeerd. 'Laat me alstublieft weten dat u zich niet hebt doodgeschoten. Ik heb hier een paar mensen voor wie het een grote teleurstelling zou zijn als hun de kans wordt ontnomen u te...'

Flin reikte over de stoelen en liet de uraniumhouder met een klap tegen het raampje komen, wat een hard, bonzend geluid gaf en de Egyptenaar midden in zijn zin onderbrak. 'Zie je dit, Girgis?' riep hij en beukte nog een keer met het ding op het raampje, trok de aandacht van de mensen buiten zodat ze allemaal zagen wat hij in zijn handen had. 'Dit is een houder met verrijkt uranium. Jouw verrijkte uranium. Als je een stap dichterbij komt, strooi ik het uit in het hele vliegtuig. En dan doe ik dat ook met de andere houders. Hoor je me? Eén centimeter dichterbij en ik verander het hier in een radioactieve oven!'

Freya was achter hem komen staan en begroef haar vingers in zijn schouder. 'Je hebt gezegd dat uranium niet gevaarlijk is!' siste ze.

'Dat is het ook niet,' antwoordde hij zacht. 'Maar ik reken erop dat Girgis dat niet weet; het is een zakenman, geen wetenschapper. En ook al weet hij het wel, zijn mensen waarschijnlijk niet. Het zorgt er in elk geval voor dat ze zich wel tweemaal bedenken voor ze naar binnen komen en ons naar de ander wereld schieten.' Hij beukte nog een keer op het raampje, hamerde echt op het perspex, pakte toen de schroefdop van de houder en draaide hem een slag, overdreef de beweging zodat het glashelder was wat hij aan het doen was. 'Let je wel op, Girgis? Wil je weten hoe uranium eruitziet? Of hoe het ruikt? Want ik zweer bij god dat je op het punt staat het te ervaren als je niet achteruitgaat. Komt dat zien, komt dat zien! De grote radioactieve vergiftigingsshow!'

Hij draaide de dop nog een slag, en nog een, en nog een, wachtte op een reactie van buitenaf. Die kwam niet. Girgis en zijn mensen stonden en keken toe, half geamuseerd, half verbaasd. Er viel een stilte, het zingen en kwetteren van de vogels vormde een misplaatst decor voor de impasse. En toen opeens klonk er een lachsalvo. Niet van Girgis, maar vanuit de bomen achter hem. Een zacht, lichtelijk vrouwelijk lachen.

'Professor Brodie, je bent echt een giller. Leg dat ding alsjeblieft neer en kom naar buiten zodat we het kunnen uitpraten. We zijn hier onder vrienden.'

Caïro

Ibrahim Kemal was drieënzeventig, en hij viste nu al vijfenzestig van die drieënzeventig jaar in hetzelfde stuk Nijl net ten noorden van Caïro. En in al die vijfenzestig jaar had hij nog nooit een vis aan de haak gehad die zo aan de lijn trok. 'Wat zou dat zijn?' vroeg zijn kleinzoon die zijn armen om het middel van de oude man had geslagen om ervoor te zorgen dat hij niet uit de heftig schommelende boot viel. 'Een meerval? Een snoek?'

'Eerder een walvis,' mopperde de oude man en trok een lelijk gezicht toen de lijn in zijn hand sneed. (Hij gebruikte een nylon lijn met een haak aan het eind, niet zoiets buitensporigs als een hengel.) 'Toen ik zo oud was als jij, heb ik eens een snoek van zeventig kilo binnengehaald en die was niet half zo zwaar als dit. Ik zeg je dat het een walvis is. Zeker weten.'

Hij vierde de lijn iets, gaf de vis wat speelruimte, liet hem vluchten en begon hem toen weer in te halen. Hun eenvoudige houten bootje schommelde schrikwekkend en er klotsten golfjes rivierwater over de boorden.

'Misschien moeten we hem laten gaan,' zei de jongeman. 'Zo meteen slaan we om.'

'Van mij mag hij ons naar de bodem jagen!' gromde Ibrahim en haalde de lijn hand over hand binnen. Zijn ogen puilden uit van de inspanning. 'Ik heb nog nooit een vis verspeeld, en daar pas ik nu ook voor.'

Hij vierde de lijn opnieuw wat, suste zijn vijand in slaap en begon weer in te halen. Het schommelen van de boot werd nog erger, door de stroom en de draaikolken, plus de hekgolf van een Nijlcruiseschip dat langs de andere oever stroomopwaarts ploegde.

'Kom, schatje,' vleide Ibrahim. 'Kon maar, ja, braaf zo, meisje.'

De lijn liet zich nu gemakkelijker inhalen, ofwel omdat de prooi de strijd opgaf, of omdat hij een eigen spelletje speelde, dat was Ibrahim niet duidelijk. Hij haalde nog een stuk lijn binnen, stopte om even bij te komen en er beter voor te gaan staan, trok weer, haalde het monster uit de diepte op, trok hem langzaam naar de oppervlakte tot zijn kleinzoon een kreet slaakte en wees.

'Daar! Kijk daar! Goeie god, wat een bakbeest!'

Links van hen, tussen hun bootje en een grote pol riet die de rivier af dreef, werd de vorm van een vis net onder de oppervlakte zichtbaar, zij het dat het een vis was zoals ze nog nooit hadden gezien: opgeblazen en bleek en vreemd onbeweeglijk. Ibrahim ging door met trekken, langzamer nu, en met een verbaasde uitdrukking op zijn gezicht. Zijn kleinzoon liet zijn middel los en boog zich over de rand met een karpernet in de ene en een pikhaak in de andere, klaar om de vis aan boord te halen als hij dichtbij genoeg was. Terwijl hij daarop wachtte, sloeg een golf hard tegen de zijkant van het schepsel zodat hij omrolde en naar hem toe kwam. Het dreef nu op zijn rug zodat ze voor het eerst goed konden zien wat ze hadden gevangen. Het was geen meerval, geen Nijlsnoek, en ook geen walvis, maar een man. Enorm dik, met een strikdasje en een crèmekleurig jasje dat in het kolkende water zwaaide en wiegde. Eén enkel, keurig kogelgat in het midden van zijn voorhoofd. Hij dobberde tegen de zijkant van het bootje en bonkte er tegenaan, keek hen met een lege blik aan. Ibrahim keek in de ogen van de dode en schudde zijn hoofd. 'Ik denk niet dat we deze op de markt gaan verkopen,' mopperde hij.

In de oase

'Molly! Ik geloof mijn eigen oren niet!' Flin keek nog even naar buiten, verbijsterd, ervan overtuigd dat zijn oren hem bedrogen. Maar toen hij zag dat het inderdaad Molly was die het zei, stopte hij de houder terug in de koffer, gaf Freya een teken dat ze hem moest volgen en haastte zich door het vliegtuig naar de uitgang. 'Hoe komt het dat je zo snel hier bent?' riep hij, sprong naar buiten en hielp Freya met uitstappen. 'Jezus, ik dacht dat je op zijn vroegst over twee uur hier zou zijn. De hulptroepen zijn deze keer ruim op tijd.'

Hij was uitgelaten, door het dolle. Hij zette Freya met een zwaai op de grond en draaide zich met een brede grijns op zijn gezicht naar Kiernan. 'Echt waar. Ik kan het niet geloven, Molly. Ik wist wel dat je alles goed in de hand hebt, maar toch... Ik heb dat baken pas anderhalf uur geleden geactiveerd. Je kan onmogelijk zo snel al hier zijn. Dat kan niet. Het is... het is...'

Hij kwam stotterend tot zwijgen, zijn grijns verstarde en verdween toen hij echt tot zich liet doordringen wat hij voor zich zag: Molly Kiernan met een zwarte walkietalkie in haar hand naast Girgis, beiden ontspannen lachend, geen van beiden zo te zien ook maar enigszins ongemakkelijk in het gezelschap van de ander. Integendeel. Ze maakten niet direct de indruk boezemvrienden te zijn, maar zeker ook geen aartsvijanden. Zakenpartners, dat was de indruk die Freya kreeg, oude zakenpartners die, afgaande op hun tevreden gezicht, zojuist een belangrijke en bijzonder lucratieve deal hadden gesloten.

'Molly?' Flins toon was plotseling onzeker, zijn ogen gingen heen en weer van Kiernan naar Girgis naar de bomen achter hen waar hij figuren zag bewegen die met dingen zeulden die eruitzagen als grote aluminium kisten. 'Molly, wat is er gaande?'

Kiernans lach werd breder. 'Wat er gaande is, Flin, is dat we dankzij jullie beiden...' Ze knikte in Freya's richting. '... de Geheime Oase hebben gevonden. Het doel van Sandfire is bereikt, het project kan worden afgesloten en de wereld is een stuk veiliger geworden. Lach eens, helden!' Ze hield haar walkietalkie voor haar gezicht alsof ze er een foto mee nam, kwam daarna naar hen toe en gaf hun een klap op de schouder.

'En om je eerdere vraag te beantwoorden,' ging ze verder terwijl ze tussen hen door glipte en haar hoofd in de Antonov stak, 'we hadden een volgzendertje op de microlight gezet en zaten achter jullie aan vanaf het moment dat jullie opstegen. Vannacht heeft een surveillanceploeg jullie in de gaten gehouden, en wij hadden ons kamp veertig kilometer verderop opgeslagen, vandaar dat we zo snel hier konden zijn. O Heer!' Ze had het gemummificeerde lichaam gezien en op haar gezicht was de afschuw duidelijk te zien.

Achter haar probeerde Flin nog steeds iets van de situatie te begrijpen. 'Kan het zijn dat ik iets over het hoofd zie?'

'Hm?' Kiernan trok haar hoofd terug, draaide zich naar hem toe.

'Mis ik iets, Molly? Wie zijn die "wij" precies?'

'Ik zou denken dat dat wel duidelijk was.'

'Nee, dat is niet duidelijk,' snauwde Flin. 'Dat is helemaal niet duidelijk. Zou je ons even willen bijpraten? Wie zijn die "wij"?'

'Romani en ik natuurlijk.' Ze klonk als een ouder die iets uitlegt aan een bijzonder dom kind.

'Werk jij voor Girgis?' Zijn ogen waren groot van ongeloof.

'Nou, per saldo zou ik zeggen dat het eerder zo is dat meneer Girgis voor ons werkt, zij het dat elke relatie in de loop der jaren...'

'In de loop der jaren?! Wat vertel je me nou, verdomme? Hoe lang is dat al aan de gang?'

'Wil je de precieze data weten?

Flins hele lichaam verstrakte, zijn arm kwam omhoog en hij priemde met een vinger naar Kiernan. 'Neem me niet in de zeik, Molly. Deze drugdealer, deze pooier, dat stuk stront heeft een vriend van mij de keel doorgesneden, heeft ons bijna vermoord...' Hij wuifde richting Freya. 'Ik ben niet in de stemming voor spelletjes. Ik wil weten wat er gaande is en hoe lang dat aan de gang is, en ik wil het nu weten. Begrepen?'

Kiernans mond verstrakte, alsof ze niet gewend was zo te worden toegesproken en het niet erg op prijs stelde. Ze keek Flin strak aan, met een ijskoude blik, waarna ze knikte, haar rok gladstreek, in de deuropening van het vliegtuig ging zitten en haar armen over elkaar sloeg. 'Romani Girgis werkt voor ons sinds 1986. April 1986 om precies te zijn, toen we hem benaderden met de bedoeling ons een hoeveelheid splijtstoffen te bezorgen zodat we onze bondgenoot Irak konden helpen in zijn strijd tegen Iran.'

Flin keek naar Freya, daarna over zijn schouder naar Girgis, die zelfgenoegzaam aan de andere kant van de open plek stond te grijnzen, en terug naar Kiernan. 'Zit jouw regering erachter? Was jouw regering van plan Saddam een atoombom te geven?'

Kiernans mond verstrakte nog meer, werd bijna een grauw. 'Was het maar waar,' antwoordde ze. 'Helaas ging het niet door. We vonden het prima de Iraki's financieel te helpen en van informatie, wapens en zelfs chemische middelen te voorzien, maar toen het erop aankwam ze de middelen te geven waarmee ze de zaak helemaal konden afronden, namelijk door Khomeini en zijn met de koran zwaaiende gekken helemaal uit te roeien, toen schrok Reagan ervoor terug. Erger nog, zijn halve regering voorzag Iran verdomme van wapens.' Ze schudde vol walging haar hoofd en zweeg. Toen zei ze: 'Vandaar dat een aantal van ons tot de conclusie kwam dat we moesten ingrijpen en greep op de situatie moesten krijgen. Ter wille van Amerika. Ter wille van de hele vrije wereld.'

'Een aantal van jullie?' Flins deed zijn best het allemaal te volgen, maar zijn hoofd tolde. 'Een aantal van wie? De CIA?'

Met een kort handgebaar verwierp ze die vraag. 'Daar ga ik niet op in. Mensen met dezelfde ideeën bij defensie, het Pentagon, de inlichtingenwereld, meer hoef je niet te weten. Patriotten, realisten. Mensen met een goed oog voor het kwaad en die dat klip en klaar vorm zagen krijgen in de Islamitische Republiek Iran.'

Flin rolde met zijn ogen, een en al ongeloof. 'En deze groep gelijkgestemde realisten besloot dat stabiliteit in de Golfstaten het best kon worden bereikt door een atoombom op Teheran te gooien?'

'Precies,' antwoordde Kiernan. Ze had Flins sarcasme niet door, of ze besloot het te negeren. 'En als je kijkt wat Ahmedinejad er momenteel van maakt, denk ik dat we ons gelijk ruimschoots hebben bewezen. Slangen zijn het, stuk voor stuk. Slangen en schorpioenen.' Ze gaf nog maar eens een knik als om deze vaststelling te bevestigen, en ze bleef Flin aankijken.

De Engelsman had dezelfde wazige, verbijsterde blik als toen hij in de tunnel tegen de houten deuren aan was gerend: zijn mond ging open en dicht alsof hij duizend en één vragen had en niet wist met welke hij moest beginnen. Freya stond stom en uitdrukkingsloos naast hem, evenmin als Flin in staat te geloven wat er gebeurde. De pijnlijke hoornaarsteek in haar nek was bijna vergeten.

'Waar hadden jullie Girgis in godsnaam voor nodig?' vroeg Flin ten slotte en had moeite zijn stem onder controle te krijgen. 'Als jullie allemaal mensen bij defensie en de regering hadden... Jullie hadden Saddam toch gewoon onder tafel een paar van jullie eigen kernkoppen kunnen toeschuiven? Jullie kunnen er best een paar missen.'

'Alsjeblieft, zeg!' Kiernan schudde haar hoofd en haar toon was weer die van een ouder die zich ergert aan de domheid van zijn kroost. 'We hadden invloed, maar niet zo veel. Het is niet zo dat je een aanvraagformulier invult in de trant van: "Pardon, meneer de foerier. Kunt u even twee atoombommen apart houden? Ik kom ze vanmiddag halen." Deze kwestie speelde geheel buiten de piste, moest ver van alle officiële kanalen worden gehouden. Toegegeven, we hebben de deal samen opgezet, de informatie verschaft, fifty-fifty gedaan met Saddam voor de financiering, maar het speelde zo ver in de coulissen, dat het bijna in een ander theater was. Als we het over de dagelijkse leiding hebben, was het toch voornamelijk Romani's show.'

'Zij het dat jullie aan de touwtjes trokken,' zei Flin.

'Zij het dat wij aan de touwtjes trokken,' gaf ze toe.

Hij schudde zijn hoofd en ging met zijn handen door zijn haar. Zijn gezicht leek niet te kunnen besluiten of het ongeloof, woede, schrik of een gevoel voor zwarte humor moest uitdrukken. 'En al dat gelul over het volgen van Girgis, het onderscheppen van het vliegtuig...'

'Het is duidelijk dat we hem gevolgd hebben,' zei Kiernan, 'alleen niet om de reden die ik jou gaf.'

Hij schudde nogmaals zijn hoofd en wees met zijn duim naar het wrak van de Antonov. 'En toen dat spaak liep?'

Kiernan haalde haar schouders op. 'Het is duidelijk, alweer, dat we een en ander met tact moesten behandelen, zoals onze eigen betrokkenheid verbergen, want we konden moeilijk overal rondvertellen: "Sorry, jongens, maar we zijn vijftig kilo uranium kwijt die we naar Saddam Hoessein wilden smokkelen." Maar in grote lijnen is het gegaan zoals ik eergisteravond heb verteld. Wij zijn verdergegaan met zoeken, Romani is van zijn kant eveneens verdergegaan met zoeken, met als enige verschil dat beide partijen naar hetzelfde einddoel toewerkten als je begrijpt wat ik bedoel. En gezien de complexiteit van de situatie vind ik dat we het verdomd goed hebben gedaan.'

'Jezus christus, en jij vindt dat Khomeini geschift was?'

Kiernan gaf eerst geen antwoord, keek hem alleen fel aan, haar kaken strak, haar rug kaarsrecht. Toen liet ze zich uit de deuropening glijden, nam haar walkietalkie over in haar linkerhand, liep naar Flin toe en gaf hem een harde klap in zijn gezicht. 'Waag het niet de naam van de Heer ijdel te gebruiken,' gooide ze eruit. Ze liep rood aan, haar mond was vertrokken van woede. 'En waag het niet een oordeel over me uit te spreken. Je hebt er geen idee van, geen enkel idee, hoe slecht en gevaarlijk deze mensen zijn. O, meester, meester...' Ze stak een vinger op alsof ze de aandacht van een leraar wilde trekken en haar stem ging over in een groteske parodie op die van een klein meisje, koket en een en al verlegenheid, onschuld. 'Ik wil dat de wereld een fijne plek wordt en dat alle mensen vrienden van elkaar zijn en dat niemand lelijke dingen doet. Besef eindelijk eens hoe de wereld echt in elkaar zit, eikel!'

Ze liet haar arm zakken, er plopten schuimbelletjes uit haar mondhoeken en er lag een woeste blik in haar ogen. 'Jij vindt dat Saddam slecht was? Neem maar van mij aan dat hij verdomd een heilige was in vergelijking met die baardapen van sjiitische gekken die de baas zijn in Iran. Ben je de belegering van de ambassade in Teheran vergeten? De bomaanslag op de ambassade in Beiroet? De bomaanslag op de kazerne in Beiroet? Bij die aanslag is mijn man omgekomen, mijn Charlie, en Iran zat erachter, net als bij de helft van de terroristische groeperingen in die regio: Hezbolla, Hamas, Islamitische Jihad...'

Bij elk van die namen knipte ze met haar vingers voor Flins neus. 'Het zijn de meest satanische, giftige regimes die de aarde ooit hebben geïnfecteerd en halverwege de jaren tachtig, toen jij nog maar een schooljongen was en rotzooide met die lullige egyptologie van je, moesten diegenen onder ons die iets meer verantwoordelijkheidsgevoel hadden het feit onder ogen zien dat deze moordzuchtige zonen van Kaïn een grote kans hadden Irak te verslaan en de heersende macht in de hele Golfregio te worden. Ze hadden de Majnooneilanden al veroverd, het Faoschiereiland, ze lieten olietankers zinken...' Ze knipte opnieuw met haar vingers voor Flins neus om haar betoog te onderstrepen. 'Het was een ramp, iets ondenkbaars: de belangrijkste olieproducerende regio onderworpen aan een stel gestoorde moellahs uit het stenen tijdperk. Er moest iets gebeuren. En degenen onder ons die genoeg lef hadden, besloten het te doen. En laat ik je één ding zeggen: als we erin geslaagd waren, zou de wereld een heel stuk veiliger zijn dan hij nu is, neem dat maar van mij aan. Verdomd veel veiliger!'

Ze zweeg, zwaar ademend. Met de bovenkant van haar hand veegde ze het speeksel uit haar mondhoeken weg, haar blik nog steeds op Flin gericht, die daar maar stond met een wang die rood werd waar ze hem had geslagen. Er viel een lange stilte, slechts onderbroken door het gekwetter van de vogels en af en toe een raspend gepiep wanneer Girgis' dikke collega een trek van zijn sigaret nam. Toen legde Kiernan even een hand op het kruisje om haar nek, draaide zich om en ging weer in de deuropening van de Antonov zitten.

'Mijn excuses voor wat je de afgelopen dagen hebt moeten doorstaan,' zei ze en streek haar rok weer glad als om zichzelf tot rust te brengen. Ze klonk nu milder, verzoenender. 'Voor wat jullie beiden hebben moeten doorstaan.' Dit met een blik op Freya die terugkeek, strak en uitdrukkingsloos.

'En het spijt me dat ik je heb gebruikt, Flin. Want dat heb ik de afgelopen tien jaar gedaan. Ik heb een heleboel mensen gebruikt. Ik kende je achtergrond, wat er met het meisje in Bagdad is gebeurd, ik wist dat je de kans ermee in het reine te komen zou aangrijpen, dat je alles zou doen wat ik je vroeg. Daar heb ik misbruik van gemaakt en daar ben ik niet trots op, maar er stond gewoon te veel op het spel om persoonlijke overwegingen toe te laten. Ik heb gedaan wat ik moest doen. In het algemeen belang.'

'Jij hebt Girgis getipt, hè?' zei hij en klonk eerder vermoeid dan kwaad. 'Jij hebt hem verteld waar we waren. Op de universiteit, in het museum...'

'Zoals ik al zei: ik heb gedaan wat ik moest doen.'

'Maar had je ons het land uit laten gaan? Toen in de flat? Ik was degene die erop stond te blijven.'

'Hou toch op! Sandfire was alles voor je, de grote kans om je leven weer op de rails te krijgen. Je hoefde echt geen psycholoog te zijn om te bedenken dat als er nog dingen waren die je niet had geprobeerd, als er nog stenen waren die je niet had omgekeerd, je die meteen zou aanvoeren als ik dreigde je op het eerste het beste vliegtuig naar Engeland te zetten. En het werkte prima, al zeg ik het zelf.' Ze stak een hand op en wees naar de oase.

Flin zuchtte en draaide zich om, keek eerst naar Girgis en zijn maten en daarna naar de figuren verderop, waar de bomen ophielden. Hij zag glimpen van materiaalkisten, wapens, mannen in wat eruitzag als stralingwerende pakken, wat hem in deze omstandigheden rijkelijk overbodig leek. Maar hij dacht er verder niet over na, zijn hersens werden nog te veel in beslag genomen door wat hij net had gehoord.

'En Angleton?' vroeg hij terwijl hij zich weer naar Kiernan toe draaide. 'Ik neem aan dat hij je liaison met Girgis was, degene die al het loopwerk deed terwijl jij achter de schermen de marionetten bespeelde?'

Ze keek hem aan, kneep haar ogen half dicht. Even bleef het stil, toen barstte ze in lachen uit. 'God zij met je, Flin, maar dergelijke opmerkingen zijn het overtuigend bewijs dat je een uitstekende egyptoloog bent, maar dat je het in de wereld van de geheim agenten niet ver had geschopt.' Ze kwam nu niet meer bij van het lachen. Ze haalde een tissue uit de zak van haar rok en veegde er haar tranen mee af. 'Cyrus Angleton had niets met mij, met Romani, met Sandfire of wat dan ook te maken,' zei ze, haalde diep adem, kalmeerde. 'Hij werkte bij de CIA, Interne Zaken.'

Flin opende zijn mond, sloot hem weer.

'God mag weten hoe,' ging ze verder. 'Want Sandfire was zo goed afgeschermd dat godverdomme zelfs een vlo geen kans zou hebben gezien erin te komen, maar ergens bij het Bureau moet toch iemand er lucht van hebben gekregen dat er iets niet klopte: ongewone betalingen, vreemde voorvallen in Egypte...' Ze hief haar handen. 'Wie weet wat ze op het spoor heeft gezet. Angleton werd hierheen gestuurd om het uit te zoeken, met de hoogste volmachten. Volgens alle berichten hun beste man, een legende in de internationale spionagewereld, met hoge onderscheidingen. Heeft nog nooit een zaak niet tot een goed einde gebracht.' Ze glimlachte, frommelde de tissue ineen tot een bal en stopte hem terug in haar zak. 'Het is ironisch dat hij vanuit jouw gezichtspunt de goeie was en jullie probeerde te helpen. Hij was erachter gekomen dat Sandfire niet helemaal was wat het leek, dat ík niet helemaal was wat ik leek. In Dakhla probeerde hij jullie de pas af te snijden en mee te nemen naar een plaats waar jullie veilig zouden zijn. Ja, hij zocht de dingen tot op de bodem uit. En daar is hij nog, verwacht ik. Op de bodem.'

Ze keek Girgis aan en de Egyptenaar giechelde zachtjes. Het tweetal had samen een grapje waar Flin noch Freya deel aan had. 'Kom op,' zei Kiernan, 'je moet toegeven dat het leuk is.'

'Ik lach me te barsten,' mompelde Flin, schudde zijn hoofd en keek weer achterom. Tussen de bomen door waren nog maar een paar man te zien; de rest was verder de kloof in getrokken, bezig een soort kordon om het vliegtuig te leggen, vermoedde hij. Maar net als eerst werden zijn gedachten door te veel andere dingen in beslag genomen om er op door te gaan. Alles aan hem, de ingezakte schouders, het armezondaarsgezicht, de glazige blik, wekte de indruk van iemand die zojuist heeft ontdekt dat hij het slachtoffer is van een grote en bijzonder onaangename practical joke. Hij richtte zijn aandacht weer op Kiernan. 'Wat gaan jullie er nu mee doen?' vroeg hij ten slotte.

Ze leek niet te begrijpen waar hij het over had en hij moest de vraag herhalen. 'Het uranium,' zei hij vermoeid met een hoofdknik naar het vliegtuig. 'Wat gaan jullie met het uranium doen, gezien het feit dat Saddam achteraf toch niet zo'n goede vriend bleek te zijn.'

Ze haalde haar schouders op. 'We doen er helemaal niets mee.'

'Wat bedoel je met "helemaal niets"?'

'Precies wat ik zeg. We laten het hier.'

'Alsjeblieft, Molly. Nu geen spelletjes meer.'
'Ik speel geen spelletje, Flin. We laten de koffers exact waar ze nu zijn, we raken ze niet aan.'
'Jullie spenderen drieëntwintig jaar en god mag weten hoeveel miljoenen dollars met het afspeuren van de Westelijke Woestijn, jullie vermoorden mijn vriend, jullie vermoorden Freya en mij nog net niet, en nu jullie hebben gevonden wat jullie zochten, laten jullie het gewoon achter.'
Ze knikte.
'Wat is dit voor gelul?' barstte hij opeens uit. Hij kwam met gebalde vuisten voor haar staan en alle frustraties en verwarring van de afgelopen tien minuten spoten eruit als stoom uit een geiser. 'Wat... een... gelul! Drieëntwintig jaar en dan laat je het gewoon hier? Zodat een groep terroristen er per ongeluk tegenop loopt? Vijftig klote kilo verrijkt klote uranium en dat laten jullie na al dit gedoe gewoon hier?'
Ze keek hem recht aan, niet van haar stuk gebracht door zijn uitbarsting. Het bleef even stil en Kiernan en Girgis wisselden opnieuw een blik. Toen zei ze: 'Er is geen uranium, Flin.' Ze zei het kalm, merkwaardig zakelijk.
'Wat? Wat zeg je nou?' Flin hield een hand achter zijn oor, dacht blijkbaar dat haar niet goed gehoord.
'Er is geen uranium,' herhaalde ze. 'Ook nooit geweest.'
Hij stond nu letterlijk met zijn mond vol tanden.
'Leonid Kanunin, de Rus die de andere partij in de deal was, bedonderde ons: hij pakte zijn vijftig miljoen dollar in ruil voor acht houders met kogellagerkogeltjes. Iemand in zijn organisatie tipte ons een paar dagen nadat de kist was neergestort.'
Achter hen liet Girgis een gorgelend lachje horen. 'We hebben meneer Kanunin erop aangesproken en het tijdens een etentje uitgepraat. Helaas scheen het hem niet echt te smaken.' Hij mompelde iets tegen zijn compagnons en die begonnen te grinniken.
'Ik begrijp je bezorgdheid, Flin. Echt waar,' ging Kiernan verder. 'Maar zelfs als Al-Qaeda of zo'n groep bij toeval op het vliegtuig zou stuiten, wat gezien de moeite die het ons heeft gekost het te vinden hoogstonwaarschijnlijk is... nou ja...' Ze lachte. 'Ik kan me niet voorstellen dat de Amerikaanse gevechtskracht erg in de problemen komt wanneer iemand ze bestookt met een ladinkje kleine metalen kogeltjes.'
Uit Flins gezicht was alle kleur weggetrokken en zijn armen hingen slap langs zijn lichaam. Het was hij of in tien minuten tijd evenzovele jaren ouder was geworden.

‘Geloof je me niet?’ Kiernan kwam overeind en hield een arm uitgestoken naar de ingang van het vliegtuig. ‘Kijk zelf maar.’

Dat deed hij. Hij duwde haar opzij en klom de Antonov in. Vanuit het toestel kwamen geluiden van dingen die bewogen, en even later kwam hij tevoorschijn met een van de metalen houders in zijn handen. Hij draaide de dop eraf en keerde het geval om. Er kwam een stroom kogellagerkogeltjes uit die met een zacht getinkel voor zijn voeten neer regenden. Hij was zo bleek dat Freya dacht dat hij zou gaan overgeven.

‘Maar waarom?’ mompelde hij met een wazig, onvast stemgeluid. ‘Ik snap het niet. Waarom drieëntwintig jaar zoeken naar een partij uranium die niet eens bestond?’

‘Maar daar zochten we ook niet naar,’ zei Kiernan. Ze stak de open plek over en ging naast Girgis staan. ‘Het gaat niet om het uranium. Dat is nooit de aanleiding geweest.’

‘Wat dan wel, verdomme?’

‘Het gaat om de Benben.’

Flin zette grote ogen op.

‘Daar hebben we al die jaren naar gezocht, vanaf het moment dat we het laatste radiobericht van Rudi Schmidt hadden opgevangen en ontdekten dat het toestel in de Geheime Oase moest zijn neergekomen. Het uranium was altijd alleen maar bijzaak. Onze belangstelling ging uit naar de Benben. Het ging al die tijd om de Benben.’

Haar stem klonk zacht, bijna verleidelijk. ‘Wat staat er ook weer op dat oude cuneiformtablet? *Een wapen in de vorm van een steen. En met dit wapen zijn de vijanden van Egypte in het noorden vernietigd en in het zuiden vernietigd en in het oosten en het westen hebben ze in het stof gebeten zodat hun koning over alle landen heerst en niemand tegen hem in opstand zal komen of hem ooit zal verslaan. Want in zijn hand heeft hij de strijdknots van de goden.*’

Ze hield de walkietalkie boven haar hoofd als was het een strijdknots. Stralend, triomfantelijk. ‘Ik zeg je, Flin, als dit ding maar half zo krachtig is als de bronnen beweren, is er geen boosdoener ter wereld die tegen ons durft op te staan. Geen Iraniër, geen Rus, geen spleetoog. En ook niet een van die waardeloze Afrikaanse of Zuid-Amerikaanse mafketels. Niemand. Absolute macht, absolute veiligheid, een nieuwe wereldorde. Een echte orde. Gods orde. Wanneer je het zo bekijkt, zijn een zoektocht van drieëntwintig jaar en vijftig miljoen dollar commissie beslist goedkoop. Vind je ook niet?’

Flin, die voor haar stond, deed een stap naar voren en opende zijn mond om iets te zeggen. Maar voor hij dat kon, werd de stilte verscheurd door een rauwe lach. 'Een stuk steen! Voor een stuk steen, verdomme!'

Het was voor het eerst dat Freya iets zei. Tot nu toe had ze gezwegen, had ze, terwijl het verhaal zich ontrolde, zwijgend naast Flin gestaan, niet minder geschokt dan hij, niet minder woedend, en had ze af en toe naar adem gehapt of een krachtterm gemompeld, maar verder had ze zich niet laten gelden. Maar nu kon ze zich niet langer inhouden. 'Je hebt mijn zus vermoord voor een stom stuk steen!' schreeuwde ze met schrille stem, op de rand van hysterie. 'Je wilde mijn arm afhakken voor een of andere krankzinnige legende? Je bent stapelgek, jij. Je bent hartstikke doorgedraaid!'

Ze liep op Kiernan af, duidelijk met de bedoeling haar te lijf te gaan, en was al halverwege toen ze Flins hand op haar arm voelde. Hij hield haar tegen en trok haar stevig tegen zich aan. Een halve minuut geleden leek hij nog een gebroken man. Nu was zijn houding volkomen veranderd: hij stond kaarsrecht, gespannen, zijn ogen lieten Kiernan niet los.

'Voorzichtig, Molly,' zei hij en zijn toon was scherp, dwingend. 'Wat je ook met dat ding gaat doen, wees alsjeblieft voorzichtig.'

Freya rukte zich los uit zijn greep en keek hem ontzet aan. 'Je gaat me toch niet vertellen dat je die onzin gelooft.'

Hij negeerde haar, bleef Kiernan strak aankijken. 'Molly, alsjeblieft. Er zijn hier dingen die we niet begrijpen, krachten... Je moet voorzichtig zijn.'

'Wat is dit voor gelul!' schreeuwde Freya.

'Molly, ik smeek je, dit is niet iets om lichtzinnig mee om te springen. Je kunt er maar niet zo binnenstormen en...'

'We stormen nergens zomaar binnen,' zei Kiernan op ontspannen, nonchalante toon. 'We hebben twintig jaar de tijd gehad om ons hierop voor te bereiden. We hebben de beste wapenexperts, de meest geavanceerde onderzoeksystemen...'

'In godsnaam, Molly, dit is niet iets dat je zomaar met een druk op de knop even tot ontploffing brengt. Er zijn hier dingen gaande, onbekende elementen... Het gaat alles te boven wat...' Hij zocht wanhopig naar woorden. 'We begrijpen het niet,' zei hij uiteindelijk. 'We begrijpen het gewoon niet. Je moet voorzichtig aan doen.'

Freya stond naast hem en wist niet goed of ze moest gaan krijsen van frustratie of in een daverend hoongelach moest uitbarsten. De keuze werd haar bespaard want op dat moment kraakte de walkietalkie in Molly Kiernans hand en kwam er een stem uit. Een Amerikaanse stem.

'We zijn zover, miss Kiernan.'

Ze knikte, bracht het apparaat voor haar mond en drukte op de praatknop. 'Dank u, doctor Meadows. We komen eraan.'

Flin, die voor haar stond, begon weer te protesteren, maar ze stak een hand op.

'Je bent een schatje, Flin, en ik ben echt geroerd door je bezorgdheid, in het bijzonder na alles wat ik je hebt verteld. Maar vanaf nu zijn degenen die echt voorzichtig moeten zijn de vijanden van Amerika en van Onze Heer Jezus Christus. Het is Zijn machtige hand die hier achter zit, dat voel ik. Dat heb ik al die tijd gevoeld. En ik zeg je, Flin, dat die hand al veel eerder in gerechtvaardigde woede op de hoofden van de goddelozen had moeten neerkomen. Ik hoop dat je het me niet kwalijk neemt, Flin, maar ik heb vele jaren op dit moment gewacht, dus ik popel om erheen te gaan en te zien wat er gebeurt. Jullie gaan natuurlijk met ons mee.'

Dit laatste werd geformuleerd als een bevel, geen verzoek. Ze wierp Freya nog een harde, ijskoude blik toe – kennelijk niet blij met de uitbarsting van daarnet – en draaide zich om, liep weg door het palmbos dat het vliegtuig omgaf. 'O, Romani,' riep ze achterom, 'misschien wil je professor Brodie even fouilleren. Volgens mij heeft hij, toen hij terug was in het vliegtuig, een wapen onder zijn T-shirt gestopt.'

'Shit,' mompelde Flin.

Men keerde terug naar de processieweg met zijn door onkruid overwoekerd marmer en afwisseling van sfinxen en obelisken, en volgde die langzaam klimmend door het midden van de oase. Kiernan, Girgis en zijn twee collega's liepen voorop en de tweeling sloot de rij met de wapens in de hand. Flin en Freya liepen ertussenin en konden geen kant op.

'Je bluft toch zeker?' vroeg ze zachtjes. 'Al die onzin over de steen. Dat is toch allemaal bluf, hè?'

'Ik ben doodserieus,' zei Flin met zijn blik gericht op het rotsplateau en de monumentale poort die voor hen boven de boomtoppen uitstak.

'Wil je zeggen dat je in die *X-Files*-onzin gelooft?'

'Tal van verschillende bronnen op tal van verschillende plaatsen zeggen precies hetzelfde over de Benben, wat suggereert dat er enige waarheid in moet zitten.'

'Maar dat is gelul! Een stuk steen met bovennatuurlijk krachten! Gelul!

Hij haalde zijn schouders op. 'Twee uur geleden vloog ik boven de Gilf en was er hier geen oase te zien, en opeens...' Hij wees op de omgeving. 'Er gebeuren nu eenmaal vreemde dingen. En wanneer je de oude teksten moet geloven, loopt het slecht af met degenen die de Benben misbruiken.' Hij keek haar aan en toen weer voor zich. 'Nou ja, het is allemaal academisch, want na alles wat Molly ons heeft verteld, betwijfel ik of ze ons zomaar laat gaan. En als zij het wel zou doen, dan Girgis zeker niet. Bij de eerste de beste gelegenheid nemen we de benen. Goed? Bij de eerste de beste kans.' Hun blikken ontmoetten elkaar. 'En of je het nou gelul vindt of niet, raak niets aan als we in de tempel zijn, en doe niets dat...'

'De Benben boos maakt? Zijn gevoelens kwetst?' Haar toon was sarcastisch.

'Wees gewoon voorzichtig,' zei hij. 'Ik weet dat het gek klinkt, maar wees alsjeblieft voorzichtig.' Hij hield haar blik lang genoeg vast om zeker te weten dat de boodschap was overgekomen, en keek toen weer voor zich.

'Gelul,' mompelde ze onhoorbaar. 'Hocus-pocusgelul.'

Ze liepen verder, dieper en dieper de kloof in. Hun voeten zonken weg in het sponsachtige mos waarmee een groot deel van het plaveisel bedekt was en de wanden van de kloof weken geleidelijk als de mond van een trechter. De zon stuurde zijn hitte naar beneden, zijn felle stralen leken het groen uit de planten te halen, alles leek te verbleken en in elkaar over te gaan zodat het dal een stuk minder mooi leek dan toen ze er net binnen waren. Het was er ook veel warmer. Niet zo smoorheet als het in de woestijn zou zijn geweest, maar niet langer meer prettig warm. Vliegen zoemden en vlogen om hun hoofd. Ze begonnen te zweten.

Meer dan eens was Freya ervan overtuigd dat ze tussen de struiken een glimp van mensen zag. Ze waren donker en vaag, en nu Kiernan er de pas in zette, was er geen tijd om beter te kijken. De processieweg begon sterker te stijgen, de bomen rukten steeds verder op en door het gebladerte voor hen was de tempel nu eens wel en dan weer niet te zien. Er waren nu soms trappen van kapotte stenen treden, eerst heel af en toe, later meer toen de weg veranderde in een brede, met boomwortels bedekte trap die hen nog steiler omhoogvoerde tot ze uiteindelijk boven op het rotsplateau uitkwamen. Voor hen verrees, gehuld in een dikke laag klimop en wingerd, de monumentale zuilenpoort die ze van ver al hadden gezien. In elk van de trapeziumvormige torens waren de obelisk en de sedjet uitgehouwen, en in de latei de heilige vogel Benu, precies als op de foto van Rudi Schmidt, maar met één verschil: op de foto waren de houten deuren stevig gesloten geweest, nu stonden ze wijd open.

Flin vertraagde zijn pas en bleef staan, nam het met open mond allemaal in zich op. Kiernan en de Egyptenaren waren duidelijk niet in de stemming om te lanterfanten. Ze liepen met grote passen op de poort af, haastten zich er doorheen en hadden nauwelijks aandacht voor de architectuur om hen heen. De tweeling dreef Flin en Freya achter hen aan. Ze liepen tussen de twee torens door – hoog oprijzende kliffen van crèmekleurige zandsteen – en kwamen op een grote binnenplaats waarvan de muren waren bedekt met een chaotische hoeveelheid hiërogliefen en de bodem was, net als de processieweg, bedekt met door mos en gras en onkruid overwoekerd marmer. Op sommige plaatsen hadden bomen – palmen, acacia's en platanen – zich door het plaveisel heen een weg naar boven gebaand, de steenplaten omhoog en opzij geduwd, wat de tempelhof een merkwaardig geschonden, gekreukt aanzien gaf, alsof hij zich langzaam opvouwde.

'Uitzonderlijk,' mompelde Flin terwijl hij ondank alles gefascineerd rondkeek. 'Ongelooflijk.'

Ze staken de tempelhof over, waarbij het gras rond hun enkels gliste, en kwamen aan de overkant bij een tweede poort. Deze was nog groter dan de eerste en eveneens versierd met beeldhouwwerk. Op de linkerzuil hield een menselijke figuur met de kop van een havik een obelisk in de palm van zijn hand, terwijl eronder, maar veel kleiner, een rij mannen achteruit leek te struikelen, hun handen voor hun ogen geslagen. De rechterzuil droeg een bijna identieke afbeelding, behalve dat de mensfiguur nu een leeuwenkop droeg en dat de mannetjes eronder hun handen voor hun oren hielden.

'De goden Ra en Sekhmet,' verklaarde Flin toen ze dichterbij kwamen en wees naar links en naar rechts. 'Elk belichaamt een aspect van de krachten van de Benben: Ra, het verblindende licht, Sekhmet, een oorverdovend geluid.'

'Het is niet waar,' mompelde Freya, nog even weinig bereid er iets van te geloven als tien minuten eerder.

Ze liepen onder de tweede poort door, staken weer een tempelhof over, deze vol vele tientallen obelisken, sommige kaal, andere met teksten, sommige manshoog, andere tien meter. Ze gingen een derde poort door. Toen Kiernan en Girgis erdoor waren, bleven ze abrupt staan. Zelfs zij stonden nu met open mond te kijken.

Voor het gezelschap opende zich een derde tempelhof. Deze was twee maal zo groot als de andere twee, die zelf al enorm waren, en langs de buitenmuren stonden reusachtige beelden van goden en mensen. Aan de overkant rees de façade van een kolossale tempel hemelwaarts, en alle oppervlakken van het monumentale bouwwerk – muren, zuilen, architraven en kroonlijsten – waren beschilderd met stralende kleuren rood, blauw, groen en geel, en de kleuren waren in het felle zonlicht nog even verzadigd en briljant als toen ze er duizenden jaren eerder op waren aangebracht.

Het was echter niet de tempel zelf die iedereen de adem benam. Dat deed de gigantische obelisk die als een raket in het midden van het tempelplein de lucht in schoot. Hij was minstens dertig meter hoog en van boven tot onder bedekt met bladgoud, de stralen van de morgenzon deden hem gloeien en hij vulde de tempelhof met een verblindend licht alsof de lucht zelf in brand stond.

'Heilige god almachtig,' gromde Girgis.

Allen bleven even gefascineerd staan. Zelfs de anders uitdrukkingsloze tweeling stond met van verbazing grote ogen te kijken. Toen haalde Kiernan hen met een knip van haar vingers weer bij de les en nam hen mee langs de obelisk – nu ze dichterbij kwamen zagen ze dat elk van de vier zijden was bedekt met kolommen van afwisselend heel kleine sedjettekens en Benu-vogels – en kwamen zo bij de ingang van de tempel. Tussen de zuilenrij die de façade vormde, stonden drie spierbundels met zonnebril, gevechtskleding en kogelvrij vest.

'Wie is die jongensband?' vroeg Flin. 'Leden van de Special Forces? Of heb je voor dit uitstapje een particuliere club ingehuurd?'

Kiernan gaf geen antwoord, wierp hem alleen een vernietigende blik toe en liep door, de tempel in. Een man met een witte labjas aan en een soort chirurgenmutsje op kwam hen tegemoet, sprak op gedempte toon met Kiernan en ging hen daarna voor naar binnen. Ze kwamen door een reeks zalen die voor Freya's gevoel elk even groot waren als de hele tempel in Abydos. Sommige stonden vol met zuilen in papyrusvorm, andere waren leeg en hadden muren die helemaal versierd waren met spectaculaire polychrome reliëfs. Een was er overwoekerd door een wirwar van monsterlijke boomwortels, in een andere stonden langs de wanden rijen albasten tafels met daarop duizenden en duizenden obeliskjes van klei, precies zo een als Freya in de rugzak van Rudi Schmidt had aangetroffen en die in het Cairo Museum was tentoongesteld.

'Hierbij vergeleken is Karnak een bungalowtje,' zei Flin zachtjes terwijl hij om zich heen keek.

Ze liepen verder, drongen steeds dieper in het bouwwerk door. De enige geluiden waren hun voetstappen en de piepende adem van Girgis' rokende collega. Ten slotte kwamen ze op een tempelhof die het hart van het tempelcomplex moest zijn. Het was een stille plek, kleiner dan de voorgaande binnenhoven, met in het midden een lotusvijver en bij de linkermuur een enorme eucalyptus die zich door het plaveisel heen had gewerkt. Recht voor hen, aan de andere kant van de vijver, stond een laag stenen bouwwerk. Het was eenvoudig en onversierd, gebouwd van ruw gehakte en ongelijk gestapelde blokken en het leek te midden van de omringende, imposante architectuur volkomen misplaatst. Ze wist het niet zeker, maar Freya had het gevoel dat het veel ouder en primitiever was dan de rest van het tempelcomplex en onmetelijk lang voor de vroegste funderingen voor de omringende gebouwen zelfs maar waren gegraven al op die plaats had gestaan.

'*Per Benben,*' legde Flin haar uit. 'Het Huis van de Benben.'

Freya merkte dat er, ondanks zijn duidelijke belangstelling, iets van angst in zijn stem doorklonk.

Ze liepen om de vijver heen en kwamen bij de enige, lage toegang tot het gebouw, die werd afgesloten door een zwaar gordijn van riet. Er kwam een warrige bundel elektriciteitskabels naar buiten gekronkeld die naar een rij draagbare generatoren liepen die in een hoek van de hof stonden te brommen. De man in de labjas hield het gordijn opzij zodat er een korte gang zichtbaar werd die aan het andere einde werd afgesloten door een tweede gordijn. Hij sprak opnieuw op gedempte toon met Kiernan alvorens hen naar binnen te wuiven.

'Wat er ook gebeurt, blijf dicht bij me en doe wat ik doe,' fluisterde Flin tegen Freya toen de tweeling hen in de rug duwde. 'En kom nergens aan.' Hij greep haar hand en in elkaar gedoken duwden ze de twee gordijnen opzij, waarna ze opeens in een fel, ijskoud licht stonden. Het brommen van de generatoren maakte plaats voor het gebliep en geklik van allerlei elektronica.

Freya had in haar leven al heel veel ongewone dingen gezien – een groot aantal de laatste paar dagen – maar niets dat het kon opnemen tegen het tafereel dat haar nu begroette.

Ze stonden in een grote, vierkante ruimte met een aangestampte aarden vloer en een dak en wanden van kale blokken steen, het absolute tegendeel van de rijkversierde ruimten waar ze net doorheen waren gekomen, zodat het meer op een grot leek dan iets dat door de mens was gemaakt. Vier grote bouwlampen overgoten de ruimte met een koud, doordringend licht; een tiental mannen en vrouwen in identieke witte labjassen en OK-mutsjes boog zich over een reeks monitoren en computerschermen, welke laatste piepten en pulseerden, grafieken en rijen cijferreeksen en ronddraaiende 3D-tekeningen van vreemde geometrische figuren toonden.

Het was voor Freya een kwestie van een paar seconden om het in zich op te nemen, maar daarna richtte haar aandacht zich op wat in haar ogen het meest onwaarschijnlijke element in het hele scenario was, en het element waar al het andere duidelijk om draaide: iets wat midden in de ruimte stond en op een soort quarantainecabine leek. Een zware, aquariumachtige kubus van amberkleurig glas met een bolvormige ventilatiebuis aan de ene kant en een luchtsluis aan de andere kant waardoor je er in en er uit kon. Opgesloten binnen het geheel stond een grote houten slee waarop een object van een onduidelijke vorm lag dat was ingepakt in een dikke laag van stroken linnen. Het werd door twee mannen in stralingwerende pakken gesondeerd met apparaten die op veeprikkers leken. Zij stuurden vermoedelijk informatie naar de monitoren buiten de cabine. Een derde man, ook in een stralingwerend pak, zat geknield op de vloer met zijn rug naar hen toe en bestudeerde de slee.

Het geheel was zo surrealistisch, zo volkomen verkeerd en spookachtig en misplaatst, dat Freya's eerste, verwarde gedachte was dat ze het allemaal droomde. Dat ze het van het begin af aan had gedroomd en dat ze eigenlijk thuis in haar huis in San Francisco lekker en veilig en wel lag te slapen, en met een zus die nog springlevend was. Een paar euforische tellen hield de gedachte stand. Toen voelde ze Flins hand in de hare knijpen. Het was werkelijkheid, besefte, ze wás in een tempel in een verdwenen oase, en terwijl ze zelf moeite had om het hele Benben-verhaal te geloven, nam verder iedereen in deze ruimte het geval uiterst serieus.

'Gelul,' herhaalde ze bij zichzelf. 'Hocus-pocusgelul.' Voor het eerst was er een lichte twijfel in haar stem, alsof ze niet zozeer een feit constateerde als wel zichzelf probeerde gerust te stellen.

'Vertel eens, doctor Meadows, wat is dit voor ding?' De vraag kwam van Molly Kiernan.

De man die hen door de tempel had gevoerd en de leiding van het geheel leek te hebben – in elk geval van het wetenschappelijke deel – richtte zich op van de monitor waarover hij gebogen stond. Hij kwam naar hen toe en gebaarde dat ze dichterbij moesten komen zodat ze ten slotte op een paar meter van de dikke glaswand van de cabine stonden.

'Voorlopige metingen laten een vaste kern zien,' dreunde hij met nasale en monotone stem op. 'Met een verhoogd gehalte aan iridium, osmium en ruthenium, wat overeenstemt met een meteorietachtige herkomst. Dat is alles wat we in deze fase kunnen vaststellen. Voor meer informatie moeten we volledig fysiek contact maken.'

'Dan stel ik voor dat we volledig fysiek contact maken,' zei Kiernan. 'Meneer Usman, misschien wilt u, als de egyptoloog in het gezelschap, dat wil zeggen de andere egyptoloog...' ze wierp een zijdelingse blik op Flin. '... die taak op u nemen.'

De man die geknield naast de slee zat, stak ter bevestiging een hand op, kwam overeind en liep om het voorwerp heen zodat hij recht tegenover hen stond. Nu ze in de stralingwerende helm zijn gezicht zag, herkende Freya hem als een van Girgis' makkers van die avond in Manshiet Nasser: bolle wangen, bloempotkapsel, dikke plastic brillenglazen.

'Molly, ik vraag het je dringend,' smeekte Flin. 'Je hebt er geen idee van waar je mee speelt.'

'O, en jij wel? Ben jij opeens de grote natuurkundige?'

'Ik weet wat de oude Egyptenaren van de Benben vonden. En ik weet dat ze hem met zeer goede redenen hier hebben verstopt.'

'Net zoals wij hem om zeer goede redenen hebben gevonden,' zei Kiernan. 'Dus als u me wilt excuseren, professor Brodie...' Er klonk verachting in haar stem toen ze zijn naam uitsprak. 'Hier voor ons staat de toekomst van de wereld en ik zou er in elk geval graag een kijkje naar nemen. Doctor Meadows?'

Ze maakte een gebaar naar de man in de labjas, die op zijn beurt naar een van zijn collega's gebaarde. De vier bouwlampen werden opeens gedimd en daarna helemaal uit gedaan zodat er slechts de spookachtige gloed van de monitoren overbleef, en de smalle lichtbundel van één enkel spotje dat was gericht op het mysterieuze in textiel gehulde object op de slee. Een van de wetenschappers pakte een videocamera en begon te filmen.

'Ga uw gang, meneer Usman,' zei Kiernan en sloeg haar armen over elkaar.

Usman knikte. Hij liep naar de slee toe, stak zijn armen uit en liet zijn handen even boven het voorwerp zweven, waarna zijn vingers aan het omhulsel begonnen te plukken. Dat was heel strak gewonden en zijn beschermende handschoenen maakten het hem moeilijk greep op het materiaal te krijgen. Het had ergens iets komisch zoals hij stond te frunniken en te pulken, puffend en zachtjes mopperend bij zijn worsteling om het los te krijgen. Er verstreken verscheidene minuten en Kiernan en Girgis begonnen duidelijk hun geduld te verliezen voor het hem lukte een uiteinde los te wurmen, waarna het zich gemakkelijker uiteen liet halen. Bij het afwikkelen kwamen er lange stroken linnen los, zoals bij een mummie. Usman begon sneller te werken, gebruikte beide handen, liet ze in cirkels ronddraaien alsof hij in een grote pan stond te roeren, trok de stof weg, die in losse plooien op de grond en de slee viel alsof er een huid werd afgeworpen. De man met de camera liep om de cabine heen, filmde het gebeuren van alle kanten. Er kwamen proppen linnen tevoorschijn, die ter bescherming tussen de lagen zaten en het voorwerp een volumineuze aanblik gaven, zodat wat er eerst had uitgezien als een behoorlijk groot geval, uiteindelijk slonk toen er steeds meer omhulling verdween. Het werd kleiner en kleiner, steeds minder indrukwekkend, slonk voor hun ogen toen laag na laag van de windsels werd verwijderd, tot uiteindelijk de laatste strook linnen op de grond viel en het voorwerp was onthuld: een lelijke klomp grijszwarte steen, plomp en onaanzienlijk en nog geen meter hoog, met een stompe, afgeronde bovenkant, meer een verkeerszuiltje dan een traditionele obelisk. Na alle opgebouwde spanning was het in Freya's ogen een duidelijke anticlimax. Te oordelen naar hun verbaasde gezicht dachten Girgis en Kiernan er net zo over.

'Net een hondendrol,' schamperde een van Girgis' mensen.

Het was een tijd stil. Allen keken ernaar, Kiernan schudde met een diepe frons haar hoofd alsof ze wilde zeggen: 'Is dat nou alles?' De bouwlampen gingen weer op volle sterkte aan en het was opeens een drukte van belang. De mannen in de cabine kregen gezelschap van nog meer mannen in stralingwerende pakken waar ze zich verdrongen rond de steen. Ze maakten er elektrodes aan vast, draden, plakpads als zeepokachtige aangroeisels. Het gepiep klonk ineens veel sneller en luider en de monitoren en computerschermen werden een stuk levendiger nu ze een stroom nieuwe gegevens te verwerken kregen. Een printer begon als een gek te ratelen en spuwde een rivier van met nullen en enen bedekt papier uit, mensen praatten, riepen dingen naar elkaar, communiceerden in een taaltje waar Freya geen touw aan kon vastknopen, laat staan iets van begrijpen. Uit de cabine gaven microfoons een hoog, fluitend geluid door toen er een soort kleine tandartsboor op de basis van de steen werd gezet, kerven in het oppervlak maakte en een korrelige stof losmaakte die in steriele monsterzakjes werd opgevangen en door de luchtsluis naar buiten doorgegeven voor verdere analyse.

'Godallemachtig,' kreunde Flin. Hij keek vol afgrijzen toe en kneep zo hard in Freya's hand dat het pijn deed. 'Ze weten niet waar ze mee bezig zijn, de klootzakken.'

Als hij verwachtte dat er iets ging gebeuren – wat hij duidelijk deed, want alles aan hem leverde het beeld op van iemand die naast een tikkende tijdbom staat – was dat echter niet het geval. De witjassen gingen door met schrapen en hakken en luisteren en bekijken. Usman stond al die tijd de bovenkant van de steen te aaien alsof hij die wilde troosten en geruststellen, en af en toe hoorde je hem zachtjes prevelen: *Iner-wer iner-en Ra iner-n sedjet iner sweser-en kheru-en sekhmet. Iner-wer iner-en Ra iner-n sedjet iner sweser-en kheru-en sekhmet.*

En ondertussen lag die steen daar, zoals men onder alle andere omstandigheden van een steen mocht verwachten. Stom, onbeweeglijk, hij explodeerde of krijste niet en zond ook geen giftige stralen uit of wat Flin dan misschien ook vreesde dat hij zou doen. Een suf, oninspirerend, donker brok grijszwarte steen, niets meer en niets minder. Na twintig minuten verontschuldigde de dikke maat van Girgis zich en ging naar buiten om te roken. Tien minuten later voegden zijn andere collega en de tweeling zich daar bij hem, kort daarop gevolgd door Girgis en Flin en Freya. Uiteindelijk ook door Molly Kiernan. Ze ijsbeerde bij de vijver, praatte in zichzelf, fronste, sloeg geregeld haar handen ineen en richtte haar blik naar de hemel alsof ze bad. Tweemaal probeerden Flin en Freya voorzichtig de tempelhof te verlaten, en twee keer werden ze – wat te verwachten was – gezien en door de tweeling teruggehaald.

'Haal het niet in je hersens,' siste Kiernan en haar stem was scherp en ontdaan van de eerdere scherts. 'Horen jullie me? Haal het niet in je hersens, verdomme.'

Ze ijsbeerde verder en Flin en Freya gingen, omdat ze niets beters te doen hadden, in de schaduw van de enorme eucalyptus zitten. Volgens Flins horloge was het nu 10:57, maar zoals ze al hadden gemerkt bij het betreden van de oase, suggereerde de positie van de zon aan de hemel dat het veel later was, minsten halverwege de middag.

'Het is of de tijd hier anders verstrijkt,' zei hij. Dat waren de enige woorden die ze wisselden. De zon scheen fel, de minuten verstreken, de generatoren bromden en er gebeurde niets.

Uiteindelijk ging er een uur voorbij voor ze naar binnen werden geroepen. Zowel Kiernan als Girgis was asgrauw. 'En?' snauwde Kiernan. Ze viel gelijk met de deur in huis.

'Nou, het is zonder twijfel een meteoriet, of deel van een meteoriet,' begon Meadows met zijn saaie, nasale stem en bracht hen tot bij de glazen doos. 'We vangen niet alleen significante sporen op van iridium en omnium en zo, maar ook van olivien en pyroxeen die duidelijk suggereren dat we te maken hebben met een primitieve chondritische...'

'Hou op met dat gelul en vertel ons wat het ding kan.'

De wetenschapper begon nerveus te schutteren. 'We moeten nog meer tests doen,' mompelde hij. 'Heel veel meer tests waar we mee beginnen zodra we de steen in een echt lab hebben met meer krachtige spectrometrische...'

Kiernan keek hem vuil aan en hij hield zijn mond.

'Het is een primitieve chondriet,' zei hij na een ongemakkelijke stilte. 'Een meteoriet.'

'Ja, maar wat kan het ding. Begrijpt u wat ik zeg? Wat kan het ding?'

Kiernan deed duidelijk haar best niet te ontploffen. 'Wat kan die meteoriet? Wat zit erin? Wat vertellen al die spullen u?' Ze wees op de wetenschappelijke snufjes die overal in de ruimte stonden. Meadows haalde zijn schouders op, frunnikte aan het klembord dat hij vast had, maar gaf geen antwoord.

'Is dat alles?' Ze begon harder te praten. 'Wilt u me vertellen dat dit alles is? Is dat wat u me vertelt?'

De wetenschapper schokschouderde nogmaals. 'Het is een primitieve chondriet,' herhaalde hij hulpeloos. 'Een meteoriet, een stuk ruimtesteen.'

Kiernan opende haar mond, sloot hem weer, stond daar met haar ene hand aan het kruisje bij haar hals en de andere tot een vuist gebald. Stilte. Iedereen was stil. Zelfs de elektronische bliepgeluiden leken trager en zachter te zijn geworden alsof ze deelden in het algemene gevoel van schrik en teleurstelling. De stilte duurde een hele tijd. Toen zetten de mannen in de glazen cabine hun antistralingskappen af en begonnen de wirwar van elektroden en draden los te trekken waarmee de steen was bedekt.

Flin begon te grinniken. 'Kostelijk!' verkneukelde hij zich. 'Drieëntwintig jaar en god mag weten hoeveel doden en dat allemaal voor een waardeloos stuk steen. Dit is echt absoluut onbetaalbaar.' Al zijn bezorgdheid leek te zijn verdwenen, de ontwikkeling van deze scène was precies tegenovergesteld aan die bij het vliegtuig. Freya had het idee dat het nu Flin was die van het moment genoot en dat Kiernan en Girgis nu degenen waren die moesten zien te verwerken wat er gebeurde.

'Maar alle teksten,' mompelde Kiernan. 'Ze zeiden... De experts, iedereen zei...' Ze draaide om haar as en gebaarde wild naar Flin. 'Jij zei het! Jij zei dat het echt waar was, dat de Egyptenaren hem gebruikten... dat heb jij gezegd! Jij hebt het beloofd!'

Hij stak zijn handen op. '*Mea culpa*, Molly. Ik was een slechte spion, en ik schijn ook een slechte egyptoloog te zijn.'

'Maar je hebt het gezegd, ze zeiden het allemaal... dat hij kracht had, dat het Egyptes vijanden vernietigde. De strijdknots van de goden, het verschrikkelijkste wapen dat de mensheid kent!'

Ze begon te razen, haar ogen werden groter, er verscheen schuim in haar mondhoeken. 'Wees voorzichtig, zei je nog. Haal er geen rotzooi mee uit, er zijn dingen die we niet begrijpen, onbekende elementen! Krachten, zei je, het ding heeft krachten!'

'Ik denk dat ik het mis had,' zei hij, en na een korte stilte: 'Kom op, Molly, je moet toch toegeven dat het grappig is?'

Dat was het zinnetje dat ze zelf eerder had gebruikt, en ze vond het duidelijk niet leuk het teruggespeeld te krijgen. Ze keek hem heel vuil aan, met een blik zo gemeen en fel als Freya nog nooit had gezien, priemde een vinger in zijn richting alsof ze wilde zeggen: 'Jou spreek ik nog wel!' en draaide zich terug naar Meadows. Ze pakte hem hard aan, eiste zijn bevindingen te zien en er uitleg bij te krijgen, zei tegen hem dat hij een vergissing moest hebben gemaakt en de tests opnieuw moest doen.

'Ze hebben het gezegd!' bleef ze roepen. 'Iedereen zei het: het ding heeft krachten, dat zeiden ze, het heeft krachten!'

Girgis en zijn maten bemoeiden zich er ook mee, kletsten in een mengeling van Arabisch en Engels, schreeuwden tegen de wetenschappers, en tegen Usman, die nu in zijn eentje in de isolatieruimte stond, een troosteloze figuur met zijn dikke brillenglazen, en ook tegen Kiernan, van wie hij, krachten of niet, volledige betaling van het hem verschuldigde bedrag eiste. De dikke man met de snor stak een sigaret op en Meadows, die de scheldkanonnade van daarnet lankmoedig had ondergaan, verloor ook zijn zelfbeheersing en eiste, uit vrees dat de sigaret invloed op de elektronica zou hebben, dat die onmiddellijk werd uitgemaakt. Twee van zijn collega's kwamen erbij staan om hem te helpen en opeens was iedereen aan het schreeuwen en duwen en trekken. De tweeling mengde zich erin, alleen maar omdat ze dat gewend waren, en het hele gebouw weergalmde van de onaangenaam klinkende, woedende argumenten.

'Tijd om te vertrekken,' fluisterde Flin, pakte Freya's arm en trok haar de ruimte door. Ze kwamen bij de doorgang, wachtten even om zeker te weten dat niemand naar hen keek en gingen het eerste gordijn door. Op dat moment stak een van de wetenschappers, een jonge man met een krullenkop niet ver van de deur die, ondanks de algehele verwarring, nog over zijn monitor gebogen stond, opeens een hand op en zei: 'Hé, moet je kijken!'

Het waren niet zozeer de woorden als wel de geladen toon waarop hij het zei die Flin en Freya ertoe bracht te stoppen en terug te gaan.

'Moet je kijken!' herhaalde de man en wapperde met zijn handen om de aandacht te trekken. Op het scherm voor hem zag Freya een reeks kolommen op en neer gaan als de ventielen van een trompet. De ruzie ging door en de stem van de man ging verloren in het algehele aanzwellen van heen en weer vliegende kreten, en hij moest het een derde keer roepen voor het kabaal langzaam begon te luwen en hij ieders onverdeelde aandacht had.

'Er gebeurt iets,' zei hij. 'Kijk maar.'

Iedereen schuifelde naar voren, dromde om het scherm. Ook Flin en Freya kwamen dichterbij; ze hadden hun ontsnapping even uitgesteld om te zien wat er aan de hand was.

'Wat is het?' vroeg Girgis terwijl de activiteit op het scherm steeds levendiger werd. 'Wat betekent dat?'

Meadows keek met uitgestrekte hals over de schouder van zijn collega heen, een frons op het voorhoofd toen hij de staven op en neer zag dansen, tot aan de rand van het scherm zag schieten en weer terugvallen tot de nullijn.

'Elektromagnetische activiteit,' mompelde hij. 'Heel veel elektromagnetische activiteit.'

'Waar vandaan? Van de steen?' Kiernans stem.

'Dat kan niet,' zei Meadows. 'We hebben hem twee uur lang onderzocht en er was geen... Dat kan gewoon niet.'

Hij draaide zich om, liep de ruimte door naar de glazen cabine met de anderen pal achter hem aan. Flin en Freya hielden zich achteraf bij de doorgang. Niemand lette op hen, alle ogen waren nu gericht op de Benben. Usman stond nog in de glazen cabine, met een hand beschermend op de steen als op het hoofd van een kind. De steen lag nu in een kraag van draden en elektroden die de mannen in de stralingwerende pakken eraf hadden getrokken. De steen zelf zag er nog net zo uit als toen hij was uitgepakt: een lage, paraboolvormige bonk korrelig, grijszwart gesteente.

'Harker?' riep Meadows.

'Het valt buiten de schaalverdeling, sir,' meldde de krullenkop. 'Dat heb ik nog nooit meege...'

'Ik krijg een toename van alfa-, beta- en gammastraling,' deelde een andere wetenschapper mee. 'Een zeer sterke toename.'

Meadows haastte zich naar hem toe, boog zich over nieuwe uitkomsten toen een vrouw aan de andere kant van de ruimte ook iets riep, iets over non-sequentiële ionisatie, zodat hij gedwongen was zich los te maken om naar haar scherm te gaan kijken. Er kwamen meer stemmen bij, opgewonden, dringende stemmen die schreeuwden dat ook zij onverwachte uitslagen kregen en die woorden en zinnen uitwisselden die voor Freya absoluut betekenisloos waren. Meadows schoot van het ene scherm naar het andere, schudde zijn hoofd en bleef eindeloos herhalen dat het onmogelijk was. De printer, die de afgelopen minuten stil was geweest, begon weer te ratelen, nog manischer dan eerst, en stak een steeds langer wordende papiertong uit. De elektronische geluiden keerden nog heviger dan eerst terug en vulden de ruimte met een symfonie van piepjes en bliepjes. Op de monitoren en computerschermen wervelde een duizelingwekkende caleidoscoop van activiteiten.

'Wat gebeurt er toch?' riep Girgis uit.

Meadows negeerde hem. Hij liep met grote stappen naar de glazen cabine en beval Usman eruit te komen. De Egyptenaar bewoog zich niet, stond alleen maar naar de steen te staren, gebiologeerd, met een verwarde, lege uitdrukking op zijn gezicht. Meadows herhaalde zijn bevel, twee keer zelfs, elke keer op dringender toon. Vervolgens gaf hij met een hulploos gebaar van zijn armen een collega opdracht op een knop te drukken. De luchtsluis siste, sloot en verzegelde zich zodat Usman opgesloten zat.

'Het spijt me dat ik dat moet doen, miss Kiernan,' begon Meadows. 'Maar ik kan het risico niet lopen dat...'

'Hij kan de pest krijgen,' zei Girgis. 'Hoe zit het met ons? Zijn we in gevaar? Is het veilig?'

Meadows keek Girgis aan, geschokt door diens gebrek aan mededogen, en gaf toen met zijn vlakke hand een klap op de glazen cabine. 'Dit is acht centimeter dik glas, opgebouwd uit meerdere lagen loodglas versterkt met koolstofnanotubes. Dat wil zeggen dat er niets uit kan als wij dat niet willen. Om uw vraag te beantwoorden kan ik dus zeggen dat we volmaakt veilig zijn. Helaas kan ik dat niet zeggen van uw collega.'

Usman stond nu heen en weer te zwaaien, en steunde met een hand op de steen om zijn evenwicht te bewaren. Hij mompelde in zichzelf, zijn ogen waren glazig, alsof hij beneveld was, hij was zich blijkbaar maar half bewust van wat er gaande was.

'Wat heeft hij verdomme?' vroeg de dikke man. 'Is hij dronken?'

Niemand gaf antwoord. Usman stond nog steeds op zijn benen te zwaaien, zijn vrije hand kwam omhoog en begon naar de rits van zijn stralingwerende pak te graaien, probeerde hem open te krijgen. *'Ana harran.'* Zijn stem klonk door de intercom, ijl en gedesoriënteerd. *'Ana eyean.'*

'Hij heeft het warm,' mompelde Flin de vertaling voor Freya. 'Hij voelt zich niet lekker.'

'Wat gebeurt er met hem?' vroeg ze, ontzet en tegelijkertijd gefascineerd.

Flin schudde zijn hoofd, niet in staat te antwoorden. Usman zwaaide heftig heen en weer, hervond zijn evenwicht, kreeg de rits te pakken en begon zijn pak uit te trekken, stroopte het onhandig af en onthulde een blauwe pantalon en een wit overhemd. *'Ana harran,'* brabbelde hij. *'Ana eyean.'* Hij trok ook zijn overhemd uit, en zijn broek, en zo stond hij daar dan in slechts zijn onderbroek, sokken en schoenen. Het zou komisch zijn geweest ware het niet dat hij duidelijk in nood was: zijn borstkas zwoegde alsof hij moeite had met ademhalen, en zijn handen trilden onbedwingbaar. *'Ha-ee-yee betowgar,'* kreunde hij en klauwde naar zijn dijen en zijn buik. *'Ha-ee-yee betowgar.'*

'Het doet zo'n pijn,' vertaalde Flin.

'O god,' zei Freya, 'ik kan er niet naar kijken.' Maar dat deed ze wel, net als iedereen in de ruimte, ziekelijk gefascineerd door de scène die zich in de glazen quarantainecabine afspeelde. De printer ratelde nóg verwoeder, het gebliep en gepiep bleef aangroeien, want wat voor krachten het ook mochten zijn, ze wonnen in toenemend tempo aan sterkte. Ondanks Meadows' verzekering dat iedereen veilig was, trokken Girgis en de andere Egyptenaren zich van de glazen cabine terug.

Dit in tegenstelling tot Kiernan die er naartoe was gelopen en een hand op het glas drukte terwijl ze met de andere het kruisje om haar nek streelde. Haar ogen straalden opgewonden. 'Kom op,' fluisterde ze, 'kom op, liefje, laat zien wat je kunt. Steen van Vuur, Stem van Sekhmet. Kom op, toe dan.'

Usman strompelde nu rond, jammerde van de pijn, wreef in zijn ogen, trok aan zijn oren. *'Ana hariger,'* kreunde hij. *'Ana larzim arooh let-tawarlet.'*

'Jezus,' mompelde Flin. 'Hij zegt dat hij moet overgeven, dat hij moet...'

Usman klapte dubbel en viel op zijn knieën, recht tegenover Kiernan. Er sijpelde een stroompje wit braaksel uit zijn mondhoek en het wit van zijn onderbroek veranderde in lichtbruin.

'Hij heeft zich ondergescheten,' lachte de dikke man. 'Moet je kijken, die stomme idioot heeft zich ondergescheten!'

'Iner-wer iner-en Ra iner-n sedjet iner sweser-en kheru-en sekhmet...' dreunde Usman versuft op. Hij hees zich weer overeind en kon net blijven staan, met zijn gezicht en zijn buik tegen het glas gedrukt, zijn armen slap langs zijn lijf. Er verstreek een halve minuut en de elektronische informatiestroom werd wat getemperd, alsof het proces dat alles in gang had

gezet, begon af te nemen en te kalmeren. Toen gebeurden er plotseling, schokkend, kort na elkaar twee dingen. Er klonk een diepe, sonore dreun. Hij leek vanuit de steen zelf te komen, weergalmde als een versterkte hartslag zodat het hele gebouw ervan trilde, hoewel het geluid zelf niet bijzonder sterk was. Bijna op hetzelfde moment was er een verblindende lichtflits, ook vanuit de steen, als van een flitslamp, maar dan veel sterker. Hij duurde maar een fractie van een seconde en het amberkleurige glas beschermde hen tegen de ergste felheid. Toch werden ze allemaal even verblind. Armen kwamen omhoog en bedekten ogen, de printer en de monitoren vielen stil, de computers en de lampen stopten ermee zodat de ruimte in het duister werd gehuld. Er werd geschreeuwd, er was beweging, Girgis wilde met luide stem weten wat er verdomme aan de hand was. Toen kwam, even abrupt als hij was verdwenen, de elektriciteit terug. De monitoren en computers startten weer op, de bouwlampen kwamen weer tot leven. Even keerde de rust terug toen iedereen knipperend de ogen liet wennen, toen klonken er kreten en geluiden van hevig lijden.

'O, mijn god,' bracht Freya gesmoord uit en sloeg een hand voor haar mond. 'O god, help hem dan toch.'

Voor hen stond Usman in precies dezelfde houding als hij voor de lichtflits had gestaan, nog steeds tegen de binnenkant van de glazen wand gedrukt, nog steeds in zijn onderbroek, sokken en schoenen. Het enige verschil was dat zijn huid verdwenen was. Zijn lichaam – ledematen, gezicht en bovenlichaam – was nu een glanzende, glibberige ratjetoe van pezen, spieren, botten en vetweefsel. Afschuwelijk genoeg leek hij nog te leven, want er kwam een bellenblazend gegrom uit zijn keel, zijn ooglidloze ogen draaiden heen en weer achter zijn brillenglazen toen hij erachter probeerde te komen wat er aan de hand was. Hij mompelde iets en probeerde een stap achteruit te doen, maar vanaf zijn middel – buik, borst en rechterwang – leek hij te zijn samengesmolten met het glas. Hij probeerde het nog een keer, rolde heftig met zijn ogen en zijn ribben zwoegden toen hij uit alle macht probeerde adem te halen. Toen tilde hij zijn bebloede armen op – ze had er geen idee van waar hij de kracht vandaan haalde – plantte zijn handen plat tegen het glas, zette zijn tanden op elkaar en duwde, maakte zich met geweld los van het glas. Er klonk een vochtig scheurend geluid en hij struikelde naar achteren. Er bleven dikke repen vlees achter op het glas. Gedurende een heel kort, misselijkmakend moment zagen ze zijn kaakbeen, zijn dikke darm en iets wat een deel van zijn lever zou kunnen zijn. Toen was er weer een hevige dreun, weer een lichtflits en ging weer alles op zwart.

'Wij zijn weg,' siste Flin, greep Freya's arm en gaf haar een zet door het eerste gordijn dat voor de doorgang hing. Op dat moment hoorden ze Kiernans stem uit het duister achter hen: 'Zien jullie wat hij kan? O Heilige Heer, het is een wonder! Een schitterend wonder! Verootmoedig u onder de machtige hand Gods! Dank U, Heer, dank U!'

Zodra ze op de tempelhof opdoken, waar de schaduwen nu lengden en de zon in het westen daalde, begonnen ze te rennen, waarbij Freya met moeite een onweerstaanbare drang om over te geven kon onderdrukken. Het kon haar niet meer schelen wat er met Girgis en de anderen gebeurde of hoe ze de moord op haar zus kon wreken. Ze wilde alleen maar weg.

Ze namen niet de rechtstreekse route door de tempel maar verlieten de tempelhof via een zijpoort en probeerden zigzaggend door een doolhof van gangen, galerijen en zuilengangen de bewakers in hun kogelvrije vesten die voor het gebouw stonden te ontlopen. Uiteindelijk kwamen ze – met meer geluk dan wijsheid – uit in de tweede van de reusachtige tempelhoven waar ze eerder doorheen waren gekomen, die met de verzameling obelisken van allerlei afmetingen. Ze stopten even om op adem te komen en te luisteren zodat ze zeker wisten dat ze niet werden gevolgd. Daarna renden ze verder. Ze waren net door de zuilenpoort aan het begin van het eerste, buitenste vierkant toen achter hen weer de merkwaardige dreun te horen was, op precies dezelfde sterkte als toen ze nog in de Benben-ruimte waren. De hele tempel stond te trillen.

'We moeten zorgen dat we uit de oase komen,' schreeuwde Flin, gebaarde dat Freya met hem mee moest de tempelhof over, en struikelde over de ongelijke, met mos bedekte stenen. 'Ik weet niet wat ze hebben aangezwengeld, maar wel dat dit nog maar het begin is. We moeten hier weg!'

'Wat gaat er dan gebeuren?' riep ze terwijl ze op volle snelheid naast hem voortrende.

'Ik weet het niet, maar afgaande op wat we net hebben gezien, is het niet fraai. En dat is dan nog afgezien van alle vervloekingen die de oase zouden zijn opgelegd. '

Een halfuur geleden zou Freya die opmerking met een spottend gesnuif hebben verworpen, maar na de gebeurtenissen in de glazen cabine hechtte ze er wel degelijk geloof aan.

'Schiet op,' riep hij. 'We moeten door!'

Ze kwamen bij de eerste tempelpoort helemaal aan het begin van het tempelcomplex en liepen erdoor. De trapeziumvormige torens staken hoog boven hen uit, en voor hen strekte zich tot in de verte een zee van boomtoppen uit.

'En als er nog meer van die kerels zijn?' riep ze, denkend aan de schimmige donkere figuren die ze bij hun tocht door het dal in de struiken had zien wegduiken. 'Die kerels met zonnebrillen.'

'Dat zien we wel als we ze tegenkomen. Kom, we gaan naar beneden.'

Er was een onduidelijke beweging: een vierkante, gespierde figuur kwam uit een nis in de muur van de poort en beukte de Engelsman met een beringde vinger keihard in zijn gezicht zodat hij met een gespleten lip tegen de grond sloeg. Een tweede, identieke figuur verscheen uit een nis in de tegenoverliggende muur en haakte Freya beentje zodat ze languit naast Flin op de grond terechtkwam. Daarbij knalde ze met haar voorhoofd tegen de stenen en haalde ze de binnenkant van haar handen open aan de ruwe steen.

'Hello, Iengliesh,' zei een barse stem. 'Jij gaan naar huis?'

'Jij gaan graf,' sprak een andere, griezelig identieke stem.

Er klonk gelach en toen werden ze door ruwe handen overeind gehesen.

Op het moment dat de lichten weer aan waren en hun afwezigheid was opgemerkt, had Girgis de tweeling achter hen aan gestuurd, wat een rotstreek was, want na twee dagen aanklooien en lopen niksen, gebeurden er eindelijk leuke dingen, bijvoorbeeld het grillen van Usman. Het leukste wat ze ooit hadden gezien, om je kapot te lachen. Maar ja, Girgis was de baas, voorlopig nog wel, en dus waren ze er achteraan gegaan, recht de tempel door zodat ze eerder bij de voorkant van het complex waren dan de twee westerlingen. Ze stelden zich op in de toegangspoort en sloegen toe op het moment dat hun prooi daar aankwam: ze gaven die opgedofte Engelsman even een goed pak slaag, want dat had hij zo langzamerhand wel verdiend.

Ze zetten het tweetal weer op hun voeten. De Engelsman lulde een eind weg tegen hen, eerst in wat wel zijn moedertaal zou zijn, en daarna in het Arabisch, met een hoop onzin over inscripties en vervloekingen. Ze gaven hem nog een paar dreunen en sleurden hem en de meid terug naar de eerste grote tempelhof, waar ze hen naast elkaar lieten knielen zodat zij konden overleggen hoe ze hen zouden afmaken. Kogel door de kop? De keel doorsnijden? Doodtrappen? Omdat dit hun laatste klus voor hun pensionering was, wilden ze het beslist heel goed doen. Op het hoogtepunt eruit stappen.

'Ik stel voor ze bij Usman te stoppen,' zei degene met de kapotte oorlel.

'Volgens mij vinden die lui daar binnen dat niet goed,' reageerde zijn broer, duidelijk teleurgesteld door dat gegeven. 'Voor het geval er spul naar buiten komt, snap je? Leek me best leuk trouwens.'

Er klonk een donderende klap toen er weer een van die rare dreunen door de tempel echode zodat de grond onder hun voeten trilde. De Engelsman wapperde hevig met zijn handen, dramde weer door over die vervloekingen, over krachten die niet te beheersen waren. Ze gaven hem een trap in het kruis – heb je daarvan terug? – en hij zakte naar adem happend in elkaar. De meid schreeuwde en haalde naar hen uit, dus ze gaven haar ook een ferme tik. Stomme zeug. Lélijke zeug. Mager. Veel te mager.

Ze deden een paar stappen achteruit en gingen verder met hun discussie over de manier waarop ze hen zouden vermoorden. Voor hen richtte de Engelsman zich langzaam op de knieën. 'Jullie moeten me geloven,' zei hij hoestend terwijl hij de meid overeind hielp en keek of alles goed met haar was. 'Dit is nog maar het begin. We moeten weg, de oase uit. Wanneer we buiten zijn, doen jullie maar wat je wilt, maar als we blijven, gaan we dood. Horen jullie wat ik zeg? Dan gaan we dood. Allemaal. Jullie ook.'

Ze negeerden hem en gingen door met hun overleg, maar hielden hem wel in de gaten. Uiteindelijk besloten ze dat een kogel door zijn kop toch het beste was, als was het maar omdat het de snelste manier was om hem zijn klep te laten houden. Dat besluit had tot gevolg dat ze een paar passen achteruit deden en hun glocks trokken. 'Wie wil je, hem of die meid?' vroeg degene met de platte neus.

'Jullie zijn niet goed snik!' riep Flin.

'Maakt mij niet uit,' antwoordde zijn broer.

'De hele tent gaat de lucht in en jullie staan te overleggen wie wie mag doodschieten!'

'Nou, dan neem ik hem,' zei de eerste van de twee.

'Mij best,' zei de ander.

'Laat haar dan tenminste gaan!'

'Op drie,' zeiden ze gelijktijdig, hieven hun glocks en richtten. 'Een... twee...'

'Stelletje stomme idioten!' schreeuwde de Engelsman woedend. 'Ik dacht dat Red Devils altijd voor elkaar opkwamen!'

'Drie.'

Geen schoten. De tweeling stond onbeweeglijk, armen gestrekt, wapens gericht, met een lichtelijk onzekere uitdrukking op hun gezicht.

'Supporter van El-Ahly?' vroegen ze tegelijk.

'Wat?' De Engelsman was lijkbleek, verward, hield zijn arm nog om het meisje.

'Je zei dat Red Devils altijd voor elkaar opkomen,' zei de ene.

'Waarom zou je dat zeggen als je geen supporter van El-Ahly bent,' voerde de ander aan.

'Ben jij een *Ahlawy*?' zeiden ze in koor.

Flin leek niet te kunnen uitmaken of ze een spelletje met hem speelden, of dat ze bezig waren met een rotgeintje of niet. Het meisje naast hem beefde, ze keek geschokt en verbijsterd van de een naar de ander.

'Ben jij een Ahlawy?' vroegen ze weer.

'Ik heb een seizoenkaart,' zei hij zachtjes.

De tweeling fronste. Dit was onverwacht. En lastig. Ze lieten hun wapens een stukje zakken.

'Waar zit je dan?'

'Wat?'

'In het stadion. Waar zit je?'

'Jullie staan goddomme op het punt me te vermoorden en dan willen jullie weten waar ik zit bij een wedstrijd!'

De wapens kwamen weer omhoog.

'West, onderste vak. Vlak bij de zijlijn.'

De tweelingen keken elkaar aan. Een seizoenkaarthouder. En de westtribune. Bij de zijlijn. Maar wie weet blufte hij.

'Hoe vaak hebben ze de competitie gewonnen?'

Flin rolde ongelovig met zijn ogen. 'Zijn we goddomme met een quiz bezig?'

'Hoe vaak?'

'Drieëndertig keer.'

'En hoe vaak hebben ze de beker gewonnen?'

'Vijfendertig keer.'

'En het Afrikaanse bekerkampioenschap?'

Hij telde op zijn vingers, het meisje zat naast hem geknield en keek met grote, verwilderde ogen toe.

'Vier keer,' zei hij. 'Nee, vijf!'

De tweelingen keken elkaar opnieuw aan: hij kende zijn zaakjes. Een stilte en toen, om het zeker te weten: 'Wie scoorde in de Cupfinale van 2007 het winnende doelpunt?'

'In godsnaam! Osama Hosni natuurlijk, na een pass van Ahmed Sedik. Ik was er zelf bij. Ik had een vrijkaart gekregen van Mohammed Abu Treika nadat ik zijn zoons een rondleiding in het Egyptisch Museum had gegeven.'

Dat gaf de doorslag. Bevel of geen bevel, buitenlanders of niet, het was ondenkbaar dat ze een mede-Red Devil zouden omleggen. Zeker niet eentje die Mohammed Abu Treika een plezier had gedaan. Ze lieten hun wapens zakken en staken ze terug in hun jasje, gaven de westerlingen een teken dat ze konden opstaan, mompelden een wrokkig excuus: 'We wisten niet dat jullie Devils waren, niet kwaad meer, zien jullie misschien nog bij een wedstrijd.'

Ze keken elkaar gegeneerd zwijgend aan, maar toen er weer een diepe dreun door het tempelcomplex galmde, trok de Engelsman het meisje naar achteren, liepen ze vijf meter achterstevoren voordat ze zich omdraaiden en het op een lopen zetten. Bij de voorste tempelpoort gekomen hield de Engelsman in en riep iets achterom: *'Entoo aarfeen en Girgis Zamalekawy.* Weten jullie dat Girgis een Zamalek-supporter is?' En toen waren ze verdwenen, de poort door en de oase in.

'Zei hij nou dat Girgis Zamalek-supporter is?' vroeg de een geschokt aan de ander.

'Dat is precies wat hij zei,' antwoordde de ander, al even geschokt.

'Hebben wij voor een Witte Ridder gewerkt?'

'Een *Zamalekawy*?'

Ze keken elkaar aan, één groot vraagteken. Afgezien van hun nietsnut van een vader was er niets ter wereld waar ze zo'n hekel aan hadden als aan een Zamalekawy: tuig, stuk voor stuk, tuig van de richel. En nu kregen ze te horen dat ze er voor een werkten. De afgelopen tien jaar nog wel.

'We gaan pleite.'

'En Girgis?'

'Daar rekenen we in Caïro wel mee af. Dan leren we hem een lesje dat hij nooit meer vergeet.'

'De gore schoft.'

'De gore schoft.'

Ze trokken een smerig gezicht en liepen in de richting van de hoofdpoort toen de broer met de uitgescheurde oorlel opeens zijn hand uitstak en zijn broer bij de arm pakte. 'We kunnen wel een beetje van dat goud meenemen, weet je wel, van die grote zuil.' Hij haalde een stiletto uit zijn zak en deed alsof hij zaagde. 'We halen het eraf en verpatsen het in Khan el-Khalili.'

'Dat is een idee,' vond de ander.
'Kunnen we iets moois voor mama kopen.'
'En een tweede torly-kraam openen.'
'Hebben we tenminste nog iets aan dit gedoe.'
Ze aarzelden nu de tempelhof trilde door weer een donderende dreun. Toen knikten ze naar elkaar, draaiden zich om en gingen op een drafje terug het tempelcomplex door terwijl ze het hadden over goud, en torly en hoe graag ze alle Zamalekawy van de wereld in die glazen tank zouden proppen, de knop indrukken en toekijken hoe ze werden geroosterd.

'Wat heb je tegen die lui gezegd?' hijgde Freya toen Flin en zij door de monumentale poort draafden en de smalle open plek voor de tempel overstaken.
'Ik zei dat ik een Red Devil was.'
'Een wat?'
'Lang verhaal. Maar voorlopig wil ik hier alleen maar weg. Kom op.'
Ze sprongen de treden af die naar het tempelplateau voerden. Terug op vlakke grond stormden ze verder tussen de bomen door, slipten en struikelden over het ongelijke plaveisel. De dreunen kwamen nu met regelmatige tussenpozen en zorgden telkens voor een trilling die zich als een golf door de oase voortplantte, alsof de rotsgrond zelf bij het geluid huiverde.
'Er was toch ook sprake van een krokodil?' hijgde ze. Ze had moeite hem bij te houden. 'En een slang?'
'De Twee Vloeken,' antwoordde Flin en sprong over een enorme boomwortel die zich door het pad omhoog had gewerkt. *'Mogen kwaadwillenden worden vermorzeld tussen de kaken van Sobek en verzwolgen in de buik van de slang Apep.'*
'En wat betekent dat?'
'Ik heb geen flauw idee. Kom op!'
Ze daalden verder af, sfinxen en obelisken omzoomden de processieweg en de kloof begon zich te vernauwen. Het dreunen van de Benben was zo indringend, dat het Freya nu pas opviel dat het gezang van de vogels, eerst zo doordringend aanwezig, nu verdwenen was, evenals het zoemen en brommen van de insecten. Ze keek op en om zich heen, maar behalve een paar hoog boven hen rondcirkelende gieren, leek het dal plotseling geheel leeg en beroofd van fauna. Flin moest het ook zijn opgevallen, want hij ging langzamer lopen en bleef ten slotte staan, liet zijn blik over de bomen en de kliffen gaan en zette het daarna weer op een

lopen, nu nog fanatieker dan eerst. De afwezigheid van alle fauna scheen hem de stuipen op het lijf te jagen, misschien nog wel meer dan het dreunen van de steen.

'In elk geval zijn zo te zien ook Molly's mensen verdwenen,' riep Freya terwijl ze achter hem aan holde. Ze had tijdens de afdaling het struikgewas afgespeurd en niet een van de donkere schimmen ontwaard die ze tijdens hun klimtocht door het dal had gezien. Ze kreeg weer hoop dat ze het misschien zouden halen, de tunnel door en de oase uit, zonder weer tegenover zo'n probleem te komen staan. 'Ze zijn zeker allemaal...'

Flin bleef abrupt staan. Links van hen rees een reusachtige *doum*-palm op, rechts van hen een kolossale arm van graniet. En voor hen, midden op de processieweg, stond een man in een kogelvrij vest en zandkleurige gevechtskleding, een Heckler & Koch MP5-pistoolmitrailleur tegen de schouder gedrukt en de loop recht op hen gericht. Een tweede figuur in kogelvrij vest kwam achter de palmboom vandaan en zwaaide eveneens met een pistoolmitrailleur. Flin pakte Freya's hand en op dat moment ging er weer een siddering door het dal. Deze keer wist hij niets te zeggen.

Molly Kiernan was altijd al dol op vuurwerk geweest, sinds het jaarlijkse Fourth of July-vuurwerk in haar geboortestad North Platte, Nebraska, wanneer haar familie bij elkaar kwam om bewonderend naar de sprankelende kleurexplosies te kijken die de hemel boven de Lincoln County Fair Grounds aan de rand van de stad lieten oplichten. Nadien had ze grotere, spectaculairdere vertoningen gezien – die bij de piramides ter gelegenheid van Egyptes Nationale Feestdag waren altijd indrukwekkend – maar niets van dat al haalde het bij de taferelen die ze nu in de glazen isolatiecabine zag.

Telkens als de Benben een van zijn diepe, doordringende dreunen liet horen, die de afgelopen twintig minuten steeds frequenter waren geworden, ging die gepaard met weer een briljante uitbarsting van licht. De flitsen waren bij elke herhaling feller en krachtiger geworden en Meadows had erop gestaan dat ze antistralingsbrillen opzetten voor het geval de beschermende laag van de panelen van loodglas niet voldoende zou zijn. In de steen begonnen kleuren te verschijnen, eerst vaag, nauwelijks zichtbaar, piepkleine glimmende speldenprikjes van rood en blauw en zilver en groen die even in de donkere steen oplichtten en weer verdwenen. Zoals de dreunen frequenter werden en de lichtflitsen verblindender, zo werden de kleuren sterker en sprekender. Speldenprikken veranderden in strepen en strepen in wervelingen zodat de hele steen een briljante caleidoscoop van tinten werd en er een dichte aura als stoom van het oppervlak leek te komen die de steen in een prachtige gouden nevel leek te hullen.

'Wat mooi!' riep Kiernan uit en klapte van verrukking in haar handen. 'O Heer, dit is het mooiste wat ik ooit heb gezien! Vinden jullie ook niet? Heb ik geen gelijk? Iets mooiers als dit is er niet!'

Niemand reageerde, iedereen in de ruimte keek sprakeloos toe hoe de vertoning voor hun ogen in intensiteit toenam. De printer en de monitoren bewogen niet meer, de computerschermen waren zwart, de elektriciteit was allang stilgevallen.

'Is het wel veilig?' vroeg Girgis de hele tijd. Met de glimmende ronde glazen van de antistralingsbril, het glad achterovergekamde haar en de dunne, liploze mond maakte hij meer nog dan anders een kwaadaardige en slangachtige indruk. 'Weet u zeker dat we veilig zijn? Ik heb geen zin om zo aan mijn einde te komen.'

Waarmee hij doelde op Usman, of wat eens Usman was. Van de egyptoloog was niet veel meer over, aangezien er bij elke lichtflits iets meer van zijn lichaam was afgescheurd. Zo was hij laag voor laag als een ui afgepeld tot er niets anders over was dan een gebleekte hoop botten op de grond naast de Benben. Nog steeds, vreemd genoeg, samen met zijn schoenen, sokken, onderbroek en bril.

'We zijn volmaakt veilig, meneer Girgis,' verzekerde Meadows hem. 'Zoals ik u al eerder heb gezegd, is het glazen membraan onbreekbaar. Wat er in de observatieruimte ook gebeurt, het blijft in de observatiezone. Er komt niets naar buiten wat door ons niet gewenst is.'

Maar toen de reacties in de steen aan kracht wonnen, de dreunen steeds frequenter en de lichtflitsen sterker werden, leek Meadows ook onzekerder te worden. Hij liep heen en weer, krabde zich op zijn kale hoofd en overlegde op gedempte, bezorgde toon met zijn collega-witjassen. Allen vroegen zich af waar dit toe zou leiden en of ze hetgeen waar ze mee te maken hadden misschien niet hadden onderschat.

Alleen Kiernan leek niet geschokt door de pyrotechnische verschijnselen. Ze stond veel verder naar voren dan de anderen, ze straalde en klapte in haar handen als een veel te opgewonden schoolmeisje. Af en toe stak ze een hand uit en legde een vinger op het glas alsof ze probeerde in contact te komen met wat er daarbinnen gebeurde, zich ervan moest overtuigen dat het echt gebeurde.

'Kijk dan, Charlie!' fluisterde ze. 'Moet je kijken! Al die jaren heb je me sterk gehouden, heb je me erin laten geloven! En nu... O, lieve Heer in de hemel, moet je kijken! Prachtig! Prachtig!'

Ze ging er zo in op, ze was volkomen in de ban van de buitengewone geluid- en lichtshow in de cabine voor haar dat ze niet merkte dat haar naam werd geroepen door een krakende stem met een Amerikaans accent. Pas toen Meadows naar voren kwam en haar de walkietalkie gaf die ze naast een van de monitoren had laten liggen, richtte ze haar aandacht niet op de steen. Ze hield het apparaat tegen haar oor, luisterde, liet haar blik even op Girgis rusten en schudde afkeurend haar hoofd. Daarna zei ze kortaf 'Afmaken', gaf het toestel terug aan Meadows en richtte haar aandacht weer op de Benben.

'O, laat bazuinen schallen in Zion,' fluisterde ze op het moment dat de walkietalkie kraakte en vervolgens een paar gesmoorde geweerschoten liet horen. 'Laat in mijn heilige bergen waarschuwing klinken, want de dag des Heeren is nakende!'

Een schok kan vreemde dingen doen met de geest, en een paar warrige tellen lang dacht Freya dat ze dood moest zijn en een soort uittreding meemaakte. Het was niet alleen dat ze Kiernan bevel tot hun executie had horen geven, en daarna de schoten en het op de grond ploffen van twee lichamen, maar dat daarna alles opeens stil en onbeweeglijk was geworden, alsof de wereld abrupt aan zijn eind was gekomen en het enige wat ervan over was een filmfoto van het laatste moment was.

Het duurde maar heel even voor ze besefte dat, wat er verder ook was gebeurd, ze beslist niet was doodgeschoten. Met haar ogen knipperend en bevend keek ze om zich heen. Alles was nog precies zo als een paar tellen geleden: de oase, de weg met de sfinxen en de obelisken, de reusachtige doum-palm, de monumentale granieten arm. Het enige merkbare verschil was dat de Benben geen geluid meer maakte en het dal in een stilte hulde die des te dieper was door de intensiteit van het geluid dat eraan vooraf was gegaan. Dat, en het feit dat de twee mannen met de kogelvrije vesten, die zo kort tevoren op het punt hadden gestaan op hen te schieten, nu languit op de grond lagen. De ene lag op zijn buik; de bovenkant van zijn schedel was verdwenen en zijn haar, nek en de kraag van zijn kogelvrije vest zaten onder een kleverige pap van bloed, bot en hersenen. De andere lag op zijn rug, de armen gespreid, en waar zijn linkeroog had gezeten, was nu een donker, vlezig gat.

'Jezus christus,' mompelde ze, niet goed wetend of ze afschuw moest voelen vanwege deze slachting, opluchting omdat hun aanvallers dood waren, of angst dat dit slechts het voorspel was van een volgende, onverwachte aanslag.

Ze wierp een blik op Flin, die met dezelfde reeks gevoelens leek te worstelen. Hij trok zijn wenkbrauwen alsof hij wilde zeggen 'Ik weet net zomin als jij wat er is gebeurd' en keek om zich heen of hij kon ontdekken waar de schoten vandaan waren gekomen en wie ze had gelost. Terwijl hij dat deed, ritselden er bladeren en viel er boven hen iets of iemand uit de doum-palm en kwam met een zachte plof links van hen neer. Tegelijkertijd was er de werveling van een gewaad aan de andere kant van de weg. Een figuur klauterde over de bovenkant van de enorme granieten arm en kwam snel op hen af, een geweer in de hand. Flin ging met gebalde vuisten voor Freya staan om haar te beschermen, klaar voor de strijd. De figuur bleef staan, hield het wapen met een gestrekte arm opzij van zijn lichaam en trok met zijn andere hand de sjaal voor zijn gezicht weg. Flin en Freya wisten niet wat ze zagen.

'Zahir?' Hoewel het levende bewijs voor haar neus stond, kon Freya het niet geloven. 'Zahir?' zei ze nogmaals. 'Hoe ben je in godsnaam…?' Ze onderbrak zichzelf, verbazing en opluchting maakten plaats voor wantrouwen. Al haar twijfels over de Egyptenaar kwamen als een vloedgolf terug, de herinnering aan dat laatste, beladen bezoek aan zijn huis in Dakhla. Hij zag haar gelaatsuitdrukking veranderen en hield opnieuw zijn geweer opzij van zijn lichaam ten teken dat hij haar geen kwaad wilde doen. De andere man deed hetzelfde en hief een hand op om ook zijn gezicht te onthullen: Zahirs jongere broer Saïd. Freya herkende hem van Alex' begrafenis drie dagen eerder. Ze ontspande een beetje, net als Flin, die zijn vuisten liet zakken en opzij stapte zodat hij naast en niet voor Freya kwam te staan.

'Wat doen jullie hier?' vroeg ze en schudde hoogst verbaasd haar hoofd. 'Hoe hebben jullie de oase gevonden?'

Als ze had gerekend op een verklaring, werd ze teleurgesteld. In plaats daarvan bleven ze allebei met dat stugge, norse gezicht dat een familietrekje leek te zijn, even staan, waarna Zahir een paar passen naar voren deed en een hand op zijn borst legde. 'Ik sorry, miss Freya.'

Ze fronste omdat het haar ontging wat hij bedoelde.

'Ik sorry,' herhaalde hij. Zijn houding was formeel, ernstig, alsof hij publiekelijk een verklaring aflegde. 'U mijn gast in Egypte, u zuster van mijn goed vriendin dokter Alex. Is mijn plicht zorgen voor u, beschermen u tegen gevaar. Ik niet beschermen u, veel slechte dingen gebeuren. Ik sorry, ik veel sorry. U mij vergeven.'

Van alles wat er de laatste paar dagen was gebeurd – achtervolgingen, schietpartijen, verborgen oases, rotsblokken met bovennatuurlijke krachten – trof dit Freya als het meest bizarre: ze stond daar naast twee bloederige lijken en een reusachtige granieten arm en ontving verontschuldigingen die nergens op sloegen van een man die haar zojuist van een zekere dood had gered.

'U mij vergeven,' herhaalde hij met iets bijna kinderlijks in de ernst van zijn toon. Onwillekeurig en in weerwil van alles barstte ze in lachen uit. 'Zahir, je hebt me verdomme net mijn leven gered. Ik moet je bedanken, niet vergeven! Jezus, gekke bedoeïen!' Met haar hand draaide ze rondjes bij haar slaap om aan te geven dat ze dacht dat hij gek was. Zahir keek haar fronsend aan, probeerde te ontdekken of het gebaar als grap of als belediging was bedoeld. Hij koos blijkbaar voor het eerste, want hij reageerde met een knikje en het vaagste vermoeden van een glimlach, niet meer dan een ietsje optrekken van zijn mondhoeken.

'Alles oké nu, miss Freya,' zei hij, kwam naar voren en gaf een van de lichamen een por met zijn voet. 'U veilig. U allebei veilig. Geen gevaar. Alles goed.'

Vreemd genoeg waren dat bijna precies de woorden die Flin had gebruikt na de aanval van de hoornaars in de Antonov. Net als toen voelde ze een hartverwarmende golf van opluchting en een gevoel van welbehagen omdat ze dacht dat misschien, heel misschien, de kansen nu in haar voordeel waren gekeerd, en dat ze hier levend uit zouden komen.

Net als toen duurde dat moment van respijt maar even. Amper had ze zich een flintertje optimisme veroorloofd, of als een aantal draaien om haar oren, begon het zware, dreunende geluid opnieuw. Boem... boem... boem... weergalmde het door het dal zodat rotsen en bomen ervan trillen. En ze kwamen nu sneller achter elkaar dan eerst, ook al was niet duidelijk wat er de oorzaak van was dat de steen zich weer leek te hebben opgeladen en de verloren tijd wilde inhalen.

Het viertal verstijfde en keek angstig om zich heen. De grond onder hun voeten leek bij elke dreun op te springen alsof ze boven op een enorm trommelvel stonden, en de trillingen waren nu zo hevig dat Freya er even van overtuigd was dat het geluid niet alleen trillingen door de wanden van de kloof stuurde, maar ze echt in beweging bracht, naar elkaar toe schoof. Ze schudde haar hoofd, ervan overtuigd dat ze zich dingen verbeeldde, dat het gewoon een optische illusie was. Maar hoe beter ze keek, hoe meer het erop leek dat de wanden werkelijk bewogen, dat ze langzaam naar elkaar toe kropen als een reusachtig boek dat werd dichtgeklapt. De geologie van eonen ging in de achteruit, schoof zichzelf in de tijd van enkele seconden in elkaar. Je hoorde nu een zacht, kwaadaardig malend geluid van steen die over steen schoof, heel anders dan het dreunende bonzen, een geluid dat snel in sterkte toenam tot het de Benben praktisch helemaal overstemde.

'Zien jullie dat?' schreeuwde ze en wees met beide armen naar de kliffen aan de linker- en rechterkant. Flin had het zeker gezien, want hij schoot al weg naar de granieten arm, met Zahir en Saïd op zijn hielen. Ze klommen alledrie op de arm om een beter zicht te hebben.

'Wat is dat?' riep Freya. 'Wat gebeurt er?'

Flin hield zijn hand boven zijn ogen, keek naar links en rechts en zette zich schrap tegen het schudden van de arm waarop hij stond. 'De kaken van Sobek,' zei hij zachtjes. En toen harder: 'De kaken van Sobek! Mijn god, dat is wat de vloek betekent! *Mogen kwaadwillenden worden vermorzeld tussen de kaken van Sobek!* De oase sluit zich als de bek van een krokodil. Dat betekent het. Kijk dan! Zie je hoe ze naar elkaar toekomen?'

Dat zag Freya inderdaad, ook vanaf haar lage standpunt. De vorm van de oase, smal aan het ene eind, breed aan het andere zodat de kliffen een grote V vormden, leek nu ze goed keek op een enorme krokodillenbek waarvan de beide kaken zich aan het sluiten waren en zo alles wat er tussen kwam vermorzelden. Rotsblokken en ander puin begon van de klifwanden te tuimelen en vanuit de verte kwam het geluid van bomen die werden ontworteld en versplinterden.

'Maar dat kan niet!' schreeuwde ze. 'Hoe kan een kloof nou dichtgaan? Dat kan niet.'

'Niets hiervan kan,' riep Flin en maaide met zijn armen. 'Niets hiervan, vanaf het allereerste begin. Maar wat maakt het uit, het gebeurt, en wij moeten maken dat we wegkomen, en wel nu!'

Hij sprong van de arm, meteen gevolgd door Zahir en zijn broer met hun bruine opbollende dejallaba's. Hoewel hun gelaatstrekken even neutraal waren als anders, was de schrik in hun ogen onmiskenbaar.

Flin pakte Freya's arm en zette koers richting tunnel, maar Zahir kwam hen achterna. 'Niet die weg,' riep hij en hield hen aan hun kleren tegen. 'Veel mannen daar. Wij gaan andere weg, bovenkant van dal.' Hij maakte een kort handgebaar terug richting tempel. 'Wij klimmen. Zo komen wij in oase. Altijd zo wij komen binnen.'

Flin opende zijn mond om te vragen wat Zahir met die laatste opmerking bedoelde, maar de Egyptenaar en zijn broer zetten het al op een lopen en gebaarden dat de westerlingen hen moesten volgen. 'Komen!' riep Zahir. 'Niet veel tijd!'

'Jullie zijn hier al eerder geweest!' riep Flin die in zijn kielzog meesprintte. 'Zei je dat jullie hier eerder zijn geweest?'

Zijn stemgeluid ging verloren in het gedonder en geknal van gesteente dat werd gekraakt door de rotswanden die gestaag naar elkaar toe kwamen. Aan beide zijden rezen stofwolken op alsof de oase in brand stond.

Vernon Meadows – Dr. Vernon Meadows BSc, MSc, Ph.D, CPhys, FAAS, FInstP, SMIEEE – had bijna veertig jaar gewerkt in wat hij graag de 'esoterische frontlinie' van de Amerikaanse defensieresearch noemde, met alles vanaf kwantumteleportatie tot weerverstoringsprogramma's, van onzichtbaarheidschilden tot door antimaterie aangedreven isomerische raketkoppen. Hij was dus bij allerlei projecten betrokken geweest en op vele plaatsen van de wereld, en er waren weinig uithoeken van de wereld die hij niet had bezocht tijdens zijn missie om de grenzen van de wapentechnologie te verleggen. En bij dat alles had hij baat gehad bij twee basisregels: blijf kalm en beheerst, hoe bizar de situatie ook mag zijn; en lukt het je niet kalm en beheerst te blijven, maak dan als de donder dat je wegkomt.

Die tweede regel werd van kracht nu de Benben begon te dreunen – geen lichtflitsen deze keer, wat wel weer interessant was – en er van buiten een zwaar gerommel kwam dat, zo kwam een van zijn collega's melden die naar buiten was gesneld om te kijken, werd veroorzaakt doordat de wanden van de kloof langzaam naar elkaar toe schoven. Hij ging zelf naar buiten om de situatie te beoordelen, ging terug naar binnen en gaf iedereen opdracht te laten vallen waar ze mee bezig waren en voor hun leven te rennen.

Niemand sputterde tegen. Zelfs Girgis liet zich door zijn collega's naar buiten werken, zij het onder het roepen van: 'En mijn geld dan? Ik wil mijn geld! Ik heb me aan de afspraak gehouden en ik wil mijn geld! Nú, horen jullie me? Nú!'

Alleen Molly Kiernan weigerde te vertrekken. Ze bleef staan waar ze stond, voor de glazen isoleerzone, zich niet bewust van de uittocht achter haar; ze staarde naar de steen die pulseerde en dreunde en opnieuw volliep met spiralen en krullen van kleur. De tinten waren zo mogelijk nog verzadigder en dieper dan eerst, de helderste, vreemdste en fascinerendste kleuren die ze ooit had gezien, alsof de steen slechts een raam was met uitzicht op een hogere en volmaaktere werkelijkheid.

'Miss Kiernan, we moeten gaan!' riep Meadows die vanaf de ingang van de ruimte heftig naar haar stond te zwaaien. Zijn benen trokken hem naar achteren, de doorgang in, alsof ze los van de rest van zijn lichaam werkten. 'Alstublieft, we moeten weg! Het loopt uit de hand.'

Ze maakte een minachtend handgebaar en nam niet eens de moeite zich om te draaien.

'Ja hoor, loop maar weg! Ga maar gauw terug naar mammie! Schijtlijsters zijn jullie, stuk voor stuk. Schijtlijsters en bangbroeken! Er is hier geen plaats voor jullie!'

'Miss Kiernan...'

'Dit is het moment van de sterken. Van de gelovigen. Van de ware Amerikaanse gelovigen! Ons moment! Gods moment! Ga maar, donder maar op! Wij nemen het nu over! Wij nemen de wereld vanaf nu over!' Haar ogen schoten vuur, ze maakte nogmaals een minachtend handgebaar, alsof ze iemand afwees die probeerde haar een minderwaardig prul aan te smeren.

Meadows schudde machteloos zijn hoofd, draaide zich om en rende weg. Kiernans stem kwam achter hem aan en hij kon haar nog verstaan ondanks het dreunen van de Benben en het knarsen van de kloofwanden. Schel, euforisch, triomfantelijk riep ze: 'Kijk dan, Charlie! O, alsjeblieft, kijk ernaar, liefste! Zie de kracht! We zullen ze verpletteren, de kwaadwillenden, de slechteriken! We zullen ze vermorzelen, de onreine beesten, tot stof vermalen! O, kijk dan toch alsjeblieft!'

'Jullie wisten het, hè? Al die tijd al. Jullie wisten waar de oase was. Jullie zijn hier eerder geweest.' Flin had moeite Zahir bij te houden die hen via de processieweg terugvoerde, maar nu naar de hoogste kant van het dal. Freya en Saïd volgden hen op de voet over de deinende en schokkende bodem. Aan beide kanten doemden de kliffen nu groter en groter op en ze donderden onverbiddelijk naar binnen toe, als een bankschroef die wordt dichtgedraaid. Overal in de lucht hingen verstikkende stofwolken, standbeelden en bouwwerken stonden te schudden en vielen om. Het lawaai was oorverdovend.

'Wanneer?' schreeuwde Flin, die enorm zijn best moest doen om niet geheel buiten adem te raken en om boven de chaos om hem heen uit te komen. 'Wanneer hebben jullie de oase gevonden?'

'Ik niet,' riep Zahir achterom. 'Mijn voorouder, Mohammed Wald Joesoef Ibrahim Sabri al-Rashaayda. Hij kennen hele woestijn, elke duin, elke zandkorrel. Hij vinden oase. Voor zeshonderd jaren.'

'Jouw familie weet al zeshonderd jaar van de wehat?'

'Wij geven door van generatie al-Rashaayda op volgende, vader zoon, vader zoon. Vertellen niemand.'

'Waarom in godsnaam? Waarom moest het geheim blijven?'

Zahir kwam slippend tot staan en draaide zich om naar Flin, terwijl Freya en Saïd achter hem opdoken. 'Wij, bedoeïenen.' Zahir klopte zich op de borst. 'Wij begrijpen oase, wij respect. Wij komen, wij drinken water, wij slapen hier, alleen dat. Wij niet aanraken iets, wij niet meenemen iets, wij niet stukmaken iets. Andere mensen... zij niet begrijpen. Oase machtig.' De Egyptenaar maakte een weids armgebaar. 'Gevaarlijk als niet respect. Zo overal in woestijn. Niet veilig andere mensen komen hier. Slechte ding gebeuren. Oase straffen. Nu komen. Wij niet veel tijd!'

Hij rende verder met Flin, Freya en Saïd zwoegend achter hem aan. Ze bereikten de reeks treden die naar het tempelcomplex leidden, maar in plaats van rechtdoor te gaan, sloeg Zahir rechtsaf en nam hen mee van de hoofdweg af naar een pad dat in een boog onderlangs het rotsplateau met de tempel liep. Het was smaller dan de processieweg, vol met wortels en brokstukken, en hun tempo werd lager.

'En het vliegtuig?' riep Flin terwijl hij een tak afweerde die in zijn gezicht terug wilde zwiepen. 'Wisten jullie van het vliegtuig?'

'Natuurlijk wij weten van vliegtuig,' zei Zahir. 'Wij vinden vier, vijf weken na storten neer. Wij weten één man leven want hij maken graf, we hem zoeken, wij niet vinden. Daarna wij komen veel keren. Wij kijken, wij bewaken.'

'Maar jullie maakten deel uit van Sandfire! Jullie hebben Alex geholpen met zoeken!'

Zahir wierp Flin een blik toe die boekdelen sprak: ik heb wel geholpen met zoeken, maar beslist niet met vinden.

'Je wilde ons beschermen, hè?' riep Freya en kwam naast Flin lopen. 'Toen we gisteren bij je thuis waren en je naar de rots vroegen. Daarom wilde je het ons niet vertellen. Je wilde ons beschermen.'

'Ik proberen waarschuwen is gevaarlijk,' zei Zahir en liet de snelheid tot wandeltempo zakken omdat er een enorme omgevallen zuil over het pad lag. Hij was drie meter in doorsnee en zo lang als een treinwagon, verpakt in een dicht net van klimplanten, en hij blokkeerde het pad volkomen. 'Oase gevaarlijk, slechte mensen gevaarlijk, alles gevaarlijk. Jij mijn goede vriend, ik niet willen jij pijn.'

Hij was bij de zuil, hield zich vast aan de klimplanten en begon zich op te trekken, maar Flin stak een hand uit, pakte hem bij zijn arm en trok hem terug. 'Wij moeten ons bij jou verontschuldigen, Zahir. Meer dan dat. We hebben je gewantrouwd, je in je eigen huis beledigd. Het spijt me, *sahabee*. Het spijt me oprecht.'

De Egyptenaar reageerde met een van zijn bijna onzichtbare, halve lachjes en veegde Flins hand weg. 'Is oké, ik vermoorden jou later.' Hij gaf de Engelsman een klap op zijn schouder, draaide zich met een zwaai om, klom op de zuil, knielde en stak een hand uit naar Freya. Ze klauterde ook omhoog op het moment dat de beweging van de kliffen de zuil aan het schommelen en schudden bracht alsof het een reusachtig stuk opblaasspeelgoed was en geen veertig ton massieve steen. Ze zocht even naar haar evenwicht en draaide zich toen om om de anderen te helpen. Toen ze dat deed zag ze vanuit haar ooghoek, boven en rechts van haar, iets bewegen. 'Kijk!' riep ze en wees. Ze waren nu bijna evenwijdig aan de voorkant van de tempel, alleen veel lager. Een brede ruimte tussen de bomen bood vrij zicht op de eerste tempelpoort met zijn door klimplanten overwoekerde torens en hoge doorgangen. Toen ze Freya's arm volgden, zagen ze allerlei mensen het open gedeelte voor de tempel op stormen: mannen in kogelvrije vesten en met zonnebrillen, wetenschappers in labjassen, Girgis en zijn collega's en als hekkensluiters de tweeling in hun Armanipakken. Geen teken van Molly Kiernan.

'Zij gaan verkeerd,' zei Zahir nuchter. 'Zij dood. Wij leven. Kom.' Hij stak een hand uit om zijn broer naar boven te helpen en Freya deed hetzelfde voor Flin. Terwijl Saïd naar boven klauterde, bleef Flin waar hij was. 'Molly is niet meegekomen,' riep hij. 'Ze is nog binnen!'

'Molly? Wat kan jou dat schelen?' schreeuwde Freya. 'Kom mee!'

'Ik kan haar daar niet zomaar achterlaten!'

'Wat nou "Ik kan haar daar niet zomaar achterlaten"? Na alles wat ze ons heeft geflikt? Ze kan de kolere krijgen! Laat haar lekker bakken!'

Flins handen balden en openden zich.

'Kom nou!' schreeuwde Freya. Ze wierp angstige blikken naar links en rechts waar de rotswanden naar elkaar toe kwamen.

'Ik kan haar niet zomaar achterlaten,' herhaalde hij. 'Ze heeft me naast alles ook geholpen. Ze heeft me aan Alex voorgesteld, ze heeft mijn leven weer zin gegeven, hoe verkeerd de motieven ook waren. Ik kan haar niet zomaar laten sterven.'

'Je bent gek, hartstikke gek!'

Hij luisterde niet naar haar maar ging terug naar een tweede stenen trap die aan de zijkant van het plateau naar de tempel omhoogkronkelde. 'Ga maar door,' riep hij. 'Ik haal jullie wel in.'

'Nee!' Freya draaide zich om en greep een dikke rank; ze wilde naar beneden klimmen en hem achternagaan, maar Zahir greep haar bij haar arm. 'Wij wachten boven,' zei hij. 'Is beter.'

Ze schudde zijn hand af en schreeuwde Flin achterna: 'Wat doe je nou? Ze heeft Alex vermoord! Ze hoorde er ook bij! Dan ga je haar toch niet redden? Ze heeft mijn zus vermoord!'

Maar hij stormde al weg, met twee treden tegelijk de trappen op, en haar kreten werden opgeslokt door de dreunen van de Benben en het donderende geweld van verpulverend gesteente.

'Ik bid dat ooit de grond zich zal openen en je opslokken, o schande van mijn schoot.'

Dat waren de laatste woorden die de moeder van Romani Girgis lang geleden tot hem had gesproken, en nu hij door de oase rende terwijl de rotswanden zich als een monsterlijke tang om hem heen sloten, nu de hele wereld leek in te klappen, had hij het verschrikkelijke gevoel dat haar doodswens misschien binnenkort in vervulling ging.

Hij had kunnen weten dat het een slechte deal was, vanaf dag één, vanaf die dag drieëntwintig jaar geleden toen dat maffe kreng van een Kiernan hem had gezegd dat hij het vliegtuig maar moest vergeten, dat haar mensen geïnteresseerd waren in de Benben. Hoeren, drugs, wapens, uranium... dat waren dingen die hij begreep, dingen waar hij op kon vertrouwen en die hij in de hand had. Maar ontploffende stenen, oude vervloekingen? Hij had het kunnen weten, misschien niet drieëntwintig jaar geleden, maar toch zeker eerder deze ochtend, toen ze over de Gilf heen en weer waren gevlogen en helemaal niets hadden gevonden, terwijl ze op het moment dat ze door die walgelijke tunnel waren gerend, de oase opeens voor zich hadden gehad, alsof hij er al die tijd al was geweest. Er waren hier krachten aan het werk waar hij niets van begreep, factoren die hij niet kon voorzien, machten die hij niet naar zijn hand kon zetten. Alles bij elkaar opgeteld kwam je dan uit bij de moeder van alle slechte zakelijke beslissingen.

'Ik wil mijn geld,' schreeuwde hij en krabde onder het draven verwoed aan zijn handen en zijn nek. Om hem heen tuimelden de obelisken langs de processieweg als kegels ondersteboven. 'Horen jullie me? Ik wil mijn geld! Kom op met mijn geld! Ik wil het nú hebben.'

Hij riep het tegen zichzelf. Het grootste deel van de groep die tegelijk met hem de tempel was ontvlucht, rende ofwel een heel eind voor hem uit, of was, zoals die idioot Meadows, onder vallende brokstukken verpletterd. Nu waren alleen hij en de andere Egyptenaren nog over: Kasri, de tweeling, en een heel eind achterop, naar adem happend, Boutros Salah. Zijn oudste collega. De enige op de wereld die hij een vriend zou willen noemen. Boutros zwaaide wanhopig naar hem. 'Laat me niet achter, Romani! Wacht even, alsjeblieft. Ik kan jullie niet bijhouden.'

'Het is jouw schuld!' krijste Girgis terwijl hij zich half omdraaide en met een priemende vinger naar hem wees. 'Je had me moeten waarschuwen dat het een slechte deal was. Je had het me uit mijn hoofd moeten praten! En jij ook! En jullie ook!' Dit laatste tegen Kasri en de tweeling. 'Jullie hadden me allemaal moeten waarschuwen! Jullie hadden het me uit mijn kop moeten praten! Ik wil mijn geld! Horen jullie wel? Ik wil mijn geld, stelletje vuile dieven, vuile *koosat*!'

Ze struikelden verder en hij tierde maar door, maaide met zijn armen, krabde zich, ging tekeer over de onbetrouwbaarheid van de Amerikanen en de trouweloosheid van zijn eigen mensen. En ondertussen kwamen de kliffen steeds dichter bij elkaar. Ze kwamen langs het wrak van de Antonov dat door de rotswand in een walsende vloedgolf van bouwmateriaal en rotsblokken en ontwortelde bomen langzaam voort werd geduwd, tot het toestel ten slotte omrolde, omlaag werd getrokken en onder de rand van het klif verdween als een speelgoedbootje onder de boeg van een oceaanstomer.

'Hoe kon dit nou gebeuren?' schreeuwde Girgis. 'Zorg dat het ophoudt! Horen jullie me? Daar betaal ik jullie voor. Zorg dat het ophoudt!' Zijn verhaal ging nu geheel verloren in het oorverdovende donderen en kraken van schuivend gesteente. Ook als ze hem wel hadden gehoord, zou niemand er aandacht aan hebben besteed omdat ze allemaal maar één ding voor ogen hadden, en dat was zo snel mogelijk naar de bodem van de oase en in de tunnel komen.

Voort ploeterden ze. De wereld werd donkerder en donkerder omdat de kloof onvermurwbaar smaller werd en opwervelende wolken stof en rommel in hun gezicht wierp. Uiteindelijk renden ze allemaal in feite door zonder iets te zien, en waren alleen de hoog oprijzende zwarte wanden aan beide kanten en het feit dat de bodem licht afliep de enige aanwijzingen dat ze nog steeds de goede kant op gingen.

De duisternis was zo ondoordringbaar, het donderen van de vermalende rotswanden zo desoriënterend dat Girgis al dertig meter de tunnel in was voor hij zich dat realiseerde. Om hem heen werd de stofwolk langzaam dunner, en geleidelijk aan werden er plassen licht zichtbaar van de draagbare kryptonlampen die op gezette afstanden in de schacht waren neergezet toen ze hier eerder die morgen langs waren gekomen.

Hij ging langzamer lopen, bleef staan, begon weer te rennen om maar zo ver mogelijk van de tunnelingang en de chaos daar buiten vandaan te komen, vergrootte de afstand met nog eens vijftig meter voordat hij echt stopte en met zijn rug tegen de rondlopende wand met zijn in elkaar vervlochten beelden van kronkelende slangen leunde. Hij hapte naar adem en klopte het stof en het zand uit zijn haar en van zijn pak. De groep was tijdens de laatste koortsachtige run naar veiligheid uiteengetrokken en Kasri was nu een meter of tien achter hem. Salah lag nog verder achterop, dook net half gestikt en piepend op uit de stofwolken. De tweeling was niet meteen zichtbaar en Girgis dacht even dat ze nog in de oase moesten zijn voordat hij naar rechts keek en de twee ronde klodders verderop in de tunnel weg zag benen.

'Waar denken jullie heen te gaan?' riep hij hen achterna.

Ze liepen door.

'Jullie stoppen nu en wachten op mij! Horen jullie wat ik zeg? Wacht op mij!'

'Zamaleks zijn shit!' klonk het galmend door de tunnel. 'En Zamalekaweya zijn tuig!'

'Wat?! Wat zeiden jullie daar?'

Ze gaven geen antwoord, liepen gewoon door, en hun silhouetten werden geleidelijk aan vager tot ze langzaam helemaal opgingen in het duister.

'Ik zie jullie wel aan de andere kant!' bulderde Girgis hen achterna. 'Horen jullie me? Ik zie jullie wel aan de andere kant, vuile etterbakken!'

Hij krabde op zijn hoofd en in zijn nek, braakte zacht allerlei verwensingen uit, duwde zich van de wand af en zette de achtervolging in, gebaarde naar Kasri en Salah dat ze hem moesten volgen. Het rampzalige gerommel van de zich sluitende kloof zakte langzaam achter hen weg, werd zwakker naarmate ze verder en dieper in de aarde afdaalden tot het bijna was weggestorven en ze alleen nog van ver een krakend gekreun hoorden dat niet luider klonk dan hun voetstappen op de bodem van de tunnel en het gruizige gepiep van Salahs ademhaling.

Ze bereikten het laagste deel van de helling, Girgis nog steeds een stuk voor zijn maten uit. De bodem liep nu vlak, horizontaal door de onderzijde van de Gilf als een heel groot wormhol, en de kryptonlampen lichtten hen nog steeds bij: spookachtige eilandjes van licht die er vooral toe leken te dienen om de stukken zwart ertussenin nog zwarter te maken.

'Niet ver meer,' riep Girgis wiens stemming leek te verbeteren hoe verder ze van de oase kwamen. 'Nog tien minuten en we zijn weg uit dit smerige rotgat en dan gaan we terug naar Caïro. Dan doen we een spelletje triktrak, hè, Boutros? Net als vroeger!'

Salah stak een sigaret op en gromde iets over dat hij ervan baalde dat hij was achtergelaten toen ze in de kloof waren.

Girgis deed zijn opmerking af met een kort handgebaar. 'Ik maak het goed met je. Koop maar een nieuwe auto of zo. Kom op, niet afzakken.'

Hij versnelde zijn pas, beende de tunnel door. Probeerde de afbeeldingen van de slangen te negeren die in het halfduister leken te bewegen en te glijden en boosaardig over de wanden en de zoldering te kronkelen. Hij liep een eindje door en bleef plotseling staan, tuurde in het donker. Misschien herinnerde hij het zich niet helemaal goed – niet verwonderlijk gezien hetgeen hij allemaal had meegemaakt – maar hij had durven zweren dat, toen ze de eerste keer de tunnel doorkwamen, die helemaal recht was geweest. Nu was het of er verderop een bocht was, dat de tunnel een scherpe bocht naar rechts maakte.

'Wat krijgen we nou?' mompelde hij toen hij verder liep en weer abrupt bleef staan omdat er iets heel merkwaardigs gebeurde. Er klonk een zacht geritsel alsof er iemand met zijn hand over ruw hout ging: voor zijn ogen rechtte de tunnel zich langzaam en boog zich daarna naar de andere kant. Hij schudde zijn hoofd in de zekerheid dat hij het zich verbeeldde. Hij was ten slotte moe, geëmotioneerd en ze hadden hem net vijftig miljoen door de neus geboord. Maar toen gebeurde het weer.

'Boutros!' riep hij. 'Zag je dat? Mohammed?' Hij draaide zich om, zocht een bevestiging bij zijn maten, maar nu was er ook achter hem een bocht waar er voordien beslist niet een was geweest.

'Romani!' kwam Salahs stem van om de bocht, hees van doodsangst. 'De tunnel beweegt!'

'Beweegt? Hoe bedoel je? Hoe kan hij nou bewegen?' Girgis klonk nu echt bang. Doodsbang.

'De muren bewegen,' schreeuwde Kasri. 'Ze buigen.'

'Hoe kan dat nou? Het is verdomme massief ...' Hij werd onderbroken door het ritselende geluid, maar nu hij het voor de derde keer hoorde, klonk het meer als een zanderig voortglijden. Met afgrijzen zag hij hoe Kasri en Salah langzaam terug in beeld kwamen en weer verdwenen doordat de tunnel gracieus van links naar rechts golfde. Wanden, vloer en zoldering leken te golven alsof ze niet van steen waren maar van een zachter, elastischer materiaal, huid of pees.

'Hou op!' schreeuwde Girgis. 'Hou op! Ik beveel jullie er nu mee op te houden!' Even leek het of er naar zijn bevel werd geluisterd. Het werd helemaal stil, op Salahs piepende ademhaling na, en van ergens ver weg kwam een gesmoorde kreet, die volgens Girgis van een van de tweelingen moest zijn. Er verstreken vijf seconden. Tien, en hij begon al te denken dat de werkzame geologische krachten, welke dat ook mochten zijn, tot rust waren gekomen, toen de gang weer een trage golvende verdraaiing te zien gaf. Deze keer ging het door, kronkelde de gang golvend eerst de ene kant op en dan de andere, heen en weer zodat de kryptonlampen omvielen en wegrolden en alles vervaagde tot een wirwar van licht en donker en kronkelende slangen. Girgis viel om, krabbelde overeind, viel weer, begon te kruipen. Hij wist niet eens welke kant hij op ging, alleen dat hij weg wilde. Het gekronkel werd heviger, de bodem glibberde en gleed, de hele tunnel ging te keer als een gepijnigd darmkanaal. Een kwaadaardig sissend geluid vulde de ruimte, de stank van rottend, halfverteerd vlees verstopte zijn neus zodat hij begon te kokhalzen en het benauwd kreeg.

'Help!' schreeuwde Girgis toen zijn landgenoten opeens voor hem opdoemden, Kasri plat op zijn gezicht, Salah op handen en voeten, een sigaret bungelend in zijn mondhoek. 'In godsnaam, help me!' Hij vocht zich naar hen toe, stak wanhopig een hand naar hen uit. Salah en Kasri deden hetzelfde, en hun vingertoppen kwamen vlak bij elkaar tot Girgis vol ontzetting zag dat de tunnel zich begon te vernauwen en samen te trekken. De omtrek ervan begon zich als een zuinige mond langzaam om zijn maten heen te sluiten, omklemde hun benen en bovenlichamen als een steeds strakker wordende stenen handschoen en vermorzelde hen. Ze verzetten zich nog met maaiende armen, hun gezichten werden rood toen de schacht nog venijniger kneep, en toen werden ze naar achteren en weggezogen als vloeistof door een rietje. Salahs hand stak er nog een paar tellen langer uit, zijn nicotinebruine vingers kromden zich tot een wanhopige klauw, maar toen werd ook die opgeslokt en was hij verdwenen. De tunnel maakte nog een hevige slingerbeweging en toen werd het stil. Het sissende geluid stierf weg.

Girgis bleef even op zijn knieën liggen, keek radeloos naar de anusachtige opening waardoorheen zijn vrienden zojuist waren opgezogen.

Hij huiverde en jammerde zachtjes. Toen pakte hij met een bevende hand de omgevallen kryptonlamp die bij de opening op de grond lag, kwam wankel overeind en draaide zich om. Vergeet wat er zonet is gebeurd, zei hij bij zichzelf. Vergeet Kasri en Salah. Blijf rustig, ga lopen, zorg als de donder dat je uit deze godvergeten hel weg komt. Maar de gang had zich ook voor hem samengetrokken en gesloten, had vermoedelijk de tweeling ook opgeslokt, net als Kasri en Salah. Hij was alleen en hij zat in de val, begraven in een stukje tunnel ter grootte van een personenbusje.

'Hallo, is daar iemand?' riep hij met zwakke stem. 'Kan iemand me horen?' Zijn stem was amper sterk genoeg om de ruimte te vullen waarin hij zich bevond, laat staan om door het massieve omringende gesteente te dringen. Hij riep nog eens, en nog eens, het licht van de lamp in zijn hand, de enige lamp, begon te verflauwen toen de batterij leeg raakte. De donkere plekken werden nog donkerder en dreigender, dromden samen aan de rand van het zwakker wordende schijnsel van de kryptonlamp als een troep wolven rond een kampvuur.

'Alstublieft!' jammerde hij. 'Kan iemand me alstublieft helpen? Ik betaal ervoor. Ik ben rijk, heel rijk. Help!' Hij begon te huilen en daarna te schreeuwen, een hoog, hyena-achtig gejammer terwijl hij tevergeefs met zijn vuisten op de bikkelharde steen beukte en God, elke God – christelijk, mohammedaans, oud-Egyptisch – aanriep om hem te helpen en hem in het uur van zijn nood te redden. Alles bleef zoals het was, de stilte nog even intens, de stenen kooi nog even degelijk, zodat hij ten slotte uitgeput neerzeeg met zijn rug tegen de muur. Boven hem hing, net nog zichtbaar in het zwakker wordende licht, een enorme geschilderde slangenkop met wijd opengesperde kaken.

'Ga weg!' jammerde hij en krabde zijn nek en ledematen, want het gevoel van overal kakkerlakken op zijn huid was heviger en ondraaglijker dan ooit. 'Ga weg! Gadver! Gadver!' Hij krabde nog verwoeder, hij klauwde en mepte, want het gevoel van heen en weer schietende insecten was zo afgrijselijk realistisch dat hij, zo moe en wanhopig als hij was, niet stil kon blijven zitten en wankelend weer ging staan. Toen hij dat deed, zag hij dat er op de plaats waar hij tegen de muur had gezeten iets omlaag droop. Splinters en korrels steen zo te zien, een hele stroom materiaal leek het, want het licht was zo zwak dat hij er niet zeker van was. Hij boog zich er naartoe, probeerde te zien wat er gebeurde, als de dood dat de tunnel zou instorten. Maar wat hij zag was nog erger. Erger dan alles wat hij zich ooit had kunnen voorstellen, zijn allerergste nachtmerrie die werkelijkheid werd. Kakkerlakken, tientallen en tientallen, honderden, duizenden kwamen in een stroom uit de bek van het serpent op de muur, als een bruine vloedgolf. Hij keek naar beneden, en ze kropen over zijn jasje, zijn armen, zijn benen, zijn schoenen.

Hij wankelde brullend achteruit, probeerde als een bezetene de insecten weg te slaan; onder zijn voeten klonken krakende geluiden toen hij wankelend rondliep. Hij klapte tegen de tegenoverliggende muur, liet de lamp vallen die even een stuk feller scheen en de hele ruimte helder verlichtte. Er waren nog meer serpenten met open bekken, links, rechts, boven en voor hem, en allemaal spuwden ze stromen kakkerlakken uit. De hele ruimte was een en al beweging, een scharrelende vloedgolf van insecten die op hem af kwam, zich verhief en over zijn lichaam spoelde, hem omgaf met een glanzende wade van vleugels en pootjes en voelsprieten. Het oplichten duurde maar even, net genoeg om Girgis de omvang duidelijk te maken van de verschrikking die hem ten deel viel. Toen werd het licht zwakker en doofde ten slotte geheel, zodat er slechts duisternis restte, en het geklik en getrippel van miljoenen kleine pootjes en Romani Girgis' waanzinnige gekrijs.

Toen Flin boven aan de trap was gekomen, bleef hij staan omdat hij door het hoge standpunt een beter beeld kreeg van wat er in de oase als geheel gaande was.

Het tafereel was er een van een spectaculaire en steeds hevigere verwoesting. Van het ongeschonden paradijs van een paar uur eerder was nauwelijks iets terug te vinden nu de kliffen doorgingen met hun onvermurwbare nadering, alles op hun pad vermorzelden, en palmbosjes en bloemenweiden, boomgaarden en plassen, wegen en beeldhouwwerken langzaam verdwenen onder de voet van de vermalende rotswanden, als vuil onder de zuigmond van een industriële stofzuiger. Aan de lage kant van de kloof leken de kliffen al strak tegen elkaar te zijn geklemd, hoewel het door het rondkolkende stof moeilijk met zekerheid was te zeggen. Verder omhoog was er duidelijk nog ruimte tussen de wanden, een groene wig die uitliep – of liever: minder smal en gecomprimeerd was – hoe dichter hij bij het hoogste deel van de canyon kwam, hoewel ook daar het groen snel verdween met de onverbiddelijk naar binnen zwaaiende kliffen die alles op hun pad vernietigden. Flin schatte dat hij nog ongeveer een kwartier had voordat ze de zijkanten van het rotsplateau bereikten en zouden beginnen met de vernietiging van het tempelcomplex. En dan zou het misschien nog een minuut of tien duren voor de kloof was gedicht en de oase verdwenen. Hoogstens een kwartier. Niet genoeg tijd. Bij lange na niet genoeg. Hij draaide zich om en sprintte weg.

Hij stak de eerste tempelhof over – de rotswanden torenden links en rechts boven hem uit, onder hun dwingende nadering vervormde het plaveisel en kwam het omhoog – en de tweede waar nu de helft van het woud van obelisken was omgevallen en als wrakhout op de grond lag. En de derde. De reusachtige obelisk in het midden stond nog overeind, uitdagend, onversaagd te midden van de oprukkende chaos, hoewel er aan de linkerhoek een rafelig stuk bladgoud ontbrak, een stukje vandalenwerk dat hem nauwelijks opviel, zo was hij erop gespitst Kiernan te bereiken.

Hij bereikte de tempel en rende door de aaneenschakeling van monumentale ruimten en kamers. Het dreunen van de Benben, dat tot nu toe bijna geheel werd gesmoord door het lawaai van de instortende oase, werd geleidelijk beter hoorbaar, drong weer door tot zijn gehoor, een zich herhalend, pulserend contrapunt bij het geraas en gedonder van neerstortende rotsblokken.

'Kom op!' riep hij in een poging zijn tempo nog verder te verhogen, het laatste restje energie naar zijn benen te sturen. Het regende stof en zand, brokken steenwerk begonnen te schuiven en van hun plaats te raken. En dat terwijl de kliffen het tempelplateau nog niet eens hadden bereikt en nog niet hun volle perskracht erop hadden losgelaten.

Hij kwam door de ruimte met de enorme boomwortels, door de ruimte met de albasten offertafels, en om hem heen begonnen telkens meer stukken van het bouwwerk te scheuren en te bewegen, en dóór ging hij tot hij eindelijk uitkwam op de kleine tempelhof in het binnenste van de tempel. De vijver was nu leeg; er liep een diepe scheur over de bodem en de roze en blauwe lotusbloemen lagen slap en verloren op de opdrogende steen. Met de kreet 'Molly!' stormde Flin de tempelhof recht over, de opening van het lage gebouwtje aan de andere kant door en meteen langs de twee rieten gordijnen de ruimte erachter binnen. Het apocalyptische donderen van de vermalende rotswanden zwakte plotseling af tot een achtergrondgerommel nu de dreunen van de Benben navenant luider klonken en zijn oren vulden. 'Molly, je moet hier weg! We moeten weg! Kom mee!'

De ruimte was leeg. Flin stond op de drempel, liet zijn blik over de verlaten rijen monitoren, de glazen isolatiecabine en de Benben zelf gaan waarvan het binnenste hel oplichtte door rondwervelende spiralen van kleur en waaroverheen een zachte gouden nevel leek te liggen. Hij stond op het punt zich om te draaien met het idee dat ze al gevlucht was, dat ze deel had uitgemaakt van de groep die ze eerder door de grote tempelpoort hadden zien rennen en dat hij haar gewoon over het hoofd had gezien, toen hij in de glazen cabine iets zag bewegen. Hij draaide zich om en keek met afgrijzen toe hoe Molly Kiernan achter de steen langzaam overeind kwam.

'Dag, Flin.' Ze klonk alsof ze hem welkom heette op een feestje.

'Godallemachtig, Molly, je bent gek! Kom eruit!'

Ze lachte alleen maar vriendelijk naar hem, volmaakt kalm, volmaakt ontspannen.

'Je hebt gezien wat hij met Usman heeft gedaan,' riep hij en hij gebaarde hevig naar haar. 'Kom nou! Kom eruit! We moeten hier weg!'

Haar lach werd breder. 'Wees nou eerlijk, Flin, zie ik eruit als Usman?' Ze spreidde haar armen als een goochelaar die het publiek vraagt hem goed te bekijken om zich ervan te overtuigen dat hij, ondanks dat hij kort ervoor in tweeën is gezaagd, toch nog helemaal heel is. 'Zie je wel, hij doet me niks. Hij laat me met rust.' Ze streek met haar handen over haar lichaam, boog zich naar voren en omarmde tot zijn afgrijzen de Benben, drukte haar wang ertegen. Het scheen geen nadelige invloed op haar te hebben en na even zo te hebben gelegen om haar gelijk te bewijzen, kwam ze weer overeind. 'Het doet niemand kwaad die wij geen kwaad willen doen, Flin. Het is een stuk gereedschap, niets meer en niets minder. En zoals met elk stuk gereedschap moet je weten hoe je het moet gebruiken.'

Ze stak een hand uit en maakte een wuivend gebaar over de bovenkant van de steen: het pulserende geluid leek te vertragen en rustiger te worden alsof ze inderdaad de steen haar wil kon opleggen. Flin keek ongelovig toe.

'Hij is onze vriend,' bromde ze tevreden. 'Zoals hij ook een vriend was voor de oude Egyptenaren. Hoe noemden ze hem ook alweer? *Iner seweser-en?* Spreek ik het goed uit? De steen die ons machtig maakte. En nu gaat hij óns ook machtig maken. Daarom is het ons geopenbaard, daarom zijn wij hier naartoe geleid. Hij is een geschenk, Flin. Een geschenk van God zelf.'

Om hen heen begonnen de muren van het gebouw te schudden, rotsblokken van tien ton trilden en sprongen op alsof ze niet zwaarder waren dan piepschuim.

'Alsjeblieft, Molly, we hebben geen tijd meer. We moeten hier weg! Nu!'

'En dit is nog maar het begin,' zei ze zonder op zijn smeekbede te letten. Haar stem was vreemd rustig en onbewogen alsof ze in een heel andere werkelijkheid verkeerde dan Flin. 'Het eerste glimpje van zijn macht. Bedenk eens wat hij voor ons kan betekenen wanneer we hem werkelijk ontketenen, hoe ons dat helpt ons doel te bereiken.'

'Molly, toe nou!'

'Een nieuwe wereld, een nieuwe orde, een einde aan de goddeloosheid. Gods koninkrijk op aarde, met de Benben als bescherming en geen boosdoener te bekennen.'

De steenplaten van de zoldering begonnen uit elkaar te schuiven en er werden boven zijn hoofd streepjes stoffige blauwe lucht zichtbaar.

'Je kunt er deel van uitmaken, Flin,' ging Kiernan verder en stak haar handen naar hem uit. Ze was blijkbaar vergeten dat ze kort ervoor nog opdracht tot zijn executie had gegeven. 'Waarom werk je niet met ons samen? Jij weet meer van de steen dan wie ook, zelfs meer dan ik. Je zou ons kunnen adviseren, ons helpen hem optimaal te gebruiken. De anderen waren slappe figuren, jij niet. Kom bij ons. Help ons een nieuwe wereld te bouwen. Wat denk je, Flin? Kom je ons helpen?'

'Je bent gek!' schreeuwde hij, deinsde achteruit terwijl zijn ogen heen en weer schoten van Kiernan naar de zoldering en de muren die nu nog heftiger schudden, vaneen weken als een ei dat uitkomt. 'Je krijgt dit niet onder controle! Het ligt buiten je macht. Het ligt buiten ieders macht!'

Ze lachte, zwaaide met een vinger naar hem, als een zondagschooljuf tegen een lastige leerling. 'O, gij kleingelovige! O, gij schandalig kleingelovige! Denk je echt dat Hij ons iets zou schenken dat we niet kunnen gebruiken? Niet kunnen besturen? Wekt dit de indruk dat ik het niet kan besturen?' Opnieuw spreidde ze haar armen, keerde haar open handen naar hem toe en legde ze daarna langzaam boven op de Benben. Tot consternatie van Flin vertraagde het dreunende geluid, werd het zachter tot het geheel verdween en de muren en de zoldering ophielden met schudden. Alles werd griezelig stil. Flin keek om zich heen, kon het niet geloven. 'Mijn god,' mompelde hij. 'Hoe doe je... Mijn god.'

Kiernan straalde. 'Ik zei je toch dat Hij ons niet iets zou geven dat we niet kunnen gebruiken. En geloof me, we gaan het gebruiken, met of zonder jouw hulp.' Ze haalde diep adem, ademde uit, legde haar hoofd in haar nek en sloot haar ogen. 'Wees stil voor de Here,' zei ze zachtjes. 'Want de dag des Heren is nakende. De Here heeft bereid een...'

Ze werd onderbroken door een oorverdovend gerommel. Het gebouw begon opnieuw hevig te schudden. Op hetzelfde moment begon de

Benben weer te dreunen, een geluid dat nu zwaarder klonk dan eerst, bozer, als het grommen van een leeuw. Het binnenste van de steen laaide weer op in kleur, één enkele kleur nu: een loeiend rood als van een smeltoven, alsof alles wat eraan vooraf was gegaan, de wervelende kleuren, de felle lichtflitsen, de gouden aura, slechts een inleiding waren geweest, een warming-up, en de Benben eindelijk zijn ware aard liet zien.

Kiernan sloeg haar ogen op en haar hoofd schoot naar voren, de lach om haar mond verschrompelde, haar armen waren plotseling verstijfd alsof ze werd geëlektrocuteerd.

'Naar buiten!' schreeuwde Flin. 'Kom eruit!'

Het was alsof ze haar handen niet meer van de steen kon losmaken. Ze begon te beven, haar ogen werden groter en groter, haar mond ging open, zover dat het leek of haar kaak uit de kom zou schieten. Flin deed een stap naar voren met het idee haar te helpen, haar uit de glazen cabine weg te slepen, maar op dat moment werd een plek op haar wang langzaam geel en daarna bruin, als papier dat boven een kaarsvlam wordt gehouden, en de vlek breidde zich uit en werd donkerder en barstte opeens in vlammen uit. Er verschenen meer vlekken, op haar handen, in haar nek, op haar voorhoofd, haar hoofdhuid, haar armen, en ook deze vlekken werden bruin en vatten vlam, waarna de vlammen zich verspreidden en naar elkaar toe groeiden, haar inpakten, haar in een vurige omhelzing hulden. Haar hele lichaam stond in brand, een laaiende vuurbal met in het binnenste iets dat vagelijk leek op de contour van een menselijk lichaam.

Flin stond even als aan de grond genageld, te geschokt om te bewegen. Hij dacht dat hij haar 'Charlie!' hoorde schreeuwen. 'O, mijn Charlie!' Toen barstte er een speervormige lichtstraal uit de bovenkant van de Benben die het 'ondoordringbare' glas van de isolatiecabine en de zoldering van de ruimte doorboorde en alles op zijn weg verdampte. Op dat moment draaide Flin zich om en rende voor zijn leven.

Buiten bleek de ineenstorting van de oase sneller te zijn gegaan dan hij had gevreesd. Veel sneller. De kliffen sloten het plateau nu echt in, vervormden en vermorzelden het en rezen boven hem uit als een paar op elkaar af stormende mastodonten. De tempelgebouwen begonnen uit elkaar te vallen en in te zakken, zuilen en poorten en muren en daken zwaaiden heen en weer en stortten in een lawine van stof en puin in elkaar. Alle hoop dat hij via de route waarlangs hij was binnengekomen ook weg zou kunnen, of anders via een zijpoort in het tempelcomplex, ging in rook op. Omdat er geen andere optie was, draaide hij zich om en ging naar de achterkant van het complex waar, zo bad hij, misschien nog een achteruitgang was waardoor hij kon ontsnappen.

Hij moest wegduiken en opzij springen voor overal om hem heen vallend gesteente en hij kreeg een golf van neerstortende brokstukken achter zich aan. Hij rende door een aaneenschakeling van tempelhoven en zuilenhallen. Er leek geen einde aan het complex te komen en hij begon zich af te vragen of hij dat ooit zou bereiken, toen hij in weer een andere tempelhof kwam. Voor hem verrees een muur, vijf meter hoog en bestaande uit grote blokken steen. Er was geen poort of opening en links en rechts stonden net zulke muren, dus hij besefte dat hij zich in een gigantische doodlopende straat had gemanoeuvreerd. Hij zat in de val en schreeuwde het uit van frustratie. Hij rende op de muur toe en sloeg er in wanhoop met beide handen op los in de wetenschap dat het afgelopen was, dat hij onmogelijk terug kon, niet met die enorme puinhoop achter zich.

'Godverdomme!' bulderde hij en hij sloeg en sloeg en sloeg. 'Vieze vuile rot...' De grond onder zijn voeten kwam met een hevige schok omhoog en alsof hij niet steviger was dan een stapel blokken uit een speelgoeddoos verdween de muur gewoon. Hij viel om, de andere kant op en uit het zicht, de helling aan de achterkant van het tempelplateau af. Door een kolkende stofwolk heen kwam het hoge eind van de oase in zicht, recht voor hem, een hoog klif waar de zijwanden van de kloof langzaam voorlangs schoven, naar elkaar toezwaaiden als de klapdeurtjes van een saloon. De zon hing erboven, een vurig rode bal.

Te verbijsterd om iets anders te doen dan door te gaan, klom Flin over de restanten van de onderste steenlaag van de muur en ging verder tussen de bomen erachter. Vierhonderd meter verderop waren aan de voet van de rotswand een paar geknielde figuren te zien.

'Wat doen jullie daar?' riep hij hen toe. 'Klimmen! Jullie moet klimmen!'

Hij kon zichzelf amper verstaan, laat staan dat een ander dat kon. Er zat niets anders op dan doorrennen, zigzaggen tussen omgevallen muren en zuilen en beelden door, terwijl de oase zich om hem heen sloot en achter hem uit de Benben weer een vurige flits barstte.

Op het moment dat Flin was verdwenen, de trappen naar de voorkant van de tempel op, had Zahir Freya en zijn broer gewenkt en was hij hen onderlangs het rotsplateau en tussen de bomen door voorgegaan naar het eind van de oase, een tweehonderd meter hoge wand die beide zijden van de kloof met elkaar verbond als de basis van een driehoek. Toen Freya de wadi eerder die dag zag – christus, het leek wel een mensenleven geleden, wel tien levens – had die basis zo'n vierhonderd, vijfhonderd meter breed geleken. Nu was hij nog maar de helft, en werd kleiner.

'Hoe lang denk je dat we nog hebben?' riep ze.

Zahir stak een hand op, spreidde zijn vingers, en opende en sloot hem viermaal.

'Dat kan toch niet? Hoe kunnen we nou in twintig minuten boven komen? Ik ben professioneel bergbeklimmer en dan nog kost het me minstens twee uur!'

Zahir gaf geen antwoord, rende alleen verder naar het klif. Om hen heen werd het bos dunner en hield toen helemaal op zodat ze over open terrein draafden. Links en rechts van hen waren de rotswanden nu duidelijk zichtbaar; ze rolden meedogenloos als stoomwalsen door en voor hen uit wervelden grote stofwolken op. Voor hen rees de rotswand op die ze moesten beklimmen; als een reusachtige parasol blokkeerde hij het zonlicht en legde hij een diepe schaduw over de bodem van het dal. Een hoog oprijzend blind vlak van verontrustend gladde steen dat maar één opvallend kenmerk had, afgezien van hier en daar wat richels en spleten en uitsteeksels, namelijk een soort meanderende naad die in het midden van boven naar beneden liep, als een stiknaad in een lap zijde. Eerst dacht Freya dat het gewoon een ader van een andere kleur gesteente was die door de kalksteen liep. Of anders een smalle rib die uit de verder vlakke wand naar voren kwam. Pas toen ze dichterbij kwam, zag ze dat het geen van tweeën was, dat het helemaal geen natuurlijk verschijnsel was, maar een heel lange ladder. Of liever een hele reeks ladders, van hout, gammel ogend, met sporten die met touw waren vastgemaakt, die de wand als een optocht van reusachtige duizendpoten van onder tot boven beklommen via een zigzagroute die van richel naar richel, spleet naar spleet, uitsteeksel naar uitsteeksel voerde, waarbij gebruik werd gemaakt van alle natuurlijke verankeringen die beschikbaar waren om boven te komen, om aarde en hemel met elkaar te verbinden.

'De ladder van Nut,' zei Freya zachtjes. Ze bekeek hem vol bewondering, herinnerde zich de inscriptie die Flin en zij in Abydos hadden gevonden.

'Heel sterk,' zei Zahir. Ze waren aan de voet van het klif gekomen en hij gaf de onderste ladder een harde ruk, en liet zien dat de stijlen waren vastgebonden aan bronzen pinnen die diep in de kale rots waren gedreven. 'Mijn familie gebruiken veel honderd jaar. Wij repareren. Wij houden goed. Lang klimmen, maar veilig klimmen. Nu gaan.'

Hij ging een stukje bij de ladder vandaan en maakte een uitnodigend gebaar, wees daarna met zijn duim omhoog om aan te geven dat ze moest gaan klimmen.

'En jij dan?' riep ze.

'Ik wachten *sais* Brodie. Wij klimmen samen. Gaan, gaan.'

Ze probeerde er iets tegen in te brengen, maar hij wilde er niets van horen. 'Ik klimmen snel, als aap,' hield hij vol. Ten slotte deed ze wat hij zei. Ze stapte de ladder op en begon aan de klim. Zahirs broer kwam achter haar aan, zijn geweer over de schouder, en getweeën klauterden ze sport voor sport omhoog, trokken ze zich gestaag weg van de bodem van het dal. De rotswand leek te trillen en te huiveren als de flank van een dier in nood, maar de ladders bleven stevig vastzitten, en toen ze er meer vertrouwen in kreeg, klom ze sneller zodat de gestalte van Zahir onder haar wegzakte en ze achter hem steeds meer van de kloof kon overzien. Meer en meer chaos en vernietiging.

Ze had een meter of twintig geklommen, de lengte van vier ladders recht omhoog, en ze begon net aan de vijfde, toen de wand hevig schokte. Aan de rand van haar blikveld zag ze boven zich iets bewegen. Jaren klimervaring hadden haar reactiesnelheid verhoogd en instinctief drukte ze zich plat tegen de ladder, duwde haar hoofd tussen de sporten zodat ze zoveel mogelijk bescherming had. Er kletterde een regen van steentjes en stenen op haar schouders, gevolgd door drie of vier veel grotere stenen die haar voor haar gevoel op een haar na misten. Ze bleef stilstaan, hield zich vast aan de ladder, wachtte om te zien of er nog meer zouden volgen. Op nog wat los grind na was het dat wel, en voorzichtig duwde ze zich iets van de wand, keek ze eerst omhoog en toen naar beneden. 'Alles in orde?' riep ze naar Saïd die een paar meter lager stond.

Hij stak een hand op om te laten zien dat hem niets mankeerde. Ze keek alweer weg, klaar om verder te klimmen, toen ze zich met een ruk omdraaide, verder naar buiten ging hangen en haar blik op de grond twintig meter lager richtte. 'O nee! O god, alstublieft niet!'

Saïd had al gezien was zij zag, want hij was al bezig naar beneden te klimmen. Hij gebaarde naar haar dat ze moest doorklimmen. Ze negeerde het en klom hem na, zo snel ze kon. Het rommelen van de kliffen, het sidderen van de rotswand, de ineenstorting van de oase... het leek allemaal terug te wijken nu haar hele wereld zich vernauwde tot het kleine stukje grond daar beneden waar Zahir onder een plat stuk rots ter grootte van de motorkap van een auto lag.

Vanaf een paar meter boven de grond sprong ze omlaag. Ze kwam met een klap op het zand neer en haastte zich naar Saïd die geknield naast zijn broer zat. Hij lag met zijn onderlichaam klem, leefde nog, maar daar was alles mee gezegd. Zijn vingers klauwden krachteloos aan de bovenkant van de steen en uit zijn mondhoek droop een dun straaltje bloed.

'We moeten het eraf tillen,' riep Freya, wrong haar handen onder de steen en probeerde hem op te tillen.

Saïd bleef geknield zitten, streelde het voorhoofd van zijn broer, met een strak, uitdrukkingsloos gezicht. Alleen zijn ogen toonden enige emotie, gaven een idee van de kwelling die het voor hem moest zijn zijn broer zo verpletterd en gevangen te zien.

'Help me, Saïd,' kreunde Freya. 'Help alsjeblieft. We moeten die steen van hem af krijgen. We moeten hem hier weghalen.' Het had geen zin, en dat wist ze, dat wist ze vanaf het moment dat ze had gezien wat er was gebeurd. De plaat was veel te zwaar, en zelfs al zagen ze op wonderbaarlijke wijze kans het ding weg te halen, dan nog was het ondenkbaar dat ze Zahir tegen de tweehonderd meter hoge rotswand omhoog en de oase uit zouden krijgen, niet met zijn zware verwondingen. Desondanks bleef ze koortsachtig aan de steen duwen en rukken, in een waas van tranen, tot uiteindelijk Zahirs hand over de steen naar haar hand toe kroop, hem vastpakte en weghaalde. Hij schudde zachtjes het hoofd als wilde hij zeggen: 'Het heeft geen zin. Verspil er geen energie aan.'

'O god, Zahir,' snikte ze gesmoord.

Hij gaf haar hand een zwak kneepje, rolde met zijn ogen, keek op naar zijn broer, zei iets in het Arabisch tegen hem met een nauwelijks hoorbare, raspende stem; uit zijn neusgaten kwamen slijmerige bloedbellen. Freya verstond niet wat hij zei, maar ving wel een aantal malen het woord 'Mohsen' op, de naam van zijn zoontje, en begreep intuïtief dat hij laatste voorzieningen trof, dat hij zijn gezin aan de zorg van Saïd toevertrouwde.

'O god, Zahir,' herhaalde ze hulpeloos, hield zijn hand in de hare, streelde hem. Tranen rolden nu over haar wangen, tranen van onmacht, van verdriet, van schuld omdat ze zo aan hem had getwijfeld, zoveel nare dingen had gedacht en gezegd, terwijl hij al die tijd een goed mens was geweest, een eerlijk mens. Een man die zijn leven gaf om het hare te redden. Ze had hem onrecht aangedaan, zoals ze haar zus onrecht had aangedaan. En precies zoals ze er niet in was geslaagd Alex in haar uur van nood bij te staan, zo leek ze nu ook tekort te schieten bij Zahir, zodat haar niets restte dan zijn hand te strelen en te huilen, en zichzelf te haten voor de ellende die ze altijd leek te veroorzaken voor degenen die het meeste deden om haar te helpen.

Waarom doe ik het altijd fout? dacht ze. En waarom zijn het altijd de beste mensen die uiteindelijk voor mijn fouten opdraaien?

Op een of andere manier leek Zahir te begrijpen wat er door haar heen ging, want hij tilde zijn hoofd een stukje op. 'Is oké, miss Freya,' zei hij en zijn stem was nu weinig meer dan een hees gestamel. 'U mijn goed vriend.'

'Ik vind het zo erg, Zahir,' jammerde ze. 'We halen je eruit. Ik beloof je dat we je er uithalen.' Ze begon weer aan de steen te sjorren. Niet omdat ze dacht dat ze kans had er beweging in te krijgen, maar omdat het zo onverdraaglijk was niets te doen en alleen maar te kijken hoe zijn leven voor haar ogen wegsijpelde. Zahir schudde opnieuw zijn hoofd, duwde haar hand weg en mompelde iets. Zijn stem was te zacht, het achtergrondlawaai te overdonderend om te horen wat hij zei. Ze boog zich voorover en bracht haar oor tot vlak bij zijn bloederige mond.

'Zij gelukkig,' mompelde hij.

'Wat?'

Zijn hand omklemde de hare. 'Zij gelukkig,' herhaalde hij met iets dringends in zijn stem, alsof hij alle energiereserves erop richtte te worden gehoord en begrepen. 'Zij heel gelukkig.'

'Wie, Zahir? Wie is gelukkig?'

'Dokter Alex,' zei hij met zijn hese stem. 'Dokter Alex heel gelukkig.'

Hij ijlt, dacht ze, hij zeilt weg naar een imaginaire schemerwereld tussen leven en dood. Zahir pakte haar nog steviger vast als om haar te laten zien dat dat niet het geval was, dat hij precies wist wat hij zei. Om haar heen leek de oase even tot rust te komen en stil te vallen, maar Freya kon niet zeggen of dat ook echt zo was of dat haar zintuigen eenvoudigweg zo gefocust waren op de man die naast haar lag dat al het andere werd weggeleid tot voorbij het gebied van het bewustzijn.

'Ik snap het niet,' zei ze smekend. 'Wat bedoel je met Alex is gelukkig?'

'In Dakhla,' zei hij met piepende adem. Hij zocht haar ogen, hield ze vast, probeerde het uit te leggen. 'U vraagt of dokter Alex gelukkig. Toen u komen op eerste dag. U vragen is ze gelukkig.'

Freya's gedachten schoten door de recente, tumultueuze gebeurtenissen heen terug naar de eerste morgen in Dakhla, voor dit hele gedoe was begonnen. Zahir had haar voor de thee meegenomen naar zijn huis, ze was de verkeerde kamer ingelopen, had de foto met Alex erop aan de muur zien hangen en hij had haar verrast. Ze had hem gevraagd of Alex gelukkig was. Of haar zus tegen het eind gelukkig was geweest.

'Zij heel gelukkig,' fluisterde Zahir, leverde een gevecht om de woorden eruit te krijgen. 'Wij brengen haar hier. In oase. Toen zij ziek. Wij gebruiken touw, laten haar neer, zij zien met eigen ogen.' Ondanks de verschrikkelijke pijn die hij moest hebben, glimlachte hij. 'Zij heel gelukkig. Zij gelukkigste persoon in wereld.'

En nu tolden Freya's gedachten weer rond, was er iets dat eraan trok, een vage herinnering, een verband dat eiste te worden gelegd. Haar gedachten tuimelden rond tot plotseling Alex' stem in haar hoofd klonk, zo duidelijk en sterk alsof haar zus daar pal naast haar stond. De woorden die ze Freya in haar laatste brief had geschreven, de brief die ze kort voor haar dood had gestuurd:

Herinner je je het verhaal dat papa ons vertelde? Dat de maan eigenlijk een deur was en dat als je erheen klom en die deur opende je door de hemel heen een andere wereld kon betreden? Weet je nog dat wij droomden hoe het daar zou zijn, in die geheime wereld? Een prachtige, betoverende plek vol bloemen en watervallen en vogels die konden praten. Ik kan het niet uitleggen, Freya, maar ik heb laatst achter die deur gekeken en een glimp van die andere wereld gezien en het is er net zo betoverend als wij ons voorstelden. Zusje, er is altijd ergens een deur en daarachter is er licht, hoe zwart het ook mag lijken.

En Freya besefte dat dit was waar Alex het al die tijd over had gehad: niet over een abstracte herinnering aan een gedeelde kinderfantasie, maar iets reëels, iets tastbaars: haar bezoek aan de oase met Zahir. Haar laatste grote trip. En hoewel het verdriet om de moord op haar zus even intens bleef als eerst, kwam er nu iets bij, een glimpje licht. Want ze wist hoezeer Alex moest hebben genoten van het zien van deze plek, hoe enthousiast ze moest zijn geweest, hoe gelukkig en bevredigend het haar laatste dagen moest hebben gemaakt. Zoals Alex het zelf had geformuleerd: *Als je die geheime wereld hebt gezien, kun je alleen nog maar hoop voelen.*

'Dank je, Zahir,' snikte ze. Ze omklemde zijn hand, streelde zijn voorhoofd, voelde nauwelijks dat het donderende geweld van verschuivend gesteente om hen heen weer begonnen was. 'Dank je wel dat je haar hebt geholpen. Dank je voor alles.' En na een korte stilte: 'Je bent net zo'n grote bedoeïen als je voorvader Mohammed Wald Joesoef Ibrahim Sabri al-Rashaayda.'

Ze had er geen idee van hoe ze zich die naam herinnerde, maar zijn glimlach werd breder, zij het dat het moeilijk te zien was door het masker van bloed dat nu het onderste gedeelte van zijn gezicht bedekte. Hij gaf haar hand met zijn laatste krachten weer een kneepje, zijn ogen begonnen hun glans te verliezen. Met een allerlaatste krachtsinspanning trok hij zijn hand uit de hare en begon aan zijn djellaba te plukken, trok langzaam de stof onder de steen vandaan tot hij de zak had gevonden. Hij wroette erin, haalde er iets uit en drukte het Freya in de hand. Het was een groen metalen kompas, afgeschilferd en veel gebruikt, met een klapdeksel en een koperen richtdraad. Freya wist onmiddellijk dat het van haar zus was geweest, het kompas dat ze meenam op haar zwerftochten door Markham County, het kompas dat ooit had toebehoord aan een marinier tijdens de Slag om Iwo Jima.

'Dokter Alex geven mij,' fluisterde Zahir. 'Voordat zij sterven. Nu van u.'

Freya keek ernaar, zich niet bewust van het woeden van de oase om haar heen. Ze klapte het kompas open, zag initialen gekrast in de binnenkant van de deksel: AH. Alexandra Hannen. Glimlachend keek ze Zahir aan, begon hem te bedanken, maar tijdens de paar tellen dat haar aandacht niet bij hem was geweest, was zijn hoofd opzij gezakt en zijn ademhaling gestopt.

'Hij weg,' zei Saïd simpelweg. Hij stak een hand uit, streek ermee over zijn broers gezicht, sloot de ogen.

'O, Zahir,' bracht Freya gesmoord uit.

Ze bleven even geknield zitten, terwijl de grond onder hen trilde, de wanden van de kloof oprukten en er boven uit het tempelplateau een soort vuurrode bliksemflitsen omhoogschoten. Toen stond Saïd op en gebaarde dat ze naar het klif terug moest gaan.

'Maar we kunnen hem niet zomaar achterlaten,' zei Freya smekend. 'Niet in die toestand.'

'Hij veilig. Hij gelukkig. Dit goed plek voor bedoeïen.'

Toch bleef ze zitten waar ze zat zodat Saïd genoodzaakt was zich te bukken, haar bij haar arm te pakken en overeind te trekken. 'Mijn broer komen hier om helpen u. Hij niet willen u sterven. Alstublieft, komen, klimmen. Voor hem.'

Daar had Freya weinig tegen in te brengen en na nog een laatste, lange blik op Zahirs geplette lichaam, draaide ze zich om en haastte ze zich terug naar de voet van het klif. Saïd was al op de onderste ladder gesprongen en klom voor haar uit. 'Ik ga eerst,' riep hij. 'Kijken of niet kapot.'

'En wat doen we met Flin?' riep ze hem achterna.

Hij duwde zich van de wand en wees naar de andere kant van het open stuk achter hen. De Engelsman was tweehonderd meter achter hen net tussen de bomen vandaan gekomen en rende naar hen toe. Hij zwaaide als een gek met zijn armen, spoorde hen aan te gaan klimmen.

'U volgen mij,' riep Saïd. 'Oké?'

'Oké,' riep ze.

De Egyptenaar knikte, draaide zich om en klom verder, bewoog zich met katachtige snelheid en handigheid, zijn handen en voeten leken nauwelijks contact met de sporten te maken, zo snel vloog hij omhoog. Freya bleef nog even hangen, wachtte tot Flin een meter of vijftig van het klif verwijderd was, wilde hem niet te ver achter zich laten. Toen greep ze, na een laatste blik op Zahir en een gemompeld 'Allez', de ladder en begon te klimmen.

De hele tijd dat hij vanaf het tempelplateau op weg was, had Flin naar de mensen onder aan het klif lopen brullen en roepen dat ze moesten gaan klimmen. Hij begreep niet waarom ze daar gewoon neerknielden. Pas toen hij bij de rotswand kwam en Zahirs lichaam onder de platte steen bekneld zag, werd hem de reden duidelijk. Hij bleef staan, keek op hem neer en schudde zijn hoofd, voelde veel van de dingen die Freya had gevoeld: verdriet, machteloosheid, schuld om de manier waarop hij tegen Zahir in diens eigen huis in Dakhla had gesproken. Er was geen tijd om er langer bij stil te staan, geen tijd om Zahir eer te bewijzen zoals hij had gewild. Hij liet zich op een knie zakken, legde een hand op Zahirs voorhoofd en sprak zacht een traditionele bedoeïenenafscheidsformule uit. Daarna sprong hij op, was in een paar sprongen bij het klif en begon te klimmen. De wanden van de kloof waren nu minder dan honderdvijftig meter van elkaar verwijderd en ze vulden de lucht met vlagen stof en zand, maakten het in de oase steeds donkerder.

Flin was een stuk achter bij de anderen en hij klom zo snel hij kon, probeerde het gat te verkleinen. De grond zakte onder hem weg, de ladders kraakten en kreunden onder zijn gewicht. Freya stopte af en toe, duwde zich van de wand en keek omlaag. Hij zwaaide naar haar en klom door, probeerde de naderbij komende kliffen en het sidderen van de rotswand en de pijn in de spieren van zijn armen en benen te negeren, en al zijn energie te richten op doorgaan met klimmen.

Zo ongeveer de eerste dertig meter gingen de ladders in een kaarsrechte lijn omhoog, begon de ene recht boven de andere, en schoot hij goed op. Maar boven aan de achtste ladder werd de lijn plotseling onderbroken. Een horizontaal touw liep naar links, drie meter over een smalle richel – niet veel breder dan een pakje sigaretten – naar het begin van een volgende reeks ladders. Die ging een meter of vijftien omhoog en stopte dan ook, waarna een ander touw hem via een volgende, nog smallere richel – deze keer naar rechts – naar een nu kort laddertje voerde. En zo ging het maar door, zo zigzagde het ladderspoor heen en weer over de wand. Het ging nooit meer dan drie of vier ladderlengtes achtereen omhoog, want dan werd de lijn onderbroken en op een ander punt voortgezet. De gaten tussen de laddergroepen moesten worden overbrugd door met behulp van een touw te traverseren over doodenge richels en spleten.

Flin had er geen idee van waarom de oude Egyptenaren het hele geval zo hadden ingericht dat de ladders versprongen in plaats van in één lijn doorliepen. Hij vermoedde dat het was om stukken met onbetrouwbaar gesteente te vermijden, plaatsen waar de bronzen pinnen niet goed houvast kregen. Wat ook de reden was – en hij besteedde er niet meer dan de meest vluchtige gedachte aan – zijn vorderingen werden danig vertraagd doordat hij telkens gedwongen werd naar links of rechts uit te wijken en nerveus van de ene groep ladders naar de andere te schuifelen.

Achter hem kwam de ineenstorting van de oase echt op gang. Het tempelplateau was nu niet meer dan een verkruimelende, in stofwolken gehulde wig van steen, de schitterende bouwwerken rommelige ruïnes te midden waarvan de Benben doorging met het uitzenden van spectaculaire, laserachtige bundels felrood licht. Het was een apocalyptisch tafereel, als een schildering van de hel door een middeleeuwse schilder. Het drong nauwelijks tot hem door, zo ingespannen was hij bezig met zijn klimtocht zigzag over de rotswand; zijn handen en voeten gleden soms weg omdat hij zichzelf steeds meer opjoeg, steeds meer risico's nam bij zijn wanhopige pogingen de wanden die van beide kanten op hem afkwamen voor te blijven.

Op een gegeven moment gleden zijn voeten weg toen hij tussen twee ladders heen en weer zwaaide, zodat hij even aan het touw boven een duizelingwekkend gapend gat van honderd meter hing. Maar het lukte hem weer vaste grond onder de voeten te krijgen en door te schuifelen naar de volgende reeks ladders. Op een ander moment brak een van de sporten van een oude ladder en bezorgde het versplinterde hout hem een diepe snee in zijn kuit zodat hij het uitjammerde van pijn en het bloed langs zijn been in zijn schoen liep. Hij gaf de hoop bijna op omdat hij ervan overtuigd raakte dat hij het toch niet ging halen: de kaken van de kloof zouden zich, voor hij boven was en zich in veiligheid kon brengen, sluiten met hem ertussen. Toch klom hij door, weigerde hij op te geven, sloot hij de pijn en de vermoeidheid en de wurgende hoogtevrees buiten, deed hij een beroep op de laatste restjes kracht om zich voort te drijven. De bodem van de vallei was steeds verder beneden hem – en verdween nu geheel in een dichte wolk van stof en puin – en de bovenrand van het klif kwam steeds dichterbij zodat, toen hij een laatste korte traverse over een richel naar de laatste set ladders maakte, uiteindelijk wanhoop plaatsmaakte voor hoop: vijf ladders in een rechte lijn en hij was boven.

Freya en Saïd hadden het op het laatste stuk rustig aan gedaan omdat ze hem niet te ver achter wilden laten blijven. Zij waren nu vlak onder de bovenrand, riepen aanmoedigingen en spoorden hem met gebaren aan. Hij riep naar hen terug dat ze als de donder moesten maken dat ze eruit kwamen, en na even te hebben gepauzeerd om zijn pijnlijke longen wat zuurstof te geven, begon hij aan zijn laatste klim. De wanden van de kloof waren nu nog maar dertig meter van elkaar verwijderd, benauwend dichtbij. Hij liet de eerste van de vijf ladders onder zich en elke spier in zijn lichaam leek luidkeels te protesteren. Vervolgens de tweede ladder, en de derde. Hij was halverwege de vierde, nog maar een meter of vijf onder de top, de adrenaline gierde door zijn aderen omdat hij zich realiseerde dat hij er bijna was en Freya's aanmoedigingen nu duidelijk te horen waren, toen er een dreunende beving door de rotswand ging. Flin sloeg zijn armen om de ladder, wachtte tot het over was en klom verder. Maar toen hij dat deed, voelde hij de ladder onder zich zwabberde toen eerste de ene en daarna de andere pin waarmee de bovenkant van de ladder aan de rots was bevestigd zich begon los te werken. Hij bleef staan, de sporten kwamen tot rust, hij klom een stukje verder maar toen maakte de ladder weer een zwabber. Nu zag hij de bronzen pinnen uit de gaten glippen, zich langzaam losmaken uit de wand. Hij krabbelde omhoog, maar het had geen zin. Terwijl hij als een wilde naar de onderste sport van de volgende ladder klauwde, kwamen de pinnen helemaal los en was er niets meer dat de ladder op zijn plaats hield. Een kort, bizar moment leek alles stil te staan en had hij de merkwaardige indruk dat hij meespeelde in een van die stomme films waarin Harold Lloyd of Buster Keaton bezig was met de zwaartekracht tartende stunts hoog boven de grond. Toen beschreef de bovenkant van de ladder een misselijkmakende boog naar achteren, weg van de wand, en zeilde hij hulpeloos door de lucht, zijn handen nog steeds om een houten sport geklemd, terwijl er boven hem een hysterische kreet klonk.

Freya had zo langzamerhand kunnen weten dat, wanneer het ernaar uitzag dat alles goed ging aflopen, er onveranderlijk iets gebeurde om ervoor te zorgen dat het niet zo was.

Zodra Saïd en zij boven waren en op de vlakke bovenkant van het klif waren geklauterd, had ze zich omgedraaid om te kijken hoe Flin vorderde. De kloof had zich nu vernauwd tot iets meer dan de breedte van twee tennisvelden, de bodem was niet langer zichtbaar; er was niets meer te zien behalve de schitterend gloeiende sintel van de Benben die doorging met het uitzenden van vurige rode flitsen, die door de stofwolken en honderden meters de lucht in oplichtten. In elke andere situatie zou ze gebiologeerd zijn geweest door wat ze zag door de pure onmogelijkheid ervan. Maar haar ogen lieten Flin niet los, keken ingespannen hoe hij zich op de laatste reeks ladders omhoog worstelde, en bij elke sport die hij nam, voelde ze haar vertrouwen groeien.

'Ga door!' riep ze en de hoop groeide met sprongen nu ze besefte dat hij het ging halen. 'Je redt het! Je bent er bijna! Ga door!'

Juist toen ze dat had geroepen, had de grond onder haar voeten opeens even heel heftig geschud en had de ladder die Flin beklom – christus, hij was zo dichtbij, nog maar een paar meter onder de rand! – zich van de klifwand losgemaakt. Een paar wurgende tellen lang had het erop geleken dat hij nog kans zou zien zich in veiligheid te brengen. Maar de pinnen die de bovenkant van de ladder op zijn plaats hielden, waren uit de wand geschoten, zodat het hele geval achterover was getuimeld, met Flin erbij.

'Nee!' had ze geschreeuwd en haar handen voor haar gezicht geslagen. 'O god nee.' Ze was radeloos, kapot, kon niet geloven dat, na alles wat ze de laatste paar dagen hadden doorgemaakt, na alle gevaren waar ze voor hadden gestaan en die ze hadden overwonnen, het zo moest eindigen, bij de allerlaatste horde. Zo radeloos en kapot was ze dat, toen ze een paar tellen later van veraf 'Hallo!' hoorde roepen, ze dat afdeed als een door de schok veroorzaakte streek van haar verbeelding. Pas toen de kreet opnieuw klonk, dringender nu, tussen weergalmende knallen van verschuivend gesteente doorsijpelde, en Saïd haar op hetzelfde moment opeens bij haar schouder pakte, besefte ze dat haar geest geen loopje met haar nam. Ze haalde met een ruk haar handen voor haar gezicht vandaan en keek over de rand van de steile wand.

'Flin! Flin!'

Hij stond onder haar, ongeveer tien meter lager en klampte zich vast aan een ladder terwijl een andere – de ladder die uit de wand was gevallen – er nu als een lamme arm bij hing. Ze zag meteen was er was gebeurd: de pinnen die de bovenkant van die ladder moesten vastzetten, hadden losgelaten, maar die aan de onderkant, of in elk geval één ervan, was wel in de rots blijven zitten zodat de ladder een soort salto achterover had gemaakt en tegen de rotswand eronder was geklapt.

Als door een wonder was Flin door de klap niet van de ladder geslagen en was het hem gelukt op de relatief veilige andere ladder te klimmen. Freya werd overspoeld door een golf van euforie en opluchting. Dat gevoel bleef maar heel even, want het vervloog al snel toen het totale beeld tot haar doordrong. Hij leefde, maar dat zou beslist niet lang meer het geval zijn.

Niet alleen kwamen de wanden van de kloof met de minuut dichterbij en drongen zich op als een paar enorme handen die op het punt staan een vlieg plat te slaan. Hij zou net genoeg tijd hebben om uit de oase te klimmen, maar het probleem was dat hij niets had om te beklimmen. Tussen de top van de ladder waarop Flin stond en de onderkant van de ladder die hem naar de bovenrand van de rotswand kon brengen, gaapte een gat van vijf meter. Eventjes dacht ze dat het hem misschien zou lukken de gevallen ladder het gat te laten overbruggen, maar op dat moment zag ze de laatste pin uit de wand komen en tuimelde de ladder omlaag, in de stofwolk eronder.

'Shit,' siste ze.

Even gebeurde er niets, stond iedereen bewegingloos, niet wetend wat te doen. Flin schudde zijn hoofd, alsof hij wilde zeggen: 'Het heeft geen zin, er is geen manier om boven te komen.' De minieme kans om het te redden werd met de seconde kleiner. Waarop Freya, beseffend dat het zinloos was, maar ook dat ze op zijn minst een poging moest doen om hem te redden, zich op de bovenste ladder zwaaide en terug de kloof in klom. Saïd probeerde haar tegen te houden, hield vol dat hij moest gaan, maar ze wist dat zij degene was die de meeste kans maakte. Ze schudde zijn hand af en ging door met afdalen.

Zelfs de meest ervaren bergbeklimmer kent angst, en Freya was geen uitzondering. Soms is het niet echt een grote angst, niet meer dan een versnelde hartslag of een kriebel in de buik. Op andere momenten is het heftiger, lijkt je hele wezen terug te schrikken en te verschrompelen als je op de rand van je eigen sterfelijkheid balanceert. Freya had beide uitersten gekend en alles wat ertussenin zat. Maar nooit, echt nooit was ze zo bang geweest als nu, met de ladder die onder haar schudde en de naderbij komende kliffen aan de randen van haar blikveld. Toch lukte het haar op een of andere manier haar angst in bedwang te houden, in de verste uithoek van haar bewustzijn neer te zetten en zichzelf te dwingen door te gaan, van sport naar sport te klimmen tot ze onder aan de ladder was.

'Doe niet zo stom!' bulderde Flin, en wapperde dat ze weg moest. 'Ga terug! Schiet op, verdwijn!'

Ze negeerde hem, sprong een paar maal op de ladder op en neer om zeker te weten dat hij nog goed vastzat, haakte een been om de onderste sport, boog zich naar achter en hing ondersteboven, strekte haar armen naar hem uit. Terwijl hij bleef roepen dat ze moest weggaan, deed hij haar na: hij klom tot bijna helemaal boven aan zijn ladder en stak zijn handen naar haar uit. Maar zelfs als ze zich tot het uiterste uitrekten, zat er zeker nog een meter tussen hun vingertoppen. Ze probeerden het nog een keer, en nog eens, gingen tot het uiterste, veranderden hun houding, rekten hun armen tot het voelde alsof hun pezen zouden knappen, maar het had geen zin en uiteindelijk waren ze gedwongen hun nederlaag te erkennen. Flin liet zich een paar sporten zakken, Freya trok zich op.

'Je kunt niks meer doen!' riep hij en keek naar links en rechts. De naderende rotswanden hadden nu de zijkanten van het ladderspoor bereikt, de houten sporten knapten en versplinterden nu er miljoenen tonnen massieve steen overheen schoven. 'Freya, toe nou, het is afgelopen. Maak dat je wegkomt. Red jezelf. Ga, alsjeblieft!'

Opnieuw lette ze niet op hem. Ze leunde naar buiten en bestudeerde de rotswand onder haar, probeerde te zien of er een manier was om dichter bij hem te komen, om die ene meter te overbruggen.

Er was een duidelijk houvast voor haar voeten vlak onder haar, een rafelig gat in de steen waaruit de pin die de bovenkant van de verdwenen ladder had vastgehouden, zich had losgetrokken. Als ze zich daarop kon laten zakken terwijl ze de onderste sport van haar ladder vasthield, kon ze wat dichterbij komen, wat verder reiken.

Het was nog niet genoeg. Ze keek koortsachtig om zich heen, zocht iets, wat dan ook, dat kon helpen. Een meter of twee boven Flins ladder liep een horizontale spleet in de wand, net goed genoeg voor een bruikbaar vingerhouvast. Maar ook als hij kans zag daar te komen, bleef er nog minstens twintig centimeter tussen de spleet en tot waar zij kon reiken. Ze jammerde het uit van frustratie. Het had net zo goed een kilometer kunnen zijn. Er was geen enkele manier om eruit te komen.

'Het spijt me,' riep ze. 'Het spijt me zo! Ik zie geen...'
Ze onderbrak zichzelf omdat haar oog op iets viel. Schuin links boven Flin: een dunne splinter, zo te zien een stukje vuursteen, dat een paar centimeter uit de wand stak, precies dezelfde kleur als de steen eromheen, vandaar dat ze het niet eerder had gezien. Misschien, heel misschien...
'Luister goed,' riep ze en ze moest haar best doen om boven het lawaai van verpulverend gesteente uit te komen. 'Je moet precies doen wat ik zeg. Geen vragen, geen tegenwerpingen, gewoon doen!'
'Freya, in godsnaam!'
'Niet tegenspreken!'
'Je verdoet...'
'Doe het!'
Hij maakte een geërgerd armgebaar, maar knikte daarna.
'Je moet je omhoog werken naar die spleet,' riep ze, liet haar voet zakken en schoof hem in het gat waar de pin had gezeten, pakte de onderste sport vast en boog zich omlaag.
'Dat haal ik niet.'
'Doe het!'
Hij keek haar vuil aan, mopperde maar begon wel te klimmen. Hij klom tot hij op de vierde sport van boven stond, daarna de derde, toen de tweede, strekte zijn armen uit, drukte zich plat tegen de wand, omarmde hem, schoof centimeter voor centimeter tegen de wand omhoog.
'Ik val!' brulde hij.
'Over een minuut val je so wie so. Ga door!'
Hij bleef doodstil staan, zijn wang stevig tegen de rots gedrukt, met een vertrokken gezicht, de ogen gesloten, blijkbaar niet in staat door te gaan. Maar toen dwong hij zich met een uiterste wilsinspanning en een woeste kreet op de bovenste sport van de ladder te klimmen en klauwde hij naar de spleet. Hij rekte zich uit, gaf alles, stond te wiebelen. Even leek het dat hij het niet zou halen, dat hij zijn evenwicht zou verliezen en vallen. Toen kreeg zijn hand contact met de spleet, kon hij zijn vingers erin wringen, klampte hij zich eraan vast terwijl verder naar beneden zijn voeten onvast op de sport balanceerden. Doodop, onder het stof en doodsbang slaakte Freya een uitgelaten juichkreet.
'Nu komt het moeilijkste,' riep ze.
'Dat meen je niet, verdomme!'
Ze nam het met hem door, wierp voortdurend blikken naar links en rechts nu de wanden van de kloof elkaar tot op tien meter waren genaderd. Hij moest zijn voet op het uistekende randje vuursteen zetten, legde

ze uit, en dat gebruiken om zich omhoog te werken naar haar uitgestoken hand. De manoeuvre in de tempel in Abydos was gekkenwerk geweest, maar dit was van een heel andere orde. En hij was niet eens een ervaren bergbeklimmer. Maar er was geen alternatief. Het was dit of wachten tot de wanden hem eraf zouden gooien, en dat zou over een paar minuten gebeuren. Nadat ze zich ervan had overtuigd dat hij wist wat hij moest doen, paste ze haar positie aan, strekte een arm uit om hem te pakken en rekte zich uit zo ver ze kon.

'Flin, je krijgt maar één kans,' riep ze. 'Dus verpruts hem niet.'

'Dat was ik ook helemaal niet van plan.'

Ondanks alles moest ze lachen. 'Neem er de tijd voor, maar doe het wel snel.'

Hij keek naar haar en daarna naar beneden om de plek van de vuursteensplinter vast te leggen, mompelde een gebed hoewel hij al in geen twintig jaar een kerk van binnen had gezien en trok zijn been op tot zijn voet op het uitsteeksel stond. Hij haalde diep adem en lanceerde zich onder het slaken van een wilde kreet diep uit zijn keel op het moment dat hij zijn vingers uit de spleet trok en die naar Freya uitstak. Ze ving hem, hun handen klampten zich aan elkaar vast, haar andere hand kwam erbij en greep zijn pols. Hij zwaaide als de slinger van een klok heen en weer, zijn voeten trappelden tegen de rotswand. Hij was zwaar, veel zwaarder dan ze zich herinnerde van Abydos en ze voelde dat ze haar greep op de sport begon te verliezen, dat haar schouder het begon te begeven alsof haar hele arm eraf werd getrokken. Op een of andere manier slaagde ze erin het vol te houden terwijl hij wild met zijn voeten zwaaide en houvast zocht. Na wat een eeuw leek maar in feite maar een paar seconden moest hebben geduurd, lukte het hem eerst één en toen twee voeten in de rotsspleet krijgen. Hij kwam rechtop en vond zijn evenwicht waardoor hij haar arm grotendeels ontlastte.

'Klim over me heen,' riep ze. 'Gebruik je voeten, zorg dat je op de ladder komt. Schiet op, we hebben geen tijd meer.'

Hij begon te doen wat ze zei, stopte terwijl hij wankelend tegen de wand stond, met één hand de hare vast had, de andere om haar onderarm geklampt, zijn tenen in de spleet, de kloof nu nog maar zes of zeven meter breed. Stof kolkte omhoog, wolkte om hen heen.

'We hebben geen tijd,' hoestte ze. 'Schiet nou op, Flin, klim op me. Je hebt het moeilijkste gehad.'

Alle energie van zo-even leek te zijn verdwenen. Hij hield zich alleen maar vast, keek naar haar op, zijn blik aan de hare vastgeklonken, en er lag een merkwaardige uitdrukking op zijn gezicht: half angst, half vastberadenheid.

'Schiet nou op!' schreeuwde ze. 'Wat is er nou? We moeten hier weg. Er is geen...'

'Ik heb het gedaan,' riep hij.

'Wat?'

'Ik heb het gedaan, Freya. Ik heb Alex gedood.'

Ze verstijfde, haar keel werd dichtgeschroefd alsof ze werd gewurgd.

'Ik heb haar die injectie gegeven. Molly en Girgis hadden er niets mee te maken. Ik heb het gedaan, Freya. Ik heb haar gedood.'

Haar mond ging open en dicht, maar er kwam geen woord uit.

'Ik wilde het niet,' riep hij. 'Je moet me geloven: het was het allerlaatste ter wereld dat ik had willen doen, maar ze vroeg het me. Smeekte me het te doen. Ze kon haar armen en benen niet meer gebruiken, ze ging steeds slechter zien en horen. Ze wist dat het alleen maar erger zou worden en wilde nog ergens controle over hebben. Ik kon het niet weigeren. Probeer het alsjeblieft te begrijpen. Het brak mijn hart, maar ik kon het haar niet ontzeggen.'

De wanden van de kloof waren nu minder dan vier meter uit elkaar, torenhoge donkere vormen doemden uit de stofwolken op. Ze hadden er geen van beiden oog voor gehad. Freya hing aan de ladder en hield zijn hand vast, Flin stond met zijn voeten in de spleet en hield zich in evenwicht aan haar arm, en allebei hadden ze geen aandacht voor hun omgeving, waren ze gevangen in hun eigen dimensie.

'Ze zei dat ze van je hield.' Zijn stem was hees, bijna niet te horen. 'Dat waren haar laatste woorden. We zaten buiten, op de veranda, keken naar de zonsondergang, ik gaf haar de injectie en hield haar hand vast. En vlak voor ze stierf, zei ze jouw naam. Dat ze van je hield. Ik moest het je vertellen, Freya. Snap je dat? Ik kon het niet verzwijgen. Ze hield zoveel van je.'

Hij bleef haar aankijken, met een heldere blik. Bij Freya tuimelden de gedachten over elkaar heen, trokken emoties haar alle kanten op. In haar binnenste leek alles te tollen en te stuiptrekken alsof het daar een afspiegeling begon te worden van de grote chaos om haar heen. Maar centraal erin was één enkele, vaste kern die, ondanks de hevige schok en het verdriet, standhield: zij zou precies hetzelfde hebben gedaan als Alex het haar had gevraagd. En ook wist ze, aan de blik in zijn ogen, aan de toon van zijn stem, aan alles wat ze de afgelopen paar dagen over hem had geleerd, dat hij zijn daad had verricht uit goedheid, uit compassie, uit liefde voor haar zus en dat ze hem om die reden niet kon beschuldigen noch veroordelen. Integendeel: op een vreemde manier had ze het gevoel bij hem in het krijt te staan. Hij had die last op zijn schouders genomen. Hij was er voor Alex in het uur van haar nood geweest toen zijzelf, haar zus, er zo duidelijk niet was geweest.

Dit alles ging in een tijdsbestek van een paar seconden door Freya heen; het was of de tijd kromp of uitdijde als om haar gedachten van dienst te zijn. Toen gaf ze hem een knikje en een kneepje in zijn hand alsof ze wilde zeggen: 'Ik begrijp het. En laten we nou als de donder maken dat we wegkomen.' Ze begon hem over de wand naar zich toe te trekken terwijl hij met zijn voeten op de rots houvast zocht. Op een gegeven moment was zijn gezicht recht tegenover het hare, troffen hun blikken elkaar en bleven ze elkaar aankijken. Ze glimlachten even, amper zichtbaar in de adembenemende stofgordijnen. En toen klom hij op en over haar heen de ladder op. De wanden van de kloof raakten hen nu bijna, waren nog maar twee meter uit elkaar.

'Schiet op!' schreeuwde ze. 'Ga door!'

'Jij eerst!'

'Doe niet zo verdomd Engels! Schiet op, ik kom meteen achter je aan.'

Ze haalde uit met haar vrije arm en gaf hem een klap op zijn achterwerk om hem in beweging te krijgen. Toen hij op weg was, trok ze zich terug de ladder op, en klom ze zo snel ze kon omhoog, pakte ze de sporten op het moment dat Flins voet die verlieten. De ladder schudde zo heftig dat ze niet begreep dat hij nog aan de wand vast bleef zitten. De stofwolken werden lichter en ze zag een glimp van Saïd daar boven. Hij boog zich voorover en spoorde hen met zwaaiende armen aan. Ze joegen zichzelf op om bij hem te komen, hoestend en proestend, terwijl de wanden hen steeds meer inklemden, nog maar net anderhalve meter uit elkaar waren. Omhoog, omhoog tot Flin eindelijk boven was en Saïd hem bij zijn T-shirt greep en eruit trok. Freya was vlak achter hem. Op het moment dat de kliffen haar schouders en de zijkanten van de ladder raakten en de sporten onder haar voeten kromtrokken, het hout begon te scheuren en te versplinteren, voelde ze hoe ze onder haar oksels werd gepakt en in de heldere, schone, prachtig open lucht op de Gilf werd gehesen.

Naar adem happend schoven ze alle drie een stuk achteruit vanwaar ze toekeken hoe de laatste paar centimeters van de kloof werden gesloten. Wat nog geen uur geleden een breed dal met bomen en gebouwen en watervallen was geweest, was nu gereduceerd tot een spleet van iets meer dan veertig centimeter breed waardoorheen vanuit de diepte nog steeds rode lichtstralen opschoten. Nu nog maar dertig centimeter, twintig, nu nog tien... zo werd het knallen van schurend gesteente steeds minder, veranderde het in een zacht, knarsend gerommel.

Zelfs nu de wanden van de kloof elkaar bijna raakten, was er nog een laatste, dramatische toegift. Van diep onder de grond kwam een donderend gebrul – van een leeuw met stenen longen, zoals Freya het later beschreef – en uit de spleet barstte een schitterend zwaard van felrood licht met een geweld dat hen achterover wierp zodat ze met een klap op de grond terechtkwamen.

'Niet kijken!' riep Flin, greep Freya bij haar schouder en rolde haar op haar buik, drukte haar gezicht in het zand. 'Ogen dicht! Allebei!'

Voordien waren de lichtflitsen gekomen en gegaan, waren ze fel opgelicht en weer weggestorven, als vallende sterren. Deze keer hield het licht aan, een gigantische scalpel van vuur dat opklom en uitwaaierde, dat de wanden van de kloof langzaam weer uiteen dreef en de vorm aannam van een hoog opgaande obelisk van vlammen. Die bleef enige tijd staan en zwaaide zachtjes heen en weer terwijl het gebulder steeds luider werd. Freya had het merkwaardige gevoel dat ze verbrandde zonder iets van pijn of ongemak te voelen. Totdat het licht, alsof het zijn gelijk had bewezen, zich plotseling terugtrok, in de grond verdween als een dovende vlam. Er klonk nog een laatste stenig gebrul, en daarmee dreunde de kloof dicht om niet meer open te gaan. Stilte.

Freya bleef een tijdje liggen, knipperde toen haar ogen open. Ze zag oranje en dacht een verward moment lang dat haar netvlies beschadigd was, tot ze besefte dat ze recht tegen een bloem aankeek: een delicate, oranje bloem die op een of andere manier in deze kaalheid kans had gezien wortel te schieten.

De ingesloten bloem is een Sahara-orchidee. Heel zeldzaam, heb ik me laten vertellen. Koester hem en denk aan me.

Met een glimlach stak ze een arm uit, pakte Flins hand en wist dat het allemaal goed ging komen.

Later, toen ze weer op hun voeten stonden, zich hadden afgeklopt, gretig de schone lucht inademden en een tijdje vergeefs naar enig spoor van de verdwenen oase hadden gezocht, begonnen ze gedrieën aan de terugtocht over de Gilf Kebir, met Saïd op kop.

De zon was, onverklaarbaar, aan de hemel teruggeschoven. Toen ze aan de kloof waren ontsnapt, stond hij laag in het westen. Nu stond hij bijna recht boven hen, wat meer in overeenstemming was met de tijd die Flins horloge aangaf: 14:16. Ze waren maar zes uur in de oase geweest. Het voelde als een heel mensenleven.

Ze trokken drie kilometer naar het noorden en sloegen toen een smal, met zand dichtgeslibd ravijn in dat langzaam naar het oosten toe omlaag liep en hen op een prettige manier terugbracht naar het niveau van de woestijn.

'Heel veilig,' zei Saïd en sloeg op de rotswanden aan beide zijden. 'Niet sluiten.'

'Het doet me plezier dat te horen,' zei Flin.

Aan het eind werd het ravijn breder en ging het over in een kleine 'baai' in de oostwand van de Gilf. Zahirs Land Cruiser stond geparkeerd in de schaduw van een lage, parasolachtig overhangende rots.

Saïd haalde een verbanddoos tevoorschijn en verbond Flins schrammen en snijwonden. 'Niet vrouw zijn,' mompelde hij afkeurend toen de Engelsman kreunde en een lelijk gezicht trok. Daarna klommen ze in de 4x4 en reden de woestijn in. Ze volgende de Gilf in zuidelijke richting, terug naar de rotsspits en de doorgang in het zand.

Alleen waren die er niet meer. De microlight was gemakkelijk te vinden, een schelle roze vlek die er in de omringende woestijn uitsprong als een verfklodder op een schoon vel papier. Maar de sikkel van zwarte steen was ingestort en in stukken gebroken, zodat er alleen nog een betekenisloze hoop glasachtige brokken steen over was die niets verried van de oorspronkelijke vorm. En waar de Mond van Osiris zou moeten zijn, was niets, alleen vlak, leeg zand, volmaakt vlak, volmaakt nietszeggend. Ook de rechthoekige opening in de rotswand was weg, alsof dat stuk klif was uiteengevallen en weggezakt, gereduceerd tot een rommelige hoop rotsblokken aan de voet van de wand. Het enige wat ze vonden, het enige wat erop wees dat er iets bijzonders was gebeurd, was een dun metalen driehoekje dat als een zwart vinnetje net boven het zand uitstak. Het duurde even voor ze beseften dat het de punt van een rotorblad van een helikopter was. Niet ver ervandaan lag een zonnebril met spiegelende glazen met in een ervan een barst.

'Het is net of het allemaal een droom was,' zei Freya.

'Ik kan je verzekeren dat het niet zo was,' gromde Flin en legde een hand op zijn kapotte lip.

'Niet vrouw zijn,' mopperde Saïd.

Ze reden van het klif naar de microlight, waar Saïd in de jeep wachtte tot Flin in het apparaat was gestapt en de motor had geprobeerd. Die leek het goed te doen en hij liet hem stationair draaien, klom weer uit de gondel en liep naar de Land Cruiser. Freya kwam naast hem staan.

'Weet je zeker dat het oké is, Saïd?' vroeg hij en leunde bij hem door het open raampje. 'Het is een heel eind naar Dakhla.'

'Ik bedoeïen. Dit woestijn. Natuurlijk oké. Domme vraag.'

Het was bijna niet te zien, niet meer dan een heel licht trekken van de mondhoeken, maar hij glimlachte! Freya stak een hand naar binnen en legde hem op zijn arm. 'Dank je,' zei ze. 'Het klinkt zo onbenullig na alles wat jij en je broer voor me hebben gedaan. Voor ons allebei. Maar toch: bedankt.'

Saïd gaf een kort knikje, leunde naar voren, draaide de contactsleutel om, trapte de koppeling in, liet de motor loeien. 'Wanneer naar Dakhla komen, naar mijn huis komen,' zei hij en keek haar aan. 'Jij drinken thee. Ja?'

'Ik kom heel graag bij je op de thee,' zei Freya en ze meende het echt. 'Ik zou het een eer vinden.'

Hij knikte nogmaals, stak ten afscheid een hand op en reed weg over het zand. Tijdens het optrekken toeterde hij nog even. Ze zagen hem gaan, keken hem na tot de jeep alleen nog een wit vlekje was dat door de duinen hobbelde, draaiden zich om en liepen terug naar de microlight. Flin bukte zich en raapte een stukje op van wat eens de gekromde zwarte steenspits was geweest.

'Souvenir,' zei hij en gaf het aan Freya. 'Een klein aandenken aan je eerste bezoek aan Egypte.'

Ze lachte. 'Ik zal het heel goed bewaren.'

Ze vulden de brandstoftank van Miss Piggy bij, zetten hun helm op, klommen in de gondel en reden naar het vlakke zand waar ze de vorige avond waren geland. Flin reed heen en weer tot de olie op temperatuur was, gaf gas, duwde de stuurstang naar voren en daar gingen ze de lucht in. Hij klom al cirkelend omhoog zodat ze aan de ene kant zicht op de hoog oprijzende Gilf en aan de andere op de zich eindeloos uitstrekkende gele zee van de woestijn hadden.

'Ik zou je graag wat bezienswaardigheden laten zien,' klonk zijn stem door de intercom. 'Djebel Uweinat, de Grot van de Zwemmers. Maar in de huidige omstandigheden neem ik aan dat je gewoon terug wilt om je op te frissen en dan meteen het bed in te duiken.'

Het bleef even stil, toen spanden zijn schouders zich. 'O, sorry, zo bedoelde ik het niet.' Hij draaide zijn hoofd naar achteren, ineens heel onzeker, gegeneerd. Freya lachte alleen maar, gaf hem een knipoog en boog zich naar opzij en keek naar de woestijn onder hen.

Ze vlogen over het stuk waar de oase moest zijn geweest, maar waar nu slechts rotsen en grind en her en der een onvolgroeid struikje te zien waren. En ook vogels. Honderden vogels die doken en rondcirkelden en omhoog schoten alsof ze iets zochten. Flin vloog wat rondjes, legde Miss Piggy op haar kant en zette koers naar het noordoosten, zodat de Sahara zich aan alle kanten ontrolde in zijn immense en majestueuze en onbeschrijflijke schoonheid. Ze vlogen een tijd zonder iets te zeggen. Toen legde Freya haar hand op Flins schouder. 'Kunnen we het over Alex hebben?'

Hij glimlachte en nam haar hand in de zijne. 'Ik wil heel graag over Alex praten.'

En dat deden ze, terwijl de Gilf Kebir langzaam achter hen wegzonk en zich vóór hen een nieuwe horizon opende.

Het gebrom van de microlight was zwakker geworden en uiteindelijk helemaal weggestorven. Ook de vogels waren naar het noorden weggetrokken om nieuwe verblijfplaatsen in andere wadi's verderop langs de Gilf te zoeken. In de woestijn bewoog zich niets, het was er helemaal leeg. Niets dan zon, hemel, zand, steen en onder aan het klif, luierend in de schaduw van een rommelige stapel net gevallen rotsblokken, een kleine gevlekte zandgekko met lui rollende oogjes en een tong die af en toe naar buiten flitste. Ook die scharrelde weg toen het zand voor hem opeens begon te bewegen. Eerst nauw merkbaar, maar de trillingen werden snel sterker en heviger. De grond ging nu op en neer en het zand kolkte en kwam omhoog tot ten slotte het oppervlak helemaal openbrak, als een zak die openbarstte. Een vlezige, beringde hand klauwde zich omhoog naar het daglicht. Een paar meter naar links verscheen als een groteske glanzende paddestoel een vuist. Er kwamen nog meer bewegingen, meer zandkolken, onduidelijke glimpen van hoofden en ledematen en bovenlichamen en toen werkten twee gespierde, rossige figuren zich omhoog uit de grond. Ze kwamen wankelend overeind, helemaal onder het zand.

'Gaat het?' vroeg de een.

'Redelijk,' was het antwoord. 'En jij?'

'Redelijk.'

Ze klopten zich af en keken om zich heen, namen de omgeving in zich op.

'Helikopters zijn weg.'
'Lijkt er wel op.'
'Dan kunnen we maar beter gaan lopen.'
'Dat kunnen we maar beter doen.'
'We willen mama niet ongerust maken.'
'Nee, dat zeker niet.'
'Heb je het...?'
Ze groeven in hun zakken, kwamen allebei met zo te zien een handvol glanzend bladgoud terug. Grijnzend gaven ze elkaar een high-five. Daarna trokken ze hun jasje uit, sloegen het over een schouder, gaven elkaar een arm en begonnen aan hun wandeling naar het oosten, twee kleine rode stipjes die voortkropen over een enorme gele vlakte, en achter hen dreef hun gezang mee:

El-Ahly, El-Ahly,
Een beter team bestaat er niet,
We spelen snel, we gaan ervoor,
De Rode Duivels gaan altijd door!

Dankwoord

Er is een verbazingwekkend groot aantal mensen zonder wier raad, hulp en steun dit boek nooit kon zijn geschreven.

In de allereerste plaats mijn geliefde vrouw Alicky die me al die tijd heeft bijgestaan met wijze raadgevingen en geruststellende woorden en die de afgelopen jaren meer heeft moeten verdragen dan men een echtgenote mag aandoen. Mijn schuld aan haar zal ik nooit kunnen inlossen.

Hetzelfde geldt voor mijn fantastische agent Laura Susijn, wier royale steun me geestelijk gezond en op de rails heeft gehouden, en mijn redacteur Simon Taylor, een man met een eindeloos geduld en onuitputtelijk reservoir aan aanmoedigingen.

Professor Stephen Quirke van het Petrie Museum heeft onschatbare adviezen over de oud-Egyptische, mythologie en religie taal gegeven, en ik kan me slechts verontschuldigen voor de eindeloze stroom rare vragen waarmee ik hem heb lastiggevallen, en de grote vrijheden die ik me met zijn antwoorden heb veroorloofd. De Afdeling Oud-Egypte en Oud-Soedan van het British Museum heeft me geholpen de talloze gaten in mijn kennis van de Egyptische geschiedenis en hiërogliefen te dichten. In het bijzonder dank ik drs. Julie Anderson, John Taylor, Renee Friedman, Richard Parkkinson, Neal Spencer en Derek Welsby. Ook drs. Nicol Douek, Clair Ossian, Nicholas Reeves en Robert Morkot voor hun adviezen aangaande respectievelijk oud-Egyptische oases, botanie, hiërogliefen en obelisken.

Dr. John Taylor, curator van Cuneiform Collections van het British Museum, en dr. Frances Reynolds van de faculteit Oriëntaalse Studies van de universiteit van Oxford waren zo vriendelijk me te adviseren over aspecten van het oud-Soemerisch, zoals mijn goede vrienden dr. Rasha Abdullah en Mohsen Kemal dat deden voor modern Egyptisch Arabisch.

Tot voor kort wist ik absoluut niets van rotsklompen of het besturen van vliegtuigen en micro-lights. Dankzij de volgende personen ben ik nu iets minder onwetend: Ken Yager van de Yosemite Climbing Association, Chris McNamara van SuperTopo, Paul Beaver, de kapiteins Iain Gibson en Alex Keith, en Lucy Kimbell van de Northamptonshire School of Flying en Roger Patrick van P & M Aviation.

Even gebrekkig was mijn kennis van de wereld van het smokkelen van nucleair materiaal en verrijking van uranium. De volgende personen hebben royaal hun tijd en kennis beschikbaar gesteld om me te informeren: professor Matthew Bunn de John F. Kennedy School of Government van de Harvard University. Gregory S. Jones van RAND Corporation, Brent M. Eastman van het Nuclear Smuggling Outreach Initiative van het Amerikaanse ministerie van Buitenlandse Zaken, Ben Timberlake en Charlie Smith.

Ik ben John Berry enorm dankbaar dat hij me heeft willen ontvangen op de VS-ambassade in Caïro, en ook luitenant-kolonel Brian Maka van het Pentagon, Nashwa van het Egyptisch Cultureel Bureau in Londen, Suzie Flowers, Ken Walton, Peter Wirth en het personeel van de British Library.

Misschien wel het meeste plezier dat het schrijven van dit boek me heeft gegeven is de kennismaking met twee zeer aparte groepen mensen.

Dankzij Suzy Greiss, Magda Tharwat Badea en het personeel van de Association of the Protection of the Environment (APE) kon ik de fascinerende wereld van de Zabaleen betreden en onderzoeken, een unieke gemeenschap die vele jaren het afval van Caïro heeft verzameld en gerecycled. U kunt meer over hen en de onvermoeibare hulp van APE vinden op www.ape.org.eg. Sylvia Smith en Richard Duebel voorzagen me van onmisbare informatie en introducties, en ook bij hen sta ik zwaar in het krijt.

Even onvergetelijk was de tijd die ik heb doorgebracht bij de bedoeïenen van de oase Dakhla. *Shukran awi* aan Joesoef, Sayed en El Hag Abdel Hamid Zeydan en Nasser Halel Zayed voor hun gastvrijheid, hun inzichten en de vele betoverende dagen in de woestijn. Als u ooit in Dakhla komt en meer over de bedoeïenen en hun cultuur wilt weten, moet u zeker naar Zeyadns bedoeïenenkamp (www.dakhlabedouins.com).

Als laatsten maar zeker niet minsten wil ik mijn twee zeer gewaardeerde vrienden vermelden: Peter Bowron en Paul Beard. Hoewel ze niet rechtstreeks waren betrokken bij het schrijven van dit boek, heb ik de laatste tijd veel aan hen gedacht. Bedankt voor alle pret, jongens, en het feit dat jullie mijn leven rijker, vrolijker en plezieriger maken. Jullie zullen ontzettend gemist en nooit vergeten worden.

Verklarende woordenlijst

Abu Treika, Mohamed – Egyptisch voetballer, bekend als de 'Egyptische Zinedine Zidane'. Speelt bij El-Ahly. Geboren in 1978.

Abydos – Plaats waar Osiris werd vereerd en enkele vroege farao's zijn begraven. Hier staat ook de indrukwekkende graftempel van farao Seti I. Ligt 90 km ten noorden van Luxor.

Aish Baladi – Grof, plat rond brood van voltarwemeel.

Achnaton – Farao uit de Achttiende Dynastie (Nieuw Rijk). Regeerperiode ca. 1535-1335 v.C. Wordt algemeen beschouwd als de vader van Toetanchamon.

Achttiende Dynastie – De begindynastie van het Nieuwe Rijk. Enkele van de grootste en bekendste farao's leefden in dit tijdvak, zoals Toethmosis III, Amenhotep III, Achanthon en Toetanchamon.

Al-Ahram – Letterlijk 'De Piramiden'. De grootste krant van Egypte.

Almásy, graaf László (1895-1951) – Hongaars aristocraat, vliegenier, motorrijder en woestijnreiziger, in het begin van de 20e eeuw een van drijvende krachten achter de ontdekkingsreizen in de Sahara.

Amon-Ra – De staatsgod van het Nieuwe Rijk, vooral vereerd in *waset*, het huidige Luxor. Een vermenging van de goden Ra en Amon.

Ankh – Een kruisvormig symbool. Het oude Egyptische 'levensteken'.

Apep – Demon van kwaad en chaos. Hij leefde in eeuwige duisternis en nam de vorm aan van een reusachtige slang.

ARCE – American Research Centre in Egypt. Een organisatie die archeologische opleidingen, onderzoek en conservatie financiert.

Ash – Oude Egyptische woestijngod, vooral verbonden met oases.

Ashmolean – Museum in Oxford dat is gespecialiseerd in kunst en archeologie.

Astroman – Een klimroute op de Washington Column in het Yosemite National Park.

Aton – Letterlijk 'Het Al'. Primaire Egyptische scheppingsgod. Vaak geassocieerd met zonnegod Ra, vandaar dan de naam Ra-Aton.

Badarisch – Een neolithische cultuur die rond 4500 v.C. in het zuidelijk deel van het Nijldal een bloeiperiode kende. Genoemd naar El-Badari, in de buurt van Asyut, de plaats waar de cultuur het eerst werd geïdentificeerd.

Bagnolf, majoor Ralph Alger (1896-1990) – In de jaren twintig en dertig van de vorige eeuw een van de belangrijkste pioniers van het Sahara-onderzoek. (Hij doorkruiste in 1932 als eerste de Grote Zandzee van oost naar west, een heroïsche tocht. In de Tweede Wereldoorlog richtte hij de legendarische Long Range Desert Group op. Hij was tevens een wereldbekende wetenschapper wiens boek over duindynamiek, *The Physics of Blown Sand*, tot op de dag van vandaag een standaardwerk is.

Ball, dr. John (1872-1941) – Een van de eerste Europese ontdekkingsreizigers in de Westelijke Woestijn. Ontdekte in 1916 Aby Ballas of wel Pottery Hill. Schreef talloze artikelen over de woestijn en de verloren oase Zerzura.

Banu Sulaim – Een Noord-Afrikaanse bedoeïenenstam.

Beato, Antonio (ca. 1825-1906) – Anglo-Italiaanse fotograaf die talloze foto's heeft gemaakt van Egyptische monumenten en mensen.

Bedja – Een belvormige broodbakvorm in gebruik bij de oude Egyptenaren.

Beirut Barrack Bombing – Een dubbele zelfmoordaanslag op 23 oktober 1983 in Libanon, met als doelwit de Internationale Vredesmacht die tijdens de Libanese Burgeroorlog (1975-1991) uitgezonden. Bestelbusjes met explosieven drongen door in het hoofdkwartier van de Amerikaanse Mariniers op het internationale vliegveld van Beiroet en de nabijgelegen Franse legerkazerne, waarbij 241 Amerikaanse militairen, 58 Franse parachutisten en vijf Libanezen werden gedood. Algemeen wordt aangenomen dat dit het werk was van door Iran gesteunde Hezbollah-militanten.

Benben – Een conische of obeliskvormige steen die werd vereerd in de oude tempel van Iunu.

Benu – Een heilige vogel die wordt geassocieerd met de schepper-god Ra-Aton. Werd weergegeven als een reiger of een gele kwikstaart. Door veel geleerden beschouwd als het prototype van de feniks.

Bersiim – Een soort klaver die in Egypte als veevoer wordt gebruikt.

Bezetting Amerikaanse ambassade Teheran – Op 4 november 1979 bestormden 300 militante Iraanse studenten de Amerikaanse ambassade in Teheran en gijzelden 64 Amerikanen. Een klein aantal werd later vrijgelaten, maar 52 werden 444 dagen gevangen gehouden. Ze werden uiteindelijk op 21 januari 1981 bevrijd.

Bix, Hans (1928) –Zweeds diplomaat, was in 2000-2003 hoofd van de Unmovic (United Nations Monitoring, Inspection and Verification Commissie), de organisatie die tot taak had te onderzoeken of Irak over massavernietigingswapens beschikte.

Bootgraven – Een aantal Egyptische koningsgraven bevatten schepen op ware grootte. Vijf van dergelijke graven omgeven de grote piramide van Khufu in Gizeh waarvan er twee – ontdekt in 1954 – gave exemplaren bevatten.

Butneya – Een wijk in Caïro die berucht is om zijn dieven en drugsdealers.

Carter, Howard (1874-1939) – Engels archeoloog, ontdekte in 1922 de graftombe van de jonge farao Toetanchamon, de belangrijkste vondst in de geschiedenis van de Egyptische archeologie.

Cartouche – Een verlengd ovaal met daarin de naam van een farao.

Clayton, luitenant-kolonel Patrick (1896-1962) – Britse landmeter, militair en woestijnonderzoeker. Bracht tussen 1920 en 1940 grote delen van de Westelijke Woestijn in kaart. In de jaren dertig van de vorige eeuw speelden nog twee Claytons een prominente rol in het onderzoek van de Gilf Kebir: de Britse vliegenier sir Robert Clayton-East-Clayton (1908-1932) die zijn naam gaf aan de geologische formatie Claytons Kraters, en zijn vrouw lady Dorothy Clatin-East-Clayton (1908-1933) die model stond voor het personage dat Kirsten Scott-Thomas speelde in *The English Patient.*

Cam – Afkorting van Spring-loaded camming device (SLCD), een in de bergsport gebruikte mechanische wig die in een spleet of holte wordt aangebracht ter zekering van de klimmer(s). Ook in de Nederlandse bergsport gebruikt men de term 'cam', of ook wel 'friend'.

Cuneiform – Spijkerschrift gebruikt in het oude Mesopotamië.

De Lancey Forth, luitenant-kolonel Nowell Barnard (1879-1933) – Australische militair en woestijnonderzoeker. Diende van 1907 tot 1916 bij het Soedanese Camel Corps.

Derde Dynastie – De laatste van de drie dynastieën van de Vroege Dynastieke periode. Duurde van ca. 2649 tot 2575 v.C.

Deshret – Letterlijk 'rood land'. Het woord waarmee de oude Egyptenaren de droge woestijn aan beide zijden van de Nijl aanduidden.

Djed – Een oud-Egyptisch symbool voor stabiliteit, bestaande uit een zuil bekroond door vier horizontale vertakkingen. Wordt geacht de ruggengraat van de god Osiris weer te geven.

Djedefre – Farao uit de Vierde Dynastie (Oud Rijk), zoon van Khufu. Regeerperiode 2528-2520. Zijn naam wordt soms geschreven als Ra-djedef.

Djellaba – Traditioneel gewaad in Egypte gedragen door mannen en vrouwen.

Djoser – Farao van de Derde Dynastie (Vroege Dynastie). Regeerperiode 2630-2611. Zijn getrapte piramide in Saqqara, net ten zuiden van Caïro, is een van de oudste monumentale stenen bouwwerken ter wereld.

Duco – Een cementlijm van cellulosenitraat dat veel wordt gebruikt bij de reparatie en conservering van archeologische artefacten.

Dynastie – De oude historicus Manetho verdeelde de geschiedenis van Egypte in dertig regerende dynastieën en die zijn nog altijd de bouwstenen van de klassieke Egyptische archeologie. De dynastieën zijn vervolgens onderverdeeld in Rijken en Perioden.

Eerste Tussenperiode – De eerste van de drie tussenperioden die de drie grote Rijken van het oude Egypte verdeelden. De eerste duurde van ca. 2134 tot 2040 v. C. Hierin viel de Egyptische staat, na het sterke centrale bewind van het Oude Rijk, uiteen.

El-Ahly – Beroemde Caïrose voetbalclub, in 1907 opgericht door de Engelsman Mitchel Ince. Heeft als bijnaam de Rode Duivels en onderhoudt een felle rivaliteit met de andere belangrijke Caïrose voetbalclub Zamalek. El-Ahly is Arabisch voor 'nationaal'.

El-Capitan – Een steile, 910 meter hoge granietwand in Yosemite National Park. Een van de grote 'Big Walls' van de wereld. Is in 1958 bedwongen door Warren Harding, Wayne Merry en George Whitmore, die een route uitzetten die *The Nose* wordt genoemd.

Ennead – Een groep van negen godheden (Ennead komt uit het Griekse woord voor 'negen') geassocieerd met de grote zonnetempel in Iunu. De groep bestond uit Aton, Shu, Tefnet, Geb, Nut, Osiris, Isis, Seth en Nefthys.

Etrier – In de bergsport uit het Frans overgenomen woord voor 'laddertje', in dit geval bestaande uit een stoffen band met lussen van stof waarin men de voeten zet.

Fao-schiereiland – Strategisch belangrijk schiereiland aan de allerzuidelijkste punt van Irak. Toneel van hevige gevechten tijdens de Iran-Irakoorlog 1980-1988.

Fairuz (1935) – Beroemde Libanese zangeres, echte naam Nouhad Haddad.

Fatir – Een soort pannenkoek.

Fellaha (meervoud: fellahien) – Boer.

Freerider – Een klimroute op de El-Capitan in Yosemite National Park.

Gezegende Velden van Iaru – Oud-Egyptische benaming voor het hiernamaals. Iaru werd vaak gespeld als 'ialu', wat volgens sommige geleerden een afleiding zou zijn van de term 'Elysische Velden'.

Gezira Sporting Club – Een sportterrein op Gezira-eiland midden in Caïro.

Gizeh – Een woestijnplateau (en stadje) aan de westrand van Caïro, locatie van de piramiden, de Sfinx en talloze andere archeologische overblijfselen.

Greco-Romaans – De laatste periode in de geschiedenis van het oude Egypte, ingezet met de verovering van Egypte door Alexander de Grote in 332 v.C. Duurde tot 395 n. C. De laatste inheemse heerser over Egypte was Cleopatra, die stierf in 30 v.C., waarna het land rechtstreeks door Rome werd bestuurd.

Grote Zandzee – Een groot duingebied van ca. 300.000 vierkante kilometer in het westen van het Egypte en het oosten van Libië.

Hafeez, Sayed Abd-el (1977) – Egyptische voetballer (middenvelder). Voormalig aanvoerder van El-Ahly.

Hamas – Militante Palestijnse islamitische nationalistische beweging, opgericht in 1987. Hamas is zowel Arabisch voor 'geestdrift' en een achterwaarts acroniem voor 'De islamitische Verzetsbeweging'.

Hamdulillah – Letterlijk 'Allah zij geprezen'.

Hatshepsut – Koningin van de Achttiende Dynastie (Nieuw Rijk) die regeerde ca. 1473-1458 v.C. samen met haar stiefzoon Toethmosis III. Haar graftempel op de westelijke Nijloever in Luxor – eens een van de meest spectaculaire monumenten in Egypte – was in 1997 het tafereel van een bloedbad toen islamitische extremisten 58 toeristen en 4 Egyptenaren doodden.

Hierakonpolis – Een zeer belangrijke archeologische vindplaats in Opper-Egypte. Bij de oude Egyptenaren bekend als Nekhen. Het was een van de oudste stedelijke centra in het Nijldal, waar reeds 4000 v.C. mensen zijn gaan wonen.

Hiëratisch – Een cursieve schrijfwijze van hiërogliefen.

Heliopolis – Letterlijk 'Zonnestad'. Griekse naam voor de oude Egyptische tempelstad Iunu.

Hezbollah – Letterlijk 'Partij van God'. Militante sjiitisch-islamitische groep in Libanon.

Hoge Raad van Oudheden – Afdeling van het Egyptische ministerie van Cultuur. Verantwoordelijk voor alle archeologie, monumenten en conservatie in Egypte.

Holoceen – Een geologische tijdvak dat loopt van ca. 10.000 v.C. tot heden.

Horus – Oud-Egyptische god, zoon van Isis en Osiris. Weergegeven met een menselijk lichaam en de kop van een havik.

Imma – Een tulband, in heel Egypte door mannen gedragen.

Isis – Oud-Egyptische godin, vrouw van Osiris en moeder van Horus. Beschermster van de doden.

Islamitische Jihad – Militante Palestijnse islamitische groep, opgericht eind jaren 1970.

Iteru – Oud-Egyptische lengte-eenheid, ongeveer 10,5 km. Ook de oud-Egyptische naam voor de Nijl.

Iunu – Een van de grote steden in het oude Egypte, samen met Mennefer (Memphis) en Waset (Thebes/Luxor). Gelegen in wat nu noord-Caïro is. Was van groot godsdienstig belang en huisvestte onder andere een groot tempelcomplex gewijd aan de zonnegod Ra-Aton.

Jihaz amn al-daoula – Egyptische staatsveiligheidsdienst.

Karabiner – Een ovale of D-vormige ring met een door een springveer bediende opening waar een touw doorheen kan. Deel van de basisuitrusting van een bergsporter.

Karkaday – Een frisdrank getrokken van de bloemblaadjes van de hibiscus.Wordt in heel Egypte gedronken.

Karnak – Enorm tempelcomplex net ten noorden van Luxor, met bouwwerken die bijna tweeduizend jaar Egyptische geschiedenis omvatten. Het complex was gewijd aan Amon, hoewel er ook andere godheden werden vereerd.

Kemal el-Din Hoessein, Prins (1874-1932) – Egyptische miljonair, van koninklijke afkomst, woestijnreiziger. Ontdekte in 1926 de Gilf Kebir en gaf die zijn naam. Aan de zuidpunt van de Gilf staat een monument voor hem, door László Almásy opgericht.

Kemet – Letterlijk 'zwart land', zoals de oude Egyptenaren hun land noemden. 'Egypte' of 'Aigyptos' werd aanvankelijk door de oude Grieken gebruikt en is een verbastering van het Egyptische *hut-ka-Ptah*, Huis van de Geest van Ptah.

Kenem – Oude naam voor de oase Kharga.

Khan al-Khalili – Een grote bazaar in Caïro waar alles wordt verkocht, van juwelen tot waterpijpen, edelstenen en lederen artikelen.

Khasekhemwy († ca. 2649 v.C.) – Farao van de Tweede Dynastie (Vroeg-Dynastisch). Bouwde een aantal monumentale bouwwerken, onder andere een enorm graf in Abydos.

Khepri – Oud-Egyptische god van schepping, vernieuwing, wedergeboorte en opgaande zon. Hij werd afgebeeld met een mensenlichaam en de kop van een scarabee, mestkever.

Khet – Oud-Egyptische lengtemaat, ongeveer 52,5 meter.

Khomeini, Groot-ayatollah ruhollah (1900-1989) – Iraans sjiitisch geestelijke en leider van de Iraanse revolutie van 1979. Vanaf dat jaar tot 1989 belangrijkste geestelijke en politieke leider.

Khufu – Farao van de Vierde Dynastie (Oud Rijk), bouwde de grote piramide van Gizeh. Ook bekend onder de Griekse versie van zijn naam: Cheops. Regeerperiode ca. 2551-2528 v.C.

Kopten – Egyptische christenen, een van de oudste christelijke gemeenschappen ter wereld, daterend van de eerste eeuw na Christus toen de apostel Marcus het evangelie naar Egypte bracht. Kopten vormen ongeveer 10% van de huidige Egyptische bevolking. Het woord 'kopt' is afgeleid van het klassiek-Griekse Aigyptos, dat op zijn beurt afkomstig is van het oud-Egyptische *hut-ka-Ptah*, het Huis van de Geest Ptah.

Kufra – Een grote woestijnoase in zuidoost-Libië.

Late Periode – Zoals de naam al aangeeft bestreek deze periode de latere jaren van de Egyptische staat toen er weer een zeker centraal gezag werd gevestigd na chaos van de Derde Tussenperiode.

Long Range Desert Group – Een speciale legereenheid van het Engelse leger in WO II. In 1940 opgezet door majoor Ralph Bagnold. Hield zich bezig met verkenning, inlichtingen verzamelen en sabotagemissies in de Sahara.

Lugal-Zagesi – Koning van Umma, een Sumerische stadstaat. Regeerperiode ca. 2375-2350 v.C.

Majnoon-eilanden – Een strategisch belangrijke eilandengroep in zuid-Irak met talrijke gas- en olievelden.

Manetho – Een Grieks-Egyptische priester wiens *Aegyptica* of *Geschiedenis van Egypte* een onmisbare bron is voor de studie van het oude Egypte. Het originele werk bestaat niet meer en is alleen bekend door citaten bij andere klassieke schrijvers. Over Manetho zelf is bijna niets bekend, behalve dat hij in de derde eeuw v.C. in Sebennytos in de Nijldelta woonde.

Mashad – In grootte tweede stad van Iran en een van de heiligste plaatsen voor de sjiitische islam.

Meh-nsw – Een oud-Egyptische maat, de Koninklijke El, gelijk aan 525 millimeter.

Midan Tahrir – Letterlijk 'Bevrijdingsplein'. Een grote open ruimte in het centrum van Caïro, het middelpunt van de stad.

Middenrijk – Een van de drie grote rijken van het oude Egypte. Omvatte de dynastieën 11-14 en duurde van 2040-1640 v.C.

Mnevis-stier – Een stier die wordt vereerd in de zonnetempel Iunu. Beschouwd als de belichaming van de oppergod Ra-Aton.

Molocchia – Een Egyptisch gerecht van gestoofd kaasjeskruid. Lijkt op spinazie.

Mubarak, Susan – Vrouw van de Egyptische president Hosni Mubarak.

Muzezzin – Moskeemedewerker die de islamitische gelovigen vijf maal per dag oproept tot gebed.

Naguib Mahfouz (1911-2006) – Egyptische auteur en Nobelprijswinnaar die algemeen wordt geprezen omdat hij de Arabische literatuur een ruimer internationaal publiek heeft gegeven.

Naqada – Een predynastische cultuur genoemd naar het stadje Naqada – het oude Nubt – waar de vondsten voor het eerste zijn geïdentificeerd (door de Engelse archeoloog Flinders Petrie). Het Naqada-tijdperk duurde ongeveer van 4400-3000 v.C. en was van cruciaal belang voor het ontstaan van een verenigd Egypte.

Nasser, Gamal Abdel (1918-1970) – Tweede president van Egypte, van 1956-1970. Hij was een van de leiders van de Egyptische revolutie van 23 juli 1952 en een sleutelfiguur in de Arabische politiek van de twintigste eeuw.

Necropolis – Letterlijk 'dodenstad'. Begraafplaats.

Nefertiti – Prominente gemalin van farao Achnaton (Achttiende Dynastie). De naam betekent 'De Schone is gekomen'.

Negen Bogen – De traditionele vijanden van het oude Egypte.

Neith – Hoofdvrouw (en halfzus en nicht) van farao Pepi II (Zesde Dynastie, ca. 2246-2152 v.C). Neith is ook de naam van een oude Egyptisch oorlogsgoden.

Newbold, Sir Douglas (1894-1944) – Britse ontdekkingsreiziger die als officieel adviseur van de Soedanese regering in de jaren '20 en '30 van de vorige eeuw vele tochten door de Libische woestijn heeft gemaakt.

Nieuw Rijk – Het laatste van de drie grote Rijken van het oude Egypte. Omvatte de Dynastieën 198-20 en duurde van ca. 1550 tot 1070 v.C. Enkele van de beroemdste farao's uit de geschiedenis hebben in dit tijdvak geregeerd, zoals Toetanchamon en Ramses II.

Neolithisch – Letterlijk 'nieuwe steen'. De laatste en meeste recente fase van het Steentijdperk. In Egypte duurde het van ca. 6000 tot 3500 v.C.

Goevernaat Nieuwe Vallei – Een van de overheidsregio's van Egypte die de zuidwesthoek van het land bestrijkt en de oases Kharga, Dakhla en Al-Farafra omvat, evenals de Gilf Kebir. De hoofdstad is Kharga.

Nisu – Het woord waarmee de oude Egyptenaren een vorst of heerser aanduidden. Farao – van *per-aa,* Groot Huis' – kwam pas in gebruik in de loop van de Achttiende Dynastie (ca. 1500-1307 v.C.)

Nomarch – Het oude Egypte was verdeeld in 42 *nomes* of administratieve districten, elk geleid door een nomarch. In tijden van een zwak centraal bewind maakten de nomarchen zich vaak los van het centrale gezag en regeerden als heersers over hun eigen gebied.

Nose, The – Een klimroute op El-Capitan in Yosemite Nationaal Park. Een van de beroemdste, zo niet dé beroemdste rotsklimroute ter wereld.

Nut – Oud-Egyptische godin van het uitspansel en de hemel.

Omm – Arabisch voor moeder.

Osiris – Oud-Egyptische god van de onderwereld.

Ostracon (meervoud: ostraca) – Scherf van aardewerk of kalksteen met een beeld of een tekst. Het oude equivalent van een kladblokje of post-it.

Oud Rijk – Het eerste van de drie Grote Rijken van het oude Egypte. Omvatte de Dynastieën 4-8 en duurde van ca. 2575 tot 2134 v.C. Tijdens het Oude Rijk zijn de piramides gebouwd.

Oxyrhynchus – Een unieke archeologische vindplaats nabij het moderne Al-Bahnasa in Midden-Egypte. Oude vuilstortplaatsen hebben grote aantallen Griekse papyri uit de Late Periode van de Egyptische geschiedenis opgeleverd, waaronder voorheen verloren gegane of onbekende fragmenten van oude toneelstukken, gedichten en vroeg-christelijke teksten.

Paleolithisch – Letterlijk 'oude steen'. De eerste fase van het Steentijdperk en de menselijke evolutie, toen de mensen nog nomadische jagers-verzamelaars waren. In Egypte duurde het tijdvak van ca. 700.000 tot 10.000 v.C., zij het dat er grote onenigheid over de exacte datering bestaat.

Pepi II Farao van de Zesde Dynastie – Laatste grote heerser van het Oude Rijk. Zijn volledige titel was Nefer-ka-Re Pepi. Regeerperiode ca. 2245 tot 2152 v.C., de langste vastgelegde regeerperiode van enig monarch in de geschiedenis.

Peret – Een van de drie seizoenen waarin het Egyptisch jaar was verdeeld (de andere waren Akhet en Shemu). Peret was het jaargetijde om te planten en te telen en het liep ruwweg van oktober tot februari.

Pertie, William Matthew (1853-1942) – Archeoloog en egyptoloog. Heeft uitgebreid onderzoek gedaan in Egypte en Palestina, en een groot aantal grondregels van de moderne archeologie vastgelegd. Bijgenaamd 'vader der potten' wegens zijn grote belangstelling voor oud aardewerk.

Petroglief – Een afbeelding of symbool uitgehakt in steen.

Piaster – Basismunteenheid in Egypte. 100 Piaster is 1 Egyptisch pond.

Piton – Rotshaak, een stalen of aluminium pen met een oog die in een spleet wordt geslagen zodat de klimmer zich kan beveiligen (zekeren). Ook in de Nederlandse bergsport wel gebruikte term.

Predynastiek – De periode onmiddellijk voorafgaand aan het ontstaan van het Egypte van de farao's, toen basiselementen van de Egyptische beschaving geleidelijk tot ontwikkeling kwamen en samengroeiden.

Ptah – Oud-Egyptische god van handwerkslieden, heilige van de stad Mennefer (Memphis). In sommige Egyptische mythologieën wordt hij beschouwd als de opperste scheppingsgod. Weergegeven als een mummievormige figuur met een baard en een strakke schedelbedekking.

Pyloon – Monumentale toegangspoort met trapeziumvormige torens voor een tempel.

Ra (of Re) – Oud-Egyptische zonnegod. De oppergod.

Ra-Aton – Een samensmelting van de zonnegod Ra en de scheppingsgod Aton.

Re-Horakhty – Oud-Egyptische god die de attributen van Ra en Horus combineert. Staatsgod van het Nieuwe Rijk. Meestal weergegeven als een man met de kop van een havik of een valk.

Reliëf – Een afbeelding of tekst uitgehakt in een plat stenen vlak. In basreliëf en haut-reliëf ligt de afbeelding minder (bas-) of meer (haut-) boven de ondergrond, bij verdiept reliëf ligt hij lager dan het steenoppervlak.

De Rijken – De geschiedenis van het oude Egypte bestrijkt een periode van bijna 3000 jaar, van het ontstaan van de eerste verenigde natiestaat omstreeks 3000 v.C tot de dood van Cleopatra en het begin van de Romeinse overheersing in 30 n.C. Dit enorme tijdvak kent drie lange perioden van nationale eenheid en een krachtige centrale overheid, die bekend staan als het Oude Rijk, het Middenrijk en het Nieuwe Rijk.

Rotsklimmen – Een vorm van bergsport waarbij het niet zozeer gaat om het bereiken van een bergtop maar om de schoonheid van het bedwingen van moeilijke (overhangende) rotswanden.

Saïdi – Een inwoner van Opper-Egypte (Zuid-Egypte). Saïdi's zijn vaak donkerder getint dan bewoners van Neder-Egypte (het noorden).

Sanusi – Een islamitische godsdienstige orde, gevestigd in de negentiende eeuw en voornamelijk werkzaam in Libië.

Sarcofaag – Letterlijk 'vleeseter'. Een grote stenen kist waarin een lijk of een doodskist wordt geplaatst.

Scarabee – Een mestkever. Werd in het oude Egypte als heilig beschouwd.

Senwosret I – Farao in de Twaalfde Dynastie (Midden-Rijk). Regeerperiode ca. 1971-1926 v.C.

Seshat – Oud-Egyptische godin van schrijven, rekenen, architectuur en astronomie.

Seti I – Farao in de Negentiende Dynastie (Nieuw Rijk), vader van Ramses II. Regeerperiode ca. 1306 tot 1290 v.C.

Shepen – De papaver. Werd door de oude Egyptenaren medicinaal gebruikt om slaap te verwekken.

Shedeh – Een soort wijn gemaakt van rode druiven. In het oude Egypte zeer gewaardeerd.

Shia – De Shia-islam is van de twee belangrijkste denominaties in de islam (de andere is de Soenni-islam). De sjiieten en de soennieten delen een aantal geloofsgrondregels, maar er zijn bepaalde belangrijke verschillen. In de eerste plaats vinden de sjiieten dat na de dood van de profeet Mohammed het leiderschap van de moslimgemeenschap had moeten worden overgedragen aan zijn neef/schoonzoon Ali en niet aan zijn vriend en raadsman Abu Bakr. Voor de sjiieten besrust geestelijke autoriteit uitsluitend bij de rechtstreekse familie van de Profeet, en bij imams die rechtstreeks door God zijn aangesteld. De naam is een afkorting van het Arabische *shia'atu ali* de volgelingen van Ali. Van de moslims is slechts ca. tien tot vijftien procent sjiitisch, hoewel ze in Iran en Irak in de meerderheid zijn.

Sisha – Een waterpijp. Overal in Egypte en het Midden-Oosten te vinden in cafés en woonhuizen.

Sobek – Oud-Egyptische god afgebeeld met het lichaam van een man en een krokodillenkop. Hij is zowel de god van de Nijl als de beschermer van de farao en de goden Ra en Seth.

Soenni – De soennieten vormen de grootste denominatie van de islam, wereldwijd zo'n vijfentachtig van alle moslims. De soennieten beschouwen Abu Bakr, de Eerste Kalief, als de wettige opvolger van de profeet Mohammed, en geloven dat elk achtenswaardig man, ongeacht afkomst of achtergrond, de gelovigen kan voorgaan.

Stark, Freya (1893-1993) – Ontdekkingsreizigster en schrijfster, beroemd door haar baanbrekende reizen in het Midden-Oosten en Arabië. Werd in 1972 benoemd tot *Dame of the British Empire.*

Stèle – Rechtop staand stuk steen of hout voorzien van afbeeldingen en inscripties.

Taamiya – Een soort Egyptische falafel.

Talatat – Gestandaardiseerde blokken versierde steen zoals gebruikt bij de bouw van tempels onder farao Achnaton (ca. 1353-1335 v.C.). Latere farao's braken Achantons tempels af en hergebruikten de bouwstenen voor hun eigen monumenten. Er zijn bijna 40.000 talatat ontdekt in pylonen en onder vloeren van het tempelcomplex in Karnak.

Tasiaans – Een neolithische landbouwcultuur, genoemd naar Deir Tasa, de plaats in Opper-Egypte waar hij werd geïdentificeerd. Bloeitijd ca. 4500 v.C.

Tebu – Nomadenstam in de Sahara in Libië en Tsjaad.

Tin Hinan – Mythische koningin van de Toearegs.

Tjaty-vizier – De hoogste ambtenaar in het oude Egypte.

Torly – Een Egyptische stoofschotel van vlees – meestal lam of rundvlees – en groente.

Touria-hak – Op grote schaal gebruikt in de Egyptische landbouw en bij opgravingen.

Toeareg – Een nomadenstam van Berbers in Noord-Afrika. Ze bewonen de woestijngebieden van Mali, Niger en zuidelijk Algerije. Onderscheiden zich door hun blauwe gewaden.

Toetanchamon – Kind-farao van de Achttiende Dynastie die regeerde van ca. 1333 tot 1323. v.C. Zijn praktisch ongeschonden tombe werd in 1922 ontdekt door de Engelse archeoloog Howard Carter en wordt gezien als de grootste ontdekking in de geschiedenis van de Egyptische archeologie.

Turijnse koningenlijst – Een hiëratische papyrus, vermoedelijk daterend uit de regeerperiode van Ramses II (1290-1224 v.C.). Bevat een lijst van alle heersers in het oude Egypte tot aan het Nieuwe Rijk. Hoewel hij zwaar beschadigd en incompleet is, vormt hij een cruciaal hulpmiddel voor het vaststellen van de chronologie van de farao's. Hij werd in 1822 ontdekt door de Italiaanse reiziger Bernardino Drovetti en is te zien in het Egyptische museum in Turijn.

Tussenperiode – De drie Rijken van het oude Egypte werden van elkaar gescheiden door twee tussenperioden waarin het centrale gezag wegviel, de macht op lokaal niveau werd uitgeoefend en er geen farao was die over het hele Nijldal regeerde.

USAID – United States Agency for International Development. VS-organisatie die financiële en infrastructurele hulp biedt aan arme landen.

Vroege Dynastie – De eerste periode van de te boek gestelde Egyptische geschiedenis.

Wadi – Arabisch woord voor een dal en/of opgedroogde rivierbedding.

Wadjet – Een Egyptisch beschermingssymbool in de vorm van het oog van de havikgod Horus.

Washington Column – Een 350 meter hoge, boegvormige graniettoren in Yosemite National Park. Buitengewoon populair onder rotsklimmers.

Wingate, generaal-majoor Orde (1903-1944) – Brits avonturier en militair. Organiseerde in 1933 een expeditie te voet om Zerzura te zoeken.

Yosemite National Park – Een spectaculair nationaal park van 3081 vierkante kilometer aan de voet van de Sierra Nevada in oostelijk Californië. Telt veel grote rotsklimroutes.

Zaal van Twee Waarheden – De zaal waar volgens de oud-Egyptische mythologie het hart van de overledene werd gewogen met als contragewicht de veder van Maat, of wel de waarheid. Wanneer werd geoordeeld dat de overledene geen kwaad had gedaan, mocht hij Osirus gezelschap houden in het hiernamaals.

Zabbaleen – Een gemeenschap van voornamelijk Koptische christenen die het vuilnis van Caïro inzamelen en recyclen. Hun levenswijze wordt momenteel bedreigd omdat het stadsbestuur Europese bedrijven inschakelt voor de afvalverwerking.

Zamalek – Wijk in Caïro die het noordelijke deel van het eiland Gezira beslaat. Ook de naam van een van de twee grote voetbalclubs in die stad. Deze 'Witte Ridders' onderhouden een felle en soms gewelddadige rivaliteit met de andere voetbalclub El-Ahly.

Zawty – Het moderne Asuyt. In oude tijden de hoofdstad van de dertiende Nome van Opper-Egypte.